Les Secrets de Marie Madeleine

LES SECRETS DE MARIE MADELEINE

Traduit par Serge Rivest et Guy Rivest

Sous la direction de
DAN BURSTEIN et d'ARNE J. de KEIJZER

Introduction d'ELAINE PAGELS

Collaboratrice à la rédaction
DEIRDRE GOOD

Directrice de rédaction
JENNIFER DOLL

LES INTOUCHABLES

Les Éditions des Intouchables bénéficient du soutien financier de la SODEC, du Programme de crédits d'impôt du gouvernement du Québec et sont inscrites au Programme de subvention globale du Conseil des Arts du Canada.

Nous reconnaissons l'aide financière du gouvernement du Canada par l'entremise du Programme d'aide au développement de l'industrie de l'édition (PADIÉ) pour nos activités d'édition.

LES ÉDITIONS DES INTOUCHABLES
816, rue Rachel Est
Montréal, Québec
H2J 2H6
Téléphone : (514) 526-0770
Télécopieur : (514) 529-7780
info@lesintouchables.com
www.lesintouchables.com

DISTRIBUTION : PROLOGUE
1650, boulevard Lionel-Bertrand
Boisbriand, Québec
J7H 1N7
Téléphone : (450) 434-0306
Télécopieur : (450) 434-2627

Impression : Transcontinental
Infographie : Geneviève Nadeau
Révision, correction : Patricia Juste, Corinne Danheux
Illustration de la couverture : Léonard de Vinci, *Marie Madeleine*, 1515, collection privée.
Conception de la couverture : Leigh Taylor, Geneviève Nadeau

Titre original : *Secrets of Mary Magdalene*
Secrets of Mary Magdalene © Dan Burstein

Avec l'aimable autorisation de l'agent Danny Baror

Dépôt légal : 2006
Bibliothèque et Archives nationales du Québec
Bibliothèque nationale du Canada

ISBN-10 : 2-89549-244-1
ISBN-13 : 978-2-89549-244-3

Préface

Elle présente de multiples visages: pécheresse, pénitente, apôtre des apôtres, visionnaire, exorciste, dispensatrice de l'onction sacrée, incarnation de l'idéal chrétien, fondatrice d'une sainte lignée, déesse de l'union sacrée, femme autonome et nantie, modèle à imiter, modèle artistique, muse, icône féministe, révolutionnaire du plaisir, symbole de la spiritualité féministe, victime d'une religion misogyne, épouse de Jésus et tant d'autres visages encore. «Aucun autre personnage biblique – y compris Judas et peut-être même Jésus – ne s'est inscrit dans l'imagination humaine de façon aussi éclatante et étrange», affirme Jane Schaberg, l'une de nos collaboratrices. Il est aussi vrai de dire qu'aucun personnage issu de la culture judéo-chrétienne n'a suscité autant de controverse.

Aujourd'hui, il est clair que son image a été largement déformée et son influence spirituelle, annihilée. En fait, la nature véritable de Marie Madeleine a été occultée par une tradition religieuse qui l'a dépouillée de son autorité et a limité son importance sur le plan théologique en raison de son sexe. Au départ, pour la plupart des gens, sa présence était gênante. Les Romains considéraient, de façon générale, que les femmes n'étaient pas dignes de confiance, et les disciples de Jésus ont rapidement adopté ce point de vue. «Que Marie sorte de parmi nous, dit Pierre à Jésus dans l'*Évangile de Thomas*, car les femmes ne sont pas dignes de la Vie.» Au fil des ans, de nombreux pères de l'Église se sont ralliés à l'idée que Jésus était mort pour laver le monde du péché d'Adam. La source de ce péché, bien évidemment, était Ève. Au IIIe siècle, Tertullien, le farouche défenseur de l'orthodoxie chrétienne,

9

écrivait : « À cause de [la femme], même le Fils de Dieu était destiné à mourir. »

L'étape suivante survint un dimanche d'automne de l'année 591, lorsque le pape Grégoire le Grand affirma que Marie Madeleine avait été une prostituée avant d'être sauvée par le Christ. La chrétienté adhéra rapidement à cette image erronée – mais éloquente sur le plan religieux – de la sainte pécheresse. C'est cette interprétation du personnage de Marie Madeleine qui fonda le culte largement répandu qui s'érigea en France autour de sa personne au XIIIe siècle, alimenté par des légendes au sujet de son arrivée en Provence sur un bateau de fortune et de la « découverte » de ses ossements.

Pendant la Renaissance, plusieurs artistes trouvèrent en elle une muse aux inspirations variées offrant à la fois des formes généreuses (Titien) et un regard absent et austère (Donatello). Marie Madeleine est même devenue une espèce de pin up religieuse, comme le montre la toile récemment attribuée à Léonard de Vinci et qui orne la page couverture de cet ouvrage.

Les grands bouleversements sociaux provoqués par la révolution industrielle contribuèrent ensuite à ce que son nom fût invoqué dans les églises comme symbole de rébellion. Des religieuses commencèrent alors à fonder des maisons de Marie Madeleine destinées à sauver les filles perdues. À la fin du XIXe siècle, des artistes tels que Wagner et Rilke commencèrent à raviver l'idée selon laquelle Marie aurait été une partenaire sexuelle de Jésus. À la fin du XXe siècle, elle devint une icône féministe, un modèle pour les femmes au sein de l'Église et une sorte de guide spirituelle des tenants du Nouvel Âge. Le Vatican, cédant à la nouvelle école de pensée qui s'était développée en son sein même, décida en 1969 de renverser la tendance qui avait prévalu pendant quatorze siècles en décrétant que désormais Marie Madeleine devrait être identifiée comme la personne présente à la résurrection du Christ et non plus comme la pécheresse décrite dans l'Évangile selon saint Luc. Mais un aspect de son ancienne image a toutefois subsisté. Car, même réhabilitée, la représentation de Marie n'en a pas moins continué de revêtir une connotation sexuelle. Pensons simplement, à cet égard, au phénomène *Da Vinci Code* ou à ce que notre collaboratrice, la chanteuse pop Tori Amos, décrit comme la sensualité pécheresse[1] qui constitue l'une des forces d'attraction de Marie Madeleine.

Il semble donc que le personnage de Marie Madeleine continue, tel un miroir, de nous renvoyer une image de nous-mêmes et que c'est là que nous puisons sa signification véritable. Pour certains spécialistes et représentants de l'autorité religieuse, la croyance selon laquelle la doctrine chrétienne a été établie par Jésus et transmise depuis de façon continue doit demeurer inchangée. Même s'il est avéré que ce que l'on nous a enseigné sur Marie Madeleine ne provient pas de la bouche même du Christ, mais plutôt de la pensée du Moyen Âge. Beaucoup d'autres ont plutôt embrassé une forme de christianisme issue de la diversité et fondée sur des notions d'égalité et de tolérance. Pour d'autres encore, Marie Madeleine ne représente qu'un personnage parmi tant d'autres de l'histoire chrétienne. Mais si l'on considère à quel point le christianisme et la civilisation occidentale ont été étroitement associés depuis deux mille ans, l'évolution du mythe de Marie Madeleine reflète clairement la façon dont notre culture envisage le rôle de la femme de façon plus globale.

Cet ouvrage a été écrit afin de vous aider, chers lecteurs, à gratter les multiples couches de peinture qui en sont venues à masquer l'importance capitale de Marie Madeleine – sur le plan tant profane que religieux – et à tirer vos propres conclusions sur l'une des femmes les plus fascinantes et les plus marquantes de l'histoire.

Comme dans les ouvrages précédents de cette série – *Les Secrets du code Da Vinci* et *Les Secrets de Anges & démons* –, nous avons réuni un groupe remarquable de théologiens, de spécialistes et d'autres experts afin qu'ils contribuent à notre banquet intellectuel en nous offrant un large éventail de perspectives et d'expériences. Nous entendons partager avec vous les idées de gens fermement convaincus que tout ce qu'il faut savoir sur Marie Madeleine se trouve dans le

---

1. Dans le texte original anglais, l'auteur emploie le néologisme « *sinsuality* », qui évoque précisément une disposition à la sensualité où la notion de péché (*sin*) est centrale. (N.d.T.)

Nouveau Testament et d'autres qui estiment que les Évangiles « alternatifs » – en raison de l'accent particulier qu'ils mettent sur son rôle en tant que disciple, apôtre et proche compagne de Jésus – représentent la meilleure source possible pour juger de son importance. Nous vous proposons également de lire le point de vue de personnes qui la relient aux anciennes déités et à la notion de Féminin sacré. D'autres enfin voient en Marie Madeleine la source suprême d'inspiration en matière de créativité et de communion spirituelle.

Nous désirons attirer particulièrement votre attention sur le chapitre 5 de ce livre, dans lequel six des plus grands spécialistes mondiaux de Marie Madeleine sont engagés dans une discussion ouverte de type table ronde autour des principaux sujets, thèmes, controverses et débats relatifs à l'étude de Marie Madeleine dans le contexte du XXIe siècle. Chacun de ces collaborateurs a donné de multiples conférences, écrit et publié de nombreux articles et ouvrages sur cette question et d'autres sujets connexes tels que le rôle de Jésus dans l'histoire, les débuts du christianisme, le gnosticisme et d'autres tendances similaires au sein de la chrétienté, le rôle des femmes dans l'Église primitive, l'art religieux, l'archéologie et la culture des temps bibliques à nos jours ainsi que plusieurs autres sujets inscrits dans le champ de recherche genre/spiritualité/religion/mythe/archétype. Leurs travaux ont ouvert de nouvelles voies sur des événements qui se sont passés il y a deux millénaires et sur leur signification pour notre époque.

Un mot sur notre approche rédactionnelle. Nous avons voulu – de façon rigoureuse et complète – trouver les idées et les experts les plus intéressants et les plus susceptibles de susciter la réflexion, tout en recherchant un équilibre approprié de perspectives et d'éléments, qu'il s'agisse d'extraits déjà publiés, de textes originaux ou d'entretiens. Tous les documents originaux ont été identifiés et nous avons pris grand soin de distinguer clairement les textes originaux de ceux où nous parlons de notre propre voix. Ainsi, les courts textes de présentation des extraits, les entretiens et les textes originaux sont imprimés en caractères typographiques bien distincts. Par ailleurs, les textes déjà publiés qui ont fait l'objet d'une autorisation de réimpression sont identifiés par une signature et/ou un avis d'autorisation de réimpression ou de droits d'auteurs. Nous avons en outre tendu à uniformiser l'orthographe des noms propres dans nos propres textes, sans toutefois modifier celui des noms figurant dans les extraits de textes déjà publiés. Dans ces conditions, des différences d'appellation sont inévitables. Ainsi, certains auteurs parleront de Marie Madeleine et d'autres, de Marie de Magdala. Nous requérons à cet égard la compréhension de nos lecteurs. La plupart des textes d'introduction sont accompagnés de courtes notes biographiques. On trouvera à la fin de cet ouvrage des biographies plus complètes de nos collaborateurs. Nous suggérons aussi vivement à nos lecteurs de consulter leurs travaux.

L'histoire de Marie Madeleine concerne, à bien des égards, la manière dont notre société interprète les mythes, les légendes et le monde de l'inconnu en les confrontant au « monde réel ». Elle peut également nous ramener à ces valeurs essentielles que sont la compassion, l'ouverture, la tolérance et le respect des individus, et ce, au-delà des limites étroites d'un sexe, d'un groupe ou d'une personne. Nous vous invitons à explorer ces thèmes avec nous.

DAN BURSTEIN ET ARNE J. DE KEIJZER
Août 2006

INTRODUCTION

par Elaine Pagels

Qui était-elle, cette femme insaisissable – et fascinante – qui fréquentait le cercle de Jésus de Nazareth? Pendant près de deux mille ans, Marie Madeleine a pris dans l'imagination des chrétiens la forme d'une séduisante prostituée alors que, à notre époque, l'imagerie contemporaine la dépeint plutôt comme l'amante et l'épouse de Jésus et la mère de ses enfants. Pourtant, les premiers textes qui font mention de Marie Madeleine – qu'il s'agisse du Nouveau Testament ou d'autres documents – ne lui attribuent aucun de ces rôles à connotation sexuelle, donnant ainsi à penser que la nature de cette femme – et la façon dont nous en sommes venus à la considérer – est beaucoup plus complexe que ce que la plupart d'entre nous avons jamais imaginé. Était-elle donc l'une des disciples de Jésus, dotée d'une fortune lui permettant de le soutenir financièrement, comme l'affirme le premier Évangile du Nouveau Testament, celui de Marc? Ou une démente possédée par sept démons, ainsi que le soutient Luc? Ou la plus proche disciple de Jésus, qu'il aimait plus que toute autre, comme il est écrit dans l'*Évangile de Marie Madeleine*? Ou, pour employer les termes du *Dialogue du Sauveur*, «la femme qui comprenait toutes choses»?

Quand on consulte les plus anciennes sources disponibles, on rencontre constamment chacune de ces images divergentes et plus encore. Ce que l'on découvre également, c'est que les réponses que l'on trouve dépendent largement de la direction où l'on porte son regard. Le texte le plus ancien à cet égard est sans doute l'Évangile selon saint Marc, écrit quelque quarante ans après la mort de Jésus. Marc y affirme que, pendant que les soldats romains crucifiaient Jésus, Marie Madeleine, affligée, assistait à l'exécution parmi un groupe de femmes, alors que les apôtres s'étaient enfuis, craignant pour leur vie. En compagnie de Salomé et d'une autre femme appelée Marie (la mère de Jacques et de Joseph), Marie Madeleine continua de veiller jusqu'à ce que Jésus rende l'âme. Plus tard, avec ses compagnes, elle vit le corps soigneusement enveloppé dans des bandelettes de lin, porté au tombeau et enseveli dans une cave creusée à même un rocher.

Marc explique que Marie, Salomé et l'autre Marie « l'avaient suivi et l'avaient servi [Jésus] » – probablement en lui offrant le gîte et le couvert et peut-être même de l'argent pour combler certains besoins – lorsqu'il était en Galilée. Le matin suivant le sabbat, les femmes vinrent présenter à leur maître les derniers hommages, apportant au tombeau des aromates afin de terminer l'embaumement. Mais le compte rendu de Marc se conclut sur une note de confusion et de choc : trouvant le tombeau ouvert et vide, les femmes, ayant entendu dire que Jésus « est ressuscité, [et qu'] il n'est pas ici », s'enfuient, frémissantes de peur, puisque « le tremblement et le trouble les [ont] saisies ; et elles ne [disent] rien à personne car elles [ont] peur ».

Matthieu, qui avait lu la version de Marc, reprend les mêmes faits, mais en modifie la troublante conclusion. Selon lui, Marie et ses compagnes quittent rapidement le sépulcre, mais « avec crainte et une grande joie ». Et plutôt que de se taire, « elles [courent] l'annoncer à ses disciples ». C'est alors que, en chemin, Jésus ressuscité leur apparaît et s'adresse à elles.

Tout comme Matthieu, Luc connaissait le compte rendu de Marc, mais rédigea le sien dans un tout autre esprit. Afin qu'il soit clair aux yeux du lecteur que les femmes – *toute* femme et à plus forte raison Marie – *ne pouvaient pas* être des disciples de Jésus, Luc ignore le commentaire de Marc selon lequel Marie, Salomé et l'autre Marie avaient suivi Jésus (puisque, en affirmant une telle chose, il aurait laissé entendre qu'elles figuraient parmi les disciples). Luc établit alors délibérément une nette différence entre « les douze » – les hommes que, selon lui, Jésus reconnaissait comme ses disciples – et « les femmes », qu'il classe parmi les indigents, les malades et les névrosés qui se pressaient autour de Jésus et de ses disciples. Donc, contrairement à Marc, Luc affirme, que lorsqu'elle se présenta à Jésus, Marie était possédée par des esprits démoniaques et qu'elle n'était que l'une de ces femmes «qui avaient été guéries d'esprits malins et d'infirmités» par Jésus. Luc identifie ces femmes comme étant «Marie, qu'on appelait Magdeleine, de laquelle étaient sortis sept démons, et Jeanne [...] et Suzanne, et plusieurs autres» qui, admet-il, «l'assistaient de leurs biens».

Lorsqu'il relate la crucifixion et la mort de Jésus, Luc modifie trois passages de Marc dans lesquels ce dernier évoque nommément Marie Madeleine, évitant pour sa part de la nommer et la classant simplement parmi un groupe anonyme qu'il appelle «les femmes».

Seulement après que ces femmes anonymes ont raconté ce qu'elles avaient vu aux «onze» (le cercle fermé qu'il appelle «les douze» jusqu'à ce que Judas l'Iscariote trahisse Jésus), Luc nomme les trois femmes. Car à ce point de son récit, semble-t-il, il importe de les identifier afin de valider leur témoignage, et c'est pourquoi il nomme les trois femmes qu'il considère comme les plus en vue du groupe, soit Marie Madeleine, Marie – la mère de Jacques et de Joseph – et Jeanne. Même si Luc – tout comme Jean – décrit «les femmes» de façon positive, il y a lieu de se demander pourquoi, à certains moments, il dénigre Marie et minimise l'importance de son rôle.

Aujourd'hui, grâce à la découverte relativement récente d'autres Évangiles anciens – des récits qui ne font pas partie du Nouveau Testament et qui sont demeurés pratiquement inconnus pendant près de deux mille ans –, nous sommes mieux en mesure de comprendre les intentions de Luc. Car ces autres Évangiles, découverts en Égypte et traduits en langue copte, avaient à l'origine été rédigés en grec, tout comme les textes du Nouveau Testament. La question de savoir quand ils ont été écrits demeure matière à débat parmi les spécialistes, mais ceux-ci s'entendent généralement pour dire que la plupart de ces textes ont été rédigés au cours des deux premiers siècles de la chrétienté. Ces documents comportent des révélations étonnantes: de façon unanime, chacun de ces Évangiles récemment découverts – l'*Évangile de Marie Madeleine*, l'*Évangile de Thomas*, l'*Évangile de Philippe*, la *Sagesse de Jésus-Christ* et le *Dialogue du Sauveur* –

décrit Marie comme l'une des plus proches disciples de Jésus, celle à qui il accordait toute sa confiance. Certains la dépeignent même comme la principale disciple, la plus proche confidente de Jésus, celle qui était le mieux en mesure de comprendre ses secrets les plus intimes. On peut constater que Luc refusait apparemment de reconnaître que certaines de celles qu'il appelait simplement « les femmes » étaient elles-mêmes considérées comme des disciples de plein droit. Bien que les contraintes d'espace ne nous permettent pas de trop nous étendre sur ces textes remarquables dans le cadre de cette introduction, examinons brièvement chacun de ces Évangiles à tour de rôle.

D'abord, l'*Évangile de Marie Madeleine* présente Marie comme une disciple de premier plan. Découvrant que les apôtres sont terrifiés à l'idée de prêcher la parole de Jésus après la mort de celui-ci, craignant de subir le même sort, Marie se lève et les harangue, tournant « leur cœur vers le bien ». Quand Pierre, reconnaissant que « le Maître [l]'a aimée différemment des autres femmes », demande à Marie de lui dire « les paroles qu'il [lui] a dites » en secret, Marie y consent. Lorsqu'elle a terminé, Pierre, furieux, demande : « Est-il possible que le Maître se soit entretenu ainsi, avec une femme, sur des secrets que, nous, nous ignorons ? Devons-nous changer nos habitudes, écouter tous cette femme ? L'a-t-il vraiment choisie et préférée à nous ? » Bouleversée par un tel accès de rage, Marie répond : « Mon frère Pierre, qu'as-tu dans la tête ? Crois-tu que c'est toute seule, dans mon imagination, que j'ai inventé cette vision ? Ou qu'à propos de notre Maître je dise des mensonges ? » À ce moment, Levi se lève pour apaiser les esprits. « Pierre, tu as toujours été un emporté ; je te vois maintenant t'acharner contre la femme, comme le font nos adversaires. Pourtant, si le Maître l'a rendue digne, qui es-tu pour la rejeter ? Assurément, le Maître la connaît très bien. Il l'a aimée plus que nous. » L'*Évangile de Marie* s'achève sur la décision des disciples de reconnaître l'enseignement de Marie et ils s'engagent tous, dès lors, à proclamer l'Évangile.

Tout comme l'*Évangile de Marie*, l'*Évangile de Thomas* décrit Marie comme l'une des disciples de Jésus. À cet égard, il est frappant de constater que, dans ce document, on ne nomme que six disciples, et non douze, et que *deux* d'entre eux sont des femmes, soit Marie Madeleine et Salomé. Toutefois, comme c'est le cas dans l'*Évangile de Marie* avec la dispute entre Pierre et Marie, plusieurs passages de l'*Évangile de Thomas* montrent que, à l'époque où il fut écrit – probablement entre les années 90 et 100 –, la question de la place des femmes parmi les disciples soulevait déjà de violentes controverses. Au verset 61, par exemple, Salomé demande à Jésus de lui dire qui il est: «Qui es-tu, homme? De qui es-tu né, pour être monté sur mon lit et avoir mangé à ma table?» Jésus répond: «Je suis celui qui a été créé de Son égal», c'est-à-dire du domaine divin, qui transcende les genres. Il rejette ainsi le postulat que sous-entend la question, à savoir que son identité est d'abord masculine, tout comme celle de Salomé est avant tout féminine. Comprenant instantanément ce qu'il veut dire, Salomé reconnaît que c'est ainsi qu'elle le perçoit également. Sa réponse est alors immédiate: «Je suis ta disciple.»

Toutefois, comme on l'a aussi vu dans l'*Évangile de Marie*, Pierre s'oppose à la présence de femmes parmi les disciples. Au verset 114 de l'*Évangile de Thomas*, Pierre dit à Jésus: «Que Marie sorte de parmi nous, car les femmes ne sont pas dignes de la Vie [spirituelle].» Mais plutôt que de congédier Marie, Jésus rabroue Pierre en lui disant qu'il fera de Marie un «esprit vivant», de sorte qu'elle – ou toute autre femme – puisse accéder à une vie spirituelle au même titre que tout homme dans la tradition juive du Ier siècle.

Dans le dialogue appelé *Sagesse de Jésus-Christ*, on trouve le compte rendu d'une autre dispute au cours de laquelle Pierre remet en question le droit de parole de Marie au sein des disciples. Dans ce passage, alors que Marie pose plusieurs questions à Jésus, Pierre l'interrompt et se plaint à ce dernier de ce que Marie parle trop et, ce faisant, nie la priorité à laquelle Pierre et ses frères disciples devraient avoir droit. Là encore, tout comme dans l'*Évangile de Marie Madeleine* et l'*Évangile de Thomas*, la tentative de Pierre d'imposer le silence à Marie lui vaut une rapide réprimande, cette fois de la part de Jésus lui-même. Plus loin, toutefois, Marie avoue à Jésus qu'elle ose à peine lui parler librement: «Pierre me fait hésiter; j'ai peur de lui car il déteste la race féminine.» Jésus lui répond que quiconque, homme ou femme, est inspiré par l'Esprit est investi du droit divin de s'exprimer.

Ce climat de conflit entre Marie et Pierre, qui est récurrent dans tant de documents – et qui se manifeste par le refus de Pierre de reconnaître Marie comme disciple et à plus forte raison comme une disciple de premier plan – est sans doute le reflet de ce que les gens de l'époque ont su et dit à propos des relations entre les deux. Nous savons également que, puisque beaucoup de femmes se sont identifiées à Marie Madeleine, certaines personnes au sein de la chrétienté ont raconté beaucoup de choses sur elle – ou contre elle – afin d'étayer leur argumentation sur l'opportunité ou la manière d'inclure les femmes dans leurs cercles.

À cet égard, il faut noter que les auteurs qui dépeignent Pierre comme le disciple choisi par Jésus pour diriger son Église – à savoir ceux qui ont rédigé les Évangiles selon saint Marc, selon saint Matthieu et selon saint Luc – sont ceux-là mêmes qui décrivent Marie comme exclue du cercle des disciples, simple femme parmi d'autres et même – dans le cas de Luc – comme ayant déjà été possédée du démon. Ce qui confère une importance historique à leurs écrits est, bien sûr, le fait qu'ils représentent trois des quatre Évangiles figurant dans le canon du Nouveau Testament et qu'ils sont fréquemment invoqués, encore aujourd'hui, pour « démontrer » que les femmes ne devraient pas avoir accès à des postes d'autorité au sein des églises chrétiennes.

Soulignons aussi que, à l'inverse, tous les documents qui reconnaissent Marie comme chef de file parmi les apôtres ont été exclus du Nouveau Testament. Lorsque ces textes furent ainsi éliminés – en particulier l'*Évangile de Marie Madeleine*, l'*Évangile de Thomas*, l'*Évangile de Philippe*, la *Sagesse de Jésus-Christ* et le *Dialogue du Sauveur* –, beaucoup de chrétiens ont exclu du même coup la conviction que les femmes pouvaient – ou devaient – diriger les églises au même titre que les hommes.

Le *Dialogue du Sauveur*, un autre texte ancien découvert en même temps que les Évangiles « alternatifs », se présente comme le compte rendu d'un dialogue entre Jésus ressuscité et trois de ses disciples – Matthieu, Thomas et Marie – qu'il désigne pour recueillir une révélation particulière. Là encore, après que chacun des trois a entamé le dialogue avec Jésus, le document réserve les plus hauts éloges à Marie : « Elle a dit cette parole comme une femme qui a compris le Tout. »

Avant de nous pencher sur les captivantes études contenues dans le présent ouvrage, évoquons brièvement l'un des plus fascinants parmi l'ensemble de ces documents, soit l'*Évangile de Philippe*. Celui-ci montre comment une bonne partie des premiers chrétiens voyaient en Marie Madeleine la compagne quotidienne de Jésus. Certains contemporains, faisant une lecture littérale de cet Évangile, en ont conclu qu'elle était son amante et épouse. Il est vrai que l'*Évangile de Philippe* la décrit comme la compagne la plus intime de Jésus et que le terme grec «*syzygos*» – qui signifie «compagnon» – peut suggérer une intimité de nature sexuelle. En outre, comme les documents dont nous avons parlé précédemment, l'*Évangile de Philippe* témoigne d'une rivalité entre Marie Madeleine et les disciples de sexe masculin.

> *Et la compagne du Fils est Marie Madeleine. [Le Seigneur l'aimait] plus que [tous] les disciples et il l'embrassait souvent sur [la bouche]. Les disciples le voyaient et ils lui dirent : « Pourquoi l'aimes-tu plus que nous ? » Le Sauveur répondit et leur dit : « Comment se fait-il que je ne vous aime pas autant qu'elle ? »*

Ce passage, dans lequel l'*Évangile de Philippe* dépeint Marie comme la compagne de Jésus – et peut-être même son épouse –, a inspiré à Dan Brown l'un des sujets d'intrigue les plus controversés du *Da Vinci Code*. Pour les fins de son récit, Brown interprète ce texte de façon littérale. Mais s'il avait poursuivi sa lecture de l'*Évangile de Philippe*, il aurait compris que l'auteur considère Marie Madeleine comme une présence prépondérante, mais sur le plan *spirituel*, c'est-à-dire comme une personne qui révèle le divin dans sa forme féminine, avant tout comme reflet de la sagesse divine et de l'Esprit saint.

Quand les prophètes et les poètes d'Israël évoquaient en langue hébraïque l'*esprit* divin et la *sagesse* divine, ils reconnaissaient le genre féminin. Dans la Bible, le Livre des proverbes parle de la sagesse comme d'une présence spirituelle féminine qui a partagé avec Dieu les travaux de la création :

> *L'Éternel m'a possédée au commencement de sa voie, avant ses œuvres d'ancienneté. Dès l'éternité, je fus ointe, dès le commencement, dès avant les origines de la*

terre. Quand il n'y avait pas d'abîmes, j'ai été enfantée, quand il n'y avait pas de sources pleines d'eau. Avant que les montagnes fussent établies sur leurs bases, avant les collines, j'ai été enfantée, lorsqu'il n'avait pas encore fait la terre et les campagnes, et le commencement de la poussière du monde.

Donc, l'*Évangile de Philippe* reconnaît en Marie la sagesse divine – «*hokhmah*» en hébreu et «*sophia*» en grec, deux termes féminins – qui se manifeste dans le monde. On évoque fréquemment dans la tradition mystique juive la manifestation de Dieu dans le monde non seulement comme la sagesse, mais aussi comme la *shehkina*, c'est-à-dire la présence. Plus de mille ans après la rédaction de l'*Évangile de Philippe*, la tradition kabbalistique célébrera cet aspect féminin de Dieu comme son épouse divine en utilisant le langage des mystiques partout dans le monde.

De la même façon, l'*Évangile de Philippe* glorifie Marie Madeleine comme témoignant de l'esprit divin, que l'auteur nomme «la vierge qui était descendue» des cieux. Alors que les chrétiens disaient de Jésus qu'il était né d'une vierge, l'auteur de ce texte reconnaît ce fait, mais refuse de l'interpréter dans son sens littéral. Ainsi, certaines personnes, souligne-t-il, croient que la mère de Jésus est devenue enceinte sans l'assistance d'un homme, sans qu'il y ait de relation sexuelle. Ces gens, dit-il, «se trompent, ils ne savent pas de quoi ils parlent» et ne comprennent pas les questions spirituelles (encore, faut-il noter, que ce point de vue sur la naissance du Christ soit exprimé dans le Nouveau Testament par les Évangiles selon saint Matthieu et selon saint Luc). Jésus, poursuit l'*Évangile de Philippe*, est plutôt né, comme tous les humains, de parents biologiques. La différence, affirme l'auteur, c'est qu'il est aussi «né de nouveau» dans le baptême, c'est-à-dire né spirituelle-ment pour devenir le fils de son Père dans les cieux et de sa mère céleste, l'Esprit saint.

Plusieurs autres textes découverts en même temps que cet Évangile tiennent le même langage. L'*Évangile de vérité* fait aussi valoir que la grâce nous restaure à nos sources spirituelles, nous ramenant «au Père, à la Mère et à Jésus dans son infinie douceur». Par ailleurs, le *Livre secret de Jean* raconte comment l'apôtre, éploré après la crucifixion de Jésus, s'était retiré dans le désert, en proie au doute et à la crainte, jusqu'à ce que soudainement «la création entière s'illumine d'une lumière apparue en dessous des cieux et [que] le monde entier [soit] ébranlé». «Et voici que m'apparut un enfant, puis il changea d'apparence prenant celle d'un vieillard en qui il y avait une lumière.» Alors que Jean, ébahi, contemplait cette apparition, il entendit la voix de Jésus, provenant de la lumière, qui s'adressait à lui: «Jean, pourquoi es-tu perplexe et effrayé? [...] Je suis avec toi en tout temps. Je suis le Père, je suis la Mère, je suis le Fils.»

Aussi étonnant que cela paraisse d'emblée, qui d'autre s'attendrait-on à trouver aux côtés du Père et du Fils, sinon la Mère divine, l'Esprit saint? Mais cette formulation primitive de la Trinité reflète apparemment le fait que l'on utilise le terme hébreu signifiant «esprit», «*Ruah*», désignant un être féminin. Cette connotation féminine s'est perdue lorsque le mot a été traduit en grec, la langue du Nouveau Testament, et qu'il est alors devenu neutre.

Cette brève esquisse montre donc assez le vaste éventail d'interprétations et la richesse de sens que les premiers chrétiens associaient à Marie Madeleine et qu'examinent et développent les textes contenus dans le présent ouvrage. Du Ier siècle à nos jours, poètes, artistes et mystiques se sont évertués à glorifier cette femme remarquable qui «a compris le Tout». Aujourd'hui, à travers les travaux de recherches présentés dans ce livre et les débats déjà engagés, nous sommes en mesure d'en apprendre un peu plus sur Marie Madeleine et, du même coup, sur nous-mêmes.

ELAINE PAGELS
Princeton, New Jersey
Mai 2006

CHAPITRE 1

Marie Madeleine. La fin de l'ostracisme

Une fascination à l'égard de Marie Madeleine :
Confessions d'un admirateur du *Da Vinci Code*

par Dan Burstein

Il était environ deux heures du matin par une chaude nuit de 2003. J'avais entrepris la lecture du *Da Vinci Code* plus tôt cette soirée-là et l'avais lu pendant plusieurs heures, avec un intérêt soutenu d'un chapitre à l'autre. J'étais littéralement fasciné par ce roman qui se révélait être un polar intrigant en même temps qu'une véritable chasse au trésor à travers les mythes, les légendes et les symboles qui ont imprégné la civilisation occidentale pendant plusieurs millénaires.

Lorsque je suis arrivé à la scène se déroulant dans la bibliothèque de Leig Teabing où ce personnage fictif explique sa thèse selon laquelle la personne assise à la droite de Jésus dans *La Cène* de Léonard de Vinci est en réalité une femme – et que cette femme doit être Marie Madeleine, qui est également censée être la compagne, la partenaire et l'épouse de Jésus, et même la mère de son enfant et, en conséquence, l'incarnation du Saint-Graal –, je n'ai pu résister à l'envie de me rendre dans ma bibliothèque de livres d'art et de jeter un nouveau coup d'œil à *La Cène*. Silencieusement, au milieu de la nuit, j'ai retiré de l'étagère le grand livre des œuvres de De Vinci qui appartenait à ma famille depuis des décennies. J'ai posé un regard nouveau sur ce tableau que je connaissais bien et, ensorcelé par les histoires de complots du *Da Vinci Code* de Dan Brown, dans la semi-obscurité de la nuit, j'ai découvert à ma grande surprise que ce que j'avais toujours pris pour le personnage de Jean ressemblait effectivement à une femme.

27

C'est à ce moment que j'ai commencé mon odyssée afin de départager la réalité de la fiction dans le *Da Vinci Code* et que j'ai porté un nouvel intérêt aux études, aux découvertes archéologiques et aux nouvelles réflexions sur les événements et les personnages de l'époque biblique, ainsi que sur la façon de les interpréter de nos jours.

Quand je me suis rendu chez Barnes & Noble, la librairie du coin, la première chose que j'ai découverte a été l'abondance de livres récents sur Marie Madeleine. J'y ai trouvé des bouquins comme le livre à grand tirage *The Gnostic Gospels*[2], d'Elaine Pagels, de même que ceux de Karen King, de Margaret Starbird, de Susan Haskins, de Lynn Picknett, de Tim Freke, et des dizaines d'autres, de *Nag Hammadi Library* jusqu'à *Holy Blood, Holy Grail*[3] qui avait suscité de l'intérêt au cours des quatre dernières décennies. Il y avait un livre de Robert Graves sur la déesse blanche, un autre de Rianne Eisler sur les symboles du calice et de la lame, ainsi que le roman de Nikos Kazantzakis racontant le rêve de Jésus avec Marie Madeleine au moment où il mourait sur la croix. Au cours des années 1960, dans la comédie musicale *Jesus Christ Superstar*, le personnage incarnant Marie chantait d'une voix plaintive : « Je ne sais comment l'aimer. » Odetta, la chanteuse de blues, de folk et de gospel, avait créé une version de la chanson *John Henry* qui mettait en scène le mariage de John Henry et de Marie Madeleine. Au milieu des années 1990, j'ai appris l'existence de plusieurs événements célébrant l'anniversaire officiel de Marie Madeleine (le 22 juillet) aux États-Unis. L'an dernier, on faisait état de plus de trois cents de ces événements. De toute évidence, ces activités sont passées de quelques-unes au milieu des années 1990 à plusieurs centaines l'an dernier. Bref, les gens réfléchissaient à d'autres interprétations du rôle de Marie Madeleine bien avant la parution du *Da Vinci Code*.

Cependant, tout comme moi, la plupart des gens n'accordaient pas beaucoup d'attention à l'histoire de Marie Madeleine ou ils n'étaient même pas conscients du fait qu'elle

---

2. Elaine Pagels. *Les Évangiles secrets*, trad. par Tangy Kenec'hdu, Paris, Gallimard, coll. « Le monde actuel », 1982.

3. Michael Baigent, Richard Leigh et Henry Lincoln. *L'Énigme sacrée*, trad. par Brigitte Chabrol, Paris, Pygmalion, 1983.

subissait une réinterprétation jusqu'au moment où le *Da Vinci Code* devint un phénomène mondial, le livre ayant été lu par plus de soixante millions de personnes au cours des dernières années et sa version cinématographique ayant été vue par plusieurs centaines de millions de plus. Quelles que soient les opinions critiques au sujet du *Da Vinci Code*, ce livre devenait rapidement une des œuvres culturelles marquantes des premières années du troisième millénaire.

Dès les débuts de ce qui est vite devenu une fascinante aventure – à partir de cette nuit, au milieu de ma lecture du roman, lorsque j'ai de nouveau regardé, par-delà cinq siècles d'histoire de l'art, le chef-d'œuvre de De Vinci et envisagé de produire un guide qui s'est abondamment vendu dans le monde entier sur les questions qu'avait soulevées le livre –, une chose m'a sauté aux yeux : le fait que Marie Madeleine est « la vedette » du *Da Vinci Code*. Il existe une multitude de raisons pour lesquelles le *Da Vinci Code* est devenu si populaire et si controversé. Mais si je devais donner une seule explication au phénomène qu'a engendré ce roman, je dirais qu'il s'agit de ses arguments provocateurs à propos de Marie Madeleine (aussi théoriques ou fictifs soient-ils) et de la corde sensible qu'ont fait vibrer ces idées à ce moment particulier au sein de la culture mondiale.

Dan Brown n'a pas inventé les arguments et les thèses au sujet de Marie Madeleine, si essentiels dans le *Da Vinci Code*, mais, en créant ce mélange de culture populaire et de culture intellectuelle, il y a inséré des parties d'idées et d'arguments tirés des œuvres de ceux qui, durant les quatre dernières décennies, avaient écrit de nouvelles biographies et élaboré de nouvelles idées sur Marie Madeleine. Ses sources allaient de la littérature occulte aux recherches universitaires, de la tradition mystique aux découvertes archéologiques, en passant par les pures escroqueries et impostures. Il a synthétisé et comprimé ces récits, les a étirés et tordus, pour les intégrer à sa fascinante intrigue. Ce faisant, il a contribué à faire de Marie Madeleine la nouvelle « vedette féminine » du XXIe siècle. Parallèlement, il a également mis en lumière son rôle en tant que « vedette féminine » du Ier siècle.

Même s'il ne représente essentiellement qu'« un roman populaire » rempli de faits réels et de faits fictifs, de théories et de contes, le *Da Vinci Code* est quand même devenu l'élément central des connaissances populaires sur Marie Madeleine et il a donné lieu aux débats contemporains sur le personnage historique de Jésus, la signification des autres Évangiles, le rôle des femmes au sein de l'Église, le gnosticisme et les différentes tendances philosophiques chez les premiers chrétiens. Même les principaux chercheurs dans ce domaine, que les erreurs et les faits prêtant à confusion dans le *Da Vinci Code* agacent, se sentent contraints de répondre aux arguments du roman – parce qu'ils savent que c'est ce roman, et non leurs travaux d'érudition ou ceux d'autres spécialistes, qui a éveillé l'intérêt et frappé l'imagination de dizaines de millions de personnes. De fait, le *Da Vinci Code* présente, sous la forme tangible d'un livre, des centaines de parties d'idées et d'arguments qui le relient à l'éveil spirituel que connaît ce début de millénaire.

En cette époque de grande incertitude, de nouvelles idées religieuses et spirituelles s'imposent au monde entier. L'expérience qui consiste à vivre au XXIe siècle souligne aux yeux de beaucoup de gens l'apparente absence d'un dieu juste et bienveillant. D'une part, nous vivons dans un environnement où surviennent des événements à la fois terribles et inexplicables : les attentats du 11 septembre 2001, les kamikazes, le sida, le tsunami en Asie, Katrina, le Darfour, le Rwanda, l'intolérance, la corruption ainsi que l'exploitation sexuelle et la violence au sein des familles, des communautés et même de l'Église. D'autre part, notre monde a créé une richesse matérielle stupéfiante qui a généré d'importantes découvertes scientifiques. Il a brisé presque toutes les barrières et les anciens tabous. Alors que ce nouvel ordre mondial était édifié et que les citoyens de ce monde postmoderne étaient libérés des anciennes restrictions religieuses, les gens de partout dans le monde se sont trouvés déracinés par rapport à leurs coutumes et croyances traditionnelles. Bien qu'elle soit riche, productive et appréciable, notre culture est de plus en plus grossière, commerciale, vulgaire et aliénante.

Devant ces contradictions, il existe différents types de réactions religieuses et spirituelles. Les croyances religieuses traditionnelles tirent parti, sous une forme ou une autre, d'un immense renouveau – du fondamentalisme islamique au judaïsme orthodoxe, en passant par l'Opus Dei et l'évangélisme protestant des chrétiens régénérés. Mais, au moment même où l'orthodoxie s'attire de nouveaux adhérents, de nouvelles religions et de nouvelles orientations spirituelles de tous genres se révèlent également attrayantes. On estime que, aux États-Unis, il se crée quelque deux cents nouvelles religions chaque année. Au sein de notre culture populaire, cette résurgence de la religion se reflète dans toute une série d'œuvres qui vont de *La Passion du Christ* de Mel Gibson au *Da Vinci Code* de Dan Brown.

En réalité, *La Passion du Christ* nous dit : c'est exactement ainsi que les choses se passaient il y a deux mille ans. Nous savons ce qui s'est produit ; c'est arrivé exactement tel que l'affirment les Écritures traditionnelles et nous allons nous servir des puissants outils modernes du cinéma hollywoodien pour vous donner l'impression d'avoir, vous aussi, assisté à ces événements apocalyptiques. Vous quitterez le cinéma, habité d'une nouvelle perception de la croyance traditionnelle en Jésus et avec le désir de mieux comprendre le message traditionnel chrétien.

À l'autre extrémité du spectre, le *Da Vinci Code* affirme : tout ce qu'on vous a raconté sur ce qui est survenu il y a deux mille ans est probablement faux. On ne vous a jamais soufflé mot des éléments les plus importants, comme la véritable nature de Marie Madeleine. Vous devriez tout remettre en question parce que des gens puissants fomentent un complot pour dissimuler la véritable histoire. Ceux que l'on qualifie d'hérétiques sont en réalité les vrais croyants, et ceux qui qualifient les autres d'hérétiques sont de faux prophètes.

Selon l'interprétation du *Da Vinci Code*, les empereurs romains païens, ennemis de Jésus, se sont plus tard emparés de son mouvement et ont modifié de fond en comble sa philosophie et rétabli le rôle du christianisme en tant que religion d'État hiérarchique, patriarcale et impérialiste de l'Empire. En cours de route, ils ont révisé le rôle des femmes à titre de prêtresses et de prophétesses, ils ont annihilé l'esprit de la Déesse, le Féminin sacré, et l'union de la dualité mâle et femelle qui constituait un élément fondamental de certains cultes religieux en Égypte, en Grèce et ailleurs autour de la Méditerranée orientale. Les Romains ont modifié l'antimatérialisme révolutionnaire de Jésus en utilisant plutôt le christianisme pour justifier l'accumulation de puissance et de richesses. Plutôt que de favoriser l'autoréalisation prônée par des documents gnostiques comme l'*Évangile de Thomas* et l'*Évangile de Marie*, ils ont utilisé les Évangiles acceptés et approuvés pour conserver leur emprise sur les serfs, les esclaves et les soldats. Ils ont éliminé la recherche du savoir en lui-même et la possibilité de se rapprocher de Dieu de manière individuelle, superposant à la religion simple, sans intermédiaire et autodirigée de Jésus, l'infrastructure des prêtres et des papes, des églises, des confessionnaux, des cathédrales et des croisades. Ils ont dénoncé en tant qu'hérésie les traditions liées aux Mystères et les pratiques gnostiques qui consistaient à toujours davantage rechercher, de l'intérieur, des connaissances sur le sacré. Et ils ont remplacé ce qui constituait un mouvement religieux diversifié et en pleine évolution par le dogme de récits évangélistes imparfaits et contradictoires qui, affirmaient-ils, représentaient la vraie parole de Dieu.

De la façon dont l'intrigue du *Da Vinci Code* est racontée, Marie Madeleine constitue le symbole de tout ce qui a été extirpé de la cosmologie initiale du révolutionnaire qu'était Jésus, perdant ainsi de manière tragique toute la sagesse et le savoir au détriment des générations futures. Dans le roman, Marie symbolise également la possibilité de ramener la foi chrétienne à ses véritables principes spirituels. Il n'y a pas lieu de s'étonner que certaines personnes aient interprété le *Da Vinci Code* de façon plus sérieuse que le roman d'aventures qu'il devrait être. Le roman est construit comme une quête romantique du Graal sur le modèle de « l'odyssée du héros » à la Joseph Campbell ou à la Carl Jung afin de retrouver ce qui a été perdu, de terrasser les démons et les dragons de l'adversité, et de retrouver et reconnaître la véritable identité de l'héroïne ainsi que de lui rendre la place qui lui revient de droit. Que Marie Madeleine se trouve ou non dans *La Cène* ou que Léonard de Vinci l'ait ou non considérée comme le Saint-Graal, elle représente sans aucun doute le Saint-Graal du *Da Vinci Code*.

On a beaucoup fait état des erreurs historiques maladroites dans le *Da Vinci Code*, de la façon avec laquelle son auteur prend certaines libertés avec les questions de foi, de théologie et de pratiques religieuses, et de son inaptitude apparente à discerner ce qui, aux yeux de la plupart des spécialistes, est une démarcation claire entre les faits et la fiction. Toutes ces critiques sont valables dans une certaine mesure, mais elles passent à côté de la question. Tout d'abord, il est quelque peu difficile de croire d'emblée les critiques selon lesquelles le *Da Vinci Code* constituerait un amalgame impie de réalité et de fiction lorsque de telles critiques sont émises par les mêmes personnes qui omettent de reconnaître que l'on trouve le même problème dans les écritures religieuses – traditionnelles, gnostiques, juives, chrétiennes ou autres. À mon avis, le fait de mêler la réalité et la fiction jusqu'à ce qu'il devienne presque impossible de distinguer l'une de l'autre ne soulève pas davantage un problème logique lorsqu'il s'agit de réagir à l'histoire racontée dans le *Da Vinci Code* qu'il n'en soulève un lorsqu'il s'agit de réagir aux histoires racontées dans la Bible.

Mais ce qui nous intéresse peut-être plus ici, c'est la valeur et même la validité du *Da Vinci Code* à un certain niveau d'abstraction. Si vous prenez un certain recul, si vous oubliez les détails erronés pendant un moment (de même que les mauvais dialogues, ou certains personnages taillés à la hache et quelques éléments incroyables de l'intrigue) et vous concentrez sur le portrait global, vous commencerez à voir que le *Da Vinci Code* parvient assez bien à transmettre au moins une partie des grandes idées que des érudits, des théologiens, des féministes et d'autres pionniers ont émis à propos de Marie Madeleine au cours des dernières décennies.

Dans le *Da Vinci Code*, nous apprenons surtout ce que Marie Madeleine *n'était pas* : elle *n'était pas* une prostituée, pas plus qu'une femme repentie ou autre chose. Même les gardiens autoproclamés de la pureté religieuse qui ont attaqué ce qu'ils avaient perçu comme de nombreux affronts à la théologie et à l'histoire dans le *Da Vinci Code* n'ont généralement pas attaqué l'hypothèse « scandaleuse » selon laquelle Marie Madeleine *n'était pas* la prostituée repentie que l'Église catholique romaine a fait d'elle à partir de l'époque du pape Grégoire le Grand en 591 jusqu'en 1969. Ce n'est qu'à ce moment, face aux résultats des recherches entreprises par le Vatican lui-même, de même que par le mouvement féministe qui s'apprêtait à balayer le monde, que des mesures correctrices modestes ont été mises en œuvre pour reformuler certains passages de documents officiellement approuvés par le Vatican et pour dissocier Marie Madeleine de son rôle de prostituée. Bien sûr, le fait que Marie Madeleine ait été, pendant mille trois cent soixante-dix-huit ans profondément intégrée dans la conscience occidentale en tant que prostituée a eu certains effets qui subsistent encore aujourd'hui. J'ai peu fréquenté les services religieux catholiques, mais, aussi récemment qu'au milieu des années 1990, j'ai entendu un prêtre faire un sermon sur la signification du fait que Jésus ait pardonné les péchés de Marie Madeleine la prostituée. Cela se passait presque trente ans après que l'Église eut prétendument corrigé le tir.

La version officielle modifiée de sainte Marie Madeleine, si radicale soit-elle aux yeux de l'Église, était déjà courante parmi les étudiants des principaux départements de théologie des universités américaines au cours des années 1970 et 1980, alors que les écritures apocryphes retrouvées à Nag Hammadi, en Égypte, en 1945 faisaient l'objet d'intenses débats et de brillantes dissertations doctorales. Les personnes qui ont lu le livre novateur d'Elaine Pagels, *The Gnostic Gospels*[4], et d'autres œuvres révolutionnaires semblables au sujet de Marie, du Jésus historique et du mouvement gnostique, s'en sont trouvées également éclairées. Pourtant, parmi les milliards de chrétiens dans le monde en 2003, fort peu savaient que la biographie de Marie Madeleine ne comportait plus un épisode à titre de prostituée. En fait, ils ne le savaient pas jusqu'à ce qu'ils lisent le *Da Vinci Code* cette année-là. Je trouve extrêmement ironique le fait qu'un obscur romancier d'une petite ville du New Hampshire, quotidiennement attaqué par certains comme étant un hérétique et un blasphémateur, ait réussi à renseigner bien davantage de gens que le Vatican sur les mesures adoptées par l'Église pour corriger les archives à propos de Marie Madeleine.

Le portrait de pécheresse repentie qu'avait brossé le pape Grégoire de sainte Marie de Magdala se fondait sur sa décision de « réunir » les trois personnages féminins distincts en un seul au sein du même passage de l'Évangile – Marie Madeleine, Marie de Béthanie et une femme anonyme simplement

---

4. Elaine Pagels. *Les Évangiles secrets, op. cit.*

connue comme la pécheresse arrivée de la ville – et de déclarer qu'elles constituaient une seule et même personne : Marie Madeleine. Ce faisant, délibérément ou non, Grégoire a changé pour des siècles à venir l'attitude du monde chrétien (c'est-à-dire occidental) envers Marie Madeleine, les femmes et la sexualité.

Cette réunion des trois femmes en un seul personnage par Grégoire était-il en fait une simple erreur de transcription et de traduction du Moyen Âge dans le cadre de mesures visant à simplifier, à codifier et à normaliser le canon officiel ? S'agissait-il d'une tentative consciente de ternir la réputation de Marie Madeleine et de purger ainsi l'histoire des femmes prêtresses, des prophétesses et des dirigeantes au sein de l'Église ? Ce geste faisait-il partie d'un argument philosophique ayant pour but de représenter la sexualité comme un vice moral et les femmes comme des tentatrices et des prostituées et, par conséquent, la source du péché ? Ou était-ce une façon d'illustrer le caractère universel et intégral de la capacité de Jésus à accorder son pardon, au point qu'une ancienne prostituée – si elle s'était repentie – pouvait devenir membre du cercle intime du Fils de Dieu ?

En fin de compte, bien sûr, les réponses à ces questions et à beaucoup d'autres que posent maintenant des érudits éclairés sont théoriques. Sauf pour Dan Brown. Le *Da Vinci Code* affirme qu'il y avait eu un complot délibéré, à des fins précises. Dans le scénario du roman, le pape Grégoire était un détracteur conscient de l'héritage de Marie Madeleine et le légataire d'une tradition masculine qui avait débuté avec saint Pierre et s'était poursuivie par l'entremise de Constantin et des Pères de l'Église comme Irénée, Tertullien et Origène. Tous ces hommes étaient des instruments dans le cadre d'un complot de l'Église visant à dénigrer Marie, à oblitérer son rôle primordial dans l'histoire de Jésus et à séparer le christianisme des anciennes influences du « Féminin sacré » qu'elle représentait. Dans ce contexte, le « Féminin sacré » signifie aussi bien le caractère sacré de la sexualité et le pouvoir de celle-ci de donner la vie, ainsi que la fertilité et la naissance, que la nature particulière de l'intuition féminine et l'aptitude supérieure des femmes à accéder aux connaissances divines, magiques ou spirituelles.

Passant du sacré au profane, le *Da Vinci Code* poursuit en suggérant que Marie finit par être représentée comme la prostituée la plus célèbre de l'histoire plutôt que comme la femme la plus célèbre, partenaire et mère de l'histoire, afin de dissimuler toutes les traces de ce qui constituait en somme un coup d'État politique : le refus de Pierre d'autoriser que le mouvement soit dirigé par une femme, lui-même cherchant à obtenir le pouvoir et la mainmise sur le mouvement. D'après le roman, cela explique les gestes menaçants de Pierre, comme le couteau acéré pointé vers le personnage de « Marie » dans *La Cène*. Cela pourrait également expliquer la raison pour laquelle l'Évangile selon saint Matthieu contient une affirmation plutôt étrange et hors contexte de la part de Jésus, sur laquelle Pierre a fondé sa légitimité : « Tu es Pierre [un mot qui signifie « roche » en grec] et sur cette pierre je bâtirai mon Église. » Certains spécialistes trouvent que cette phrase n'a rien à voir avec son contexte et ils pensent qu'elle aurait été ajoutée beaucoup plus tard afin d'appuyer la prétention de Pierre selon laquelle il était le porte-étendard du mouvement de Jésus, plutôt que Marie.

Ensuite, nous passons du profane au sacré : le *Da Vinci Code* continue en laissant entendre que, craignant les menaces de Pierre tout autant que les soldats romains, Marie, la femme que Jésus « embrassait souvent sur [la bouche] » selon les mots émoustillants de l'*Évangile de Philippe*, la femme à qui Jésus avait transmis ses connaissances les plus profondes et ses visions les plus pénétrantes, se réfugie en France. Lorsqu'elle a fui le désordre qui sévissait en Terre sainte après la crucifixion, elle était enceinte de l'enfant de Jésus. Cet enfant issu de son mariage avec Jésus représente le véritable sang sacré qu'elle abrite en son sein, faisant de Marie Madeleine le calice charnel ultime, c'est-à-dire le Saint-Graal. De fait, nombre de légendes françaises, particulièrement répandues au Moyen Âge, racontent des histoires sur l'arrivée de Marie Madeleine et de son enfant, ou ses enfants, sur les rivages français à bord d'un petit bateau dépourvu de voiles et de rames. Marie passe le reste de sa vie à divers endroits dans le sud de la France et, en certains de ces lieux, on affirme posséder des reliques de ses os et des mèches de sa célèbre chevelure rousse.

Poursuivant à partir de là pour atteindre un ridicule presque consommé, le *Da Vinci Code* file son récit légendaire des enfants de Jésus et de Marie fondant une lignée royale, leurs enfants épousant ceux qui deviendraient les rois mérovingiens de France, une lignée qui survivrait jusqu'à nos jours. Toute cette histoire pleine de rebondissements aurait été redécouverte par les Templiers alors qu'ils habitaient les ruines du Temple de Salomon, pendant quelques années, au début des croisades. Mais les papes et les empereurs entreprirent, le vendredi 13 octobre 1307, de massacrer et de persécuter les Templiers parce que les chevaliers médiévaux avaient fini par apprendre et comprendre cette puissante histoire de Marie Madeleine et de sa lignée, et qu'il fallait donc les éliminer de crainte que le secret ne fût dévoilé. Toutefois, les secrets continuèrent d'être documentés et conservés par les soi-disant grands maîtres du Prieuré de Sion qui, selon l'auteur du roman, comptait parmi ses membres une pléthore de grands génies européens du deuxième millénaire. On affirme que ces hommes – ce sont presque tous des hommes, un fait quelque peu étonnant dans le cadre d'un culte teinté de féminisme – savaient la vérité sur Marie Madeleine, qu'ils la vénéraient comme une déesse et même qu'ils s'adonnaient à l'ancienne pratique des mystères grecs du *hieros gamos* (sexe sacré) pour respecter leurs engagements de garder vivant le Féminin sacré. De Léonard de Vinci, dont *La Cène* est censée représenter Marie Madeleine comme étant le Saint-Graal, jusqu'à *La Petite Sirène* de Disney (Ariel conserve une image de Marie Madeleine sur sa commode sous-marine), le *Da Vinci Code* affirme qu'il existe plein de gens qui connaissent le secret de Marie Madeleine et continuent de «le cacher en pleine lumière» dans l'espoir que les autres le remarquent.

Après avoir passé trois ans à étudier les sources documentaires du *Da Vinci Code*, de même que tous les débats, les controverses et les théories qu'il a générés, je suis raisonnablement convaincu de la véracité des affirmations qui suivent.

Premièrement, ainsi qu'indiqué plus haut, lorsque Dan Brown insiste sur le fait que Marie Madeleine *n*'est *pas* une prostituée et qu'il n'existe rien, dans les premières écritures ou au début du mouvement chrétien, qui puisse appuyer une interprétation de ce personnage comme étant une prostituée repentante, il se fonde sur des faits et il a raison sur le plan historique, et son opinion concorde avec les travaux spécialisés les meilleurs et les plus importants qui ont été réalisés sur le sujet au cours des cinq dernières décennies.

Deuxièmement, je suis tout aussi certain que, dans le *Da Vinci Code*, pratiquement tout ce qui a un lien avec « Marie Madeleine en tant que Saint-Graal » ou en tant que fondatrice d'une « lignée » toujours existante après deux mille ans, de même que presque tout ce qui a trait à un complot de l'Église catholique pour dissimuler toute cette histoire et/ou les efforts soutenus pendant plusieurs siècles d'un présumé Prieuré de Sion afin de garder vivante la vérité sur Marie Madeleine relève bien davantage de l'imagination que de la réalité. Bien que l'immense popularité du roman montre que ces éléments contribuent à faire un récit fascinant et mémorable, je trouve difficile d'attribuer une quelconque crédibilité historique à toutes ces parties du *Da Vinci Code*. Par exemple, je suis pratiquement sûr que le Prieuré de Sion est une supercherie élaborée au milieu du XXe siècle par Pierre Plantard et ses amis nostalgiques du centre droit royaliste en France. Je suis également presque convaincu que Léonard de Vinci n'était le grand maître de rien, sinon des arts et des idées de la Renaissance. Les théories du complot dramatiques et les parties teintées d'occultisme du *Da Vinci Code* sont extrêmement intéressantes sous l'angle du mythe et de la métaphore, de même qu'en tant qu'archétypes et récits symboliques, mais il importe de souligner que ces parties de l'histoire – et en particulier cette version de l'identité de Marie Madeleine – ne découlent pas de faits, de preuves historiques ou même de réflexions sérieuses de la part de spécialistes.

Troisièmement, les parties les plus complexes et les plus nuancées de l'histoire du *Da Vinci Code* n'ont pas trait à la prostituée que n'était pas Marie Madeleine, pas plus qu'à la victime d'un complot postmoderne qu'elle est devenue aux yeux de certains occultistes. Les questions les plus intéressantes sur Marie Madeleine concernent qui elle était vraiment (ou tout au moins qui elle aurait véritablement pu être) et le rôle qu'elle pourrait avoir réellement joué dans la vie et l'époque de Jésus, le rôle que lui attribuaient certains groupes gnostiques au début de l'histoire chrétienne, et les raisons pour lesquelles elle est devenue aujourd'hui si essentielle à tant d'aspects de la nouvelle pensée spirituelle. Tout comme le *Da Vinci Code* a constitué la source à partir de laquelle de nombreux lecteurs ont appris pour la première fois que Marie Madeleine n'était pas une prostituée, c'est également ainsi qu'ils ont appris pour la première fois l'existence d'autres récits évangéliques que les Évangiles reconnus de Matthieu, de Marc, de Luc et de Jean. L'importance de ces autres récits évangéliques ne réside pas seulement dans le fait qu'ils parlent davantage de Marie Madeleine que les Évangiles traditionnels, ni dans le fait qu'elle possède son «propre» *Évangile de Marie*, ni même dans le fait que ce sont les documents anciens dans lesquels on la qualifie de «compagne» de Jésus (en utilisant un mot grec qui peut aussi signifier «épouse») et dans lequel on dit qu'il l'embrassait fréquemment.

La vraie signification du lien entre les Évangiles gnostiques et Marie Madeleine pourrait se trouver dans la pertinence de ce type de spiritualité par rapport à notre époque. Les Évangiles gnostiques contiennent une sagesse qui se rapproche plus de la philosophie zen que de la théologie chrétienne traditionnelle. Les auteurs y cherchent davantage à comprendre les mystères et la magie de la vie, et ont une meilleure intuition du sacré. Il semble que les gnostiques aient davantage mis l'accent sur les processus de découverte de soi et d'autoréalisation comme étant les éléments essentiels de la moralité et de la religion. Et bien que les textes gnostiques contiennent des affirmations extrêmement contradictoires sur les femmes, il semble tout au moins exister dans plusieurs de ces documents une tendance fortement proféminine.

Dans ce contexte, il est intéressant de souligner la «révolution à l'intérieur de la révolution» qui fait rage actuellement dans les études sur Marie Madeleine. Ayant été si récemment réhabilitée après s'être fait voler son identité pendant quatorze siècles, quelle personnalité Marie devrait-elle prendre maintenant? Certaines personnes pensent que le simple fait de lui rendre son importance au sein du mouvement de Jésus – l'apôtre des apôtres, comme on l'appelle dans le jargon chrétien traditionnel – ne suffit pas. Certains croient que l'on devrait la considérer comme une déesse ou que, tout au moins, l'on devrait interpréter les histoires à son propos comme des représentations mythiques de l'esprit de la Déesse dans la culture de la Méditerranée orientale et dans notre ADN culturel collectif.

D'autres encore croient que le point de vue de Dan Brown sur Marie en tant qu'épouse de Jésus et mère de son enfant est trop réducteur («madame Jésus») pour cette femme indépendante, profondément spirituelle, qui incarne l'essence même du principe du Féminin sacré. Certains affirment que l'on devrait la considérer comme une partenaire et l'égale de Jésus dans l'amorce de la révolution chrétienne. D'autres aussi pensent qu'il n'est pas suffisamment exotique de la voir comme une riche femme juive issue d'un village de pêcheurs appelé Magdala sur les rives de la mer de Galilée, mais laissent plutôt entendre qu'il s'agissait d'une femme noire venue d'un village également appelé Magdala en Éthiopie – ce qui pourrait expliquer le culte de la madone noire particulièrement puissant dans ces régions de France où, selon la légende, Marie Madeleine aurait vécu après la mort de Jésus.

Certains spécialistes désapprouvent même l'idée de lui enlever le rôle de prostituée. Il existe certaines preuves selon lesquelles des soi-disant «prostituées du Temple» habitaient certains lieux de culte en Égypte, en Grèce, en Israël et ailleurs autour de la Méditerranée orientale. Ces prostituées du Temple se livraient à des pratiques sexuelles sacrées avec des rois, des princes, des guerriers et des chefs religieux en transmettant aux mâles leurs pouvoirs semblables à ceux des déesses par l'entremise de ces actes de *hieros gamos*. En recevant ainsi ces pouvoirs féminins des prostituées du Temple, les hommes étaient censés obtenir plus de succès à la chasse, dans les batailles, en attirant la pluie pour les récoltes ou en prédisant l'avenir. D'après une poignée de spécialistes féministes, l'association de Marie Madeleine et de la prostitution constitue pour les femmes puissantes du monde antique une allusion corrompue à cette glorieuse histoire comparable à celle des déesses.

Comme je l'ai découvert ce matin de 2003, pendant que je parcourais les rayons de librairie de Barnes & Noble – et comme j'ai continué à le constater en lisant des centaines de livres et d'articles récents sur Marie Madeleine –, son personnage représente une sorte de test de Rorschach du XXIe siècle pour déterminer les attitudes envers les femmes, les sexes, la religion, le christianisme, le Jésus historique, la spiritualité, la connaissance, la découverte de soi, l'intuition, la sexualité et ce qui est véritablement sacré et profane dans notre monde. En réalité, Marie Madeleine – comme Jésus, Moïse, Bouddha, Confucius et à peu près tous les personnages importants des diverses religions et croyances religieuses – est devenue ce que nous avons souhaité qu'elle soit.

QUI ÉTAIT MARIE MADELEINE?

PAR JAMES CARROLL[5]

James Carroll commence son article audacieux en affirmant que l'histoire entière de la civilisation occidentale se trouve parfaitement illustrée dans le culte de Marie Madeleine. Carroll est un prêtre défroqué, auteur de dix romans, chroniqueur au *Boston Globe*, et auteur de *Constantine's Sword* et d'autres essais. Il expose ici la thèse selon laquelle, à partir des documents originaux qui sont devenus le Nouveau Testament jusqu'au tournage du film *Da Vinci Code*, l'image de Marie Madeleine a été constamment limitée, déformée et contredite. Mais à travers tout cela, dit-il, on a éclipsé la question fondamentale: qui était-elle?

Dans cet article, Carroll entreprend de fournir une réponse en écrivant que la confusion entourant Marie Madeleine a débuté avec les Évangiles eux-mêmes. Ces Évangiles, rappelle-t-il à ses lecteurs, sont nés de «ce que les spécialistes appellent l'aspect "téléphone arabe" de la tradition orale», c'est-à-dire qu'alors que les auteurs de ces Évangiles pouvaient s'entendre pour dire qu'elle était présente durant les événements d'importance, comme la crucifixion et la résurrection, leurs points de vue divergent sur ce qui s'est produit – en particulier dans l'histoire racontée au fil des années qui ont suivi. À titre d'exemple, quand, dans le jardin près du tombeau vide, Jésus ressuscité rencontre Marie Madeleine, il lui dit: «Ne me touche pas.» Il s'agit là, affirme Carroll, d'une phrase semblant authentique de la part d'un être qui, dans la plupart des récits bibliques, a laissé le souvenir de quelqu'un qui traitait les femmes avec respect et comme des égales dans son entourage. Mais, ajoute-t-il, cette interprétation a bientôt commencé à se modifier subtilement et, «comme dans tout récit [lié à Marie Madeleine], les détails érotiques prennent une importance considérable». Ainsi s'amorce la création du personnage de Marie Madeleine en tant que prostituée repentie – une manœuvre, dit-il, réalisée par des hommes et pour les hommes. «Un point de vue de célibataire inventé de toutes pièces par des célibataires.» Mais au fur et à mesure que ce mouvement religieux a commencé à faire preuve de misogynie plutôt que de la combattre, il en est résulté d'importantes modifications dans l'histoire de Marie Madeleine. D'après Carroll, Marie «est passée de l'état de disciple de premier plan dont le statut supérieur

---

5. © 2006 par James Carroll. Cet article est paru pour la première fois dans la revue *Smithsonian* et est utilisé avec l'autorisation de l'auteur.

dépendait de la confiance que lui accordait Jésus à celui de putain repentante dont le statut dépendait de la charge érotique de son histoire et de la détresse découlant de l'affliction de sa conscience».

Dans le cadre de cet article, un ancien prêtre mêle ses connaissances sur la pensée biblique à son souci journalistique du détail afin de présenter une des versions les plus nuancées jamais écrites de l'histoire de Marie Madeleine.

L'histoire entière de la civilisation occidentale se trouve parfaitement illustrée dans le culte de Marie Madeleine. Cette femme qui, pendant des années a été la plus profondément vénérée des saintes, est devenue l'incarnation de la dévotion chrétienne, qui se définissait par le repentir. Pourtant, les Écritures n'y font que vaguement allusion et elle a donc servi d'écran sur lequel ont été projetés toute une série de fantasmes. À chaque époque, son image a été réinventée, de la prostituée à la sibylle, de la mystique à la nonne célibataire puis à l'épouse passive, en passant par l'icône féministe et la matriarche de la dynastie secrète de la divinité. Comment on se souvient du passé, comment on domestique le désir sexuel, comment les hommes et les femmes tiennent compte de leurs impulsions distinctes; comment le pouvoir recherche en tout temps la sanctification, comment la tradition en vient à faire autorité, comment les révolutions sont récupérées; comment on tient compte de la faillibilité, et comment on peut faire en sorte que la paisible dévotion serve d'instrument à la domination violente; toutes ces questions culturelles ont contribué à façonner l'histoire de la femme devenue l'amie de Jésus de Nazareth.

Qui était-elle? À la lecture du Nouveau Testament, on peut conclure que Marie de Magdala (son lieu de naissance, un village sur la rive de la mer de Galilée) était un des principaux personnages parmi les gens qu'attirait Jésus. Quand les hommes qui faisaient partie de son entourage l'abandonnèrent au moment où il courait un danger mortel, Marie de Magdala fut une des femmes qui demeurèrent avec lui, même jusqu'à la crucifixion. Elle était présente au tombeau et fut donc la première personne à qui Jésus apparut après sa résurrection, de même qu'elle fut la première à prêcher la «bonne nouvelle» que constituait ce miracle. Ce sont là quelques-unes des rares affirmations précises à propos de Marie Madeleine dans les Évangiles. Si l'on se fie à d'autres textes du début de l'ère chrétienne, il semble que son statut d'«apôtre», au cours des années qui ont suivi la mort de Jésus, rivalisait même avec celui de Pierre. Cette prééminence découle de l'intimité de sa relation avec Jésus qui, selon certains récits, avait un aspect physique qui englobait le baiser. Amorcée avec la trame de ces quelques déclarations dans les toutes premières archives chrétiennes datant des trois premiers siècles, fut tissée une tapisserie complexe aboutissant à un portrait de sainte Marie Madeleine dans lequel le fait sans doute le plus important – son rôle de prostituée repentante – est presque certainement faux. C'est sur cette fausse interprétation que se fonde l'utilisation double qui a été faite de sa légende depuis ce temps : discréditer la sexualité en général et priver les femmes de leur pouvoir en particulier.

Les éléments de confusion liés à la personnalité de Marie Madeleine se sont multipliés au fil du temps alors que son image était utilisée dans le cadre d'une série de luttes de pouvoir, et se déformait en conséquence. Dans le cadre des conflits qui ont défini l'Église chrétienne – sur les attitudes face au monde matériel en général et à la sexualité en particulier ; sur l'autorité dévolue à un clergé entièrement masculin ; sur l'émergence du célibat ; sur la condamnation de la diversité théologique en tant qu'hérésie ; sur les sublimations de l'amour courtois ; sur le déchaînement de la violence « chevaleresque » ; sur la commercialisation de la sainteté, que ce soit à l'époque de Constantin, de la contre-réforme, de l'ère romantique ou de l'ère industrielle –, les recréations de Marie Madeleine ont joué un rôle. Sa réapparition récente dans un roman et un film en tant que femme cachée de Jésus et mère de sa fille victime du sort démontre que les manipulations de son image se poursuivent toujours.

Mais, en fait, la confusion s'amorce avec les Évangiles eux-mêmes.

Dans les Évangiles, plusieurs femmes interviennent dans l'histoire de Jésus avec beaucoup d'énergie, y compris de l'énergie érotique. Il existe plusieurs Marie, dont, bien sûr, Marie la mère de Jésus. Mais il y a aussi Marie de Béthanie, sœur de Marthe et de Lazare. Il y a Marie la mère de Jacques et de Joseph, et Marie la femme de Cléophas. Fait tout aussi important : les Évangiles mentionnent trois femmes anonymes précisément qualifiées de pécheresses sexuelles – la femme à la « mauvaise réputation », qui oint les pieds de Jésus en signe de repentir, une Samaritaine que Jésus rencontre près d'un puits et une femme adultère que les pharisiens traînent devant Jésus pour voir s'il la condamnera. Afin de démêler l'écheveau que constitue l'histoire de Marie Madeleine, il faut d'abord trouver les fils qui appartiennent en propre à ces autres femmes. Certains de ces fils sont passablement entremêlés.

Il serait utile ici de se remettre en mémoire de quelle façon a été écrite l'histoire où il est question de ces femmes. Les quatre Évangiles ne constituent pas des témoignages directs. Ils ont été écrits entre trente-cinq et soixante-cinq ans après la mort de Jésus et représentent un résumé de différentes traditions orales qui s'étaient formées au sein des diverses communautés chrétiennes. Jésus est mort vers l'an 30. Les Évangiles de Marc, de Matthieu et de Luc datent d'environ 65 à 85 et ont en commun des sources et des thèmes. L'Évangile selon saint Jean a été écrit autour des années 90 à 95 et constitue un document distinct. Ainsi, lorsque nous lisons à propos de Marie Madeleine dans chacun des Évangiles, comme lorsque nous lisons sur Jésus, il ne s'agit pas d'histoire mais de mémoire – une mémoire façonnée par le temps, teintée par la volonté d'insister sur certains éléments et de marquer des points sur le plan théologique. Et déjà, même en ces tout premiers temps – cela saute aux yeux lorsqu'on compare les divers récits les uns aux autres –, les souvenirs deviennent confus.

En ce qui a trait à Marie de Magdala, la confusion commence au chapitre 8 de Luc :

> Et il arriva après cela, qu'il passait par les villes et par les villages, prêchant et annonçant le royaume de Dieu ; et les douze [étaient] avec lui, et des femmes aussi qui avaient été guéries d'esprits malins et d'infirmités, Marie, qu'on appelait Magdeleine, de laquelle étaient sortis sept démons, et Jeanne, femme de Chuzas intendant d'Hérode, et Susanne, et plusieurs autres, qui l'assistaient de leurs biens.

Ce passage contient deux éléments dignes d'intérêt. Premièrement, ces femmes « assistaient [Jésus et les apôtres] de leurs biens », ce qui suppose qu'elles étaient financièrement à l'aise et respectables. (Il est possible qu'il s'agisse là de l'attribution, à l'époque de Jésus, d'un rôle que les femmes prospères jouèrent quelques années plus tard.) Deuxièmement, toutes, y compris Marie Madeleine, avaient été guéries d'une façon ou d'une autre. Les «sept démons», dans son cas, indiquent une affection (et non pas nécessairement une possession) d'une certaine gravité. Bientôt, alors que les souvenirs devenaient de plus en plus indistincts, et par la suite, lorsque l'Évangile écrit serait lu par des gentils qui connaissaient peu ce type de langage codé, ces «démons» allaient devenir le signe d'une infirmité morale.

Cette allusion inoffensive à Marie Madeleine se charge d'une espèce d'énergie narrative irradiante en raison de ce qui la précède immédiatement à la fin du chapitre 7, une anecdote d'une grande puissance :

> Et un des pharisiens le pria de manger avec lui. Et entrant dans la maison du pharisien, il se mit à table. Et voici, une femme dans la ville, qui était une pécheresse, et qui savait qu'il était à table dans la maison du pharisien, apporta un vase d'albâtre [plein] de parfum ; et se tenant derrière à ses pieds, et pleurant, elle se mit à les arroser de ses larmes, et elle les essuyait avec les cheveux de sa tête, et couvrait ses pieds de baisers, et les oignait avec le parfum.

> Quand le pharisien qui l'avait invité vit cela, il se dit en lui-même : Celui-ci, s'il était prophète, saurait qui et quelle est cette femme qui le touche, car c'est une pécheresse.

> Mais Jésus refuse de la condamner, ou même d'interrompre son geste. En fait, il y voit un signe que « ses nombreux péchés sont pardonnés car elle a beaucoup aimé ; mais celui à qui il est peu pardonné, aime peu ». « Ta foi t'a sauvée, va-t'en en paix », lui dit-il.

Cette histoire de la femme à la mauvaise réputation, le vase d'albâtre, la chevelure de la femme, les «nombreux péchés», la conscience accablée, le parfum, le lavage des pieds et le baiser allaient devenir, au fil du temps, les principaux éléments dramatiques de l'histoire de Marie Madeleine. La scène allait délibérément être rattachée à elle, et maintes fois représentée par les plus grands artistes chrétiens. Même une lecture ordinaire de ce texte, quelle que soit l'ampleur de

45

sa juxtaposition avec les versets précédents, incite à penser que les deux femmes n'ont aucun rapport entre elles – que la femme en pleurs qui oint les pieds de Jésus n'a pas davantage de lien avec Marie Madeleine qu'elle n'en a avec Jeanne ou Susanne.

D'autres versets dans d'autres Évangiles ne font qu'ajouter à la complexité de l'histoire. À titre d'exemple, Matthieu raconte le même incident, mais pour invoquer un argument différent et en ajoutant un détail crucial :

> Et comme Jésus était à Béthanie dans la maison de Simon le lépreux, une femme, ayant un vase d'albâtre [plein] d'un parfum de grand prix, vint à lui et le répandit sur sa tête comme il était à table. Et les disciples, le voyant, en furent indignés, disant : À quoi bon cette perte ? Car ce [parfum] aurait pu être vendu pour une forte somme, et être donné aux pauvres. Et Jésus, le sachant, leur dit : Pourquoi donnez-vous du déplaisir à cette femme ? [...] car cette femme, en répandant ce parfum sur mon corps, l'a fait pour ma sépulture. En vérité, je vous le dis : En quelque lieu que cet Évangile soit prêché dans le monde entier, on parlera aussi de ce que cette femme a fait, en mémoire d'elle.

Ce passage illustre ce que les spécialistes des Écritures appellent communément l'aspect « téléphone arabe » de la tradition orale d'où sont issus les Évangiles. Plutôt que le pharisien de Luc, qui se nomme Simon, nous trouvons dans Matthieu « Simon le lépreux ». Fait révélateur, cette onction fait explicitement référence au frottement traditionnel d'un cadavre avec de l'huile, alors le geste représente un présage clair de la mort de Jésus. Dans Matthieu et dans Marc, l'histoire de la femme anonyme situe son acceptation de la mort prochaine de Jésus dans un contraste frappant par rapport au refus des disciples (de sexe masculin) de prendre au sérieux les prédictions sur la mort de Jésus. Mais, dans d'autres passages, le nom de Marie Madeleine est associé à l'inhumation de Jésus, ce qui contribue à expliquer la facilité avec laquelle cette femme anonyme a été confondue avec elle.

En fait, avec cet incident, les récits de Matthieu et de Marc entreprennent leur progression vers le point culminant que constitue la crucifixion, car un des disciples – « appelé

Judas » – se rend, dans le verset suivant, voir le grand prêtre pour trahir Jésus.

Dans les passages où il est question des onctions, la femme est identifiée par le « vase d'albâtre », mais dans Luc, qui ne fait aucunement référence au rituel funèbre, il existe des accents érotiques évidents – à cette époque, un homme ne voyait les cheveux détachés d'une femme que dans l'intimité de la chambre à coucher. Dans Luc, les préoccupations des témoins concernent le sexe alors que, dans Matthieu et Marc, elles ont trait à l'argent. Et dans Luc, les pleurs de la femme, de même que les paroles de Jésus, définissent la rencontre comme un acte de repentir servile.

Mais les complications s'accumulent. Matthieu et Marc affirment que la scène s'est produite à Béthanie, un détail que reprend l'Évangile selon saint Jean, qui comporte encore une autre Marie, la sœur de Marthe et de Lazare, ainsi qu'une autre histoire d'onction :

> Jésus donc, six jours avant la Pâque, vint à Béthanie où était Lazare, le mort, que Jésus avait ressuscité d'entre les morts. On lui fit donc là un souper ; et Marthe servait, et Lazare était un de ceux qui étaient à table avec lui. Marie donc, ayant pris une livre de parfum de nard pur de grand prix, oignit les pieds de Jésus et lui essuya les pieds avec ses cheveux.

> Judas s'insurge contre cet acte au nom des pauvres et, une fois de plus, Jésus défend la femme. « Permets-lui d'avoir gardé ceci pour le jour de ma sépulture, dit-il, car vous avez les pauvres toujours avec vous ; mais moi, vous ne m'aurez pas toujours. »

Comme auparavant, l'onction est un présage de la crucifixion. Il y a également un ressentiment devant le gaspillage d'un bien de luxe, alors la mort et l'argent définissent la nature de la rencontre. Mais les cheveux détachés comportent également un aspect érotique.

La mort de Jésus sur le mont Golgotha, alors que Marie Madeleine est précisément citée comme faisant partie des femmes qui refusent de le quitter, mène à ce qui représente de loin l'affirmation la plus importante à son sujet. Les quatre Évangiles (et un autre texte du début du christianisme, l'*Évangile de Pierre*) précisent qu'elle se trouvait au tombeau et, dans Jean, elle est le premier témoin de la résurrection de Jésus. C'est là sa prétention la plus importante – et non le repentir ou la renonciation sexuelle. Contrairement aux hommes qui se sont éloignés et dispersés, qui ont perdu la foi et trahi Jésus, les femmes sont restées. (Mais même si la mémoire chrétienne glorifie cet acte de loyauté, son contexte historique pourrait avoir été moins noble : les hommes de l'entourage de Jésus étaient beaucoup plus susceptibles d'être arrêtés que les femmes.) Et principalement, parmi ces femmes, Marie Madeleine. L'Évangile selon saint Jean en fait un récit poignant :

> C'était à l'aube du premier jour de la semaine et il faisait encore sombre, lorsque Marie de Magdala est venue au sépulcre. Elle vit qu'on avait retiré la pierre et elle se précipita à la rencontre de Simon Pierre et de l'autre disciple, celui que Jésus aimait. « On a enlevé du sépulcre le Seigneur, dit-elle, et nous ne savons où on l'a mis. »

Pierre et les autres se rendent au sépulcre pour le voir de leurs yeux, puis se dispersent de nouveau.

Mais Marie se tenait près du sépulcre, dehors, et pleurait. Comme elle pleurait donc, elle se baissa dans le sépulcre ; et elle voit deux anges vêtus de blanc, assis, un à la tête et un aux pieds, là où le corps de Jésus avait été couché. Et ils lui disent : Femme, pourquoi pleures-tu ? Elle leur dit : Parce qu'on a enlevé mon Seigneur, et je ne sais où on l'a mis. Ayant dit cela, elle se tourna en arrière, et elle voit Jésus qui était là ; et elle ne savait pas que ce fût Jésus. Jésus lui dit : Femme, pourquoi pleures-tu ? Qui cherches-tu ? Elle, pensant que c'était le jardinier, lui dit : Seigneur, si toi tu l'as emporté, dis-moi où tu l'as mis, et moi je l'ôterai. Jésus lui dit : Marie ! Elle, s'étant retournée, lui dit en hébreu : Rabboni (ce qui veut dire, maître). Jésus lui dit : Ne me touche pas, car je ne suis pas encore monté vers mon Père ; mais va vers mes frères, et dis-leur : Je monte vers mon Père et votre Père, et vers mon Dieu et votre Dieu. Marie de Magdala vient rapporter aux disciples qu'elle a vu le Seigneur, et qu'il lui a dit ces choses.

Tandis que l'histoire de Jésus était inlassablement racontée au cours de ces premières décennies, les ajustements narratifs sur les événements et les personnages étaient inévitables, et la confusion entre eux constituait une indication de la façon dont les Évangiles étaient transmis. La plupart des chrétiens étaient analphabètes ; les traditions leur étaient transmises par le biais d'un mélange complexe de souvenirs et d'interprétations, et non par un travail d'historien, qui finirent par donner naissance aux textes. Une fois les textes sacrés approuvés par les autorités en place, les exégètes qui les interprétaient pouvaient établir de minutieuses distinctions en gardant séparé le groupe des femmes, mais les prêcheurs ordinaires étaient moins soucieux des détails. À leurs yeux, le fait de raconter des anecdotes était essentiel, alors il était certain que des modifications allaient survenir.

La multitude de Marie était suffisante en soi pour semer la confusion – tout comme les divers récits à propos de l'onction qui, à un endroit, représente le geste d'une prostituée aux cheveux détachés, à un autre, celui d'une modeste étrangère préparant Jésus pour son inhumation et, encore ailleurs, celui d'une amie chère. Bien que se situant dans des contextes fort différents, les femmes qui pleurent sont devenues un élément récurrent des récits. Comme dans tous les récits, les détails érotiques occupent une place importante, en particulier parce que l'attitude de Jésus envers les femmes ayant des antécédents sexuels faisait partie des choses qui le distinguaient des autres prêcheurs de l'époque. Non seulement Jésus traitait les femmes avec respect et en tant qu'égales dans son entourage et refusait de les réduire à leur sexualité, mais on le considérait de toute évidence comme un homme qui aimait les femmes et que les femmes aimaient.

Le point culminant de ce thème survient dans le jardin près du tombeau, avec cet appel : « Marie ! » Elle le reconnaît à sa seule voix, et sa réaction est claire en ce qui concerne ce qu'il lui dit alors : « Ne me touche pas. » Quels qu'aient été les rapports physiques entre Jésus et Marie de Magdala auparavant, ils doivent être différents maintenant.

Un nouveau personnage de Marie Madeleine a été créé à partir de ces éléments distincts – les divers personnages féminins, l'onction, les cheveux, les pleurs, l'intimité incomparable au sépulcre. Avec tous ces éléments, on a tissé une tapisserie – une trame narrative unique. À travers les siècles, cette Marie, qui était au départ une disciple importante dont le statut supérieur dépendait de la confiance que lui accordait Jésus lui-même, est devenue une putain repentante dont le statut dépendait de la charge érotique de son histoire et de la détresse de sa conscience. Cette transformation découle en partie d'un élan naturel qui visait à rassembler les fragments des Écritures pour en faire un tout, pour rendre cohérent un récit décousu, pour relier entre eux des conséquences et des choix distincts afin de ne former qu'un seul drame. C'est comme si l'on avait imposé aux textes fondateurs du christianisme le principe d'unité d'Aristote, exposé dans sa *Poétique*.

Ainsi, à partir de divers épisodes des récits évangéliques, certains lecteurs allaient même créer une légende beaucoup plus unifiée – et beaucoup plus satisfaisante – selon laquelle Marie de Magdala est la femme anonyme qui se marie pendant les noces de Cana au cours desquelles Jésus, comme chacun le sait, change l'eau en vin. D'après ce récit, son époux est Jean, et Jésus le recrute immédiatement pour qu'il devienne un de ses douze disciples. Quand Jean quitte Cana avec le Seigneur en la laissant derrière lui, sa nouvelle épouse est anéantie par la solitude et la jalousie et commence à se vendre à d'autres hommes. Elle apparaît ensuite dans le récit comme étant la fameuse femme adultère que les pharisiens traînent devant Jésus. Quand Jésus refuse de la condamner, elle comprend les erreurs de son comportement. C'est pourquoi elle part chercher son précieux parfum et oint les pieds de Jésus en pleurant de tristesse. À partir de ce moment, elle le suit, chaste et dévouée, son amour pour toujours inassouvi – «Ne me touche pas!» – et plus intense encore pour cette raison.

C'est cette femme qui a survécu pendant des siècles sous le nom de Marie Madeleine dans le christianisme occidental et dans l'imagination des Occidentaux jusqu'à, disons, l'opéra rock *Jesus Christ Superstar*, dans lequel Marie Madeleine chante: «Je ne sais comment l'aimer [...] ce n'est qu'un homme, et j'en ai tant connu auparavant [...] je le désire tellement. Je l'aime tant.» Cette histoire possède un attrait intemporel, d'abord parce que ce problème du «comment»

– à savoir si l'amour devrait être sexuel ou amical, sensuel ou spirituel, une question de désir ou de consommation – définit la condition humaine. Ce qui rend le conflit universel, c'est le double aspect du sexe : un nécessaire moyen de reproduction et la folie d'une rencontre qui débouche sur une passion. Pour les femmes, l'aspect maternel peut sembler en contradiction avec l'aspect érotique, une tension que, chez les hommes, on peut réduire aux fantasmes opposés et bien connus de la madone et de la putain. J'écris en tant qu'homme, mais il me semble que, chez les femmes, cette tension s'exprime non envers les femmes mais envers la féminité elle-même. L'image de Marie Madeleine permet d'exprimer de telles tensions et en tire un certain pouvoir, en particulier lorsqu'elle est jumelée à l'autre Marie, la mère de Jésus.

Les chrétiens peuvent bien vénérer la Vierge Marie, mais c'est à Marie de Magdala qu'ils s'identifient. Son attrait réside dans le fait qu'elle ne représente pas simplement l'image de la putain par opposition à la madone qu'est la mère de Jésus, mais qu'elle combine en elle-même les deux personnages. Redevenue pure grâce à son repentir, elle n'en conserve pas moins son passé. Plutôt que de lui enlever son caractère érotique, sa conversion l'amplifie. La détresse qui accompagne le sentiment de culpabilité, que connaît d'une façon ou d'une autre tout être humain, trouve un exutoire dans un personnage dont le repentir servile constitue la condition de la guérison. En étant désolée d'avoir volontairement mené une vie d'objet sexuel, Marie n'en est que plus attrayante en tant qu'« objet de repentir ».

Alors, on peut considérer que le personnage de Marie Madeleine sous les traits d'une prostituée repentante est apparu à cause de pressions inhérentes à la forme narrative et conformément à un besoin primordial d'exprimer les inévitables tensions liées aux besoins sexuels. Mais aucun de ces éléments ne constituait le facteur principal dans la transformation de l'image de Marie Madeleine qui remettait en question les préjugés misogynes des hommes en une image qui les confirmait. En fait, le principal facteur de cette trans-formation était la manipulation de son image par ces mêmes hommes. La mutation s'est étalée sur une longue période de temps – au moins les six premiers siècles de l'ère chrétienne.

51

Une fois de plus, il est utile d'avoir à l'esprit une chronologie lorsqu'on met l'accent sur la place des femmes au sein du mouvement que dirigeait Jésus. La première étape se situe au cours de la vie même de Jésus, et il existe des raisons de croire que, selon ses enseignements et dans son entourage, les femmes avaient un statut tout à fait égal à celui des hommes, ce qui constituait un fait rare. Pendant la deuxième étape, lorsque ont été couchés par écrit les normes et les principes de la communauté de Jésus, l'égalité des femmes se reflète dans les lettres de saint Paul (environ 50-60 apr. J.-C.), qui parle des femmes comme étant des partenaires de plein droit – ses partenaires – au sein du mouvement chrétien, et dans les récits bibliques qui fournissent des preuves de la propre attitude de Jésus et mettent en relief des femmes dont le courage et la loyauté constituent un vif contraste avec la couardise des hommes.

Cependant, au cours de la troisième étape – après que les Évangiles ont été écrits, mais avant que le Nouveau Testament ne fût défini comme tel –, le fait que Jésus rejette l'idée de domination masculine qui prévalait jusqu'alors s'était érodée dans la communauté chrétienne. Les Évangiles eux-mêmes, rédigés pendant les premières décennies ayant suivi la mort de Jésus, laissent supposer une telle érosion en mettant l'accent sur l'autorité des «douze», qui étaient tous des hommes. (De nos jours encore, le Vatican utilise délibérément l'expression «les douze» pour refuser l'ordination aux femmes.) Mais, dans les livres du Nouveau Testament, la discussion parmi les chrétiens sur la place des femmes au sein de la communauté est implicite; elle devient plus explicite dans d'autres textes sacrés de cette période. Il est sans doute peu étonnant que le personnage qui incarne le plus le conflit psychologique et théologique sur la place des femmes dans «l'Église», comme elle avait commencé à se nommer, soit Marie Madeleine.

Il serait utile, ici, de se souvenir non seulement de la façon dont les textes du Nouveau Testament ont été composés, mais également de la façon dont ils ont été choisis en tant que documents sacrés. On présume généralement que les Épîtres de Paul et de Jacques, et les quatre Évangiles, de même que les Actes des Apôtres et le Livre des Révélations constituaient la plus grande partie des écrits fondateurs de la sainte communauté chrétienne. Ces textes, que l'on croyait «inspirés par l'Esprit saint», sont considérés comme ayant été, d'une façon ou d'une autre, transmis par Dieu à l'Église, et joints aux livres antérieurs, «inspirés» et choisis, de l'Ancien Testament pour former la «Bible». Les livres saints du christianisme (comme les livres saints du judaïsme) ont été choisis dans le cadre d'un processus beaucoup plus compliqué (et humain) que cela.

La diffusion foudroyante de la bonne nouvelle de Jésus dans le monde méditerranéen indiquait que des communautés chrétiennes distinctes voyaient le jour partout. Il existait à l'époque toute une diversité de croyances et de pratiques qui se reflétaient dans les traditions orales et, plus tard, dans les textes dont s'inspiraient ces communautés. Autrement dit, plusieurs autres textes auraient pu être intégrés au «canon» (ou liste), mais ne l'ont pas été.

Ce n'est qu'au IVe siècle que la liste des livres canoniques que nous connaissons sous le nom de Nouveau Testament fut dressée. Il s'agissait d'un jalon sur la voie de l'autodéfinition de l'Église par rapport, précisément, au judaïsme. Au même moment, mais de façon plus subtile, l'Église commençait à se comprendre elle-même dans le cadre de son opposition vis-à-vis des femmes. Une fois qu'elle eut commencé à mettre en vigueur l'«orthodoxie» de ce qu'elle estimait être les Écritures et ses croyances définies de manière doctrinale, les textes rejetés – et parfois les gens qui y attachaient de la valeur, également connus sous le nom d'hérétiques – furent éliminés. C'était en partie une question de différends théologiques – si Jésus était un être divin, de quelle façon l'était-il? – et en partie une volonté d'établir une frontière par rapport au judaïsme. Mais il y avait également en œuvre une véritable quête philosophique alors que les chrétiens, comme leurs contemporains païens, cherchaient à cerner la relation entre l'esprit et la matière. Chez les chrétiens, cet argument allait bientôt se centrer sur la sexualité – et son terrain de bataille allait devenir la tension existentielle entre les hommes et les femmes.

Puisque les livres sacrés devenaient des canons, quels textes étaient exclus et pourquoi? Il s'agissait d'un long détour, mais nous voilà revenus à notre sujet, parce que l'un des plus importants textes chrétiens autres que le canon du

Nouveau Testament est l'*Évangile de Marie*, une histoire du mouvement de Jésus qui met en scène Marie Madeleine (assurément pas la femme au «vase d'albâtre») comme faisant partie de ses plus puissants chefs de file. Tout comme les Évangiles «canoniques» étaient issus de communautés qui s'associaient aux «évangélistes», qui n'ont peut-être pas eux-mêmes «rédigé» les textes, cet Évangile porte le nom de Marie non parce qu'elle l'a «rédigé», mais parce qu'il provient d'une communauté qui reconnaissait son autorité.

Soit par suppression délibérée ou par négligence, l'*Évangile de Marie* se perdit au cours de la première période – au moment exact où la véritable Marie Madeleine commençait à réapparaître sous la forme d'une putain repentante et misérable, et alors que les femmes disparaissaient des cercles de l'Église proches du pouvoir. Il réapparut en 1896, incomplet mais bien conservé, quand la copie du Ve siècle d'un document datant du IIe siècle fut mise en vente au Caire; on trouva plus tard d'autres fragments de ce texte. Ce n'est que lentement, tout au long du XXe siècle, que les spécialistes commencèrent à redécouvrir ce que cet Évangile révélait, un processus dont le point culminant fut la publication en 2003 de *The Gospel of Mary of Magdala: Jesus and the First Woman Apostle*, par Karen L. King.

Même si Jésus refusait la prééminence masculine, comme le symbolise le mandat qu'il donna à Marie Madeleine de répandre la nouvelle de sa résurrection, la prééminence masculine effectua progressivement un retour en force au sein du mouvement de Jésus. Mais, pour que cela se produisît, il fallait réinventer le mandat de Marie Madeleine. C'est ce que l'on voit précisément à l'œuvre dans l'*Évangile de Marie*.

À titre d'exemple, on tient ailleurs pour acquise la prééminence de Pierre – dans Matthieu, Jésus déclare: «Tu es Pierre et sur cette pierre je bâtirai mon Église.» Ici, il s'incline devant elle:

Pierre dit à Marie: «Sœur, nous savons que le Maître t'a aimée différemment des autres femmes. Dis-nous les paroles qu'Il t'a dites, dont tu te souviens et dont nous n'avons pas la connaissance...»

Marie leur dit : « Ce qui ne vous a pas été donné d'entendre, je vais vous l'annoncer… »

Marie se souvint de sa vision, une sorte de description ésotérique de l'ascension de l'âme. Les disciples Pierre et André sont troublés – non pas par ce qu'elle dit, mais par ce qu'elle sait. Puis Pierre, jaloux, se plaint à ses compagnons : « L'a-t-Il vraiment choisie et préférée à nous ? » Un autre apôtre, Levi, intervient en disant : « Pourtant, si le Maître l'a rendue digne, qui es-tu pour la rejeter ? »

C'était là une question qui concernait non seulement Marie Madeleine mais toutes les femmes. Compte tenu de la façon dont la prééminence exclusive des hommes a réussi à s'établir au sein de l'Église des « Pères », on ne devrait pas s'étonner que l'*Évangile de Marie* eût fait partie des documents rejetés au IVe siècle. Comme l'illustre ce texte, la première image de cette Marie en tant que disciple de confiance de Jésus, reflétée même dans les Évangiles canoniques, était un obstacle majeur à l'instauration de la prééminence masculine, et c'est pourquoi, quels que soient les problèmes soulevés par cet Évangile, il fallait refaçonner l'image de Marie pour lui donner un rôle servile.

Parallèlement, l'accent mis sur la sexualité en tant que source de tous les maux servait à subordonner toutes les femmes. L'ancien monde romain regorgeait de mouvements spirituels qui haïssaient la chair – stoïcisme, manichéisme, néoplatonisme – et ceux-ci ont influencé la pensée chrétienne au moment même où elle se figeait dans une « doctrine ». C'est ainsi que le besoin d'enlever tout pouvoir au personnage de Marie Madeleine, de façon à ce que les femmes qui allaient lui succéder dans l'Église ne puissent faire concurrence aux hommes pour obtenir le pouvoir, se mêlait au désir de discréditer les femmes de manière générale. Et la façon la plus efficace de le faire consistait à les réduire à leur sexualité, en même temps que la sexualité elle-même était rangée dans la catégorie de la tentation, la source de l'indignité humaine. Tout cela – à partir de la sexualisation de Marie Madeleine jusqu'à la vénération de la virginité de Marie, la mère de Jésus, en passant par l'adoption du célibat en tant qu'idéal clérical, la marginalisation de la dévotion des femmes et la transformation de la piété en une forme d'oubli de soi, en particulier par le biais des cultes pénitentiels – aboutit à une sorte de point culminant déterminant à la fin du VIᵉ siècle. C'est à ce moment que toutes les impulsions philosophiques, théologiques et ecclésiastiques s'adaptèrent aux Écritures, cherchant à obtenir une approbation ultime de ce qui était devenu un préjugé culturel bien établi. C'est aussi à ce moment que furent établies les lignes de pensée selon lesquelles l'Église – tout comme l'imaginaire occidental – allait agir.

Le pape Grégoire Iᵉʳ (env. 540-604) était né dans une famille aristocratique et avait occupé la fonction de préfet de Rome. Après la mort de son père, il avait cédé tous ses biens et transformé son palais romain en un monastère, où il était devenu un moine parmi les autres. C'était une période de peste et, de fait, le pape précédent, Pélage II, en était mort. Lorsqu'il fut élu pour lui succéder, le vertueux Grégoire mit immédiatement l'accent sur les formes pénitentielles de vénération pour combattre la maladie. Son pontificat fut marqué par un renforcement de la discipline et de la pensée, une époque à la fois de réformes et d'inventions. Mais tout cela se produisit sur fond de peste, une situation imprégnée de tragédie dans laquelle Marie Madeleine, servilement repentante, combattant l'épidémie spirituelle de la damnation, pouvait prendre sa propre place. C'est ce qui se passa avec l'aide de Grégoire.

Connu sous le nom de Grégoire le Grand, il demeure l'un des papes les plus influents qui aient existé et, dans une célèbre série de sermons qu'il prononça sur Marie Madeleine à Rome vers 591, il donna son approbation à ce qui, jusque-là, avait été une interprétation commune, mais non sanctionnée, de son histoire. C'est ainsi que la question de l'image contradictoire de Marie Madeleine fut, selon les paroles de Susan Haskins, auteure de *Mary Magdalene: Myth and Metaphor*, « réglée… pour presque quatorze siècles ».

Tout cela découlait de ces textes évangéliques. Faisant fi des prudentes distinctions des exégètes – les différentes Marie, les femmes pécheresses – qui avaient rendu difficile le fait de combiner les personnages de manière flagrante, Grégoire, de sa propre autorité, imposa son interprétation des textes évangéliques pertinents. Il fixa le contexte dans lequel leur signification devait être interprétée à partir de ce moment :

> Celle que Luc appelle une pécheresse, et que Jean nomme Marie, nous croyons qu'elle est cette Marie de laquelle, selon Marc, le Seigneur a chassé sept démons. Et que désignent ces sept démons, sinon l'universalité de tous les vices ?

Voilà donc la « femme au vase d'albâtre » qui devient, par la voix du pape lui-même, Marie de Magdala. C'est ainsi qu'il la définissait :

> Il est bien évident, mes frères, que cette femme, autrefois adonnée à des actions défendues, s'était servie de parfum pour donner à sa chair une odeur [agréable]. Ce qu'elle s'était accordé à elle-même d'une façon honteuse, elle l'offrait désormais à Dieu d'une manière digne de louange. Elle avait désiré les choses de la terre par ses yeux, mais les mortifiant à présent par la pénitence, elle pleurait. Elle avait fait valoir la beauté de ses cheveux pour orner son visage, mais elle s'en servait maintenant pour essuyer ses larmes. Sa bouche avait prononcé des paroles d'orgueil, mais voici que baisant les pieds du Seigneur, elle fixait cette bouche dans la trace des pas de son Rédempteur. Ainsi, tout ce qu'elle avait en elle d'attraits pour charmer, elle y trouvait matière à sacrifice. Elle transforma ses crimes en autant de vertus, en sorte que tout ce qui en elle avait méprisé Dieu dans le péché fût mis au service de Dieu dans la pénitence.

Le fait qu'il s'adresse à ses « frères » constitue le principal indice. Tout au long du Moyen Âge et de la période de la contre-réforme, jusqu'à l'époque moderne et à l'encontre de celle des Lumières, les moines et les prêtres allaient lire les paroles de Grégoire et, à travers elles, ils allaient lire les textes évangéliques eux-mêmes. Les preux chevaliers, les religieuses qui fondaient des établissements pour les mères célibataires, les amoureux courtois, les pécheurs désespérés, les célibataires frustrés et une série interminable de prêcheurs allaient interpréter les paroles de Grégoire comme représentant littéralement des vérités d'évangile. Même les Saintes Écritures, ayant refaçonné ce qui s'était produit au cours de la vie de Jésus, furent elles-mêmes refaçonnées.

Les hommes d'Église qui avaient tiré parti de cette transformation, débarrassés à tout jamais de la présence des femmes dans leurs sanctuaires, ne savaient pas que c'était cela qui s'était produit. Ayant créé un mythe, ils avaient oublié qu'il était mythique. Leur Marie Madeleine – qui ne représentait à leurs yeux ni une illusion, ni un mélange de personnages, ni la trahison d'une femme auparavant vénérée – devint la seule Marie Madeleine qui eût jamais existé.

Cet effacement des distinctions textuelles servait à évoquer un idéal de vertu qui profitait du fait d'être une vision de célibataire inventée de toutes pièces pour les célibataires. L'intérêt particulier que montra ouvertement Grégoire le Grand envers le passé de la femme déchue – à quoi avait servi ce parfum, de quelle façon elle avait étalé cette chevelure, cette bouche – suscita au sein même de l'Église dévote une énergie vaguement sensuelle qui allait prospérer sous le rigide patronage d'un des papes réformateurs les plus respectés de l'Église. En fin de compte, Marie Madeleine devint, pour de nombreux peintres de la Renaissance et de la période baroque, en tant que sujet à dénuder, rien de moins qu'un personnage de la pornographie sacrée, assurant ainsi à la putain éternellement lascive – ne serait-ce, maintenant, que pour l'extase de la sainteté – une place permanente dans l'imaginaire catholique.

Ainsi, comme le résume Haskins, Marie de Magdala, qui avait d'abord été une femme puissante aux côtés de Jésus, «devint la putain réhabilitée et un modèle de repentir dans la chrétienté, un personnage docile, contrôlable, et une arme ainsi qu'un instrument de propagande contre son propre sexe». Cela s'est produit pour des raisons liées à la forme narrative. Cette image évoquait la maîtrise des instincts sexuels. Il y avait également un attrait humain à cette histoire qui mettait l'accent sur la possibilité du pardon et de la rédemption. Mais le moteur de cette sexualisation antisexuelle de Marie Madeleine était le besoin que ressentaient les hommes de dominer les femmes. Ce besoin se fait encore sentir au sein de l'Église catholique comme ailleurs.

La sainte pécheresse.
Une obsession de deux mille ans à l'égard de Marie Madeleine

par Joan Acocella[6]

S'il était nécessaire de démontrer davantage que Marie Madeleine est la «vedette féminine» du début du XXIᵉ siècle – c'est-à-dire encore plus que la vedette du roman et du film *Da Vinci Code*, le livre à grand tirage et le film tourné avec le plus important budget de notre époque –, quoi de mieux, pour couronner le tout, que de voir son portrait sur plusieurs pages dans le magazine à la mode le *New Yorker*?

Cet article du *New Yorker*, écrit par Joan Acocella et publié au début de 2006, représente une des meilleures introductions aux innombrables débats et discussions sur Marie Madeleine qui aient jamais été écrites, et c'est pourquoi nous l'avons intégré à ce livre. Normalement, Acocella rédige pour ce magazine des critiques de danse – en fait, elle fait partie de la poignée de gens reconnus qui ont haussé la critique de la danse au niveau d'une forme d'art moderne en soi. C'est sans doute son expérience de la danse et de son rôle puissant, primal, parfois sacré, parfois extatique, parfois érotique, parfois androgyne dans l'histoire de l'humanité qui l'a rendue particulièrement sensible à certaines nuances du débat sur Marie Madeleine.

Quoi qu'il en soit, Acocella a brillamment écrit sur la danse, mais également sur d'autres sujets liés au débat sur Marie Madeleine. Dans son livre révolutionnaire sur Willa Cather, une romancière américaine du début du XXᵉ siècle, elle devait traiter d'un personnage féminin à qui l'on avait attribué divers rôles parfois contradictoires – gauchiste populiste, défenderesse conservatrice d'une époque romantique révolue, idéaliste chrétienne classique, femme indépendante et lesbienne obsédée par le sexe, pour n'en nommer que quelques-uns. Tout en étant parfaitement capable de décoder le symbolisme dans l'œuvre de Cather, Acocella rejetait les interprétations excessives du contenu symbolique en faisant remarquer que, pour certains critiques, «dans les paysages de Cather, aucun arbre ne pousse, aucune rivière ne coule, sans qu'il s'agisse d'un pénis ou de menstruations». Dans la discussion moderne sur Marie Madeleine, elle sera confrontée à une tendance semblable consistant à interpréter de façon excessive le contenu symbolique dans les œuvres littéraires et artistiques.

Acocella a aussi beaucoup écrit sur la psychologie, notamment un livre qui traite précisément des femmes et des troubles de la personnalité multiple. Sa critique à l'égard de la facilité avec laquelle nous étiquetons et comprenons mal les syndromes psychologiques complexes, en particulier chez les femmes, pourrait lui avoir donné une perspective particulière en ce qui a trait à ces références bibliques qui évoquent Jésus chassant les «sept démons» de Marie Madeleine.

Dans son article, Acocella cite plusieurs des spécialistes auxquels nous avons fait appel pour Les Secrets de Marie Madeleine, *notamment Susan Haskins, Katherine Jansen,*

---

6. © 2006 par Joan Acocella. Cet article est paru pour la première fois dans *The New Yorker* et est utilisé avec la permission de l'auteur.

Elaine Pagels, Marvin Meyer, Jane Schaberg, Bruce Chilton et Margaret Starbird. Les points de vue de ces spécialistes sont bien représentés ailleurs dans Les Secrets; aussi nos lecteurs n'auront-ils qu'à jeter un coup d'œil à notre table des matières pour en savoir davantage sur leurs opinions.

On peut supposer que l'Église catholique a suffisamment à faire sans se préoccuper de littérature populaire, mais le Saint-Siège a immanquablement dû remarquer que le *Da Vinci Code*, un roman qui affirme que Jésus était marié, se trouvait sur la liste des livres à grand tirage du *Times* depuis presque trois ans. [...] Brown est loin d'être le premier à avoir laissé entendre que le Christ avait une vie sexuelle – Martin Luther l'a déclaré –, mais la plus récente et la plus célèbre théorie a été exposée dans *Holy Blood, Holy Grail*[7], publié en 1982 et écrit par Michael Baigent, Richard Leigh et Henry Lincoln. *Holy Blood*, une des principales sources du *Da Vinci Code*, suggère que, après la crucifixion, la femme de Jésus s'est enfuie avec au moins un de leurs enfants en France, où leurs descendants ont épousé des membres de la dynastie mérovingienne et existeraient encore aujourd'hui. Toutefois, personne ne sait cela car, d'après le scénario de ses auteurs, la vérité a été cachée pendant un millier d'années par une société secrète du nom de Prieuré de Sion. Le livre présente une théorie du complot fabuleusement élaborée – impliquant Léonard de Vinci, Isaac Newton, Victor Hugo et Jean Cocteau (tous « grands maîtres » du Prieuré de Sion), de même qu'Emma Calvé et divers autres personnages connus –, un complot que l'on ne peut résumer brièvement, mais dont le résultat est que le Prieuré pourrait être prêt, maintenant, à rendre son histoire publique. Les auteurs donnent un avertissement selon lequel l'organisation pourrait avoir l'intention de fonder les États-Unis d'Europe théocratiques avec, comme prêtre-roi, un descendant de Jésus, mais dont l'administration des affaires gouvernementales serait assurée par une tierce partie – le Prieuré de Sion, par exemple.

Et quelle est la femme qui a généré toute cette agitation? Qui a épousé Jésus et porté ses enfants, établissant ainsi les bases du renversement de la culture post-Lumières? Marie Madeleine.

Marie Madeleine n'est mentionnée que quatorze fois dans le Nouveau Testament. D'après Luc et Marc, elle fut exorcisée

---

7. Michael Baigent, Richard Leigh et Henry Lincoln. *L'Énigme sacrée, op. cit.*

par Jésus – il chassa de son corps «sept démons» – et faisait partie des nombreuses femmes qui l'accompagnaient. Les quatre Évangiles mentionnent qu'elle était présente lors de la crucifixion. Quoi qu'il en soit, son rôle demeure presque insignifiant jusqu'à ce que, tout à coup, après la mort du Christ, il prenne une ampleur inégalée jusqu'alors. Chacun des Évangiles raconte l'histoire d'une manière quelque peu différente, mais, fondamentalement, la Madeleine, seule ou avec d'autres femmes, se rend au tombeau le troisième jour après la crucifixion pour oindre le corps de Jésus, et c'est à elle (ou à elles) qu'un ange ou le Christ lui-même annonce qu'il est ressuscité d'entre les morts et lui demande d'aller en avertir ses disciples. Cette demande valut à Madeleine un tout nouveau statut. La résurrection représente la preuve de la véracité de la foi chrétienne. Étant la première personne à en faire l'annonce, Marie Madeleine devint, comme on la désigna plus tard, «l'apôtre des apôtres».

Mais il y avait un problème. Pourquoi elle? Pourquoi une personne qui auparavant n'avait été mentionnée que de façon passagère? Et, fait plus important encore, pourquoi une femme?

Le fait que les quatre Évangiles affirment que c'était la Madeleine laisse entendre que c'est vraiment ce que les gens disaient qu'il était arrivé. Toutefois, si c'était le cas, son image devait être améliorée. C'était assez facile. De nos jours, il existe tant de spécialistes de la Bible que nous devons nous efforcer de décoder ce que disent vraiment les Écritures, mais, au cours des premiers siècles après la mort du Christ, ces questions avaient moins d'importance parce que les gens ne savaient pas lire. La majeure partie des quatre Évangiles constitue un recueil de traditions orales. Une fois rédigés, ils ont servi de guide aux prêcheurs mais seulement de guide. Les prêcheurs enjolivaient librement les histoires, et les artistes – en fait, tout un chacun – faisaient leurs propres ajustements. La spécialiste anglaise Marina Warner illustre ce fait dans son livre sur la Vierge Marie intitulé *Alone of All Her Sex*[8]. Comme elle le démontre, plusieurs détails de la Nativité que nous connaissons bien par les peintures, les hymnes et les spectacles scolaires – «le foin, la neige et l'odeur des animaux» – ne figurent pas

---

8. Marina Warner. *Seule entre toutes les femmes*, Paris, Rivages, 1989.

dans le Nouveau Testament. Les gens les ont inventés parce qu'ils voulaient une meilleure histoire. De la même façon, ils ont inventé une meilleure Marie Madeleine.

Compte tenu de l'endroit et de l'époque, Jésus était remarquablement peu sexiste. En Samarie, lorsqu'il parla avec une femme au puits – il s'agit là de la plus longue conversation qu'ait eue Jésus avec quiconque dans la Bible –, ses disciples «s'émerveillèrent»; en public, un homme juif n'adressait pas la parole à une femme qui ne faisait pas partie de sa famille. Dans Luc, Jésus prenait un repas avec Simon le pharisien lorsqu'une «femme dans la ville, qui était une pécheresse» – vraisemblablement une prostituée –, pénétra dans la maison, lava les pieds de Jésus avec ses larmes, les essuya avec ses cheveux, les couvrit de baisers, puis les oignit avec un parfum qu'elle transportait dans un vase. Simon dit au Christ que s'il acceptait cet hommage d'une telle personne, il n'était sûrement pas un prophète. Le Christ répondit que la «pécheresse» lui avait montré plus d'amour que ne l'avait fait Simon. D'après certains spécialistes, l'ouverture d'esprit du Christ envers la gent féminine était partagée par quelques communautés chrétiennes des premiers temps, où les femmes occupaient des postes de dirigeantes. Mais, au IIe siècle, alors que la soi-disant «Église orthodoxe» prenait de l'expansion, les femmes furent écartées, de même que l'élément qu'elles représentaient de plus en plus aux yeux de certains: le sexe. Ce n'est qu'au XIIe siècle qu'on exigea de tous les prêtres catholiques romains d'être célibataires, mais l'incitation au célibat date de bien avant, et les écrits des premiers dirigeants de l'Église étaient très durs en ce qui concernait le sexe. Au IVe siècle, on déclara que la mère de Jésus était vierge. La chasteté devint un idéal et les femmes, ces tentatrices, furent stigmatisées.

Comment, alors, l'annonce de la résurrection avait-elle pu être faite à l'une d'entre elles? Dans ce qui semble, avec le recul, une solution astucieuse, on affirma que la «pécheresse» de Luc était la Madeleine. Il y a là une certaine logique. Luc mentionne la Madeleine par son nom deux versets seulement après l'histoire de la «pécheresse». Puis il y a eu les «sept démons» que le Christ avait chassés de la Madeleine. Quels démons une femme pouvait-elle avoir, outre la concupiscence? En fin de compte, contrairement à plusieurs autres femmes dans les Évangiles – Marie, la mère de Jacques ; Marie, la femme de Cléophas, etc. –, Marie Madeleine, lorsqu'on la nomme, est identifiée non pas d'après sa relation avec un homme mais d'après sa ville, Magdala, un village de pêcheurs prospères au bord de la mer de Galilée. Ainsi, la Madeleine était probablement une femme qui vivait seule, un fait rare et suspect au sein de la société juive de cette époque. Ajoutez à cela le fait que Magdala avait la réputation d'être une ville où régnait le dévergondage et que la Madeleine avait apparemment de l'argent (Luc affirme qu'elle « assistait [Jésus] de [ses] biens ») et nous arrivons à la conclusion selon laquelle Marie Madeleine était la pécheresse qui avait arrosé de ses pleurs les pieds de Jésus.

Au départ, on se demande comment le fait que le premier témoin de la résurrection soit une prostituée pouvait contribuer à la nouvelle campagne de chasteté de l'Église. Mais, comme nous l'avons souligné, l'Église avait pour ainsi dire Marie Madeleine sur les bras. De plus, l'élément principal du ministère de Jésus était l'humilité. Un dieu qui était né dans une étable pourrait bien décider également d'annoncer sa résurrection à une prostituée. Et la pécheresse de Luc n'était pas qu'une prostituée ; c'était une prostituée repentie, versant des larmes si abondantes qu'elles pouvaient laver les pieds d'un homme qui venait de parcourir la route poussiéreuse menant à la maison du pharisien. Mais le plus grand avantage découlant du fait de greffer cette femme sur la Madeleine était de lui accorder une certaine plénitude en tant que personnage tout en abaissant son statut. Cette agglomération de personnages avait déjà commencé aux IIIe et IVe siècles et, au VIe siècle, elle fut officiellement reconnue dans un sermon du pape Grégoire le Grand. Marie Madeleine, une des rares femmes indépendantes dans le Nouveau Testament, était devenue une putain.

À ce titre, elle connut un immense succès. L'Europe, une fois convertie au christianisme, ne se satisfaisait pas du fait que tous ces saints personnages de la Bible restreignent leurs activités – ou, plus important encore, la présence de leurs reliques – au Moyen-Orient. C'est ainsi que la Madeleine, comme plusieurs autres, fut envoyée en Occident. Après la crucifixion, disait-on, des infidèles l'avaient mise dans un bateau sans gouvernail et avaient poussé ce dernier sur la mer en croyant qu'il chavirerait. Mais, guidée par la main de Dieu, la barque de la Madeleine arriva à Marseille. Dès lors, elle aurait entrepris une carrière ardue d'évangéliste et converti le sud de la Gaule. Toutefois, elle finit par se fatiguer de prêcher et se retira dans une grotte près de Marseille où elle pleura sur sa jeunesse dévergondée. Elle ne portait pas de vêtements ; son corps n'était couvert que par sa longue chevelure (ou, sur certaines peintures, par un étonnant type de fourrure). Elle ne mangeait pas non plus. Quotidiennement, des anges se présentaient à elle pour la transporter jusqu'au paradis où elle recevait une « nourriture céleste », puis la ramenaient à sa grotte. Les choses se poursuivirent ainsi pendant trente ans. Puis, un jour, son ami Maximin, l'évêque d'Aix, la trouva dans son église, lévitant à deux coudées au-dessus du plancher et entourée d'une chorale d'anges. Elle mourut rapidement.

Il s'agit là d'un résumé de plusieurs histoires, mais la plupart d'entre elles se trouvent dans *La Légende dorée*, un recueil de vies de saints rédigé au XIIIe siècle par un dominicain, Jacques de Voragine, qui devint plus tard archevêque de Gênes. On dit que, après la Bible, *La Légende dorée* aurait été le texte le plus lu au Moyen Âge. À partir de ce récit, des sermons ont été composés, des pièces ont été écrites, des ornements d'autel ont été peints et des histoires ont été racontées au coin du feu. Selon certaines sources, la Madeleine serait devenue la sainte la plus populaire en France, après la Vierge Marie. Au XIIIe siècle, un culte de Marie Madeleine particulièrement fervent se développa dans la ville bourguignonne de Vézelay dont l'église prétendait posséder les reliques – une affirmation sans doute influencée par le fait que Vézelay était une des principales routes menant à Saint-Jacques-de-Compostelle en Espagne, le troisième plus important lieu de pèlerinage (après Jérusalem et Rome). Vézelay devint bientôt un autre important site de pèlerinage, ce qui contribua de façon substantielle à l'économie locale. En 1267, les moines de Vézelay firent excaver, en présence du roi, les reliques de Madeleine enfouies sous l'église.

Toutefois, certaines personnes se demandèrent de quelle manière le corps de la Madeleine avait pu aboutir en Bourgogne alors que, selon la légende, elle était morte en Provence. Le prince provençal Charles de Salerne, un homme dévot, fut particulièrement affligé par ce transfert. Et ainsi, en 1279, douze ans seulement après l'exhumation de Vézelay, on trouva de nouvelles reliques de Madeleine dans la crypte de Saint-Maximin, près d'Aix-en-Provence. Saint-Maximin devint un lieu de pèlerinage concurrentiel. Au fil du temps, on découvrit cinq corps complets de la Madeleine, de même que des pièces de remplacement, à divers endroits. Son jour anniversaire, le 22 juillet, devint un jour férié important. À Viviers, dit-on, un paysan qui osait labourer ses champs ce jour-là fut frappé par la foudre. Nombre de professions – vignerons, jardiniers, marins, fabricants de tonneaux, tisserands – l'adoptèrent comme sainte patronne. Une quantité innombrable d'églises furent nommées en son honneur, tout comme de nombreuses fillettes.

D'où vient cette faveur du public? Ces dernières années sont parues plusieurs études sur l'évolution de l'image de la Madeleine au cours des siècles. *Mary Magdalene: Myth and Metaphor* (1993) de Susan Haskins et *The Making of the Magdalen: Praeching and Popular Devotion in the Later Middle Ages* (2001) de Katherine Jansen en constituent deux bons exemples. Selon ces auteures, c'était en partie en raison de la hausse de la prostitution engendrée par l'urbanisation au XIIᵉ siècle que la Madeleine, cette putain célèbre, prit une telle importance à cette époque. Les prêcheurs soulignèrent – en fait, inventèrent – sa jeunesse indisciplinée. Elle était belle, dit-on, avec son abondante chevelure rousse dorée, et elle était une héritière; elle vivait dans un château. Mais elle n'avait aucun parent mâle qui pût arranger pour elle un mariage convenable, alors elle s'abandonna à la luxure. Quotidiennement, elle s'asseyait devant son miroir et se mettait cosmétiques et parfums pour mieux piéger les jeunes hommes innocents. Bientôt, d'après les prêcheurs médiévaux (pour qui, apparemment, la richesse ne constituait pas un élément qui aurait pu la dissuader de s'adonner à la prostitution), elle commença à vendre son corps – une leçon, déclarèrent-ils, pour toutes les jeunes femmes attirées par la luxure. Jansen cite un moine du XIIᵉ siècle qui s'était mis à la place d'une telle fille, assise devant son miroir: «Elle tire sa robe d'un côté pour dévoiler sa peau nue, elle desserre son écharpe pour révéler son décolleté. Son corps se trouve encore chez elle, mais, aux yeux de Dieu, elle est déjà dans un bordel. » Toutefois, les prêches ne représentaient qu'une partie de cette campagne. Dans l'Europe tout entière, on mit sur pied, sous l'égide de Marie Madeleine, des institutions au service des prostituées qui souhaitaient se repentir et changer de vie.

Cependant, bien qu'on brandît son nom comme un avertissement, la jeune Madeleine était également un sujet d'admiration. Elle fut choisie comme sainte patronne non seulement par les fabricants de tonneaux et les jardiniers, mais également par les gantiers, les fabricants de parfums et les coiffeurs – autrement dit, les fournisseurs de tous ces parements qui l'avaient menée à sa chute. (Elle est également devenue la sainte patronne des prostituées. À Beaucaire, le jour de son anniversaire, les prostituées de l'endroit disputaient une course en son honneur.) Outre sa beauté, ce qui attirait les gens, c'était son émotivité. Dans les représentations médiévales de la crucifixion et de la mise au tombeau, la Madeleine apparaît toujours folle de douleur. Souvent, sa bouche est ouverte et elle crie. Ses cheveux et son manteau s'agitent dans le vent. Elle embrasse les pieds sanglants du Christ. Elle sait que c'est également pour ses péchés que le Christ est mort. La Vierge, quant à elle, est habituellement représentée dans une attitude plus posée. La période entre les XIe et XIIIe siècles marqua le point culminant du culte de la Vierge Marie. Selon Marina Warner, toutes les faiblesses humaines qui furent éliminées chez la Vierge furent déplacées sur la Madeleine, et chaque culte s'inspira de ces images par la suite. Mais, en ce qui concernait la culpabilité engendrée par quelque péché, la sainte dont les gens avaient besoin n'était pas la Vierge immaculée mais la Madeleine. Comme le dit Haskins, elle était « un modèle pour les simples mortels qui pouvaient pécher à répétition et, malgré cela, encore espérer atteindre le paradis par le repentir ».

L'image changeante de la Madeleine – parfois pin up, parfois objet de sermons – se stabilisa au cours de la Renaissance. Ainsi que le faisait remarquer le grand érudit Mario Praz, elle devint une « Vénus en tunique de pénitente ». Une peinture du Titien datant des années 1530-1535 nous la montre dans sa grotte, les yeux tournés vers le paradis. En même temps, nous pouvons apercevoir, entre les mèches de ses cheveux étalés, les seins d'une blancheur de nacre qui, dans sa vie – comme dans toutes les vies, affirme Titien d'un ton complice –, étaient la cause du péché. Mais l'équilibre ne dura que brièvement. Au XVIᵉ siècle, les protestants remirent en question le sacrement de pénitence qui, par le biais de la vente d'indulgences, avait été tellement exploité par l'Église. En conséquence, la contre-réforme mit fortement l'accent sur la pénitence et, dans le cadre de cette campagne d'assainissement, nous avons droit à des images remarquablement chastes de la Madeleine, comme la fameuse série de peintures de Georges de La Tour représentant la pieuse sainte maintenant complètement vêtue, avec un crâne à ses côtés – un rappel que la beauté ne dure qu'un temps. La Madeleine figurait également en bonne place dans la poésie dévote du XVIIᵉ siècle anglais. « La pleureuse » de Richard Crashaw (1646) décrit les larmes de Marie Madeleine qui inondent les pieds du Christ. Ce poème, de même que d'autres représentations réalisées dans le même esprit, donna naissance au mot anglais « *maudlin* », dérivé de Madeleine, et qui signifie « mièvrement larmoyant ».

Pendant les Lumières, Marie Madeleine, comme d'autres éléments sacrés, fut négligée. Mais, dans l'Angleterre du XIXᵉ siècle, les réformateurs invoquèrent de nouveau son nom, car la prostitution constituait un phénomène épidémi-que à Londres durant l'époque victorienne. On fonda encore davantage de couvents pour les prostituées secourues au nom de la Madeleine. (En fait, comme l'explique Haskins, il s'agissait de maisons de transition où les jeunes filles faisaient des travaux de couture en attendant un mariage modeste ou un travail dans un atelier.) On utilisait largement le mot même de « madeleine » pour désigner une « femme déchue ». À la fin du siècle, une immense vague de lasciveté envahit l'art européen ; la Madeleine y figurait aussi, mais non dans une attitude dévote : dans certaines peintures, elle apparaît complètement nue et de face, sans même le pseudo-voile de ses cheveux. Elle séduisait également le « symbolisme noir » de l'époque. Dans une gravure du symboliste belge Félicien Rops datant de 1888, on la voit effondrée, complètement nue, au pied de la croix, baisant les pieds du Christ.

Au XXᵉ siècle, la Madeleine fit l'objet d'hommages plus exaltés. Rainer Maria Rilke, Marina Tsvetaïeva et Boris Pasternak lui ont tous dédié de superbes poèmes. Ce sont des poèmes d'amour sur sa relation avec le Christ, mais ils sont à la fois graves et nuancés. Les représentations populaires de la Madeleine ont été moins subtiles à notre époque. Dans leur opéra rock de 1971, *Jesus Christ Superstar*, Tim Rice et Andrew Lloyd Webber la représentaient comme une putain amourachée de Jésus. Dans le film de 1977 de Franco Zeffirelli *Jesus of Nazareth*[9], nous voyons d'abord Madeleine qui termine son travail avec un client. Dans *The Last Temptation of Christ*[10] de Martin Scorsese (1988), inspiré du roman de Nikos Kazantzakis, la Madeleine ne devient une prostituée que parce que Jésus, son compagnon d'enfance, refuse ses avances sexuelles. Mais ce n'est pas faute d'en avoir envie. Plus tard, sur la croix, il fait un rêve (filmé d'une manière extrêmement réaliste) dans lequel il couche avec elle et ils conçoivent un enfant. Apparemment, c'en est trop pour elle ; elle meurt, de même que Jésus, après ce rêve. *The Passion of the Christ*[11] de Mel Gibson n'utilise la Madeleine que comme une pleureuse au moment de la crucifixion, mais il s'agit là d'un cas rare.

En fait, le film de Gibson est le seul de cette série qui se conforme à la doctrine actuelle de l'Église. Au cours des années 1960, l'Église finit par réaliser l'aspect fantasmatique de certaines vies de saints et, en 1969, elle procéda à une révision du calendrier liturgique. On laissa tomber les fêtes de saints depuis longtemps vénérés par manque de preuves au sujet de leur existence même. (Au grand chagrin de nombreuses personnes qui portent encore sa médaille, saint Christophe en faisait partie.) La biographie d'autres saints fut réécrite, notamment celle de la Madeleine. L'Église déclara qu'elle n'était plus une prostituée et, le jour de sa fête, on cessa de lire ce poème passionnant qu'est le *Cantique des Cantiques*. Comme les archives du film le révèlent, certaines personnes ont refusé de participer à cette épuration de Marie Madeleine. D'autres commencèrent à se demander de quelle façon elle s'était souillée au départ.

La nouveauté principale dans l'étude de Madeleine survint avec la découverte de la bibliothèque de Nag Hammadi. Les

---

9. *Jésus de Nazareth.*

10. *La Dernière Tentation du Christ.*

11. *La Passion du Christ.*

spécialistes de la Bible avaient depuis longtemps compris que l'Église actuelle ne représentait que ce segment de l'Église qui avait remporté la bataille entre les sectes chrétiennes, notamment contre les soi-disant gnostiques. Mais, à part ce qu'on avait pu comprendre des dénonciations des Pères de l'Église à propos de ces présumés hérétiques, les personnes qui étudiaient le christianisme à ses origines connaissaient peu de choses sur eux. Puis, un jour de décembre de 1945, un paysan arabe du nom de Mohammed Ali Samman conduisit son chameau vers les collines près du village de Nag Hammadi, en Haute-Égypte, afin de ramasser des fertilisants pour ses champs et, en creusant, il découvrit une jarre de terre cuite d'environ un mètre de hauteur. Espérant qu'elle renfermerait un trésor, il la brisa et, à sa grande déception, ne trouva qu'un ramassis de livres de papyrus, reliés en cuir. Il les ramena chez lui et les jeta dans la cour où il gardait ses animaux. Au cours des semaines qui suivirent, sa mère utilisa quelques pages pour allumer son poêle; d'autres pages furent échangées contre des cigarettes et des fruits. Mais en fin de compte, après un long séjour entre les mains de marchands d'antiquités, de trafiquants du marché noir, de contrebandiers et de spécialistes, on reconnut que la trouvaille de Samman constituait une bibliothèque inestimable d'écrits gnostiques – treize codex contenant cinquante-deux textes – rédigés en copte (une ancienne écriture égyptienne) au IVe siècle, mais traduits des documents grecs d'origine datant d'entre les IIe et IVe siècles. Finalement, le gouvernement égyptien confisqua les livres et les rassembla au Musée copte du Caire, où ils se trouvent aujourd'hui. (Ils furent publiés entre 1972 et 1977.) En fait, il ne s'agissait pas des premiers textes gnostiques qu'on avait découverts. D'autres avaient été mis au jour à la fin des XVIIIe et XIXe siècles, mais la plupart d'entre eux ne furent publiés qu'après la découverte de Nag Hammadi.

Quiconque veut connaître dans son ensemble le contenu étonnant des Évangiles gnostiques – notamment un démiurge (et non Dieu) qui crée l'univers, et l'histoire de la chute racontée du point de vue du serpent, un ami de l'humanité – devrait consulter le classique d'Elaine Pagels intitulé *The Gnostic Gospels* (1979)[12] ou *The Gnostic Discoveries: The Impact*

---

12. Elaine Pagels, *Les Évangiles secrets, op. cit.*

of the Nag Hammadi Library de Marvin Mayer. Mayer est plus descriptif, tandis que Pagels est plus analytique. Ce qui importe dans cette histoire, c'est que Marie Madeleine représente le personnage principal des Évangiles gnostiques et, par rapport à sa légende européenne, un personnage tout à fait nouveau. Non seulement elle n'est pas une prostituée, mais elle est une héroïne évangélique et la disciple préférée du Christ.

Le texte principal est l'*Évangile de Marie*. Au début du document, le Christ ressuscité prêche à ses disciples. Le péché n'existe pas, affirme-t-il. De même, les disciples, dans leur quête du divin, ne devraient s'en remettre à aucune autorité, ne suivre aucune règle, mais simplement regarder en eux-mêmes. Après avoir donné ces leçons, Jésus part en laissant ses disciples tremblants de peur. Il n'y a pas de péchés? pas de règles? S'ils enseignaient ces doctrines, ils risqueraient de se faire tuer, comme lui. À ce moment, Marie Madeleine intervient. « Ne soyez pas dans la peine et le doute », leur déclare-t-elle. Puis Pierre dit à Madeleine qu'ils savent tous que Jésus l'aime davantage que toute autre femme, et il lui demande si le Seigneur lui a confié des choses que ses autres disciples ne savent pas. La Madeleine lui répond en décrivant une vision qu'elle a eue d'une âme qui s'élevait vers la vérité – l'histoire qu'elle a racontée à Jésus. (Elle ajoute les commentaires de Jésus.) Il manque quatre pages à ce passage, et il se peut que certains lecteurs ne regrettent pas cette perte. Les récits de visions gnostiques sont parfois comme la description que font les gens de leurs rêves: étranges et pourtant ennuyeux – et longs. Il semble que cette vision de Marie Madeleine ait été perçue ainsi par ses lecteurs. « Est-il possible que le Maître se soit entretenu ainsi, avec une femme, sur des secrets que nous, nous ignorons? demande maintenant Pierre à ses frères. Devons-nous changer nos habitudes, écouter tous cette femme? L'a-t-il vraiment choisie et préférée à nous? » Marie éclate en sanglots et demande à Pierre s'il croit qu'elle ment. Un autre disciple, Lévi, intervient: « Pierre, tu as toujours été un emporté [...]. Pourtant, si le Maître l'a rendue digne, qui es-tu pour la rejeter? »

Ce texte illustre le principe d'où le gnosticisme tire son nom. En grec, « *gnosis* » signifie « connaissance ». Au sein des communautés gnostiques, elle signifiait une sorte de compréhension spirituelle – le but de tous les croyants – à laquelle on parvenait au moyen d'un intense examen de soi, généralement accompagné de visions. L'*Évangile de Marie* montre la Madeleine sous les traits d'une spécialiste en la matière. Il la présente également comme un dirigeante, remplie de confiance et de zèle. Un autre texte gnostique, la *Sagesse de Jésus-Christ*, adopte la forme d'un dialogue entre Jésus et ses disciples. Parmi les quarante-six questions adressées à Jésus, trente-neuf sont formulées par Marie Madeleine. Finalement, Pierre se plaint que personne n'a eu l'occasion de parler. Puis survient la querelle entre Pierre et elle, une autre caractéristique du portrait gnostique de Madeleine. Jésus prend constamment sa défense, et il s'agit là du point essentiel, final, en ce qui concerne le point de vue gnostique sur Madeleine : la préférence de Jésus pour Marie Madeleine. Dans un autre Évangile, on dit qu'elle est sa « compagne » et qu'il l'embrasse souvent. Certains lecteurs y ont vu le fait qu'elle était sa maîtresse ou son épouse, mais les baisers n'étaient pas chose courante parmi les gens du Moyen-Orient à cette époque, et le compagnonnage semble se fonder sur la conviction que Jésus avait de la compréhension supérieure de Madeleine. Lorsque les disciples lui demandent : « Pourquoi l'aimes-tu plus que nous tous ? » Il répond, mal à l'aise : « Un aveugle et quelqu'un qui voit, quand ils sont tous deux dans l'obscurité, ne se distinguent pas l'un de l'autre. Si la lumière vient, alors celui qui voit verra la lumière, alors que celui qui est aveugle demeurera dans l'obscurité. »

Ainsi, lorsque l'Église s'affairait à éliminer les femmes de leurs positions de pouvoir, il semble que les sectes gnostiques aient emprunté une autre voie. L'un de leurs textes affirme que Jésus avait parmi ses disciples sept femmes en plus des douze hommes. Le panthéon gnostique comporte des divinités féminines. Mais la plus importante d'entre elles est la Madeleine : son leadership et l'approbation du Christ. Cela ne signifie pas que les Évangiles gnostiques tracent le portrait d'une communauté au sein de laquelle le sexe d'une personne ne revêt aucune importance. Dans un autre passage, Pierre se plaint de la Madeleine et dit : « Laissez partir Marie, car les femmes ne sont pas dignes de la Vie. » Jésus répond : « Je vais la guider moi-même pour en faire un homme, afin qu'elle puisse devenir un esprit vivant ressemblant à vous, les hommes. Car chaque femme qui deviendra un homme entrera au Royaume des cieux.» D'après l'explication des spécialistes, ces propos, décevants aux yeux de plusieurs partisans du gnosticisme, reflètent une ancienne croyance, acceptée même par les gnostiques avant-gardistes, selon laquelle les femmes représentaient les valeurs matérielles, alors que les hommes étaient davantage en contact avec le divin. Jésus affirme que ses disciples féminins, malgré leur sexe, acquerront une spiritualité. De toute évidence, Pierre n'est pas d'accord. Ainsi, l'autorité des femmes représentait une pomme de discorde parmi les gnostiques également.

Nous savons de quelle manière l'Église officielle, qui (et ce n'est pas une coïncidence) proclamait que son autorité lui venait de Pierre, a réglé ce problème, et le fait que les communautés gnostiques semblent l'avoir résolu différemment a constitué une des raisons pour lesquelles elles étaient considérées comme hérétiques. De toute façon, c'est au IVe siècle, au moment où l'Église était finalement parvenue, après des siècles de persécution, à atteindre la stabilité, que les dirigeants de la communauté gnostique située près de Nag Hammadi, ayant apparemment l'impression qu'elle se trouvait maintenant gravement menacée, ont placé leurs plus précieux livres dans une jarre qu'ils ont enterrée dans les collines.

Mais les femmes ne constituaient pas leur seul problème. Comme l'explique Elaine Pagels, à cette époque, l'Église faisait tout ce qui était en son pouvoir pour créer une institution, et certains principes gnostiques – surtout le rejet des règles et des hiérarchies – se révélaient complètement incompatibles avec l'institutionnalisation. Pagels fait également remarquer que le gnosticisme, malgré toutes ses idées égalitaristes, était élitiste. Pour devenir admissible, il fallait, pendant de longues études, s'atteler à la tâche qui consistait à découvrir le divin en soi. Ce n'était pas au goût de tout le monde, et l'Église officielle souhaitait l'adhésion de tous. En conséquence, l'Église ne demanda pas aux gens de se lancer à la recherche du divin – leurs prêtres allaient le définir pour eux – et elle leur assura qu'aussi longtemps qu'ils se conformeraient à certains articles de foi précis et observeraient certains rituels simples, ils pourraient, eux aussi, entrer dans le royaume des cieux. Sans ces règles raisonnables et faciles à suivre, écrit Pagels, «on peut difficilement imaginer comment la foi chrétienne aurait pu survivre».

D'autres auteurs se sont montrés moins compréhensifs. Les études féministes de la Bible ont commencé au début du XIXe siècle et se sont poursuivies tranquillement jusqu'aux années 1960, lorsqu'elles ont acquis une nouvelle force dans la foulée de Vatican II. Peu après est survenue la publication de la bibliothèque de Nag Hammadi. Les féministes soupçonnaient depuis longtemps que le Nouveau Testament, tout comme ses commentateurs, avait minimisé l'importance de la contribution des femmes à la naissance du christianisme. La preuve était faite. Les écrits sur la Madeleine se sont multipliés après 1975. Fort à propos, ceci a coïncidé avec la popularité croissante de la théorie littéraire postmoderne, selon laquelle tous les textes manquaient de clarté et étaient truffés de «lacunes» que le lecteur devait combler. S'il y avait jamais eu des lacunes, c'était dans la version révisée de Marie Madeleine. Elle n'était plus une prostituée, mais qu'était-elle? De jeunes spécialistes ont tenté de comprendre ce qu'il était advenu de son histoire. Pour ne mentionner que deux livres récents, dans *Mary Magdalene, the First Apostle: The Struggle for Authority* (2003) d'Ann Graham Brock et dans *The Mary Magdalene Tradition: Witness and Counter-Witness in Early Christian Communities* (2004) de Holly E. Hearon, les auteurs se sont attaqués aux Évangiles du Nouveau Testament en affirmant qu'ils avaient supprimé les traditions orales issues de l'histoire de la Madeleine en faveur des traditions du ministère de Pierre.

Mais, parmi les livres de cette catégorie, le plus inquisiteur et celui qui a été défendu avec le plus de passion est *The Resurrection of Mary Magdalene: Legends, Apocrypha, and the Christian Testament* (2002) de Jane Schaberg, professeure à la University of Detroit Mercy. Schaberg examine minutieusement le Nouveau Testament, les Évangiles gnostiques et les écrits ultérieurs pour y déceler les manœuvres littéraires au moyen desquelles, d'après elle, la Madeleine avait été «remplacée, appropriée et laissée derrière» par l'Église officielle. Entre les Ier et IVe siècles, croit-elle, le christianisme s'est fondu en quelques vastes traditions, parmi lesquelles figurait le christianisme selon Madeleine, qui avait pour but de mettre fin à l'oppression des déshérités de ce monde. Tout comme le mouvement de Jésus dont il était issu, le christianisme selon Madeleine était organisé de manière égalitaire. D'après Schaberg, dans cette campagne, Jésus n'était « ni héros, ni chef de file, ni Dieu » mais seulement un frère parmi ses compagnons réformateurs. Ce n'est qu'après sa mort et sa prétendue résurrection qu'on a commencé à attacher davantage d'importance à son personnage qu'au groupe et qu'il a été déifié. Toutefois, il est évident que Schaberg le considère comme un personnage ayant quelque autorité particulière au sein du mouvement, car elle laisse entendre qu'il a choisi la Madeleine comme son successeur. C'est ce que souligne tout particulièrement l'annonce de la résurrection. Aux yeux de Jésus, la résurrection signifiait le renouvellement éthique du monde et, en annonçant sa résurrection à la Madeleine, il lui transmettait cette mission. Mais, pendant que la Madeleine et les communautés qu'elle inspirait remplissaient ce mandat, d'autres traditions, notamment celles qui venaient de Pierre et de Paul, s'orientaient dans des directions moins égalitaires. Ce sont ces traditions qui l'ont emporté et, afin que personne ne se souvienne de la femme qui avait voulu créer un type différent d'Église, ils ont « assassiné » sa mémoire en en faisant une putain.

Schaberg affirme qu'il ne s'agit que de conjectures. Elle ne s'en formalise pas. Depuis les années 1970, il s'est produit un véritable changement de paradigme dans le domaine des études bibliques. Auparavant, les gens pensaient que le christianisme représentait une vérité ; même les réformateurs ne cherchaient à obtenir qu'une modification de cette vérité. Mais, avec la publication des Évangiles gnostiques, soutenus par la théorie postmoderne, un certain nombre de jeunes spécialistes en sont venus à considérer le début du christianisme de manière totalement différente, c'est-à-dire comme un *processus*, un vaste débat séculaire entre des sectes qui se faisaient concurrence, et durant lequel certains choix ont été faits. Et, selon ces auteurs, d'autres choix se faisaient encore, ce qui signifiait que toutes les nouvelles propositions, fussent-elles de nature hypothétique, n'étaient pas seulement utiles mais essentielles. Les gens ne doivent pas se préoccuper de contredire le Nouveau Testament, estime Schaberg. Ce document ne constituait qu'une ébauche :

« [...] un assemblage de fragments, d'idées avortées, de trous de mémoire, d'espaces blancs, de directives, d'expérimentations verbales, de griffonnages distraits, de points de suspension. » Les premiers rédacteurs affirmaient aussi que les chrétiens devaient édifier leur propre christianisme – et qu'il devrait être politique. D'après Elisabeth Schüssler Fiorenza, une théologienne de Harvard, les réinterprétations féministes constituaient une façon de « développer et d'évaluer notre façon d'interpréter le christianisme face à la violence et aux tueries d'aujourd'hui ». Le point de vue de Fiorenza, proche de la « théologie de la libération » (elle appelle la Madeleine une des « disparues »), a été adopté par de nombreux jeunes spécialistes de la Bible. Schaberg se décrit elle-même comme une « exégète de guérilla ».

Mais ce ne sont pas tous les réformateurs qui ont montré les dents. Récemment, les éditions Doubleday ont publié *Mary Magdalene: A Biography*, de Bruce Chilton, un prêtre de l'Église épiscopale et un professeur de religion au collège Bard. Selon Chilton, la Madeleine a été une des « forces déterminantes du christianisme ». Il considère comme particulièrement importante la vision qu'elle a eue, à la fois dans les Évangiles gnostiques et dans l'annonce de la résurrection, qui, d'après lui, était un événement subjectif et non objectif. Ainsi, Chilton fait partie de ceux qui croient qu'ils peuvent promouvoir un christianisme plus moderne, plus acceptable, en remettant en question l'existence des miracles. Plusieurs réformateurs catholiques comme Fiorenza et Schaberg semblent avoir dépassé cette étape. Ils appartiennent à une Église qui croit *réellement* aux miracles, et le scepticisme qu'ils ont pu éprouver à l'égard de ces événements fantastiques semble s'être évaporé depuis longtemps. En ce qui concerne la question de savoir si le Christ a subi une résurrection physique, Schaberg refuse de prendre position. « Qui sait? dit-elle. Qui s'en soucie? » Chilton s'en soucie. À ses yeux, apparemment, comme à ceux du clergé libéral plus âgé, les miracles représentent un assemblage incompréhensible qui sépare les croyants de la véritable signification des Écritures. Ainsi, d'après lui, Lazare n'a pas été ressuscité d'entre les morts. Il avait probablement été enterré vivant par erreur et Jésus l'a secouru. De même, ceux qui croient que le Christ a vécu une résurrection physique ont une interprétation trop littérale de l'événement. Si le tombeau était vide, c'est peut-être que quelqu'un avait dérobé le corps. Le Christ était un homme qui défendait une idée au sujet de l'amour et de la justice, et nous devrions suivre son exemple sans nous préoccuper de ces vieilles histoires. Mais, maintenant, un tel argument semble lui-même être devenu une vieille histoire d'une utilité restreinte. Plusieurs, sans doute la plupart, des deux milliards de chrétiens dans le monde croient et veulent croire aux miracles. À leurs yeux, les miracles rendent la vie plus intéressante et plus sérieuse. Le fait de fonder une réforme sur une dénégation des miracles semble futile et aussi – même si le geste n'est pas délibéré – peu aimable.

Selon ce que j'ai pu observer, les réformateurs catholiques ne sont pas seulement plus radicaux. Ils semblent également plus susceptibles de donner naissance à des groupes marginaux comme les « adorateurs de la Déesse ». En 1993, Margaret Starbird, une bonne catholique qui ne publie jamais quoi que ce soit sans que son pasteur en fasse d'abord la lecture, publia son livre *The Woman with the Alabaster Jar: Mary Magdalene and the Holy Grail*[13]. Starbird affirme qu'en lisant *Holy Blood, Holy Grail*[14], elle fut « anéantie » par l'affirmation selon laquelle Jésus était marié. Cependant, elle ne rejeta pas l'idée du revers de la main. Elle entreprit des recherches qui durèrent sept ans, et en vint à la conclusion que l'affirmation était vraie : Jésus avait épousé la Madeleine. Qui plus est, l'élimination de son secret – et du « Féminin oublié » en général – avait causé de graves problèmes dans le monde : pollution, exploitation des enfants, guerre. Mais maintenant la Déesse en avait plein le dos. « Dans des églises du monde entier, on vit des statues de la Vierge Marie verser des larmes. [...] Même les pierres pleuraient ! » De même, dans les films de Disney. Dans *La Petite Sirène*, Ariel représente en réalité l'« épouse perdue », la Madeleine. Le Féminin oublié revient sur la scène.

Starbird va au-delà de la simple analyse : elle écrit une histoire d'amour. Jésus était un homme grand et beau ; la Madeleine était une timide vierge juive, habituée à s'asseoir dans son jardin et à observer les petits oiseaux. Un jour, on les présenta

---

13. Margaret Starbird. *Marie Madeleine et le Saint-Graal*, trad. par Anne Confuron, Paris, Exclusif, 2006.

14. Michael Baigent, Richard Leigh et Henry Lincoln. *L'Énigme sacrée, op. cit.*

l'un à l'autre. « Ses yeux sombres la caressèrent. » Puis, hélas ! l'auteure nous fait vivre leur nuit de noces. Peu après, Jésus annonce à la Madeleine, maintenant enceinte, qu'il doit partir réaliser une mission dangereuse et qu'elle doit demeurer à la maison. « Elle sécha ses pleurs dans la chaleur du cou de Jésus. » Les universitaires féministes ont peu de patience envers l'hypothèse du « Jésus marié à la Madeleine ». D'après Schaberg, ces histoires ne concernent pas la Madeleine. Elles concernent Jésus et constituent une tentative d'en faire un « homme réel », et non pas seulement pour des raisons humanistes, du genre « le Christ est ton ami ». (Au cours des années 1960, quelques esprits grivois suggérèrent qu'il aurait pu être gai.) Dans la mesure où l'intrigue amoureuse concerne la Madeleine, écrit Schaberg, le fait est encore une fois dégradant, car il représente une tentative de transformer cette femme indépendante en une femme normale. Le livre de Starbird corrobore cette théorie.

Elle n'est pas la seule à avoir eu recours à la fiction. Au cours des dernières décennies sont parus de nombreux romans sur la Madeleine et, selon Susan Haskins, les auteurs de plusieurs d'entre eux hésitent à s'éloigner de la réputation de prostituée de la Madeleine. La tendance consiste à lui rendre hommage en tant que femme sexuellement libérée. Il existe derrière tout cela, bien sûr, un féminisme de deuxième niveau, mais je crois qu'il y a également une autre raison : une tentative de redonner en douce à l'histoire de la Madeleine un caractère un peu plus vivant.

Un problème en ce qui concerne le retour en force de la Madeleine, ou tout au moins un problème pour les théologiens, réside dans le fait que ce retour en force a nécessité une reconfiguration de l'héroïne à partir de l'austère philosophie des gnostiques. Pour s'imposer, une religion se doit d'offrir un peu de divertissement : des histoires, des symboles, des rituels. Bien que les biographies des saints catholiques soient parfois peu fondées, ils constituent quand même un groupe « vivant », chacun d'eux doté d'un certain type de chevelure ou d'un certain couvre-chef, et accompagné ou d'un lion ou d'un dragon, ou de quelque autre élément intéressant. Ils ressemblent à une collection de poupées ou de super-héros, ou au panthéon hindou – ils sont pleins de couleurs et de diversité. Le Nouveau Testament, en majeure partie, n'accorde à la Madeleine aucune vie concrète. La légende médiévale a comblé ce vide en l'équipant d'un bateau, d'une grotte et de quelques amis. Enlevez cela, et vous vous retrouvez à zéro. Les Évangiles gnostiques ne s'étendent pas sur sa personnalité, et ce qu'ils décrivent d'elle n'est pas très attachant. La Madeleine gnostique est une visionnaire prétentieuse. À un certain moment, elle réagit à ce que Jésus vient de dire en fixant l'horizon pendant une heure. C'est également une bûcheuse, la meilleure élève de la classe, celle qui lève constamment la main. Si j'avais été Pierre, je me serais plainte aussi. De toute évidence, les féministes ont raison de souligner ses vertus gnostiques – sa faculté d'avoir des visions, son zèle – en réponse à sa rétrogradation par l'Église, et à celle de toutes les femmes. Tout de même, la chevelure rousse et le vase de parfum nous manquent.

Cependant, à un moment, la Madeleine sans visage se voit accorder non seulement un visage mais un grand drame personnel flamboyant. Il ne se trouve pas dans les Évangiles gnostiques mais dans le Nouveau Testament, dans le récit que fait Jean de l'annonce de la résurrection. Dans ce passage, la Madeleine se rend seule au tombeau dans la pénombre qui précède l'aube. Nous ressentons son empressement, son sentiment de danger. À sa grande surprise, elle découvre qu'on a déplacé la pierre qui obstruait l'entrée du tombeau. Elle se hâte d'aller retrouver les disciples et leur dit : « On a enlevé du sépulcre le Seigneur, et nous ne savons où on l'a mis. » Pierre et un autre disciple prennent les commandes. Ils se précipitent au tombeau ; en fait, ils font la course pour voir qui arrivera le premier. (Cette compétition mâle typique est devenue une scène favorite dans les pièces du Moyen Âge. Dans l'Évangile selon saint Jean, ce passage ajoute une brillante petite note de comédie à un récit par ailleurs sombre.) Quand ils arrivent, ils constatent que la Madeleine avait raison : le corps ne s'y trouve plus. Ils retournent chez eux, ébahis, peut-on supposer, mais la Madeleine reste au tombeau et pleure. Elle jette de nouveau un regard dans le sépulcre et voit maintenant deux anges vêtus de blanc. Ils lui demandent pourquoi elle pleure, et elle répète : « On a enlevé du sépulcre le Seigneur, et nous ne savons où on l'a mis. » Mais, en présence des anges, elle cherche encore le corps. Puis elle se retourne et voit un autre personnage qui lui dit: «Femme, pourquoi pleures-tu? Qui cherches-tu?» Comme le tombeau se trouve dans un jardin, la Madeleine pense qu'il s'agit du jardinier. Une troisième fois – comme dans une chanson –, elle poursuit sa complainte: «Seigneur, si toi tu l'as emporté, dis-moi où tu l'as mis» et maintenant vient le coup de poignard au cœur. «Marie», lui dit le «jardinier», et elle le reconnaît tout de suite. «*Rabboni*» (qui signifie, en gros, «mon cher rabbin»), répond-elle, et apparemment elle veut le toucher, puisqu'il lui dit: «Ne me touche pas.» (D'où la célèbre phrase latine «*Noli me tangere.*») «Mais, lui dit-il, va vers mes frères, et dis-leur: Je monte vers mon Père.» Puis il disparaît et elle se retrouve seule.

Cette scène constitue l'énoncé le plus puissant du Nouveau Testament en ce qui a trait à la confrontation avec la mort, avec le fait de perdre pour toujours l'objet de son amour. Le décor est superbe: le jardin, la lumière du matin, les anges. Puis nous entendons ces mots cruels: «Ne me touche pas.» Il était là; il l'a appelée par son nom; elle a tendu les bras pour l'étreindre. Maintenant, elle doit reculer, le laisser partir et continuer son chemin toute seule. Nous devrions soutenir fermement les jeunes spécialistes de la Bible, et nous devrions les approuver lorsqu'ils affirment que la Madeleine énergique et visionnaire des textes gnostiques montre bien que l'Église devrait ordonner des femmes prêtres. Mais ceci ne démontre pas l'autorité de la Madeleine à propos des questions qui concernent l'âme. L'histoire de Jean en constitue la preuve.

Changer nos perceptions au sujet de Marie Madeleine

Un entretien avec Bruce Chilton

Bruce Chilton, prêtre de l'Église épiscopale, auteur et professeur de religion au collège Bard, veut mettre les choses au clair: Marie Madeleine n'est pas la personne de rang inférieur que la plupart d'entre nous ont appris à connaître. Elle représente plutôt une des fondatrices du christianisme. Elle est «le disciple qui appréciait le mieux les enseignements visionnaires de Jésus sur la résurrection», dit-il. «Sans elle, le christianisme aurait été complètement différent. Il n'est même pas certain que sa croyance principale, selon laquelle Jésus avait vaincu la mort, aurait pu émerger sans Marie Madeleine.»

Au cours de cet entretien, Chilton affirme que, pour commencer à comprendre convenablement le rôle important de Marie Madeleine, nous devrions la voir dans le contexte de la tradition juive de l'époque – une tradition au sein de laquelle les femmes avaient réellement une place. Marie, comme les femmes partout ailleurs au Proche-Orient, était une visionnaire qui pratiquait la cérémonie sacrée de l'onction et, comme Jésus, chassait les mauvais esprits ou les forces du mal au moyen de rituels d'exorcisme.

Chilton, dont le dernier livre s'intitule Mary Madgalene : A Biography, *termine en exposant ses réflexions sur l'importance de la vision de Marie Madeleine et de quelle manière sa sagesse façonne la tradition chrétienne, de même que la manière dont on la pratique.*

L'écriture d'une biographie est une œuvre de reconstruction, une tâche qui devient particulièrement difficile lorsque, comme en ce qui a trait à Marie Madeleine, il n'existe pas de documents contemporains et qu'il faut tenir compte de nombreuses couches de «rénovation» qui prêtent à controverse. Pourtant, dans votre livre, Mary Magdalene : A Biography, *c'est exactement ce que vous tentez de faire. De quelle façon avez-vous abordé cette tâche?*

Je pense qu'on peut prendre les renseignements qui existent sur Marie Madeleine dans les Évangiles et les lier au contexte qui existait au début du judaïsme à son époque. Les trois activités associées à Marie Madeleine dans les Évangiles sont l'exorcisme, l'onction et la vision. Ces histoires sont intimement liées à elle, alors elles représentent les meilleures données à notre disposition au sujet de Marie Madeleine. Puis nous devons prendre ces pratiques et établir un lien entre elles et ce qui se passait chez les autres pratiquants juifs de l'époque.

À titre d'exemple, j'ai pris chaque histoire qui relatait un exorcisme, et je l'ai comparée à d'autres histoires d'exorcisme dans la littérature juive et ailleurs au Proche-Orient. J'ai eu recours à une méthode semblable pour comprendre l'onction, qui était une pratique courante dans cette région du monde, et j'ai fait de même pour la vision. Et j'ai découvert que toutes ces pratiques étaient particulièrement associées aux femmes au début du judaïsme à cette époque. L'idée que mettent de l'avant certains spécialistes modernes, selon laquelle les femmes n'avaient aucune place dans la vie religieuse juive, est simplement fausse.

J'ai pu trouver des documents sur le cas d'autres femmes qui ont pénétré le monde des visions, qui pratiquaient l'onction et qui se sont livrées à des exorcismes. Et en comparant leurs pratiques avec celles de Marie, nous pouvons voir ce qui est inhabituel chez elles et de quelle façon ces pratiques ont contribué à la montée du christianisme.

Si l'idée selon laquelle les femmes n'avaient aucune place dans la vie religieuse de l'époque est erronée, existe-t-il des éléments au sujet de Marie Madeleine que nous pourrions avoir ignorés ou refaçonnés pour qu'ils s'adaptent à l'image que nous avons d'elle?

On a décrit Marie Madeleine comme étant la «vedette» de la technologie moderne et, par le fait même, toute une série de projections sont apparues qui tendent à déformer sa contribution réelle au Nouveau Testament. On a dit habituellement qu'elle était prostituée ou même qu'elle avait une relation sexuelle avec Jésus. Ou ça a été le contraire: la prétention selon laquelle nous devons la considérer comme totalement célibataire à partir du moment de sa conversion. Ce qui ressort clairement dans les deux cas, c'est notre perpétuelle obsession quant à la sexualité de Marie Madeleine. Depuis le Moyen Âge, nous nous sommes demandé, sous une forme ou une autre: l'a-t-elle fait ou ne l'a-t-elle pas fait? Malheureusement, c'est ainsi que sa contribution *réelle* s'est trouvée complètement ignorée.

Ce que nous pouvons affirmer de manière assez catégorique en nous fondant sur la tradition évangélique, c'est que Marie Madeleine a été la première personne à voir Jésus ressuscité d'entre les morts après sa crucifixion, que Marie Madeleine a été la première à pratiquer le sacrement de l'onction pour lequel Jésus avait donné son approbation, et également que Marie connaissait mieux que quiconque la façon dont Jésus agissait avec les impulsions mauvaises du cœur humain et qu'elle a transmis cette connaissance aux autres. Ainsi, Marie pratiquait trois rituels: l'exorcisme, l'onction et la vision qui représentaient des éléments fondamentaux du christianisme primitif. Et pourtant, ces questions sont en grande partie voilées par notre obsession à propos de ce qui sont, après tout, des questions secondaires au sujet de sa vie.

Veuillez nous en dire davantage sur ces trois importants arts religieux et symboliques que vous attribuez à Marie Madeleine, en commençant par le rituel de l'onction. On dit qu'elle a oint le

Christ deux fois, une fois lorsqu'il était vivant, et une autre fois après sa mort. Parlez-nous de ce rituel en tant que geste et en tant que symbole.

Dans l'Antiquité, l'onction était habituellement pratiquée par les femmes dans les foyers ou, dans le cas du mouvement de Jésus, au sein du groupe de disciples. Il est mentionné plus d'une fois que Marie Madeleine était la principale personne qui exerçait cette pratique et, pour cette raison, il semble que, parmi les femmes qui suivaient Jésus en tant que disciples, elle était la mieux connue pour l'exercer.

L'onction consistait à appliquer de l'huile d'olive sur le corps ou la tête d'une personne. On mentionne précisément un cas où Jésus se fait oindre la tête, lorsque Marie arrive et prend de l'huile parfumée et la verse sur le corps de Jésus. Il s'agit d'une scène belle et évocatrice parce que, dans l'Évangile selon saint Marc, l'identité de cette femme n'est pas révélée au départ. Nous ne comprenons pas de qui il s'agit. Mais après qu'elle a répandu toute cette huile dispendieuse sur Jésus et que les disciples ont déploré une telle dépense, Jésus dit : « Elle a [anticipé le moment] d'oindre mon corps pour ma sépulture. Et en vérité, je vous dis : en quelque lieu que cet évangile soit prêché dans le monde entier, on parlera aussi de ce que cette femme a fait, en mémoire d'elle. » L'identité de cette femme nous est ainsi révélée, car c'est justement Marie Madeleine qui, plus tard, dans l'Évangile selon saint Marc, se rend au sépulcre pour oindre le corps de Jésus.

Dans votre livre, vous soulignez le fait que l'exorcisme constituait une partie essentielle de l'enseignement de Jésus. Et, une fois devenue disciple et apôtre, Marie Madeleine devient également renommée, dites-vous, pour sa pratique de l'exorcisme. Bien sûr, il y a ici un lien direct avec le fait que Jésus ait chassé les démons de Marie Madeleine – des démons qui, croit-on généralement, se rapportent à sa vie sexuelle.

D'après l'Évangile selon saint Luc, sept démons ont été chassés du corps de Marie Madeleine. Il ne précise pas la nature de ces démons. Et je crois que les tentatives visant à le faire maintenant sont encore davantage vouées à l'échec que si nous essayions de faire de la psychologie à une telle distance dans le temps. Ce que cherche à préciser Luc dans ce passage de l'Évangile, c'est avant tout que le mal dont était affligée Marie Madeleine était profond. Il s'agissait d'une possession multiple que Jésus devait traiter en pratiquant un long exorcisme. Luc laisse aussi entendre que Marie Madeleine a noué une relation très intime avec Jésus parce qu'il devait la traiter pendant une longue période. Marie avait bénéficié de l'exorcisme de Jésus en sachant précisément de quoi il s'agissait parce qu'elle-même pratiquait des exorcismes. Et cela contribue à expliquer pourquoi nous retrouvons dans les Évangiles certaines histoires très détaillées qui relatent non seulement de quelle manière Jésus pratiquait des exorcismes, mais également la façon dont il voyait l'exorcisme. On attribue davantage ces histoires à Marie Madeleine, celle, parmi ses disciples, qui comprenait cette pratique mieux que tous.

On ne peut douter qu'au fil des siècles, lorsque les enseignants au sein de l'Église donnaient des exemples de ce qu'un esprit impur ou un démon pouvait vous amener à faire, ils citaient les péchés d'ordre sexuel davantage que les autres. Ainsi, le fait que Marie Madeleine eût été possédée par sept démons induisit l'idée selon laquelle elle était aussi une prostituée. Mais en fait, à l'époque de Jésus, la façon dont on concevait les esprits impurs ne se limitait pas à la sexualité. Aux yeux des gens de l'époque, un esprit impur pouvait représenter toute impulsion qui nous habite et qui, lorsqu'elle s'empare de nous, peut faire en sorte que nous nous faisions du mal, ou que nous blessions les autres, ou que nous agissions d'une façon volontairement malicieuse.

Autrement dit, dans l'Antiquité, la science de l'exorcisme, telle que la pratiquaient Jésus et les autres, concernait surtout la façon de traiter le mal dans le cœur humain, ce qui occasionne souvent un comportement violent et troublant. Alors, lorsque Luc fait allusion aux sept démons, ce qu'il faut dire, c'est que Marie Madeleine avait plusieurs de ces affections, un peu comme on pourrait décrire aujourd'hui une personne souffrant de différentes compulsions ou dépendances qu'il faut traiter comme un ensemble si on veut réussir à la guérir.

Alors, Marie Madeleine n'était pas une prostituée? Comment en est-on venu à la décrire ainsi?

C'est au VIe siècle de l'ère moderne qu'on a commencé à considérer Marie Madeleine comme une prostituée. C'est la toute première fois qu'on mentionne le fait que Marie

Madeleine ait pu exercer ce métier avant d'avoir rencontré Jésus. Alors, au départ, cette preuve nous parvient un peu tard pour que nous puissions accepter cette association et affirmer qu'elle est historique.

Le fait que, cinq cents ans après sa mort, Marie Madeleine soit transformée en une prostituée – alors qu'elle n'était plus en mesure de répondre à ces accusations – constitue une étonnante malchance historique. Nous trouvons un excellent exemple des raisons pour lesquelles cette transformation s'est produite dans un sermon prononcé par le pape Grégoire le Grand, un sermon dans lequel il avait recours à l'exemple de Marie Madeleine pour décrire la façon dont devaient se comporter ses moines. Il voulait qu'ils apprennent comment transformer leurs désirs corrompus en passions sacrées. Pour pouvoir donner l'exemple de Marie Madeleine, il avait pris différentes parties de la Bible qui n'avaient rien à voir avec elle directement et créé une image d'elle en tant que prostituée qui s'était convertie au contact du Christ. Une des raisons pour lesquelles Grégoire a agi ainsi réside dans le fait que, au VIe siècle, il existait déjà des légendes sur d'autres femmes du nom de Marie, qui avaient été des prostituées et s'étaient converties. L'une d'entre elles s'appelait Marie d'Égypte et, pendant le création de la légende au cours du VIe siècle et plus tard, il s'est produit un amalgame des légendes sur Marie d'Égypte, qui était un personnage ultérieur, et de celles sur Marie Madeleine.

Parlez-nous de l'importance de la vision de Marie Madeleine dans la mesure où elle est liée au Christ ressuscité. Certains sont allés jusqu'à prétendre que, plutôt que symbolique et spirituelle, cette vision était l'œuvre de ses démons, bref, qu'il s'agissait d'une hallucination.

La connaissance de l'histoire biblique et la foi en Dieu sont deux choses fort différentes et, pourtant, elles sont en fin de compte également reliées. Elles peuvent être reliées lorsqu'il s'agit de comprendre un certain type d'expérience, comme la vision spirituelle qui constituait dans l'Antiquité un aspect vivant et essentiel de l'expérience religieuse, mais que la pratique religieuse actuelle a marginalisée.

Par exemple, en ce qui concerne la vision qu'a eue Marie Madeleine de Jésus ressuscité, nous serions, de nos jours, enclins à comparer cette vision à une certaine forme d'hystérie. Mais, à mesure que votre connaissance de la littérature ancienne s'approfondit, vous constatez que cette pratique avait pour but d'amener les gens dévoués à Dieu dans un endroit où ils pourraient comprendre Dieu comme étant le fondement de la réalité. Ainsi, la vision peut nous permettre de voir le monde physique qui nous entoure non pas comme la vérité absolue, mais seulement comme un élément qui mène à cette vérité. L'Antiquité déborde de ses propres types de sagesse. L'histoire nous permet de comprendre cette sagesse. Parfois, nous découvrons des types de sagesse qui nous semblent si puissants que nous nous les approprions également. C'est certainement ce que j'ai fait en ce qui a trait aux sacrements de Marie Madeleine et en la comprenant; je suis devenu plus conscient non seulement de la façon dont le christianisme s'est façonné, mais aussi de la façon dont je pourrais encore pratiquer les rites chrétiens au XXIe siècle.

Les quatre Marie du Nouveau Testament

Marie, la mère de Jésus. Il s'agit de la plus importante Marie dans les Écritures canoniques. Sa virginité symbolise sa vie au service de Dieu et réalise l'ancienne prédiction selon laquelle le futur messie naîtrait d'une vierge. Le fait qu'elle soit présente au moment de la crucifixion démontre sans doute sa volonté de se soumettre à la volonté de son père céleste.

Marie Madeleine. Son image en tant que « pécheresse repentie » a convenablement servi de contraste par rapport à la Vierge Marie. Dès le début, lorsqu'elle a joué un rôle de premier plan dans l'interprétation des enseignements de Jésus et à titre d'« apôtre des apôtres », elle a commencé à être rabaissée. À la fin du Ier siècle, on lui faisait tenir le rôle de rivale de Pierre, puis on l'a marginalisée en tant que femme que l'on ne pouvait imaginer comme chef de file du monde romain et, finalement, au VIe siècle, elle est devenue une putain. Elle allait par erreur conserver cette étiquette jusqu'en 1969, lorsque le Vatican a finalement réinterprété son rôle.

Marie de Béthanie. Il s'agit de la sœur de Marthe et de Lazare. L'Évangile selon saint Jean affirme que, après que Jésus a ressuscité Lazare, Marie a oint lascivement les pieds de Jésus avec un onguent dispendieux et qu'elle les a séchés avec ses cheveux. En 591 apr. J.-C., le pape Grégoire le Grand a mêlé son identité à celles de Marie Madeleine et de la « pécheresse » anonyme de la ville.

La « femme de la ville ». Par déduction une prostituée, c'est, dans le chapitre 7 de l'Évangile selon saint Luc (versets 36 à 50), la personne anonyme qui oint également Jésus. Ce n'est qu'au chapitre suivant que Luc mentionne le nom de Marie Madeleine. Mais le pape Grégoire n'en a pas moins conclu que la pécheresse et la Madeleine ne représentaient qu'une seule et même personne. Les Pères de l'Église, les théologiens, les artistes et la lecture annuelle de l'Évangile selon saint Luc condamnant Marie Madeleine la pécheresse le jour de sa fête ont favorisé l'image de prostituée de Marie Madeleine jusqu'au XXᵉ siècle.

UN BANNISSEMENT PROLONGÉ ET INJUSTE

PAR RICHARD COVINGTON[15]

Avec le recul, il s'agit sûrement d'un des sermons les plus célèbres dans l'histoire de l'Église catholique. Le 14 septembre 591, le pape Grégoire a fondu en un seul personnage la Marie Madeleine des sept démons, Marie de Béthanie qui oint Jésus et la pécheresse anonyme qui lui sèche les pieds de ses cheveux. Tout à coup, Marie Madeleine était devenue une « pécheresse » qui se servait d'onguents pour donner à sa chair une odeur agréable. Dans cet exemple célèbre de culpabilité par association, elle allait devenir la prostituée repentie. Bien sûr, Jésus lui avait pardonné ses péchés et elle était devenue repentante – un modèle que les paroissiens feraient bien d'apprendre à imiter. C'était là une déformation de l'histoire qui a duré près de quatorze siècles.

15. © 2005. Reproduit avec la permission de *U.S. News & World Report*.

Certains théologiens et spécialistes croient qu'il s'agissait d'une malheureuse simplification à une époque troublée, au moment où les gens avaient soif de certitudes. «Peut-être était-ce pour rendre l'histoire plus facile à raconter, plus facile à garder en mémoire… [ou] pour la facilité qu'il y avait à dessiner une image plus compréhensible des carrières de ces Marie en tant que disciples de Jésus», affirme le père Jean-Pierre Ruiz de New York. Ou peut-être était-ce un complot, l'héritage d'une campagne de diffamation qu'avait déclenchée l'Église primitive, comme le prétend le personnage fictif de Leigh Teabing lorsqu'il discute avec Robert Langdon et Sophie Neveu dans le Da Vinci Code.

Quels qu'en soient les motifs, presque tous les spécialistes, les théologiens et les experts à l'intérieur comme à l'extérieur de l'Église catholique croient généralement maintenant que Marie Madeleine a été extrêmement mal traitée au cours des siècles. Richard Covington, dans le cadre d'une édition spéciale du US New & World Report intitulée «Les femmes de la Bible», résume les vastes répercussions que cette «erreur» a eues pendant le millénaire et demi où elle a représenté le point de vue officiel du Vatican.

Peu de personnages du Nouveau Testament ont été aussi mal représentés que Marie Madeleine dont la réputation de femme déchue lui a été attribuée non pas par la Bible, mais dans le cadre d'un sermon du pape Grégoire le Grand au VIe siècle. Non seulement elle n'est pas la prostituée repentante de la légende, celle qui médite et lévite dans une grotte, mais elle n'est même pas nécessairement une pécheresse remarquable. Étant possédée par «sept démons» qu'exorcisa Jésus, elle était, peut-on croire, davantage victime que pécheresse. Et l'idée, popularisée par le *Da Vinci Code*, selon laquelle Marie Madeleine était l'épouse de Jésus et portait son enfant, tout en n'étant pas tout à fait réfutable, demeure extrêmement théorique.

Mais les discussions sur le fait que Marie Madeleine ait été la femme de Jésus, une putain réformée ou la femme adultère que Jésus a sauvée de la lapidation ne sont rien en comparaison de l'aspect le plus férocement débattu de son héritage : ce dont elle a été précisément témoin lors de la résurrection de Jésus. Dans une récente biographie de Marie Madeleine, Bruce Chilton affirme qu'elle a été témoin non pas de la résurrection de Jésus en chair et en os, mais d'une visite spirituelle. D'après lui, il s'agit d'une des principales raisons pour lesquelles elle a été marginalisée dans le Nouveau Testament. Chilton soutient également que l'interprétation spirituelle de Marie Madeleine au sujet de la résurrection a été en fin de compte supprimée parce qu'elle était dangereusement proche du point de vue des gnostiques, une secte hérétique de la chrétienté qui a prospéré pendant les IIe et IIIe siècles. Mais la lumière s'est faite en 1896 lorsqu'un spécialiste allemand a fait l'acquisition de l'*Évangile de Marie* datant du IIe siècle. Dans ce papyrus fragmentaire de huit pages en copte, Marie a une vision dans laquelle Jésus lui dit qu'il voit sa nouvelle image avec son « intellect »… puis elle exhorte les apôtres à suivre les directives de Jésus et à prêcher ses enseignements aux non-croyants.

Lorsque Pierre regimbe à l'idée que Jésus puisse confier une mission si importante à une femme, un autre disciple, Lévi, lui reproche d'être « un emporté ». Mais maintenant, après plusieurs siècles de négligence, de déformation outrancière et de pur fantasme masculin, Marie Madeleine commence à reprendre son rôle de principal catalyseur et de force déterminante au sein de la chrétienté. Partout dans le monde, des groupes catholiques célèbrent le 22 juillet, l'anniversaire de sa mort, comme étant la fête de Marie Madeleine, profitant de l'occasion pour contrer les mythes l'entourant et promouvoir l'ordination des femmes.

« Nous tentons de redresser un tort vieux de deux mille ans », disait dans la revue *U.S. Catholic* Christine Schenk, directrice générale de FutureChurch, un organisme établi à Cleveland, qui soutient le mouvement.

Marie apparaît pour la première fois dans la Bible vers l'an 25 apr. J.-C., à Capharnaüm, un village de pêcheurs sur les rives de la mer de Galilée, où Jésus acquiert rapidement une réputation de guérisseur. Sous l'emprise de « sept démons », cette femme célibataire a probablement vingt-cinq ou vingt-six ans. De quelques années plus âgée que Jésus et également juive, elle est venue de Magdala (d'où son nom, Madeleine), un minuscule village nauséabond où l'on traitait le poisson et où habitaient des fermiers en colère, dépossédés de leurs terres, à quelques kilomètres au sud-ouest. Il n'est pas difficile d'imaginer Marie fuyant, désespérée, cet enfer, et remplie de reconnaissance du fait d'avoir trouvé quelqu'un qui pourrait la libérer de ses démons. […]

Même si Luc dit que Marie était une des femmes « qui l'assistaient de leurs biens », l'Évangile ne dit pas si elle est riche, comme Jeanne, une autre disciple qui était mariée à l'intendant du roi Hérode. Et il est difficile d'imaginer une personne riche provenant d'un endroit comme Magdala.

Pourtant, des peintres de la Renaissance comme Le Caravage et d'autres ont illustré cette Marie à la fois riche et déchue comme une sirène rousse drapée d'hermine, de soieries et de perles. Dans le cadre de ces fantasmes, la riche femme oisive est devenue prostituée non pas pour l'argent mais par vanité, ce qui rendait d'autant plus mignons son repentir et son pardon.

Une fois guérie par Jésus, Marie devient la femme la plus influente du mouvement, la source orale des récits d'autres exorcismes dans le Nouveau Testament. [...] Marie occupe également une place importante dans les rituels de guérison et d'onction, des pratiques visant à invoquer l'Esprit saint. Et elle fait sans aucun doute possible partie des disciples les plus loyaux de Jésus, car elle assiste à la crucifixion avec sa mère, Marie, pendant que les apôtres de sexe masculin s'enfuient pour éviter d'être arrêtés.

Dans les quatre Évangiles du Nouveau Testament, Marie Madeleine est la première (seule ou avec un groupe de femmes) à arriver au sépulcre de Jésus où elle rencontre un ange (ou une paire d'anges) qui lui demande d'aller annoncer aux disciples la résurrection de Jésus. [...]

Ce n'est pas un hasard si Marie Madeleine a été l'une des premières personnes à apprendre la renaissance de Jésus. Il va de soi que le divin prophète qui prédit sa propre crucifixion prédit également qui seront les témoins de sa résurrection ; dans un sens, Jésus a choisi Marie Madeleine pour devenir le héraut de son retour. En raison de son rôle essentiel dans la résurrection, on lui a attribué le nom d'« apôtre des apôtres », un personnage suffisamment puissant pour exhorter les apôtres à suivre l'ordre de Jésus les enjoignant de prêcher aux non-croyants, malgré les risques que cela comportait.

Dans la tradition orthodoxe orientale, Marie Madeleine se rend à Rome, où elle prêche à Tibère, puis s'établit à Éphèse, au nord-ouest de la Turquie, avec Marie, la mère de Jésus, et l'apôtre Jean. D'autres récits la situent dans le sud de la France et même en Inde avec l'apôtre Thomas. D'après Chilton, elle retourne à Magdala où elle continue de prêcher, de guérir et de pratiquer des onctions. En 67 apr. J.-C., elle fait partie des milliers de victimes massacrées par les Romains en représailles à une rébellion armée.

Dans le but d'offrir une solution de rechange morale à la religion romaine décadente, l'Église naissante se fit le porte-parole vociférant des valeurs familiales traditionnelles dominées par les hommes. «Ainsi, le christianisme a pu faire des progrès énormes dans le monde gréco-romain, mais en payant un prix énorme pour avoir oublié les femmes influentes du mouvement», dit Chilton.

Au VIe siècle, le pape Grégoire le Grand ramena fermement Marie au centre de la scène – non pas telle qu'elle était, mais en la dépeignant comme l'Église souhaitait qu'elle soit. En simplifiant les choses de manière stupéfiante, Grégoire rassembla en une seule personne Marie Madeleine aux sept démons, la «pécheresse» anonyme qui avait lavé les pieds de Jésus avec sa chevelure dans Luc (en lisant attentivement les chapitres 7 et 8 de Luc, on se rend compte qu'il ne s'agit pas de la même femme) et Marie de Béthanie, qui oint Jésus de parfum dans Jean.

Grégoire s'était dit que si une femme comme Marie, qui était tombée si bas, pouvait trouver le pardon par l'entremise de la foi et de l'Église, sa sensualité étant transformée en spiritualité, les pires pécheurs pouvaient espérer le salut. Marie Madeleine effaçait le péché originel d'Ève. «Puisqu'au paradis c'est une femme qui a versé à l'homme [le poison de] la mort, c'est une femme aussi qui, venant du tombeau, annonce la vie aux hommes», déclarait Grégoire dans son célèbre sermon de 591. Cependant, l'Église orthodoxe orientale n'a jamais accepté cette fusion des trois femmes.

En peu de temps, on associa Marie Madeleine à la femme adultère que Jésus avait sauvée de la lapidation dans Jean, ainsi qu'à une autre femme qui n'est même pas mentionnée dans le Nouveau Testament, Marie d'Égypte, une prostituée du IVe siècle qui, après s'être convertie au christianisme, vécut dans une grotte le reste de sa vie.

L'historienne Jane Schaberg a inventé le terme «putanisation» pour décrire la transformation négative de Marie, un processus qui diminuait son rôle d'influente chef de file de la foi.

Les récits au sujet de l'ermite Marie se labourant les seins de ses ongles et s'arrachant les cheveux pour expier ses péchés ont abondé et inspiré la création d'ordres de moines flagellants.

Les églises affirmant posséder des reliques physiques ont proliféré alors que presque deux cents d'entre elles prétendaient détenir un morceau de la sainte à la fin du XIIIe siècle. À Saint-Maximin, dans le sud de la France, des frères dominicains présentent encore son crâne doté d'un bout de peau miraculeusement préservé à l'endroit où Jésus lui a touché le front après la résurrection.

Des peintres tels que Hans Holbein, le maître italien de Madeleine au XIIIe siècle, et William Blake ont mis l'accent sur son rôle lors de la résurrection, tandis que d'autres comme Titien ont illustré la sainte en extase, couvrant à peine son corps nu de sa longue chevelure rousse.

Des photographes de l'ère victorienne faisaient poser des adolescentes à demi nues, dont plusieurs vivaient dans des écoles philanthropiques qui portaient son nom, en tant que «madeleines», un message lascif ambigu perpétuant l'image de la sainte comme étant la Lady Godiva du christianisme.

Finalement, en 1969, soit mille trois cent soixante-dix-huit ans après que Grégoire eut fusionné les trois femmes du Nouveau Testament en Marie Madeleine – et plus de quatre cent cinquante ans après que les spécialistes de la religion eurent rejeté cette fusion ambiguë –, l'Église a officiellement corrigé l'erreur. Et pourtant, la légende de la prostituée repentante exerce toujours un attrait dans l'imaginaire des gens. Des réalisateurs de cinéma comme Martin Scorsese dans sa *Last Temptation of Christ* (1998)[16] et Mel Gibson dans sa *Passion of Christ* (2004)[17] entretiennent cette illusion.

Le symbole de la Marie Madeleine à la fois sensuelle et repentante s'est révélé difficile à abandonner. Mais la Marie visionnaire, débordante de foi au pied de la croix et messagère de la résurrection, une disciple fondatrice à qui Jésus a confié la mission particulière de répandre la bonne parole, semble plus vraisemblable.

---

16. *La Dernière Tentation du Christ.*

17. *La Passion du Christ.*

CHAPITRE 2

La femme et le sacré.
Des traditions multiples

Les filles d'Ève.
Quand Dieu était une femme

PAR MERLIN STONE[18]

L'immense intérêt de Merlin Stone à l'égard du rôle de la Déesse dans nos sociétés primitives lui est venu de son art : elle est une sculptrice renommée et une professeure d'art et d'histoire de l'art. Quand Dieu était une femme, *un classique publié pour la première fois en 1976, est le fruit de dix années de recherche.*

Le livre se fonde sur l'idée selon laquelle des sociétés aussi anciennes que celles du paléolithique vénéraient les femmes en tant que créatrices de la vie. En fait, affirme Stone, toutes les anciennes religions étaient matriarcales, et ce n'est qu'au moment où les tribus indo-européennes avec leurs croyances axées sur la masculinité conquirent une vaste partie des terres bibliques que la tradition liée à la Déesse commença à disparaître. La dernière tentative visant à supprimer la tradition liée à la Déesse, affirme Stone, fut entreprise par les lévites, la branche dominante des prophètes et des prêtres hébreux. Le mouvement vers une religion axée sur la masculinité se poursuivit jusqu'à l'époque de Marie Madeleine et aux premiers jours de la chrétienté et, ajoute-t-elle, la situation est demeurée telle quelle depuis ce temps.

Les théories de Stone ne manquent pas de sujets de controverse. Les spécialistes qui ne partagent pas son avis mentionnent les nombreuses études largement acceptées qui montrent que même si les personnages de déesses étaient importants dans les rites religieux de plusieurs cultures anciennes, il n'existe aucune preuve qu'un des personnages était dominant, ou qu'il n'y a jamais eu de ligne de séparation claire entre une aire dominée par une déesse et une autre dominée par un dieu. Quoi qu'il en soit, les opinions de Stone sont devenues de plus en plus courantes ces dernières années, et nombre de penseurs et d'auteurs associent ses idées sur la préhistoire à des thèmes qui ont trait à Marie Madeleine et à l'origine du mouvement chrétien.

Bien que nous vivions dans un monde de gratte-ciel d'acier, de comptoirs de formica et d'écrans de télévision électroniques,

---

18. Extrait de *When God Was a Woman* de Merlin Stone, © 1976 par Merlin Stone. Utilisé avec l'autorisation de Doubleday, une filiale de Random House Inc. (Ce livre a été traduit en français sous le titre *Quand Dieu était une femme* – Montréal, L'Étincelle, 1989.)

il existe en chacun de nous, chez les femmes aussi bien que chez les hommes, quelque chose qui génère dans notre esprit le sentiment d'être profondément lié au passé. […] Pour les gens élevés et programmés selon les religions patriarcales contemporaines, des religions qui ont un effet même sur les aspects les plus laïques de notre société, il demeure peut-être encore un souvenir persistant, presque inné des lieux de culte et des temples sacrés que dirigeaient des prêtresses au service de la religion de la divinité suprême. Au commencement, les gens adressaient leurs prières à la Créatrice de la vie, la Maîtresse des cieux. Aux tout premiers temps de la religion, Dieu était une femme. Vous en souvenez-vous? […]

Les artéfacts archéologiques laissent croire que, dans toutes les sociétés du néolithique et du début du chalcolithique, l'Ancêtre divine, que la plupart des auteurs appellent la Déesse-Mère, était vénérée en tant que déité suprême. Elle générait non seulement la vie humaine, mais également un approvisionnement contrôlable en nourriture. […] [Le spécialiste en religion] Werner Schmidt affirme à propos de ces cultures primitives: «Dans ce contexte, c'étaient les femmes qui étaient suprêmes; non seulement elles portaient les enfants, mais c'étaient aussi elles qui produisaient la plus grande partie de la nourriture. En se rendant compte qu'il était possible de cultiver la terre, de même que de cueillir les fruits, elles ont rendu la terre précieuse et elles sont devenues, par conséquent, ses propriétaires. Ainsi, elles acquirent à la fois un pouvoir économique et social, ainsi que du prestige […].»

Même si, au début, la Déesse semble avoir régné seule, Elle a acquis à un certain moment de l'histoire un fils ou un frère (selon l'emplacement géographique), qui était également Son amoureux et époux. […] Le professeur E. O. James écrit: «Que cela reflète ou non un système primitif d'organisation sociale matriarcale, ce qui n'est aucunement improbable, il demeure que la Déesse avait au départ préséance sur le jeune dieu, à savoir son fils, son époux ou son amant, avec lequel elle était associée.»

C'était ce jeune homme que symbolisait le rôle masculin dans l'union sexuelle sacrée réalisée chaque année avec la Déesse. […] Connu dans diverses langues sous le nom de Damuzi, Tammuz, Attis, Adonis, Osiris ou Baal, ce prince mourait dans sa jeunesse, donnant lieu à une période annuelle de deuil et de lamentations chez ceux qui rendaient hommage à la Déesse. [...] L'Égypte de 3000 av. J.-C. connaissait déjà cette relation de la Déesse avec Son fils ou, à certains endroits, avec un beau jeune homme qui symbolisait le fils; on en voit la trace au début de la littérature sumérienne; elle fait surface plus tard à Babylone, en Anatolie et à Canaan; elle survit dans la légende grecque classique d'Aphrodite et d'Adonis; et est même connue dans la Rome préchrétienne sous la forme des rituels de Cybèle et d'Attis, ayant sans doute, à cette époque, une influence sur le symbolisme et les rituels du christianisme primitif. [...]

Mais tout comme les gens des cultures du début du néolithique arrivèrent possiblement d'Europe, des vagues ultérieures de gens venant de contrées encore plus nordiques émigrèrent au Proche-Orient. [...] Et leur arrivée ne constitua pas une assimilation progressive dans la région, comme cela semble avoir été le cas pour les partisans de la Déesse, mais il semble plutôt qu'il se soit agi d'invasions agressives qui donnèrent lieu à la conquête, région par région, des partisans de la Déesse.

Les Indo-Européens finissent par dominer Babylone, Asseria et d'autres régions.

Ces envahisseurs nordiques, que l'on appelle généralement Indo-Européens, amenèrent avec eux leur propre religion, le culte d'un jeune dieu guerrier et/ou d'un dieu-père suprême. Leur arrivée est démontrée sur les plans archéologique et historique dès 2400 av. J.-C., [et] le modèle qui émergea après les invasions constituait un amalgame de deux théologies, le pouvoir de l'une ou de l'autre souvent remarquablement différent d'une ville à l'autre. Tandis que les envahisseurs acquéraient davantage de territoires et devenaient de plus en plus puissants au cours des deux mille ans qui suivirent, cette synthèse de religions juxtaposait souvent les divinités femelles et les divinités mâles non comme des égaux, plutôt le mâle représentant l'époux dominant ou même l'assassin de la divinité féminine. Et pourtant, malgré les efforts déployés par les conquérants pour détruire ou déprécier l'ancien culte, les mythes, les statues et les preuves documentaires mettent en lumière la présence continuelle de la Déesse et la perpétuation des coutumes et des rituels associés à la religion. [...]

L'arrivée des tribus indo-aryennes [en une vague au XVIe siècle av. J.-C., puis de nouveau aux IIIe et IIe siècles av. J.-C.], la présentation de leurs divinités masculines comme étant supérieures aux divinités féminines des populations indigènes des territoires qu'ils avaient envahis et l'entrelacement complexe des deux concepts théologiques qui en résulta se reflètent dans les mythes de chaque culture. C'est dans ces mythes que nous percevons les attitudes ayant entraîné la suppression du culte de la Déesse.

Sheila Collins écrit: « En fin de compte, la théologie est toujours politique. La façon dont les collectivités humaines déifient le transcendant et déterminent les catégories de bien et de mal est davantage liée à la dynamique du pouvoir des systèmes sociaux qui créent les théologies qu'avec la révélation spontanée de la vérité issue d'autres endroits. »

[...] Contrairement au fils/amoureux de la religion de la Déesse, la divinité masculine indo-européenne était souvent représentée comme un dieu orageux, au sommet d'une montagne, rayonnant de la lumière du feu ou des éclairs. Ce symbolisme récurrent laisse entendre que ces peuples nordiques pourraient avoir déjà vénéré les volcans en tant que manifestation de leur dieu. [...] Dans certaines régions, ce dieu était associé à la Déesse à titre d'époux, comme Tarhu, le dieu des orages, et la déesse du soleil d'Arinna, ou Zeus et Héra. Dans certaines légendes, on le voit apparaître sous les traits d'un jeune homme rebelle qui élimine de façon héroïque la divinité féminine plus âgée, parfois en vertu d'une promesse antérieure de suprématie au sein de la hiérarchie divine. [...] Dans plusieurs de ces mythes, la divinité féminine est symbolisée par un serpent ou un dragon, des animaux le plus souvent associés à l'obscurité et au mal.

[...] Mais c'est finalement à cause des derniers assauts réalisés par les Hébreux et finalement par les chrétiens des premiers siècles après le Christ que le culte de la Déesse fut finalement éliminé et pratiquement oublié. C'est dans ces récits du peuple indo-européen que nous retrouvons possiblement les origines de nombre d'idées des premiers

Hébreux. De même, on retrouve dans les concepts religieux et politiques hébreux le concept du dieu au sommet de la montagne, rayonnant de lumière, la dualité entre la lumière et l'obscurité symbolisant le bien et le mal, le mythe de la divinité mâle qui terrasse le serpent, de même que le leadership d'une classe suprême de dirigeants, des éléments si prédominants dans la religion et la société indo-européennes. Cette influence ou ce lien possible avec les peuples indo-européens pourrait expliquer les attitudes extrêmement patriarcales des Hébreux. [...]

« Vous démolirez leurs autels, et vous briserez leurs statues. »

À Canaan, les prêtres lévites avaient une attitude si belliqueuse envers la religion de la Déesse [...] que des lois furent rédigées afin d'interdire le culte de ces « autres dieux ». Ces lois étaient si sévères qu'elles ordonnaient aux membres de la religion hébraïque de tuer même leurs propres enfants s'ils n'adoraient pas Yahvé. Les lois lévites de la Bible stipulaient : « Si ton frère, fils de ta mère, ou ton fils, ou ta fille, ou la femme de ton cœur, ou ton ami, qui t'est comme ton âme, t'incite en secret, disant : Allons, et servons d'autres dieux, [des dieux] que tu n'as point connus, toi, ni tes pères, d'entre les dieux des peuples qui sont autour de vous, près de toi ou loin de toi, d'un bout de la terre à l'autre bout de la terre, tu ne t'accorderas pas avec lui et tu ne l'écouteras pas ; et ton œil ne l'épargnera pas, et tu n'auras pas pitié de lui, et tu ne le cacheras pas ; mais tu le tueras certainement : ta main sera la première contre lui pour le mettre à mort, et la main de tout le peuple ensuite ; et tu l'assommeras de pierres, et il mourra. » (Deutéronome, chapitre 13, versets 6 à 10) [...]

Les lévites [...] insistaient sur le fait que l'on devait désigner publiquement toutes les femmes comme étant la propriété privée d'un homme, qu'il s'agisse d'un père ou d'un mari. Ainsi, ils créèrent et institutionnalisèrent le concept de *moralité* sexuelle pour les femmes. [...] C'est ainsi également que la loi lévite proclama que la virginité avant le mariage et la fidélité conjugale étaient divinement essentielles pour toutes les femmes de religion hébraïque, un décret qui représentait l'antithèse même des attitudes envers la sexualité féminine que préconisait la religion de la Déesse.

Pourtant, l'influence et le prestige de l'ancienne religion demeuraient présents. Comme nous l'avons vu, on rapporte continuellement dans la Bible des actes de «paganisme», à toutes les époques, qui constituaient en toile de fond un problème permanent dont on trouve la description tout au long de l'Ancien Testament. Les prêtres-prophètes de Yahvé menaçaient. Ils réprimandaient. Les auteurs lévites étiquetaient toutes les femmes sexuellement autonomes, y compris les femmes sacrées du Temple, comme étant des putains et exigeaient la consolidation de leurs propres attitudes patriarcales à l'égard de la propriété sexuelle des femmes. Après avoir inventé ce concept de «moralité», ils lancèrent des accusations d'«immoralité» contre les femmes dont le comportement et la vie, conformément à leurs anciennes croyances, figuraient parmi les éléments les plus nobles et les plus sacrés.

Encore plus révélatrice était l'analogie symbolique qu'ils établissaient entre toute femme qui refusait d'obéir aux lois issues de la nouvelle moralité – qu'ils qualifiaient toujours de putains et de femmes adultères – et l'entêtement et l'apostasie du peuple hébreu tout entier qui manquait constamment de fidélité envers Yahvé. Le recours à l'infidélité féminine en tant que péché ultime – si grave qu'il était considéré comme semblable à la trahison envers Yahvé – nous permet de mieux comprendre l'attitude des lévites à l'égard de la femme autonome sur le plan sexuel. […]

Conclusion

Les ordres visant l'élimination de la religion de la Déesse étaient carrément intégrés aux canons et aux lois des religions masculines qui l'ont remplacée. Il est évident que l'ancienne vénération de la divinité féminine ne s'est pas simplement interrompue, mais que sa disparition s'est produite progressivement, au début, par la volonté des envahisseurs indo-européens, plus tard par celle des Hébreux, puis des chrétiens et, plus encore, des mahométans. En même temps que l'ultime acceptation des religions mâles dans une grande partie du monde, les principes de «moralité» sexuelle, à savoir la virginité avant le mariage et la fidélité conjugale pour les femmes, ont été intégrés aux attitudes et aux lois des sociétés qui les ont adoptés. [...]

Ainsi, il n'est peut-être pas exagéré de supposer que le mythe d'Adam et Ève [...] puisse avoir été délibérément rédigé et intégré à l'histoire de la création dans la Bible, constituant un autre assaut contre la religion de la Déesse.

Il est possible que l'histoire qui expliquait prétendument ce qui s'était produit à l'origine du temps, l'image de la femme en tant que dangereuse séductrice provoquant la chute de l'humanité tout entière, puisse avoir été insérée dans la légende de la création de tout ce qui existe et vit par Yahvé. Toutes nos connaissances sur les coutumes sexuelles sacrées dans la religion de la Déesse, sur la présence constante de ces coutumes parmi les Hébreux, même à Jérusalem, sur le recours aux mythes du dragon ou du serpent souvent associés aux histoires de création par les Indo-Européens et les vestiges du mythe du Léviathan dans l'Ancien Testament peuvent nous éclairer et nous donner une nouvelle perspective sur le symbolisme et le message que renferme le mythe biblique d'Adam et Ève. Nous pourrions découvrir que le mythe, en apparence innocent, du paradis et de la création du monde avait été en fait minutieusement édifié et propagé afin de «garder les femmes à leur place», cette place que leur a attribuée la tribu lévite de Canaan à l'époque biblique. [...]

Il est temps de mettre en lumière les faits relatifs aux premières religions féminines. Ils ont été cachés pendant trop longtemps. [...] Ces faits nous permettront d'éliminer des siècles de confusion, d'incompréhension et de suppression de l'information, ce qui nous donnera la perspective nécessaire pour examiner l'image, le statut et les rôles encore attribués aux femmes à ce jour. Grâce à ces faits, nous pourrons également avoir une perspective à la fois historique et politique nous permettant de réfuter les idées de «rôles prescrits de façon naturelle ou divine», ouvrant finalement la voie à une reconnaissance plus réaliste des capacités et du potentiel des enfants et des adultes, aussi bien femelles que mâles, en tant qu'êtres humains en soi. Quand nous comprendrons mieux les origines anciennes des stéréotypes féminin et masculin, le mythe du jardin d'Éden ne pourra plus nous hanter.

Le fait d'assassiner une épouse rebelle ne constituait pas une solution, pas plus que de réduire les femmes au silence et de les rendre dépendantes sur le plan économique. Peut-être qu'au moment où les femmes et les hommes mordront dans cette pomme – ou cette figue – en même temps, qu'ils apprendront à tenir compte avec respect des idées et des opinions les uns des autres et à considérer le monde et ses richesses comme un endroit qui appartient à tout être vivant qui s'y trouve, nous pourrons commencer à dire que nous sommes réellement devenus une espèce civilisée.

ORGIES DANS LE TEMPLE. LA TRADITION DES PROSTITUÉES SACRÉES

UN ENTRETIEN AVEC NANCY QUALLS-CORBETT

Nancy Qualls-Corbett, analyste jungienne et spécialiste de la relation entre la sexualité et la spiritualité, affirme que la spiritualité féminine est issue du jumelage de la chair et du sacré. Ainsi, notre quête d'un sens spirituel représente un cheminement non seulement vers la religion, mais également vers l'intériorité, c'est-à-dire une quête psychologique, maintient-elle en évoquant Carl Jung, le psychanalyste suisse d'avant-garde qui insistait sur le fait que l'on pouvait mieux comprendre la psyché en explorant les mondes des rêves, de l'art, de la mythologie, de la religion universelle et de la philosophie.

Jung était un clinicien, mais il était aussi versé dans les domaines de la philosophie orientale, de l'alchimie, de l'astrologie, de l'art, de la littérature, du symbolisme et des archétypes. Il trouvait que les humains modernes se fiaient trop à la science et à la logique et qu'ils tireraient profit à intégrer à leur vie quotidienne la spiritualité et la connaissance de l'inconscient. On peut affirmer que l'influence de Jung sur Dan Brown et son spécialiste des symboles de Harvard, Robert Langdon, était forte. Il en est de même chez nombre d'auteurs du Nouvel Âge qui écrivent sur des thèmes comme le gnosticisme, le néopaganisme et les interprétations métaphoriques de la vie de Marie Madeleine.

Jung était aussi connu pour l'accent qu'il mettait sur les archétypes masculins et féminins et sur l'importance d'équilibrer leurs rôles respectifs au sein d'une union dualiste.

Nancy Qualls-Corbett croit que cet équilibre s'est rompu lors de l'émergence d'un dogme chrétien qui excluait «tout ce qu'avait de féminin son image de Dieu, et ceci, au grand détriment psychique de la foi». Elle poursuit en déclarant: «Sans une quelconque assise féminine, nous avons maintenant des églises qui sont devenues des structures unilatérales ou névrotiques [à cause de la façon dont] Marie Madeleine a été rabaissée et marginalisée par les hommes qui ont pris le pouvoir au sein de l'Église patriarcale des premiers temps et essentiellement miné ses fondations. » Même aujourd'hui, *poursuit-elle, nous ne sommes pas enclins à associer n'importe quoi ou n'importe qui de sacré ou consacré à Dieu à ce que nous considérons comme sensuel ou charnel.* « [Et *pourtant, lorsque] notre monde était jeune [...], il n'y avait aucun antagonisme entre la nature sexuelle humaine et la religion ou la spiritualité d'une personne. Chacun donnait vie et signification à l'autre et participait à un important équilibre du monde de l'Antiquité : une union du divin et du mortel.* »

Afin de mieux comprendre la façon dont des thèmes semblables étaient illustrés aux époques anciennes, nous avons parlé avec Nancy Qualls-Corbett de son livre The Sacred Prostitute. *Ses réponses jettent une lumière sur les manières dont ces traditions continuent d'avoir des répercussions et révèlent quelques affinités étonnantes entre Marie Madeleine et l'idée que se fait Qualls-Corbett de la « prostituée sacrée ».*

De nombreux érudits et autres experts nous ont familiarisés avec des expressions comme « union sacrée » et « mariage sacré ». Mais qu'en est-il de la prostitution sacrée ? Aidez-nous, s'il vous plaît, à comprendre ce concept.

Exhumées dans les ruines des premières civilisations de Babylone et de Sumer, d'anciennes tablettes d'argile, des peintures sur des vases et de petites statues datant d'environ 18 000 ans av. J.-C. décrivent ou illustrent des femmes qui accomplissent l'acte sexuel dans le Temple de l'Amour. Il s'agissait là d'un geste de vénération et la prêtresse de la déesse de l'amour était une prostituée sacrée. Elle accueillait l'étranger las du monde dans cet endroit privé et sacré et s'offrait à lui sous l'égide de la déesse. En présence de la déesse, ce rituel était transformateur. La prostituée sacrée, sans doute une initiée, pouvait vivre la plénitude de la féminité, sa nature féminine éveillée à la vie. L'élément de l'amour divin résidait maintenant en elle. L'étranger également expérimentait les mystères du sexe et de la religion qui accompagnaient la régénération de l'âme. On considérait cet acte sexuel sacré comme un rituel de *hieros gamos* ou mariage sacré, car il représentait l'union spirituelle du divin et du mortel.

À d'autres endroits, le rituel du mariage sacré avait lieu de manières légèrement différentes. Au cours de la célébration du Nouvel An, qu'on appelait la « détermination du destin », les gens chantaient des hymnes en hommage à la déesse : « Le roi se rend la tête haute jusqu'au corps sacré,/ il va la tête haute jusqu'au corps sacré d'Innana. » Innana était la déesse sumérienne de l'amour et de la fertilité, qui assurait la fécondité de la terre et de la vie humaine grâce à ses bénédictions d'amour et à l'art de l'amour physique. Le roi, représentant le dieu, et une prostituée sacrée désignée, représentant la déesse, étaient conduits jusqu'à la ziggourat où leur union assurait la fertilité de la terre. Les émotions humaines et l'énergie physique et créatrice de la prostituée sacrée unissaient le personnel et le suprapersonnel. Elle entrait en contact avec les pouvoirs régénérateurs fondamentaux et, ainsi, en tant que déesse incarnée, assurait la pérennité de la vie et de l'amour. La prostituée sacrée constituait le véhicule humain au sein duquel les forces matérielles et spirituelles s'unissaient. L'appropriation sociale de ce mariage sacré, telle qu'illustrée récemment dans le *Da Vinci Code* et le film de Kubrick *Eyes Wide Shut*[19], reflète cette sensibilité.

Dans les civilisations ultérieures, Innana et d'autres déesses devinrent plus différenciées ; une déesse représentait la fertilité ou une déesse-mère, alors qu'une autre était vénérée pour sa beauté sexuelle féminine. À titre d'exemple, les Grecs appelaient la première Déméter, tandis que la seconde, Aphrodite, était honorée pour sa beauté physique, son amour, sa passion et son plaisir. La déesse de l'amour et la déesse de la fertilité étaient vénérées en tant que féminin divin.

Pourquoi le concept de prostituée sacrée a-t-il vu le jour ? Comment se reflétait-il dans la réalité de l'époque ?

On pensait que les femmes qui remplissaient les tâches subalternes dans les temples entretenaient une relation intime avec la déesse et avaient en conséquence le pouvoir d'accorder des bénédictions. On croit également que ce rituel pourrait avoir été un vestige de cérémonies primitives antérieures, lorsque le chef de la tribu déflorait la vierge avant son mariage. Selon une autre hypothèse, comme la déesse et son époux conféraient la fertilité à la terre, les femmes qui cherchaient à obtenir sa bénédiction devaient l'imiter.

Dans différentes cultures et à différentes époques, des femmes devinrent des prostituées sacrées. Il s'agissait là non pas d'une disgrâce, mais plutôt d'un honneur. On les considérait comme « les épouses de dieu ». À certains endroits, seules les femmes de noble naissance pouvaient participer. À

---

19. *Les Yeux grand fermés.*

Thèbes, l'épouse du grand prêtre portait le titre de «concubine principale». Hérodote, historien grec du IIIe siècle av. J.-C., écrivait: «Les coutumes babyloniennes [...] obligent chaque femme, une fois au cours de sa vie, à se rendre au temple de l'amour et à avoir des relations sexuelles avec quelque étranger.» D'après Strabon, géographe, philosophe et historien grec du Ier siècle, au temple d'Aphrodite à Éryx, à Corinthe et à Comane, les prostituées sacrées se comptaient par milliers. Elles se voyaient accorder un statut social particulier et recevaient une éducation. Dans certains cas, elles demeuraient égales aux hommes sur les plans politique et juridique, car elles avaient le droit d'hériter de terres. On croyait qu'au moment où la déesse apportait du royaume des cieux aux simples mortels ses talents amoureux – les arts de l'amour physique, de la passion et de la joie –, la prostituée sacrée, à titre de prêtresse de la déesse, accordait cette bénédiction à l'humanité tout entière.

Comment Marie Madeleine s'intègre-t-elle dans ce tableau?

Bien que les Écritures bibliques soient confuses à ce sujet, j'ai le sentiment que Marie Madeleine possédait les mêmes attributs que la prostituée sacrée. De plusieurs manières, elle écoutait son cœur, bien que cela dût être difficile. Je ne peux qu'imaginer quel courage et quelle force intérieure elle devait posséder pour agir à l'encontre du rôle défini de la femme à cette époque. Luc la décrivait (ainsi que d'autres disciples de sexe féminin) comme une des femmes «qui assistaient [Jésus et les apôtres] de leurs biens», ce qu'on interprète d'habitude comme un appui financier. Pourtant, l'expression a d'autres significations qui correspondent davantage à son rôle.

Vous avez fondé votre analyse sur les archétypes de Jung. Qu'est-ce qu'un archétype? Pourquoi en avons-nous et quels rôles jouent-ils dans la pensée et le comportement humains?

Le docteur Jung faisait référence aux niveaux plus profonds de la psyché comme étant l'inconscient collectif, le distinguant de l'inconscient personnel qui contient des souvenirs réprimés des expériences personnelles de l'individu. L'inconscient collectif comporte des éléments psychiques – les archétypes – qui sont omniprésents, immuables et communs à tous les êtres humains. Comme les instincts, ils sont innés. En tant qu'énergie psychique, ils ont la capacité de réguler et de modifier la conscience ainsi que de teinter l'expérience qu'a une personne du monde ; par conséquent, on peut les imaginer comme des modèles de comportements. Par exemple, le héros ou la sorcière représentent des archétypes qui découlent spontanément des rêves et des mythes. Ces images sont le fruit de l'inconscient qui se manifeste dans la conscience sous forme de symboles. Derrière le symbole visible et la signification objective se trouve une signification invisible et plus profonde – quelle est l'« énergie » du héros ou de la sorcière en moi et de quelle manière me poussent-ils à agir ?

Dans les faits, nous pouvons affirmer que nous n'« avons » pas d'archétypes, mais que c'est plutôt les archétypes qui nous « ont ». Quand nous parlons de la déesse de l'amour, nous parlons d'un archétype. Quand nous tombons amoureux, nous ressentons une énergie extatique lorsqu'un archétype particulier se trouve activé. L'ode d'Homère à Aphrodite la décrit sous les traits d'une femme belle, radieuse et aimant rire. Nous éprouvons les mêmes sentiments. Nous offrons à notre bien-aimée des roses rouges, un symbole d'amour, parce que c'est la fleur d'Aphrodite.

Parlez-nous de Marie Madeleine par rapport à Marie la mère de Jésus. À quels archétypes se rattachent-elles ?

Dans les mythologies du monde, nous retrouvons deux aspects distincts de l'archétype féminin. L'aspect statique ou maternel et l'aspect dynamique ou érotique. Les archétypes de la mère et de la femme sensuelle occupent également une place prééminente dans la mythologie chrétienne, mais ces images sont déformées par les croyances conscientes. On vénère Marie, l'archétype de la mère, comme étant virginale, asexuée – le contraire de la Déesse-Mère aux seins pleins et aux hanches larges qui représentait la fécondité dans les temps anciens. L'archétype féminin érotique, Marie Madeleine, est rabaissée, traitée de prostituée et condamnée en raison de sa sexualité, qu'on associait à la tentation et à la mortification de la chair.

Je constate que cette attitude se modifie comme l'indique l'intense intérêt actuel à l'égard de Marie Madeleine de même qu'une remise en question consciente de croyances démodées qui rabaissent et dévalorisent la nature féminine. L'archétype du féminin érotique, symbolisé par Marie Madeleine, la femme humaine, nous remet en contact avec l'aspect du féminin divin au plus profond de notre être, comme le faisait la prostituée sacrée.

Vous avez affirmé qu'en supprimant l'aspect féminin de son image de Dieu, l'Église chrétienne est devenue une structure «névrotique». Comment et quand la déesse est-elle devenue, selon votre expression, «désincarnée»? Et quelles en sont les implications?

Au fil des siècles, le système matriarcal qui prévalait s'est transformé en un système patriarcal. Auparavant, l'agriculture et la religion constituaient le noyau fondamental de la vie; plus tard, on mit davantage l'accent sur le commerce, la guerre et le contrôle de territoires plus étendus. Le fait de donner naissance et de soutenir la vie n'était plus tenu en aussi haute estime que les gestes de conquête héroïques. Progressivement, au cours des millénaires, jusqu'à environ 5000 av. J.-C., les femmes devinrent des êtres subalternes, car les rôles qu'elles assumaient n'étaient plus importants dans le contexte de ces nouvelles valeurs. Au fil des siècles, le panthéon des dieux et des déesses s'effondra à mesure que les populations acceptaient un dieu suprême unique. Le Temple de l'Amour céda la place à la maison du Seigneur. Le plaisir sexuel et les valeurs spirituelles ne pouvaient plus coexister; les joies de la vie sur terre furent réprimées pendant que l'homme cherchait à obtenir la vie éternelle. La déesse et son idée de raviver l'âme grâce à la sexualité étaient maintenant avilies et considérées comme mauvaises.

On retrouve évidemment peu d'indices du Féminin divin dans la structure hiérarchique de l'Église chrétienne nouvellement fondée, avec ses papes, ses évêques et ses prêtres. Dans une faible mesure, ils furent intégrés au sein de l'orthodoxie orientale en tant que Theotokos et Sophia et, plus tard, les attributs du Féminin sacré furent intégrés à l'image de la Vierge Marie, surtout dans les pays catholiques. L'Église déclara que la chrétienté était l'épouse de Dieu, le Christ et l'Ecclésia représentant l'époux et l'épouse. Bien qu'elle découle d'un bon sentiment, cette image est plutôt ésotérique et abstraite. Il s'agit d'une image à laquelle il est difficile de s'identifier sur le plan émotionnel. Le Moyen Âge vécut une profonde dichotomie lorsque les cathédrales gothiques s'élevèrent à des hauteurs célestes pour vouer un culte à Marie, alors que les femmes humaines étaient brûlées comme sorcières. La «désincarnation» de la déesse suscita des attitudes régressives à l'égard de la fertilité de la nature, des valeurs féminines de convivialité et de l'élément spirituel inhérent à l'acte d'amour.

Quelles sont les conséquences pour nous de cette répression du féminin en tant qu'individus et au sein d'une société? Comment pouvons-nous nous «régénérer»?

Quand on réprime le principe féminin d'éros, il n'existe plus de lien avec l'être intérieur, l'humanité et la nature. Sans la qualité médiatrice de la convivialité, le pouvoir devient prééminent. Le sentiment de pouvoir donne lieu à un orgueil démesuré qui pollue le cœur et rend les gens durs et cyniques. Ces attitudes se reflètent dans la société. On valorise davantage la réflexion que le sentiment, la science que les arts. Il n'y a pas d'équilibre. Comme le militarisme, le consumérisme et la politique sont tenus en haute estime, les valeurs sociétales se durcissent. Et les émotions liées à l'amour humain et à la nature disparaissent.

Sans l'élément d'amour divin adoucissant l'expérience sexuelle, la satisfaction est de courte durée. Nous perdons notre respect envers l'abondance de la nature et tous les êtres vivants. Le cœur n'est pas touché, l'âme n'est pas nourrie, et la dimension spirituelle n'est pas atteinte. Les hommes perdent l'expérience de l'intimité non seulement avec les femmes, mais également avec leur propre nature féminine inconsciente, l'*anima*. De même, les femmes, ayant perdu les dons bénis de la nature féminine, méprisent ou exploitent abusivement leur corps, ou l'utilisent de façon flagrante pour combler des besoins liés à l'ego. Un ancien mythe d'Aphrodite raconte l'histoire de femmes qui l'avaient rencontrée et lui avaient montré du mépris, l'avaient ridiculisée et s'étaient moquées d'elle. Elle les avait changées en pierre. Dans le même ordre d'idées, les femmes d'aujourd'hui risquent de s'endurcir parce qu'on n'accorde aucun respect au Féminin sacré.

Je crains qu'il n'existe aucun élixir magique pour la régénération. Aussi bien en ce qui concerne les hommes que les femmes, les premières étapes pourraient être aussi simples que de faire un effort pour s'émerveiller devant la déesse Lune ou pour admirer une rose rouge délicate. Nous pouvons agir de manière à montrer une préoccupation sincère envers l'humanité et notre planète. Nous ne pouvons reconstruire le Temple de l'Amour dans le monde extérieur, mais nous pouvons le recréer à l'intérieur de nous-mêmes. Nous pouvons nous souvenir des bénédictions de la déesse et, comme la prostituée sacrée, accorder ses bienfaits au monde.

Quel est le pouvoir réel du Féminin divin ? Comment se reflète-t-il chez la femme, de nos jours ?

Le pouvoir que possèdent les femmes de toutes les époques se manifeste par un lien intérieur avec la nature féminine. Son être ne dépend pas de la réaction des autres. Elle agit comme elle le fait parce que ses actions correspondent aux explorations intérieures de son moi unique – l'antithèse absolue du rôle de la « femme sexy ». Bien que travaillant et vivant dans un système patriarcal, elle ne peut sans doute pas changer le système, mais elle ne lui permet pas non plus de la changer. Il se peut que la femme en accord avec sa nature féminine ne soit pas considérée comme belle, sensuelle ou provocante selon les normes actuelles, mais on la reconnaît mieux à son attitude, à la chaleur humaine qui émane de son être. C'est là une qualité de présence particulière qui défie toute définition. Cette femme se sert de la bénédiction du Féminin divin non pas pour accroître son propre ego, mais avec vénération, afin d'en faire profiter l'humanité.

Marie Madeleine et l'union sacrée

Un entretien avec Margaret Starbird

Margaret Starbird s'emploie sans relâche et de manière persuasive à réintégrer le concept de l'« union sacrée » au cœur de la chrétienté – un concept qui, croit-elle, s'est perdu au cours du mouvement vers l'orthodoxie et de l'établissement d'une doctrine patriarcale rigide. Fervente catholique, elle a entrepris il y a des années de déboulonner la thèse du « sang royal » de Holy Blood, Holy Grail[20]*, mais a plutôt fini par se convaincre de sa véracité et a écrit une demi-douzaine de livres sur le Féminin sacré et son importance par rapport au véritable christianisme. Ses œuvres les plus connues sont* The Woman with the Alabaster Jar: Mary Magdalene and the Holy Grail[21] *et* The Goddess in the Gospels: Reclaiming the Sacred Feminine.

---

20. Michael Baigent, Richard Leigh et Henry Lincoln. *L'Énigme sacrée, op. cit.*

21. Margaret Starbird, *Marie Madeleine et le Saint-Graal, op. cit.*

Margaret Starbird tente de démontrer que Marie Madeleine et Jésus ont eu un « mariage sacré, dynastique ». Le fait de séparer Marie de Jésus, comme, dit-elle, l'Église l'a fait, représente « une distorsion du modèle le plus fondamental de la vie sur notre planète – l'"union sacrée" de partenaires fidèles ».

Bien que plusieurs personnes dans le milieu universitaire « traditionnel » considèrent ses arguments comme fortement hypothétiques, beaucoup d'autres sont d'accord avec une grande partie de ce que Starbird affirme. Tous reconnaîtront sans doute que ses livres sont importants pour comprendre la fascination moderne à l'égard de Marie Madeleine et de sa nouvelle mythologie. Dan Brown déclare clairement que son œuvre l'a énormément influencé lorsqu'il concevait l'intrigue du Da Vinci Code.

Margaret Starbird est très sollicitée en tant que conférencière et animatrice d'ateliers et de retraites, le type d'apparition publique qu'elle préfère. Nous l'avions auparavant interviewée pour Les Secrets du code Da Vinci.

Commençons par une question d'ordre quelque peu personnel : vous avez dit que, au cours des vingt dernières années, votre vie avait changé de plusieurs façons et que vous aviez acquis un nouveau sentiment à propos de votre propre spiritualité. Pouvez-vous nous en dire davantage ? Où ce cheminement vous a-t-il menée et que signifie précisément Marie Madeleine à vos yeux ?

J'ai entrepris la quête de la Fiancée perdue alors que j'étais une fervente catholique et membre d'un petit groupe de prière charismatique. Au milieu des années 1990, on nous a montré qu'un élément essentiel manquait aux assises du christianisme et que cette absence avait eu des effets dévastateurs. Nous avons progressivement réalisé que cette perte impliquait la désa-cralisation du « Féminin ». À l'époque, nous avons renouvelé nos prières à la Vierge Marie, mais, après avoir lu *Holy Blood, Holy Grail*[22] en 1985, j'ai éprouvé le sentiment que la véritable révélation du Féminin sacré s'incarnait en Marie Madeleine. En découvrant la vérité sur le statut de Marie Madeleine, j'ai pu créer une image du divin en tant que partenariat intime et j'ai consciemment intégré ce point de vue dans ma propre foi et dans mon propre vécu.

Bien sûr, le Féminin sacré resplendit dans tous vos écrits. Pourriez-vous nous en parler davantage dans le contexte de votre éducation religieuse ?

Au cours des années 1970, nombre de femmes se sont mises à la recherche des traditions perdues de la Déesse, mais

---

22. Michael Baigent, Richard Leigh et Henry Lincoln. *L'Énigme sacrée, op. cit.*

je n'en faisais pas partie. J'étais une fille fidèle de mon Église catholique romaine, fermement enracinée dans ses traditions. En 1988, dans le cadre d'un cours à la Vandelbirt Divinity School, j'ai effectué une recherche dans le chapitre 14 de Marc, le passage où la femme au vase d'albâtre rempli de précieux parfum oint Jésus. En cherchant les passages de la Bible où il était question d'onction, j'ai découvert leur lien avec les liturgies sur le mariage sacré issues des cultes de la fertilité de l'ancien Proche-Orient, décrites dans des textes de poésie liturgique récemment traduits de Sumer, de Babylone, de Canaan et d'Égypte. Puisque j'ai fait une maîtrise en littérature comparée, je ne considère pas les anciens rites païens comme « tabous ». Il s'agit pour moi de littérature. J'ai découvert que l'onction du roi sacré constituait la prérogative de la fiancée qui rencontre plus tard son fiancé sacrificiel ressuscité dans le jardin. Comment pouvons-nous ne pas remarquer les similitudes entre ces anciens rites et les récits de la Passion dans les Évangiles chrétiens où la « fiancée » joue le même rôle ? Si le « partenariat sacré » était une pierre angulaire du christianisme à ses débuts, ne devrions-nous pas essayer de le rétablir ? Je me réjouis de voir un si grand nombre de personnes adopter le concept d'« union sacrée ».

Y compris, évidemment, Dan Brown dans son phénoménal succès de librairie, Da Vinci Code. *Plusieurs des idées qu'il exprime dans ce livre se fondent sur vos travaux ; en fait, il place votre livre* The Woman with the Alabaster Jar[23] *en bonne place sur une étagère de la bibliothèque de Leigh Teabing. D'après votre point de vue éclairé, en quoi Dan Brown avait-il raison et en quoi avait-il tort ?*

Dan Brown a réussi à faire connaître l'histoire de Marie Madeleine à la planète entière. Il comprenait que l'importance de l'« histoire » ne tenait pas dans la revendication élitiste d'une lignée généalogique particulière, mais plutôt dans l'« union sacrée » au centre de l'Évangile chrétien.

Que signifiait, à vos propres yeux, toute cette attention ?

À mon avis, la « réunion sacrée » représente un progrès radical vers une égalité des sexes et un caractère inclusif. C'est

---

23. .Margaret Starbird. *Marie Madeleine et le Saint-Graal, op. cit.*

de loin le plus important changement culturel de notre époque. Le roman de Dan Brown a contribué à faire connaître cette idée. Mes travaux rejoignent un public de plus en plus vaste et enthousiaste, et je reçois de plus en plus d'invitations à tenir des retraites et des colloques ayant pour thème la Fiancée perdue.

Par suite des discussions que vous avez eues partout au pays ces deux dernières années, avez-vous entendu ou découvert des choses qui ont modifié votre compréhension de certains concepts ou modifié vos points de vue ? Si oui, de quelle façon ?

J'entends constamment parler de nouvelles perspectives et je reçois des confirmations au sujet de l'union sacrée qui sous-tend la réalité. Je comprends de mieux en mieux l'archétype qu'incarne Marie Madeleine : le principe de sagesse (*sophia*) des Anciens tel qu'il est également exprimé dans la Bible hébraïque – « au début », il n'y avait pas que le Logos mais également la Sophia.

Revenons à notre sujet principal. Pour les lecteurs qui connaissent mal le concept, qu'est-ce que le Féminin sacré ? Et qu'est-ce qui a entraîné sa perte ?

Le « Féminin sacré » représente une façon de déclarer que Dieu n'est pas exclusivement « masculin », comme l'illustre la peinture au plafond de la chapelle Sixtine, mais qu'il possède aussi des attributs féminins. La chose est évidente lorsqu'on lit les magnifiques passages qui, dans la Bible hébraïque et dans les Évangiles, parlent de Dieu en employant des métaphores féminines : « Une femme oubliera-t-elle son nourrisson, pour ne pas avoir compassion du fruit de son ventre ? » (Isaïe, chapitre 49, verset 15) Je suis particulièrement reconnaissante envers Peter Kingsley pour ses écrits sur la perte de la « Sophia » dans la civilisation occidentale. Celle qu'on appelle le « reflet de la divinité de Dieu » et un « délice » fut apparemment abandonnée par Platon et les penseurs grecs qui lui ont succédé en continuant de se nommer « philosophes » (« amoureux de Sophia ») quand, en fait, ils ont modifié le paradigme pour devenir des « amoureux de Logos » (les façons de penser et d'être logiques, rationnelles, qui relèvent de la partie gauche du cerveau).

Nous savons que les traditions égyptiennes, grecques et autres vouaient un culte au Féminin sacré. Pourtant, de façon générale, ces cultures ne semblaient pas si bien traiter les femmes au quotidien – tout au moins selon les critères modernes. Ne pourrions-nous pas affirmer que même si la Femme pouvait représenter la Sagesse, elle n'était considérée de cette façon que dans la mesure où elle servait le patriarcat?

En Égypte, les pharaons épousaient leurs sœurs, imitant ainsi la relation productrice de vie de leur couple déesse/dieu, Isis et Osiris. Et, dans la Bible hébraïque, nous trouvons de merveilleuses histoires d'héroïnes très fortes : Déborah, Judith et Esther, de même qu'un grand nombre de prophétesses. Le « revirement platonique » vers des modes de pensée masculins survint plus tard et, alors, la civilisation grecque supplanta les anciennes coutumes dans la foulée des conquêtes mondiales d'Alexandre. Mais le « Féminin sacré » ne concerne pas que le « droit des femmes ». Il implique des façons de penser, d'être et d'entretenir un lien avec la réalité relevant du cerveau droit, par l'entremise d'une « sagesse intérieure », une sagesse axée sur l'intuition, et sur une expérience « axée sur le corps », plutôt qu'« axée sur le cerveau ». Si les habitants de l'Asie du Sud-Est qui ont vu venir le tsunami s'étaient précipités sur un terrain élevé comme l'ont fait les éléphants et les singes, ils n'auraient pas péri sur les plages. Les touristes occidentaux étaient si éloignés de leurs « racines » qu'ils n'étaient pas en mesure de sentir le danger. La « Sophia » ne représente pas que ce lien avec notre « terre » et notre sagesse corporelle « instinctive », mais également avec les relations communautaires, notamment une préoccupation à long terme à l'égard de la justice, de la compassion et du bien-être des « plus petits » – « jusqu'à la septième génération », pour employer les mots des grands-mères autochtones d'Amérique. En devenant conscients de ces valeurs, nous concilions à nouveau les énergies masculine et féminine, contribuant ainsi à faire reverdir le désert.

Vous avez consacré beaucoup de temps et d'énergie à l'étude du symbolisme, de la gématrie et des nombres sacrés. Vos résultats sont fascinants. Mais une question demeure : les scribes de cette époque avaient-ils l'intention de les transmettre ainsi, ou sommes-nous seulement en train de regarder notre propre reflet au fond d'un puits ? Certains de ces résultats – le code de la Bible, par exemple – ne résistent pas à l'analyse historique. Autrement dit, dans quelle mesure pouvons-nous être sûrs que ces significations cachées y ont été intégrées de manière intentionnelle?

Il n'y a rien de « Nouvel Âge » en ce qui concerne la gématrie. La gématrie est un aspect des Écritures longtemps négligé par les spécialistes de la Bible. Il s'agit d'un ancien procédé littéraire qu'on retrouve dans les œuvres de Platon et d'autres philosophes de même que dans la Bible hébraïque. Plutôt que de fixer des phrases clés pour la musique, elle le fait pour les nombres. Les lettres grecques et hébraïques comportent des valeurs numériques et étaient utilisées comme nombres. Certains titres et certaines phrases importantes de la Bible produisent des sommes numériques qui reflètent des principes cosmiques qu'on retrouve dans la géométrie de l'architecture sacrée – des pyramides aux pierres de Stonehenge en passant par la « Ville sainte » décrite dans le Livre des révélations. Des spécialistes ont étudié ce sujet, notamment John Michell (dans *The City of Revelation* et *The Dimensions of Paradise*) et David Fideler (dans *Jesus Christ, Sun of God*). À mon avis, on ne peut douter que les auteurs du Nouveau Testament aient volontairement inventé des noms, des titres et des phrases qui établissaient un lien avec les principes cosmiques sacrés.

En ce qui a trait à l'évolution du christianisme traditionnel, pouvez-vous nous donner votre point de vue sur les raisons pour lesquelles l'Église a déformé les rôles de Marie Madeleine et de Jésus?

À mon avis, l'Église primitive a écarté Marie Madeleine parce que ses amis et sa famille s'acharnaient à la protéger de prétendues menaces de la part des autorités romaines et des héritiers du roi Hérode « le Boucher ». Marie Madeleine disparaît littéralement. Les lettres de Paul n'en font pas mention, non plus que les Actes des Apôtres. Qu'est-il arrivé? Elle faisait partie des principaux disciples de Jésus, puis, soudainement, elle disparaît des archives. Les chrétiens *orthodoxes* ont fini par marginaliser les factions qui appuyaient les gens liés à la famille de Jésus (les nazoréens et les ébionites), de même que les enseignements gnostiques qui haussaient le statut de Madeleine. Apparemment, vers la fin du IIe siècle, les Pères de l'Église, sous l'influence prépondérante d'Irénée et de Tertullien, dénigraient le rôle important des femmes et la nature égalitariste des premières communautés chrétiennes.

En niant le rôle de la Fiancé sacrée, les premiers dirigeants de l'Église nous ont en réalité présenté un point de vue déformé de Jésus. Il finit par être perçu comme un dieu célibataire, trônant dans les cieux – le fils célibataire d'une mère vierge. Dans les faits, le « mandala » du « partenariat sacré » avait été sabordé.

Sur quoi se fonde-t-on pour penser que Marie Madeleine ait pu fuir en France ? Cette légende n'apparaît-elle pas pour la première fois dans La Légende dorée, rédigée par un évêque qui admettait que son œuvre comportait des embellissements ?

L'évêque Jacques de Voragine n'a pas inventé l'histoire de Marie Madeleine et de ses enfants vivant en France. Il a seulement écrit une version romancée de sa vie d'après les légendes locales. Au moment où sa *Légende dorée* a été publiée (vers 1267), l'Inquisition battait déjà son plein. Mais des sources antérieures, notamment des sermons et des prières tirés d'anciens bréviaires, attestent de la présence de Marie, de Marthe et de Lazare dans la vallée du Rhône. Les légendes de cette région faisaient partie intégrante d'une riche tradition orale que confirment divers chroniqueurs médiévaux. En 1212, Gervais de Tilbury mentionnait par écrit les soixante-douze disciples de Jésus qui avaient été chassés de Judée et menacés par la mer dans un bateau dépourvu de rames. Il nomme Lazare, Marthe, Marie Madeleine, Maximin et d'autres membres de la première communauté chrétienne. Le sire de Joinville raconte comment, à leur retour de croisade en 1254, le roi Louis IX et lui se sont arrêtés en chemin pour visiter Saint-Maximin et Sainte-Baume, « une caverne profonde dans le roc où, dit-on, Marie Madeleine aurait vécu… » (extrait de *La Vie de saint Louis*)

L'original d'un manuscrit intitulé *La Vie de sainte Marie Madeleine et de sa sœur Marthe* date probablement de la fin du XIIᵉ siècle et constitue un amalgame fondé sur des sources antérieures comprenant sans doute des sermons de Raban Maure, un évêque de Mainz au IXᵉ siècle. En 1040, Benoît IX déclara que les reliques de saint Lazare étaient conservées à l'abbaye Saint-Victor, à Marseille. Et dans une histoire du royaume d'Arles, on mentionne un fils du roi d'Italie, qui fit, en 935, un pèlerinage à Sainte-Baume, « où Madeleine a vécu et est morte ». En outre, on affirme que le roi mérovingien Clovis aurait fait un pèlerinage au sépulcre de sainte Marthe, à Tarascon, où l'on vénérait, dit-on, cette sainte depuis 500 apr. J.-C. Les histoires sur la famille de Béthanie, y compris la Marie qu'on appelait « la Madeleine », étaient fort bien documentées dans toute la région depuis des siècles, avant même que l'évêque de Voragine rédige sa version extrêmement imaginative de sa légende.

Faisons un saut dans le temps, du Moyen Âge à aujourd'hui. Croyez-vous que nous nous trouvions au milieu d'une résurgence à long terme de l'intérêt porté à l'union sacrée telle que représentée par Marie Madeleine, qu'on a surnommée la « vedette féminine » de notre époque ?

À d'autres époques de l'histoire, certains mouvements ont tenté de se réclamer de la Fiancée : les troubadours du sud de la France chantaient les louanges de leur « Dompna » et, dans l'Angleterre du XIXᵉ siècle, les préraphaélites peignaient des images glorieuses de Marie Madeleine et écrivaient des poèmes en son honneur. Le mouvement moderne tire avantage du fait que l'Internet diffuse l'information aux quatre coins du monde en quelques nanosecondes. Aucune Inquisition ne peut réprimer l'enthousiasme croissant envers la réhabilitation de la Fiancée ; cet enthousiasme se répand comme un feu de brousse !

Que recommanderiez-vous aux femmes qui espèrent réintégrer la Déesse perdue dans leur vie ?

Certaines personnes tentent de faire croire, de manière erronée, que je préconise le culte de la Déesse. En fait, je préconise le rétablissement de l'équilibre au sein du christianisme en redonnant à la femme et à la bien-aimée de Jésus son propre rôle. Nombre de spécialistes des Écritures et de membres du clergé affirment publiquement que si Jésus avait été marié, cela ne contredirait pas la doctrine, puisque celle-ci insiste sur le fait que Jésus était entièrement humain. Le christianisme reconnaît depuis longtemps Jésus comme étant le Fiancé sacré. Comment a-t-il pu ignorer sa Fiancée ?

Au cours de vos récentes recherches sur Marie Madeleine, auriez-vous découvert quelque chose dont vous aimeriez discuter ?

Je suis convaincue que Marie Madeleine ne venait pas de « Magdala ». Le village qu'on appelle maintenant « Magdala » s'appelait Tarichée à l'époque biblique. Josèphe, un juif qui a écrit sa première ébauche des *Guerres juives* en araméen, désigne le village sous le nom de « Tarichae », comme toutes les autres sources écrites pendant la période antérieure à 70 apr. J.-C. Ce village fut détruit en 67 et reconstruit sur son ancien emplacement au bord de la mer de Galilée et nommé « Magdala Nunnayah » (qui signifie en araméen « Tour des poissons »). Mais, à ce moment, Marie Madeleine était depuis longtemps partie.

Je pense que le passage prophétique de la Bible hébraïque – « Et toi, tour du troupeau[24], colline élevée de la fille de Sion, à toi arrivera et viendra la domination première » (Michée, chapitre 4, versets 8 à 11) – constitue la source la plus plausible du nom de « la Madeleine ». Dans ce passage, on prédit ensuite son exil et son sauvetage éventuel. « Et maintenant sont rassemblées contre toi beaucoup de nations. » (Michée, chapitre 4, verset 11) Cet extrait résume la détresse de la Fiancée affligée, pleurant la mort du roi, exilée, déshonorée et souillée. Je crois que plusieurs spécialistes des Écritures ont omis de reconnaître ce passage comme étant la source du titre grec « *è Magdalènè* » seulement parce qu'ils refusent d'envisager l'idée qu'elle était la Fiancée affligée condamnée à l'exil en terre étrangère. La « fille de Sion », dans l'extrait tiré de Michée, s'applique précisément à l'histoire de Marie Madeleine, tout comme le « serviteur juste », dans les prophéties d'Isaïe, s'appliquait précisément à Jésus.

Je trouve aussi extrêmement important le médaillon des « poissons » récemment découvert sur le plancher de mosaïque de l'édifice chrétien des IIIe et IVe siècles à Megiddo, en Israël. Cette découverte confirme que les premiers chrétiens vénéraient le symbole des Poissons dans le zodiaque bien avant de commencer à s'identifier à la croix. Jésus, leur *ICHTHYS*, était désigné comme l'« Avatar » ou « Seigneur » (*Kyrios*) de l'avènement de l'ère des Poissons. Le symbole de cette nouvelle ère était constitué non pas d'un seul poisson, mais de deux. J'ai longtemps soutenu que Marie Madeleine représentait cet « autre poisson » dans le signe du zodiaque qu'on interprétait comme un symbole de « partenariat », manifesté dans la nature égalitariste des premières communautés chrétiennes. Elle fut

---

24. Ou « tour d'Éder », en hébreu : *Migdal-Éder.* (N.d.T.)

finalement reléguée dans les profondeurs de notre inconscient collectif, sa voix réduite au silence lorsqu'elle reçut l'étiquette de prostituée. Nous devons restaurer le partenariat sacré qui était auparavant au cœur de la « manière » chrétienne.

Marie Madeleine et l'image de la Déesse

Les représentations visuelles de Marie Madeleine ont souvent un lien avec les personnages de déesses de la mythologie, des traditions et des légendes. Nous ne possédons aucune image contemporaine d'elle ; nous ne pouvons jamais désigner une image particulière, à un moment précis de l'histoire, et affirmer : « C'est véritablement elle, telle qu'elle était. » C'est pourquoi, quand nous parlons de Marie Madeleine dans l'art, nous parlons en réalité de plusieurs niveaux de signification entremêlés. Ainsi, je qualifie de « mosaïque de Madeleine » la réunion des deux femmes nommées et de la femme anonyme dans la Bible que saint Grégoire le Grand appelle Marie Madeleine.

Marie Madeleine de même que Marie de Nazareth sont souvent associées aux attributs et aux caractéristiques de déesses antérieures, en particulier par des artistes de divers coins de la France, de l'Allemagne, de l'Italie et de l'Espagne. D'après certains anciens textes égyptiens, la déesse Isis est l'épouse du dieu Osiris. Lorsque ses ennemis assassinent ce dernier et découpent son corps en morceaux, Isis et sa sœur Nephthys en retrouvent les parties, les réunissent, oignent son corps et le veillent pendant trois jours. Le troisième jour, il ressuscite. Cette idée de l'onction, de l'attente pendant trois jours près du sépulcre, ou de la résurrection, ne constitue pas un lien inhabituel entre les traditions préchrétiennes au sujet de la Déesse et de Marie Madeleine.

De même, Marie Madeleine a des liens avec Innana, Astarté, Aphrodite, Vénus et d'autres déesses semblables. Que représentent-elles toutes ? L'amour, la passion, la sensualité féminine, ainsi que les aptitudes et les arts domestiques avec lesquels la Madeleine est associée pendant une certaine période de l'histoire chrétienne.

> Souvent, elles sont liées au fait d'être fidèles à une personne à la façon dont la Madeleine demeure fidèle à compter du moment de sa conversion par Jésus jusqu'après sa résurrection.
>
> – Diane Apostolos-Cappadona

Les femmes de Jésus

Un entretien avec Mary Rose D'Angelo

La Bible et d'autres textes anciens dévoilent peu de détails sur la vie des femmes à l'époque de Jésus. C'étaient des femmes qui «assistaient [Jésus et les disciples] de leurs biens». Lorsque eux et d'autres partisans se séparèrent de la communauté juive, ils le firent dans des «églises de maison». Mais quels étaient les préjugés culturels à cette époque? En quoi Jésus et ses enseignements pouvaient-ils attirer ces femmes? Est-il erroné de croire, comme cela se produit souvent, que les femmes avaient peu de droits ou n'en possédaient aucun, et qu'elles ne pouvaient être indépendantes?

Pour répondre à des questions semblables, nous avons eu un entretien avec Mary Rose D'Angelo, professeure de théologie à la University of Notre Dame et auteure de plusieurs articles sur les femmes et les origines du christianisme.

Comme elle l'affirme dans l'introduction de son livre intitulé Women & Christian Origins, *D'Angelo croit que même si l'on doit tenir compte des normes culturelles et de la domination politique des Romains en étudiant le rôle des femmes au début du christianisme, nous ne devons pas tenir pour acquis que le rôle des femmes était toujours restreint et faible. Même si leur rôle était extrêmement limité selon les normes modernes, les femmes de cette époque, y compris Marie Madeleine, avaient réellement un certain pouvoir. Elles possédaient des modèles féminins religieux et politiques chez qui les femmes du début du christianisme pouvaient trouver une inspiration et une orientation.*

On sait que Jésus avait des disciples de sexe féminin aussi bien que masculin, un fait qui semble avoir froissé le patriarcat de l'époque. Qui étaient les femmes de l'entourage de Jésus, et que savons-nous à leur sujet?

Nous connaissons peu de choses sur les femmes, ou sur les hommes, qui entouraient Jésus, sauf les noms de quelques-uns d'entre eux – et ce sont des noms très courants. Tous les noms féminins sont hébraïques ou araméens; certains noms masculins sont d'origine grecque, mais ils sont souvent juifs. Marc nomme trois femmes : Marie Madeleine, Marie la mère de Jacques et de Joses, et Salomé, qui « avaient suivi » Jésus depuis la Galilée et « l'assistaient ». Les deux Marie sont représentées comme ayant été témoin de la mort et de la mise au tombeau de Jésus, et les trois femmes nommées assistent à l'ouverture du sépulcre vide et à la vision de l'ange.

Matthieu et Luc présentent chacun une version révisée de Marc. Dans Luc, les femmes semblent ne plus être des participantes actives au sein du mouvement, mais celles qui servaient Jésus et les douze apôtres et les assistaient de leurs biens. Selon Matthieu, Marie et « l'autre Marie » étaient présentes au tombeau et furent les premières personnes à voir Jésus ressuscité. L'Évangile selon saint Jean voit Marie Madeleine non seulement comme un témoin de la mort de Jésus et de l'ouverture du tombeau, mais également comme la première personne qui vit Jésus ressuscité – et à qui il demanda d'aller répandre la nouvelle de sa résurrection. La seule fois où on mentionne Marie avant qu'elle n'apparaisse au pied de la croix dans les Évangiles canoniques se trouve dans Luc, chapitre 8, versets 1 à 3, où elle est décrite comme ayant été délivrée de sept démons par Jésus. Il peut s'agir d'une invention de l'auteur dans le but de la diminuer. Mais il est impossible de le savoir avec certitude.

L'*Évangile de Thomas* présente Marie et Salomé comme des disciples de Jésus et, selon l'*Évangile de Marie*, elle est une visionnaire et un chef de file parmi les disciples.

Quelle preuve avons-nous que Jésus traitait les femmes qui l'entouraient sur un pied d'égalité ?

Je ne crois pas qu'on puisse trouver des preuves d'une égalité entre les sexes où que ce soit en ce XXIe siècle, et les Évangiles mentionnent rarement la question du statut des femmes (le paragraphe 114 de l'*Évangile de Thomas* et l'*Évangile de Marie* constituent des exceptions). Ce que ces textes démontrent, c'est que des femmes collaboraient au sein du mouvement prônant le règne de Dieu et dans lequel prêchait Jésus, de même que dans le cadre de la mission des débuts du christianisme qui visait à proclamer sa mort et sa résurrection. Ces textes laissent entendre que les femmes participaient davantage au mouvement qu'elles ne le semblent à la première lecture.

Pourquoi Jésus et ses enseignements auraient-ils eu un attrait aux yeux des femmes (ou même des hommes)? Qu'est-ce qui les aurait incitées à quitter leurs foyers et, pouvons-nous imaginer, à abandonner leur «bonne réputation» pour suivre de ville en ville un prêcheur itinérant?

Les gens qui entouraient Jésus répondaient à la promesse selon laquelle Dieu allait agir en leur nom. Ils auraient interprété cette promesse d'un point de vue juif. Nous pouvons déduire qu'ils étaient motivés par l'idée que Dieu respectait les promesses faites à Israël: la justice pour les pauvres, la fin de l'oppression, de la souffrance, des dominations étrangères – probablement parce qu'un changement allait survenir, que Dieu allait trouver un moyen de les débarrasser des Romains afin qu'ils ne contrôlent plus la pratique de leur religion en Israël.

Ces disciples ou compagnons de Jésus le suivaient d'un endroit à l'autre en prêchant. Seuls quelques-uns sont désignés par leur nom et il est impossible d'en savoir le nombre. La plupart étaient des hommes, mais on mentionne que certaines femmes ont voyagé avec lui de Galilée jusqu'à Jérusalem.

En quittant leur foyer, ils répondaient à l'appel lui-même; il s'agissait de se joindre à un mouvement qu'on croyait temporaire. Il est difficile de dire quelles attentes ils avaient ou de quelle façon d'autres personnes auraient réagi face à ce mouvement. Comme aujourd'hui, des gens différents devaient réagir de diverses façons. Il est possible que certains contemporains aient considéré les femmes qui voyageaient sur les routes au sein du mouvement du règne de Dieu comme étant peu recommandables, mais, si c'est le cas, on ne trouve dans les Évangiles aucune indication claire sur leur point de vue.

Il existait d'autres mouvements qui avaient pour but de réaliser la volonté de Dieu au nom d'Israël. À titre d'exemple, Josèphe parle d'un nouveau mouvement d'exode (ou d'un retour) dirigé par un prophète du nom de Thaddée, une quinzaine d'années après la mort de Jésus. Ils ont traversé le Jourdain pour attendre que Dieu leur rende leur territoire. Puisque, dit-on, ils sont partis avec tous leurs biens, ce mouvement comprenait probablement des femmes et peut-être des familles entières. Les Romains les ont massacrés.

De quelle façon les femmes auraient-elles pu participer à l'œuvre de Jésus? Quels rôles pourraient-elles avoir joués?

L'auteur de l'Évangile selon saint Marc affirme que les femmes ont voyagé avec Jésus, mais il ne s'attarde pas sur ce fait. Puis il ignore la question de savoir pourquoi il importait que ces femmes se trouvent au pied de la croix. L'auteur de l'Évangile selon saint Luc mentionne les femmes dès le début et suggère que quelques-unes d'entre elles étaient issues de l'aristocratie – Jeanne est la femme de l'intendant d'Hérode, par exemple. Et il affirme aussi que ces femmes suivaient Jésus et l'assistaient de leurs biens. Il se peut que Luc ait tenté de défendre les femmes du mouvement en les présentant comme des personnes respectables ayant des moyens. Dans Luc, ces femmes ont des tâches différentes de celles des disciples (c'est-à-dire en pourvoyant à leur subsistance à même leurs propres ressources), mais Marc ne fait pas cette distinction. Si des femmes voyageaient vraiment avec Jésus, il semble improbable qu'elles aient eu des rôles différents de ceux des disciples. La distinction que fait Luc a probablement un but précis – il semble vouloir s'assurer que les femmes soient considérées comme étant riches et respectables.

Nous devons garder entre autres en mémoire le fait que nous ne savons pratiquement rien de ces gens sur le plan individuel. L'histoire nous enseigne qu'il y avait des femmes qui possédaient et géraient des biens immobiliers et dirigeaient des entreprises. Les veuves avaient sans doute des dots – de l'argent dont l'époux pouvait se servir pendant le mariage, mais qui revenait à la femme et à sa famille lorsqu'il mourait. Les femmes mariées auraient-elles pu être là sans l'approbation de leurs époux? On ne peut jamais répondre à ce type de question par des généralités. Même alors, les femmes disaient non à leurs maris et faisaient des choix que ces derniers n'aimaient pas.

Pendant et après l'époque de Jésus, il est probable que des femmes aient prêché de manière active le règne de Dieu de façons acceptables mais inhabituelles pour les femmes juives et romaines, ou pour les femmes chrétiennes. À titre d'exemple, il y avait des prophétesses, comme la femme anonyme dans Marc et les femmes dans la Première Épître de Paul aux Corinthiens (chapitre 11, versets 5 et 6) au début de la chrétienté, tout comme il en existait chez les juifs et les

Romains. Les femmes jouissaient d'une certaine indépendance financière et pouvaient voyager, offrir et accepter l'hospitalité, diriger des entreprises, etc.

Qui ces femmes auraient-elles pu considérer comme des modèles? Y avait-il à cette époque ou auparavant des femmes vers lesquelles elles auraient pu se tourner pour trouver une inspiration spirituelle?

Il existait de telles femmes. Par exemple, le livre de Judith a été écrit vers cette époque, et Esther et Ruth étaient également des personnages importants. Il circulait des histoires au sujet de femmes guerrières. Il y avait l'histoire de Déborah dans laquelle elle représente une juge et une héroïne de guerre, de même qu'une sage et une prophétesse. Miriam et Huldah étaient également des prophétesses, et Rahab, qui cacha les espions dans le chapitre 2 de Josué, apparaît comme un modèle dans les anciens textes juifs et chrétiens. À cette époque, les femmes auraient normalement lu ces histoires (celles qui le pouvaient) et les autres les auraient entendues les lire ou les raconter.

Au sein de l'ancien judaïsme et au début de la chrétienté, les rôles des femmes ont été longtemps ignorés ou oubliés, mais il existe également une certaine manœuvre délibérée. Dans le chapitre 16 de l'Épître de Paul aux Romains, Paul accueille un groupe de personnes parmi lesquelles se trouvent plusieurs femmes qu'il nomme. L'une d'entre elles s'appelle Junias, et elle et un homme sont accueillis ensemble comme s'étant «distingués parmi les apôtres». Alors que le chapitre 1 des Actes des Apôtres semble restreindre le nombre d'«apôtres» à douze hommes dont les noms sont cités – et les Évangiles sont habituellement lus à la lumière de ce passage –, le terme est ici utilisé pour une femme. Paul dit qu'elle a été sa compagne de captivité et qu'elle était même «avant [lui] en Christ». Il la qualifie de «parente». Étant donné qu'elle porte un nom romain, c'est probablement une femme libérée ou la cliente d'un citoyen romain. Son partenaire est Grec. Fondamentalement, c'est tout ce que nous savons à son sujet.

Son nom fut reconnu comme un nom féminin jusqu'à la fin du Moyen Âge. Mais, pendant la Réforme et la Renaissance, l'idée selon laquelle une femme ne pouvait être qualifiée d'apôtre prit racine. Les rédacteurs et les copistes commencèrent à transformer le nom «Junias» en un nom masculin, Junianos, malgré le fait que ce nom masculin ne semblait pas utilisé au Ier siècle. Maintenant, à la lumière des récentes recherches, le texte grec et les traductions spécialisées telles que la *New Revised Standard Version* y voient de nouveau un nom féminin.

Les spécialistes comme Wayne Meeks, Elisabeth Schüssler Fiorenza et Peter Lampe se sont servis du chapitre 16 de l'Épître de Paul aux Romains comme source de renseignements sociologiques sur la mission des premiers chrétiens. Lampe affirme que les femmes pourraient avoir joué un rôle plus actif que les hommes dans la première communauté chrétienne en soulignant que davantage de mots liés aux « travailleurs » ou au « travail » sont rattachés à des noms de femmes. Je ne suis pas certaine de vraiment pouvoir faire une telle déduction, mais je crois réellement que les femmes ont joué un rôle aussi actif que les hommes à l'origine du christianisme. En un sens, c'est pourquoi Marie Madeleine obtient – et mérite – une attention particulière. Elle est la porteuse et l'interprète du message de la résurrection de Jésus, et c'est là le message fondateur du christianisme.

CHAPITRE 3

L'apôtre des apôtres

Esquisses biographiques de Marie de Magdala

par Bruce Chilton[25]

Les minuscules fragments d'informations que nous livre le Nouveau Testament sur Marie Madeleine se sont transformés, au fil du temps, en un amalgame foisonnant de mythes, de légendes, de débats, de fantasmes, d'études spécialisées, de révisionnisme culturel et de romans à succès.

Il n'y a, dans le Nouveau Testament, qu'une douzaine de passages où il est question de Marie Madeleine, et peu d'entre eux présentent davantage que des indices sur les faits et les événements de sa vie. Et les récits des quatre Évangiles traditionnels ne semblent pas toujours cohérents.

Par exemple, Matthieu, Marc et Jean écrivent qu'elle était présente au moment de la crucifixion, mais Luc n'est pas clair à ce sujet. Sa présence au moment de la résurrection est mentionnée dans Marc, Luc et Jean, mais non dans Matthieu. Jean déclare qu'elle « voit la pierre ôtée du sépulcre » puis va rejoindre les disciples pour leur dire « qu'elle a vu le Seigneur ». Marc affirme : « Il apparut premièrement à Marie de Magdala », mais n'en dit pas plus. Luc livre le récit le plus détaillé de la scène de la résurrection, mais dit que lorsque Marie et les autres femmes « rapportèrent toutes ces choses aux onze et à tous les autres […] leurs paroles semblèrent à leurs yeux comme des contes, et ils ne les crurent pas ».

Plusieurs des spécialistes ayant contribué aux Secrets de Marie Madeleine *sont clairs à ce sujet : les Évangiles gnostiques nous en apprennent bien davantage sur la façon dont Marie comprenait les enseignements de Jésus et sur son statut de compagne de Jésus, mais pas beaucoup plus sur Marie Madeleine elle-même.*

Les spécialistes ont minutieusement travaillé pour extraire les antécédents de Marie Madeleine à partir des fragments d'informations qui figurent dans les Écritures traditionnelles aussi bien qu'alternatives : son lieu de naissance, le milieu politique et social de l'époque, ses premières rencontres avec le rabbin radical du nom de Jésus. Le défi consistait à respecter cette mince ligne entre l'érudition éclairée et des déductions raisonnables tirées à partir des pures hypothèses et de l'imagination des conteurs, des artistes, des dirigeants religieux et des romanciers.

---

25. Extrait de *Mary Magdakene : a Biography* de Bruce Chilton, © par Bruce Chilton. Utilisé avec l'autorisation de Doubleday, une succursale de Random House, Inc.

Bruce Chilton, le spécialiste présenté au premier chapitre, réussit aussi bien que quiconque à tirer le meilleur parti possible des renseignements pertinents sans franchir cette ligne, en particulier dans son livre Mary Magdalene : A Biography, *qui fut bien reçu lors de sa parution et dont est tiré cet extrait. Dans ce livre, le professeur Chilton soutient que les sources classiques sur l'expérience religieuse tracent le portrait d'un dieu qui influe sur la vie des gens en chassant le mal (exorcisme), en soignant les maladies (guérison) et en faisant voir des signes du divin (visions). D'après Chilton, « Marie Madeleine a appris ces pratiques avec Jésus et les a raffinées ».*

Marie apparaît pour la première fois au cours de la vie de Jésus dans ce bref passage de l'Évangile selon saint Luc :

[…] et les douze [étaient] avec lui, et des femmes aussi qui avaient été guéries d'esprits malins et d'infirmités, Marie, qu'on appelait Magdeleine, de laquelle étaient sortis sept démons, et Jeanne, femme de Chuzas intendant d'Hérode, et Susanne, et plusieurs autres, qui l'assistaient de leurs biens. (Chapitre 8, versets 2 et 3)

Luc indique à quel moment elle est entrée dans la vie de Jésus et pourquoi elle le cherchait. Elle a dû être attirée par la réputation de Jésus pour parcourir la douzaine de kilomètres de route poussiéreuse entre Magdala et Capharnaüm, où il a vécu de 24 apr. J.-C. jusqu'au début de l'an 27. Possédée par des démons, les vêtements en lambeaux, elle est probablement allée le trouver seule, à pied, sur des chemins rocailleux et des sentiers difficiles. D'après mes calculs, elle est allée le rejoindre en 25, après que Jésus eut acquis en Galilée une réputation de rabbin qui accueillait à bras ouverts les gens considérés comme des pécheurs et livrait bataille aux démons qui les habitaient. […] Luc ne présente pas Marie comme la séductrice riche et élégante des légendes médiévales et des contes modernes. […] De même, il n'indique pas l'âge de Marie au moment où elle a rencontré Jésus, mais elle était très probablement dans la vingtaine, un peu plus âgée que lui, suffisamment mature pour présenter un cas complexe de possession (comme le laisse entendre l'auteur en mentionnant les « sept démons »). Les Évangiles ne nous apprennent rien sur sa famille. Elle était de toute évidence célibataire à un âge auquel on pourrait s'attendre à ce qu'une femme ait déjà un époux et des enfants.

Compte tenu du fait qu'elle était possédée, il n'y a rien d'étrange à ce qu'elle ait été célibataire. La possession avait une aura d'impureté, non pas l'impureté naturelle de l'accouchement (par exemple), mais celle associée à la contagion d'un esprit impur. On ne peut douter qu'elle ait été ostracisée à Magdala à cause de ses nombreux démons. Contrairement aux gentils qui les entouraient, les juifs de Galilée se caractérisaient par leur attachement à des lois rigides sur la pureté que stipulait la Torah, la loi de Moïse rédigée en hébreu et transmise sous forme orale dans la langue araméenne. La Torah déterminait entre autres ce que les juifs mangeaient, avec qui ils pouvaient prendre des repas et s'associer, comment ils devaient pratiquer l'agriculture, qui ils pouvaient toucher ou ne pas toucher, les gens qu'il leur était possible d'épouser, le type d'activités sexuelles qu'ils pouvaient avoir et le moment de ces activités. La pureté des Galiléens représentait leur identité, et elle était à leurs yeux plus précieuse et plus merveilleuse que la prospérité sous le joug des Romains ou même que la survie. Pendant le Ier siècle, ils eurent recours à la résistance violente pour expurger l'impureté dont les Romains avaient imprégné leur territoire, même lorsque cette résistance se révéla suicidaire.

Des «esprits impurs», comme Jésus et ses disciples appelaient souvent les démons, habitaient Marie. On disait que ces démons étaient contagieux, qu'ils allaient d'une personne à l'autre et d'un lieu à l'autre et qu'ils étaient transmis par des gens comme Marie, dont on savait qu'elle était possédée. Dans le monde hellénistique, on appelait «*daimon*» (d'où l'origine du mot «démon»), ce type de contagion. Mais, selon les sources de la pensée gréco-romaine, un *daimon* n'était pas nécessairement nuisible. Les *daimones* flottaient dans l'espace entre le monde terrestre et le royaume des dieux. Quand on demanda à Socrate comment il savait de quelle manière agir lorsqu'il se trouvait devant un dilemme éthique, il répondit qu'il écoutait son *daimonion ti*, un «petit *daimon*» anonyme qui le guidait. [...]

Quelle que soit la façon dont Marie vint en contact avec ses *daimonia*, ils l'avaient rendue impure auprès des juifs de Galilée. Elle était probablement très esseulée lorsqu'elle arriva à Capharnaüm, [puisque] les femmes célibataires qui avaient passé l'âge d'être vierges jouissaient d'un statut incertain, qui était aussi dérangeant pour les familles n'ayant pas réussi à les marier que pour les femmes elles-mêmes. [...]

Marie s'était-elle tournée vers la prostitution avant de rencontrer Jésus ? Avait-elle été violée ou exploitée pendant son voyage à partir de Magdala ? Ce sont là des questions pertinentes, même si elles ne trouvent réponse ni dans les textes ni par une déduction raisonnable conclue à partir d'un texte. Le fait d'affirmer l'existence de ces possibilités ou de les nier nous entraîne au-delà des indices que nous avons à notre disposition. Mais nous pouvons affirmer qu'à l'époque de Marie Madeleine et à cet endroit – comme ici et maintenant –, les victimes possibles du péché étaient souvent considérées comme des pécheresses elles-mêmes. [...]

Marie Madeleine a trouvé le bon rabbin quand elle a cherché Jésus. Il se réjouissait de sa réputation d'homme qui fréquentait des femmes aux mœurs prétendument légères (« mœurs légères » s'appliquant à toute femme qui ne portait pas le nom de son époux ou de son père, ou quelque autre symbole de protection masculine). Il y avait parmi les disciples de Jésus de nombreuses femmes sans attaches ; lorsque les gens l'appelaient « un ami des publicains et des pécheurs » (Matthieu, chapitre 11, verset 19), il ne s'agissait pas d'un compliment, et les adversaires de Jésus classaient ces disciples de sexe féminin parmi les « pécheurs ». [...]

La réputation de promiscuité de Marie Madeleine, qui a persisté dans les légendes médiévales et dans nombre de romans modernes, repose sur la présomption erronée que les femmes possédées par des démons étaient nécessairement de mœurs faciles. Dans l'Antiquité, l'exorcisme ne concernait pas que la sexualité, même si parfois les spécialistes tiennent pour acquis que le fait de décrire une personne comme étant possédée dénigre cette personne, même après sa guérison. Ce n'était pas le cas : les penseurs de l'Antiquité savaient comment établir une distinction entre une personne et ses maladies d'une façon dont leurs homologues modernes pourraient tirer des leçons. [...]

Les gens adoraient entendre Jésus parler de sa vision d'un nouvel âge, d'une transformation complète du monde tel qu'ils le connaissaient. Ils se sentaient transformés en écoutant les nombreuses paraboles qu'il racontait pour les entraîner dans le monde où la justice et la miséricorde divines régneraient en maîtres et transformeraient l'humanité tout entière. Lorsqu'il réalisait des exorcismes et des guérisons, Jésus concrétisait sa vision du royaume transformateur.

Marie se joignait à ces rassemblements et participait à des fêtes dans des maisons à Capharnaüm et aux environs, où Jésus parlait de la *malkhuta*, le secret extraordinaire de Dieu. Le rabbin Jésus devait être particulièrement volubile alors qu'il buvait du vin et mangeait de la viande d'agneau ou de chèvre et des légumes frais que lui fournissaient des hôtes obligeants, tout en évoquant des visions de la façon par laquelle Dieu allait bientôt tout changer, et les Israélites qui prenaient ces repas ensemble festoyaient avec Abraham, Isaac et Jacob revenus d'entre les morts. Sachant que le Royaume était à portée de la main, on pouvait célébrer son avènement, étendu sur un coussin de paille (ou sur un vrai divan, si l'hôte était riche), même pendant le règne de César.

Il est facile d'imaginer comment Marie, une étrangère qui avait elle-même été marginalisée et ostracisée, exclue du réseau social galiléen, a dû réagir en entendant ces paraboles sur la résistance et sur l'élimination des oppresseurs du peuple d'Israël. Elle s'est peut-être frayé un chemin parmi les foules pour voir Jésus, mais une fois qu'elle a attiré son attention, il a pris soin d'elle comme le montre clairement l'Évangile selon saint Luc. Nous ne savons pas comment s'est passée cette première rencontre, mais elle s'est révélée de bon augure, à la fois pour le rabbin et la femme possédée en haillons, extrêmement seule, qui était destinée à devenir un des plus importants disciples.

Le fait que Marie ait porté le nom de Madeleine parmi les partisans de Jésus renforce l'impression qu'elle a commencé à faire partie de son cercle d'intimes à Capharnaüm. Il attribuait de tels noms à ses disciples les plus proches lorsqu'il les connaissait depuis longtemps. [...] Le nom Madeleine établit une distinction entre Marie et les autres Marie qui étaient associées à Jésus. Plusieurs femmes du nom de Mariam (le nom sémite qui a pris la forme de « Marie » en français) appartenaient au cercle intime de Jésus, notamment sa mère et la mère des disciples Jacques et Joses (Marc, chapitre 15, verset 40). La sœur de Moïse s'appelait Mariam, et les juifs de Galilée et d'ailleurs adoptaient fièrement ce nom pour leurs filles. Mais, au sein du groupe de Jésus, on ne mentionnait, dans la langue araméenne qu'on y parlait, qu'une seule Mariam venant d'un village du nom de Magdala.

Pour Jésus et ses disciples, Magdala était un village important sur le plan à la fois pratique et symbolique. Le nom découle du mot « *migdal* », qui désigne une tour de pierre basse servant à garder le poisson. [...] Comme pour plusieurs de ses concitoyens, la sardine de Galilée était un des mets favoris du rabbin Jésus. Le poisson séché était également apprécié parmi ses partisans bien après sa mort et loin de la Galilée, parce que les juifs et les non-juifs qui faisaient partie du mouvement de Jésus pouvaient manger du poisson sans se demander s'il était kasher, ce qui constituait invariablement une question importante lorsqu'il s'agissait de viande. En fait, le poisson est devenu le symbole des chrétiens au cours du IIe siècle : les lettres du mot « poisson » constituaient un acronyme de « Jésus Christ, Fils de Dieu, Sauveur » et désignaient le Christ.

Aux yeux des juifs de Magdala, le poisson représentait une monnaie d'échange, le commerce et la prospérité. Leur poisson séché et salé était vendu en Galilée et au-delà de la mer dans la région autonome de la Décapolis, peuplée de gentils [...] mais, fait plus important encore, Magdala fournissait la grande ville voisine de Tibériade, une cité étroitement liée à Marie Madeleine pendant toute sa vie. [...]

La ville était construite selon le style romain et comportait des aqueducs, des temples, des thermes, des théâtres et un stade. Pour employer un euphémisme, les juifs dévots réagissaient de manière négative devant ce monument en hommage aux valeurs romaines édifié au milieu de leur territoire. Les temples dédiés aux idoles comme Mars, Apollon et Diane étaient déjà suffisamment mal perçus. Les statues de Vénus dans les thermes en faisaient des endroits de rendez-vous pour les amants et les aspirants amoureux de toutes sortes, un exemple flagrant du type de comportements que la Torah détestait. [...] L'historien juif du Ier siècle Flavius Josèphe affirme que les juifs qui déménageaient dans cette ville représentaient les épaves de la Galilée, des débris rejetés sur la rive, [et] selon les pratiques établies du judaïsme, ces colons devinrent des vecteurs d'impureté [...] dans toute la région de la Galilée.

La proximité de Tibériade et de Magdala et la domination économique de cette dernière soumettaient la ville de Marie aux forces de l'impureté. Tibériade engendrait la contagion, et c'est cette contagion que Marie véhiculait dans son corps. Au-delà de son association avec le poisson, voilà ce que représentait le surnom Madeleine pour les contemporains de Marie.

Ce surnom de Marie évoque également un nom attribué à Jésus, une association à laquelle d'importants textes des Évangiles font écho. Jésus « le Nazaréen » (*Nazarenos* en grec) est l'équivalent grammatical de « Madeleine » (qui représente également l'usage grec), une orthographe qui permet un changement de genre. [...] La prononciation anglaise cache une rime[26] qui aurait attiré l'attention de tout locuteur grec ou araméen entendant ces noms : les textes sont imprégnés d'un lien implicite entre Jésus et Marie.

Le fait d'appeler Jésus « le Nazaréen » évoque naturellement son village natal, Nazareth, tout comme le surnom de Madeleine évoque Magdala, sur les rives de la mer de Galilée. L'association verbale entre les noms reflète la proximité géographique entre les deux villages et leurs liens. [...] Le mot « Nazaréen » évoque également l'usage traditionnel du mot « Nazarite » (*Nazir* en hébreu), qui signifie « consacrer ». Le mot « Nazaréen », associé à l'expression « le Saint de Dieu », rappelle la consécration de Jésus et renforce la menace spirituelle qu'il représente pour le monde des démons dans la scène d'ouverture dramatique de l'exorcisme dans l'Évangile selon saint Marc (chapitre 1, versets 23 à 27) :

> Et il y avait dans leur synagogue un homme possédé d'un esprit immonde ; et il s'écria, disant : Ha ! qu'y a-t-il entre nous et toi, Jésus Nazarénien ? Es-tu venu pour nous détruire ? Je te connais, qui tu es : le Saint de Dieu. Et Jésus le tança, disant : Tais-toi, et sors de lui. Et l'esprit immonde, l'ayant déchiré et ayant crié à haute voix, sortit de lui. Et ils furent tous saisis d'étonnement...

Le qualificatif de « Nazaréen », repris dans l'Évangile selon saint Marc, constitue un rappel permanent de la sainteté déconcertante à laquelle doit faire face tout le royaume des esprits impurs et révèle en même temps l'identité de Jésus.

---

26. *Nazarene* et *Magdalene*. (N.d.T.)

Tout comme les contemporains de Jésus sont «saisis d'étonnement» lorsque, à Capharnaüm, les démons tremblent devant sa pureté, la Madeleine et ses compagnes sont saisies de tremblements devant la vision d'un jeune homme qui leur dit que Jésus «le Nazarénien» est ressuscité d'entre les morts (Marc, chapitre 16, versets 1 à 8). Ici également, la révélation surprend les gens qui en sont témoins, et ce sentiment se reflète dans les noms du Nazaréen et de la Madeleine.

Dans l'esprit de Jésus, Marie était la Madeleine, la femme qui avait incarné l'impureté à laquelle Hérode avait soumis Magdala. Aux yeux de Marie, Jésus était le Nazaréen, le pouvoir de la pureté rurale de la Galilée qui pouvait terrasser ses démons. Ensemble, ces noms évoquent la façon dont Jésus et Marie se trouvèrent réunis, le lien persistant entre eux, et l'idée déroutante selon laquelle les conventions ordinaires de ce monde ne peuvent dominer le pouvoir du sacré.

L'*Évangile de Marie*

PAR KAREN KING[27]

*«Actuellement, peu de gens connaissent l'*Évangile de Marie*, affirme Karen King, et pourtant ces quelques pages nous permettent de jeter un regard intrigué sur le type de christianisme disparu depuis presque quinze siècles.» King, qui est professeure d'histoire ecclésiastique au Département de théologie de la Harvard University et fait partie des principaux spécialistes mondiaux sur la naissance du christianisme, est l'auteure de l'œuvre majeure parue en 2003 et intitulée* The Gospel of Mary of Magdala: Jesus and the First Woman Apostle.

*Un unique exemplaire, fragmentaire, de l'*Évangile de Marie *traduit en copte fut découvert en 1896, cinquante ans avant que la célèbre découverte de Nag Hammadi ne fournît aux spécialistes un trésor de nouveaux évangiles à étudier. Deux autres fragments en grec sont apparus depuis, mais ils ne constituent, avec le premier fragment, qu'environ la moitié du texte complet. Les huit pages que nous possédons présentent un point de vue radicalement différent sur les débuts du christianisme – si différent, en fait, qu'il n'est pas étonnant que le christianisme «orthodoxe» l'ait qualifié d'hérétique et ait tenté de marginaliser ceux qui y croyaient.*

Plus précisément, dit King, ce «récit étonnamment bref» illustre le point de vue selon lequel Jésus enseignait que la voie vers la vie éternelle résidait non pas dans la

---

27. Extrait de *The Gospel of Mary of Magdala: Jesus and the First Woman Apostle*, de KarenKing. © Polebridge Press, Santa Rosa, Californie, 2003. Utilisé avec l'autorisation de la maison d'édition.

souffrance et dans la mort – comme le présentent les Évangiles canoniques –, mais dans la voie de la connaissance spirituelle intérieure. Toutefois, la révélation la plus radicale concerne le rôle de Marie Madeleine et des autres femmes au début du christianisme. King écrit: «L'Évangile de Marie expose le point de vue erroné selon lequel Marie Madeleine était une prostituée pour ce qu'il est réellement: un fragment de fiction théologique; présente l'argument le plus direct et le plus convaincant de tous les écrits du début du christianisme en faveur de la légitimité du leadership des femmes; émet une critique virulente du pouvoir illégitime et une vision utopique de la perfection spirituelle; remet en question nos opinions plutôt romantiques sur l'harmonie et l'unanimité chez les premiers chrétiens; et nous demande de reconsidérer les fondements de l'autorité de l'Église. Tout cela au nom d'une femme.»

Nous présentons ici un résumé des découvertes de King, en montrant au lecteur pourquoi la vieille histoire des origines chrétiennes qui nous a été racontée – le fait que Jésus ait transmis un «véritable» et unique enseignement à son «club» de disciples de sexe masculin – cède progressivement le pas à un ensemble de nouvelles interprétations du message chrétien initial, d'une signification déjà plus riche, plus conforme à ce que nous savons des débuts du mouvement chrétien (c'est-à-dire la diversité probable des croyances), et qui trouve certainement un écho plus puissant dans notre contexte moderne.

À sa mort, Jésus n'a pas laissé une Église constituée ayant une structure organisationnelle claire. Le leadership patriarcal et hiérarchique de l'Église ne s'est développé que lentement au fil du temps et à partir d'une vaste gamme de possibilités. Les premiers chrétiens ont essayé divers arrangements formels, à partir d'organisations charismatiques peu structurées jusqu'à des ordres hiérarchiques davantage établis. Dans certaines congrégations, les hommes et les femmes se partageaient la direction selon que l'Esprit accordait des dons de prophétie, d'enseignement, de guérison, d'administration ou de service. D'autres étaient dirigées par des anciens, des évêques, des diacres et des veuves. Certains avaient des tâches officielles, alors que d'autres accomplissaient leur devoir en fonction de leurs aptitudes et de leur goût dans un esprit d'égalité. Au sein de plusieurs congrégations, les femmes et les esclaves étaient d'importants dirigeants; d'autres résistaient à ce renversement de l'ordre social dominant et s'employaient à les exclure. L'*Évangile de Marie* fut rédigé à un moment où l'orientation qu'allait prendre l'organisation de l'Église n'était pas encore claire.

Au moins à partir de l'époque de Paul, les églises chrétiennes avaient mis l'accent sur la présence de l'Esprit saint à l'intérieur des églises, et sur la manifestation de dons spirituels chez tous les croyants. Elles tenaient pour acquis que Jésus avait l'intention de susciter un mouvement qui allait diffuser son enseignement dans tous les pays. L'héritage spirituel de l'*Évangile de Marie* remonte au début de la tradition chrétienne selon laquelle Jésus avait demandé à ses disciples de prêcher sa parole. Les dialogues entre les disciples sont structurés de façon à examiner la signification de ce commandement de Jésus. Quelle est la nature de cette parole ? Qui l'a comprise et qui possède l'autorité pour l'enseigner ? Qu'est-ce qui garantit que l'on enseigne la véritable voie du salut ? L'*Évangile de Marie* exprime une opinion claire sur chacune de ces questions, mais la controverse qui émerge parmi les disciples montre également que l'auteur de l'*Évangile de Marie* était parfaitement conscient du fait que tous les chrétiens ne partageaient pas ses points de vue.

De plus en plus, la tendance allait favoriser l'établissement d'un pouvoir patriarcal, hiérarchique. C'était la manière prédominante dont s'exerçait le pouvoir dans le monde romain, et elle offrait au départ une plus grande stabilité et une plus grande respectabilité que les groupes organisés de façon charismatique, que la rigide sensibilité romaine trouvait apparemment radicaux et désorganisés. Au début du IVe siècle, lorsque que l'empereur romain Constantin légalisa pour la première fois le christianisme en émettant un édit sur la tolérance, il reconnut un groupe d'évêques de sexe masculin comme représentant la direction officielle de l'Église et, ce faisant, il sanctionna une structure du pouvoir qui allait régir le christianisme pendant des siècles. Mais Constantin n'accordait son impériale approbation qu'à ce qui était déjà en bonne partie un état de fait, car, dès le IIe siècle, les évêques avaient commencé à fonder leur prétention à représenter les dirigeants légitimes de l'Église sur la succession apostolique, affirmant que leur autorité leur venait en droite ligne des hommes qui avaient immédiatement succédé à Jésus, et que l'on présenta comme les grands fondateurs apostoliques du christianisme. La succession des témoins du passé, arguait-on, allait assurer la vérité de l'enseignement de l'Église et le salut des croyants.

L'*Évangile de Marie* remet directement en question le bien-fondé de telles prétentions et présente en lieu et place la vision d'une communauté chrétienne au sein de laquelle le pouvoir se fonde non seulement ou même surtout sur une succession de témoins du passé, mais également sur le fait de comprendre et de mettre en pratique la parole de Jésus. L'autorité ne repose pas sur une hiérarchie masculine, mais sur le leadership d'hommes et de femmes qui ont acquis une force de caractère et une maturité spirituelles. Les paroles et les visions prophétiques y occupent une place primordiale parce que l'on y voit la manifestation d'une compréhension spirituelle et la source d'un enseignement cohérent. La communauté chrétienne constituait une nouvelle humanité, à l'image du véritable Humain intérieur, chez qui les distinctions superficielles de la chair n'avaient aucune signification spirituelle. Les femmes pouvaient, aussi bien que les hommes, exercer des fonctions de leadership selon leur évolution spirituelle. L'*Évangile de Marie* rejette toute idée d'un dieu agissant comme dirigeant et juge divin et, par conséquent, refuse ces fonctions en tant que rôles convenables dans le cadre du leadership chrétien. Le véritable modèle de leadership est le Sauveur, le maître et le médiateur de la sagesse divine et du salut qui met en garde ses disciples contre le fait d'adopter des lois et des règles rigides qui feront d'eux des esclaves.

Selon l'histoire officielle des origines du christianisme, Jésus a transmis son véritable enseignement à ses disciples de sexe masculin au cours de sa vie. Eux, en tant que témoins de la résurrection, ont été mandatés pour aller de par le monde diffuser son enseignement; et ce n'est que plus tard que Satan a corrompu le véritable enseignement apostolique en semant les graines de l'hérésie dans les champs apostoliques. Mais, d'après l'*Évangile de Marie*, ce sont les apôtres eux-mêmes qui ont semé ces graines. Des hommes comme Pierre et André ont mal interprété les enseignements du Sauveur et ont semé la discorde au sein de la communauté. Selon l'histoire officielle, toute la doctrine du christianisme a été établie par Jésus et retransmise dans les doctrines de l'Église. L'*Évangile de Marie* laisse plutôt entendre que l'histoire que racontent les Évangiles est incomplète. La doctrine et les pratiques chrétiennes ne constituent pas des dogmes fixés que l'on ne peut qu'accepter ou refuser; les chrétiens sont plutôt invités à faire partie de l'histoire et à œuvrer ensemble afin de donner une signification à l'Évangile à leur propre époque. Comme les passions humaines et l'amour du monde matériel amènent les gens à commettre des erreurs, il faut déployer des efforts pour discerner la vérité, et l'on insiste sur le fait que les communautés de foi doivent être responsables de la façon avec laquelle elles s'approprient la tradition dans un monde trop souvent dirigé par les forces de l'injustice et de la domination.

L'histoire officielle a façonné l'imagination des gens des premiers siècles du christianisme. Elle a fourni un mythe des origines qui a présenté l'Église originelle comme un endroit où triomphait le christianisme véritable, uniforme et pur. Cette histoire a maintes fois alimenté les arguments des réformateurs qui l'ont évoquée pour légitimer les changements au sein du christianisme à mesure qu'ils se trouvaient dans des situations et des environnements culturels différents autour du monde. Cependant, les historiens ont fini par comprendre de plus en plus que le portrait que trace l'*Évangile de Marie* – malgré ses élaborations imaginaires – était à plusieurs égards plus exact sur le plan historique que l'histoire officielle. Les plus anciens textes chrétiens que nous possédons ne donnent pas l'image d'une Église harmonieuse et unifiée ayant atteint la perfection spirituelle, mais celle de collectivités essayant de résoudre des conflits et d'atténuer des différences. L'*Évangile de Marie* affirme aussi très clairement que l'attirance envers des formes particulières d'autorité apostolique représente une prise de position théologique et non un jugement historique. Il est peu probable que douze disciples de sexe masculin, chacun ayant une compréhension identique des enseignements de Jésus, soient partis sur les routes et aient lancé les mouvements qui allaient un jour devenir la religion chrétienne. Nous savons trop de choses sur les activités influentes d'autres personnages, notamment Paul, Jacques (le frère de Jésus) et Marie Madeleine, qui ne sont pas des moindres, pour penser cela. Les anciens texte égyptiens démontrent que les premiers chrétiens ne pensaient pas tous de la même façon, et ce, même en ce qui avait trait à une question aussi essentielle que l'importance de la résurrection physique de Jésus par rapport au salut de la croix. L'*Évangile de Marie* et d'autres documents soutiennent avec ferveur que l'appropriation des enseignements de Jésus indique la direction du véritable rôle de disciple et du salut.

L'importance historique de l'*Évangile de Marie* réside dans le fait qu'il nous laisse entrevoir certains débats cruciaux sur l'autorité de la tradition apostolique, de l'expérience prophétique et du leadership des femmes. Nous nous trouvons mieux placés pour juger des enjeux au cours de l'évolution qu'a connue le christianisme en examinant les sentiers peu fréquentés.

L'AUTRE TRADITION ÉVANGÉLIQUE

UN ENTRETIEN AVEC MARVIN MEYER

La découverte des manuscrits de Nag Hammadi en 1945 représente l'une des trouvailles les plus importantes dans l'histoire de la religion. Mis au jour par un paysan égyptien, ces livres fragmentaires, reliés en cuir, furent retrouvés dans une grande jarre qui était apparemment cachée dans le désert depuis 400 apr. J.-C. environ. L'ensemble de ces documents fut plus tard connu sous le nom d'Évangiles gnostiques, un terme qui fait allusion à la connaissance intérieure particulière que recherchaient nombre de mouvements religieux dont la philosophie eut une influence sur le judaïsme, sur les religions gréco-romaines et sur ce que nous savons maintenant avoir représenté plusieurs variétés de christianisme. Également connus sous le nom de «bibliothèque de Nag Hammadi», ces documents nous ont donné une autre perspective fascinante sur Jésus, de même que sur Marie Madeleine et plusieurs des autres disciples, et sur les idées philosophiques qui faisaient l'objet de discussions dans l'Antiquité.

Depuis cette découverte, les spécialistes ont examiné les diverses façons dont ces autres Évangiles diffèrent de ceux du Nouveau Testament, ainsi que les méthodes auxquelles ont eu recours certains acteurs du début du mouvement chrétien pour les supprimer sous prétexte d'hérésie, notamment la façon dont on présente Marie Madeleine dans plusieurs d'entre eux et l'accent mis sur un salut qui découlait davantage d'une connaissance intérieure que de la vénération de Dieu, par l'entremise de son fils Jésus, dans le Nouveau Testament. En outre, dans ces autres Évangiles, Jésus ne ressuscite pas d'entre les morts, pas plus qu'il ne meurt pour racheter les péchés des gens. On y trouve des points de vue divergents sur le péché, la vérité, la moralité, la connaissance de soi et d'autres sujets.

Toutefois, comme l'explique le spécialiste Marvin Meyer dans l'entretien qui suit, l'idée populaire selon laquelle ces écoles de pensée se distinguaient complètement l'une de l'autre – l'une constituant le récit officiel, et l'autre, une hérésie – est simpliste. Le professeur d'études chrétiennes et bibliques à la Chapman University souligne quelques similitudes fondamentales entre les récits gnostiques et les récits évangéliques traditionnels. Tous deux sont monothéistes et affirment que l'humanité a été créée à l'image de Dieu, dit-il, et tous deux considèrent Jésus comme le personnage qui a révélé à l'humanité l'existence de Dieu. Ainsi, Meyer et d'autres spécialistes nous mettent en garde contre le fait de couler dans un moule les Évangiles canoniques ou ces autres Évangiles. Ils représentent toute une variété de points de vue sur un sujet commun, déclare Meyer. «Nous sommes en mesure de constater que le mouvement chrétien se définit par une vaste gamme de gens et par différents groupes qui sont tous en quête de ce que signifie le fait de suivre la voie de Jésus.»

Quoi qu'il en soit, une différence importante entre les Évangiles traditionnels et ces textes non canoniques réside dans la façon dont ils tracent un portrait du rôle de Marie Madeleine, comme nous l'avons vu précédemment dans le texte de Karen King. Bien qu'en général on puisse affirmer que ces autres Évangiles traitent les hommes et les femmes de manière plus égale que les Évangiles traditionnels, l'Évangile de Thomas semble constituer une exception importante. Ici, en parlant de Marie Madeleine, Jésus dit: «Les femmes ne sont pas dignes de la Vie» et: «Voici que je l'attirerai, pour la faire mâle.» Au cours de cet entretien, Meyer consacre un certain temps à expliquer ce passage étonnant, puis il conclut en citant certains de ses passages préférés sur Marie Madeleine dans les Évangiles gnostiques.

Meyer a écrit The Gnostic Discoveries, The Gnostic Gospels of Jesus, The Unknown Sayings of Jesus, and The Gospels of Mary. *Son livre* The Gospel of Thomas: The Hidden Sayings of Jesus *a figuré dans la liste des cent meilleurs livres de spiritualité du XXe siècle. Tout dernièrement, le professeur Meyer a révisé et traduit le plus important document parmi les textes non canoniques à avoir été découverts depuis Nag Hammadi, l'Évangile de Judas[28].*

La découverte de ce qu'il est convenu d'appeler les Évangiles gnostiques en 1945 et leur étude détaillée par la suite ont forcé les spécialistes et les théologiens à reconstruire les assises du christianisme d'origine. L'idée selon laquelle, à ses débuts, le christianisme a évolué en ligne droite fait pratiquement partie de notre ADN religieux: Jésus a diffusé le message, Pierre a érigé l'Église, le concile de Nicée a consolidé la doctrine, et voilà. Maintenant, nous réalisons tout à coup qu'il existe une multitude de christianismes, et que divers mouvements se faisaient la lutte pour que leur doctrine prévalût. De quelle façon voyez-vous tout cela?

Ma façon de reconstruire l'histoire de l'Église part de ce principe: au début, il y avait la diversité. Cela ne signifie pas que les gens se battaient constamment comme chiens et chats, mais plutôt qu'il y avait différentes façons de comprendre les véritables implications de la bonne nouvelle de Jésus et ce que signifiait le fait de suivre Jésus. Certaines de ces différences se sont transformées en polémiques souvent acerbes.

---

28. Rodolphe Kasser, Marvin Meyer et Gregor Wurst, *L'Évangile de Judas*, trad. par Daniel Bismuth, Paris, Flammarion, coll. «Sciences humaines», 2006.

On peut trouver ce genre d'argumentation dans les récits de Marie lorsqu'elle est en conflit avec Pierre. Les «partisans de Pierre» et les «partisans de Marie» ne s'entendent vraiment pas, et c'est finalement l'histoire de Pierre qui prévaut. *TV ES PETRVS ET SVPER HANC PETRAM AEDIFICABO ECCLESIAM MEAM*, est-il inscrit au Vatican. «Tu es Pierre et sur cette pierre je bâtirai mon Église.»

C'est là le point de vue linéaire sur l'histoire de l'Église. Et c'est une mauvaise façon de faire de l'histoire. Il laisse entendre qu'il n'existe qu'une manière de penser à la façon dont Dieu exerce son œuvre alors que, au début, il y avait une variété de croyances, et la diversité ne représente pas précisément une philosophie de droite ou une mauvaise manière de penser, une orthodoxie ou une hérésie. Il n'existe pas d'orthodoxie ou d'hérésie en soi. Ce sont des termes politiques. Et celui qui parle le plus fort, qui recueille le plus de votes, qui prévaut finalement, obtient le droit de se déclarer orthodoxe. Les hérétiques sont seulement les moins nombreux. Ils en viennent à être qualifiés de païens et de gens vils, probablement motivés par le diable et étrangers au mouvement – de connivence avec leur père, Satan.

Ce qui nous mène directement au mouvement gnostique.

Oui. Dès le IIe siècle, la diversité croissante des croyances a entraîné les penseurs qui cherchaient la *gnosis* (connaissance intérieure) dans le mouvement qui est devenu plus tard ce que nous appelons maintenant la religion gnostique. À l'époque, beaucoup de gens commencèrent à adopter ce concept de connaissance intérieure plutôt que ce qui était devenu le concept dominant selon lequel le salut résidait dans la vénération d'une chose qui nous était extérieure.

Ce concept voulant que la vérité réside en nous-mêmes semble être une manière de penser à laquelle les hommes et les femmes peuvent s'identifier. Et elle était populaire à l'époque. Alors, pourquoi n'a-t-elle pas prévalu?

Le problème, pour les gnostiques, c'est qu'ils n'ont jamais réussi à atteindre une cohérence qui leur aurait permis de s'organiser et de devenir un mouvement politique. Pendant que les gnostiques méditaient et cherchaient Dieu en eux-mêmes, les partisans de Pierre avaient les pieds bien ancrés

141

dans la réalité. Ils tondaient leurs pelouses, peignaient leurs églises, rassemblaient des textes qu'ils déclarèrent canoniques, et couchaient avec Constantin.

En quoi la philosophie gnostique est-elle si différente de celle du Nouveau Testament ?
On peut voir dans le Nouveau Testament et les Évangiles « alternatifs » trois différences fondamentales.

Premièrement, il y a la résurrection. Tout le christianisme moderne se fonde sur ce concept du Nouveau Testament. Pourtant, l'*Évangile de Marie*, l'*Évangile de Philippe* et les autres textes que nous connaissons maintenant et que nous appelons Évangiles gnostiques ou Évangiles mystiques ne mentionnent ni crucifixion, ni expiation dans le sang, ni résurrection, en tout cas, pas dans le sens littéral.

Mais si vous croyez que la leçon la plus précieuse qui découle de l'histoire de la résurrection est l'émergence de la vie et de la lumière triomphant au sein de l'expérience humaine, alors vous y trouverez de nombreuses allusions dans ces Évangiles – y compris dans l'*Évangile de Judas* récemment découvert. En fait, l'*Évangile de Judas* constitue un bon exemple de ce que je veux démontrer. À la fin du texte, il y a énormément de vie et de lumière, mais pas sous la forme d'un sépulcre vide et d'anges, ni d'un jeune homme dans le tombeau, ni quoi que ce soit de ce genre. On comprend qu'il s'agit de l'être spirituel qui en vient à s'exprimer, la personne intérieure qui prend vie et voit la lumière en acquérant la connaissance. Ici, il s'agit certainement d'un point de vue très différent, mais il ne l'est pas tant lorsqu'on en vient à cette sorte de conclusion en ce qui concerne l'histoire chrétienne telle que racontée sous diverses formes dans différents Évangiles.

Deuxièmement, et c'est un point qui nous est devenu familier dans la foulée du phénomène créé par le *Da Vinci Code* – de même que par la vaste diffusion des études féministes sur ces autres Évangiles –, il y a la façon dont on parle de Marie Madeleine. À mon avis, l'histoire de Marie Madeleine dans le Nouveau Testament est réduite au niveau d'une intrigue secondaire. Cela ne signifie pas qu'elle soit sans importance. En fait, parmi toutes les femmes mentionnées, à l'exception possible de Marie la mère de Jésus, elle joue un rôle plus important que la plupart, et on la cite généralement en premier dans une liste de femmes. C'est elle qu'on appelle par son nom après qu'elle a été libérée de ses démons et elle encore dont les ressources contribuaient à soutenir le mouvement. Et, bien sûr, elle représente un personnage central de l'histoire de la résurrection. Et pourtant, l'histoire de Marie Madeleine demeure une intrigue secondaire.

Il est évident que, dans ces autres Évangiles, nous avons affaire à une Marie Madeleine beaucoup plus indépendante et son histoire ne constitue aucunement une intrigue secondaire. De fait, elle représente véritablement dans certains cas la partie la plus importante de l'histoire de Jésus et de ses disciples. Son personnage ne se trouve pas quelque part dans l'ombre, mais nous la voyons plutôt dans un rôle extrêmement dynamique, et c'est elle également qu'apprécie Jésus et qui le comprend vraiment.

Ainsi, du point de vue de la personne qui raconte l'histoire, la différence se situe entre une intrigue secondaire dans un cas et, dans l'autre cas, l'intrigue principale de l'histoire principale, dans laquelle elle est la protagoniste.

Et troisièmement?

La troisième différence réside dans le rôle du péché. Je crois que, parmi les gnostiques, le péché ne représentait pas le problème humain le plus grave. C'était plutôt l'ignorance. Si nous acquérons seulement la connaissance, si nous pouvons éliminer l'obscurantisme et l'ignorance et le manque de perspective qui nous affectent actuellement, nous aurons fait le bon choix. Nous réaliserons ce pour quoi nous existons. La foi en l'expiation ou la foi dans le fait que Jésus soit mort pour racheter nos péchés ne constitue pas une réponse; ce serait plutôt d'acquérir la connaissance et de réaliser que, si vous êtes chrétien, Jésus peut vous aider à vous éveiller et vous dire des choses qui vous amèneront à la connaissance de Jésus et de votre propre nature. Puis vous deviendrez conscient de cette étincelle du divin, cette lumière de Dieu, cet esprit de Dieu à l'intérieur de vous, et alors vous trouverez le salut.

Ce n'est pas la foi qui résoudra le problème, pas plus que la croyance en quelqu'un ou le sacrifice d'une personne pour apaiser un Dieu courroucé. Vous pouvez entrevoir que cela n'aurait aucun sens pour les gnostiques et, franchement, même aujourd'hui, je pense que ce sont là de véritables enjeux.

Est-ce que les chrétiens polis qui viennent de vivre la Semaine sainte pensent réellement que Dieu est un dieu furieux? Et que la seule façon de se débarrasser de cette colère consiste à accomplir quelque type de sacrifice? Est-ce qu'il faut verser du sang humain et non seulement celui d'un animal? Et pas seulement le sang d'un humain, mais celui du Fils de Dieu?

Autrement dit, d'après les Évangiles gnostiques, vous donnez à quelque chose le nom de «péché», mais en réalité, dans l'ordre global des choses, il n'y a rien de précis qui puisse être ainsi qualifié. Toutefois, lorsque vous confondez les choses, cela peut mener à l'ignorance et à la distraction, et alors vous appelez cela «péché». Mais la vraie question ne réside pas dans le fait que Dieu, pour une raison ou pour une autre, soit en colère contre vous à cause de mauvaises actions appelées «péchés». La véritable question consiste à vous prendre en main et à réaliser que vous vous situez du côté de la lumière. Sachez qui vous êtes, atteignez la connaissance et vous trouverez ainsi le salut. Ainsi, ce n'est pas tellement du péché que traitent les textes gnostiques.

Qu'en est-il du concept du mal? Comment les gnostiques le voient-il?

Le mouvement gnostique s'intéressait beaucoup au mal. En fait, saint Augustin (354-430) et d'autres pensaient qu'ils étaient *trop* préoccupés par cette question du mal en agissant comme si le mal était réel et tangible. Les gnostiques croyaient que le créateur ou le démiurge était un être passablement méchant et ils lui attribuaient des noms sévères comme Yaldabaoth («fils du chaos»), Samael («dieu aveugle») et Sakla («fou») afin de montrer dans quelle mesure il était responsable d'une bonne part de l'ignorance, du mal et de la mort en ce monde. Cette idée contrastait avec l'idée davantage platonicienne (adoptée par saint Augustin) qui laisse entendre que tout ce qui existe est bon et que, dans la mesure où une chose n'existe pas, elle est mauvaise. Ainsi, le mal représente précisément l'absence ultime du bien. Cette position entre directement en contradiction avec la conviction des gnostiques selon laquelle, si nous voulons nous en libérer, nous devons être conscients du mal qui nous entoure et des puissances surnaturelles qui nous oppriment.

Autrement dit, les gnostiques répondaient aux platoniciens en disant : « Eh bien, vous savez, le problème, c'est qu'il existe vraiment des puissances surnaturelles autour de nous – et que vous les appeliez ou non des personnages sataniques, ce sont des esprits méchants. Vous devez apprendre à traiter avec ces divers démons : la vie est ainsi faite. Vous ne pouvez pas seulement souhaiter qu'ils s'éloignent d'une manière philosophique et prétendre qu'ils n'existent pas complètement et ne sont pas actifs. » D'après eux, vous ressentez le mal dans votre chair comme une maladie ou le percevez dans la tyrannie du pouvoir. Ce sont là les réalités de la vie avec lesquelles vous devez composer. C'est au moyen de la méditation et de la connaissance de soi que vous pouvez finalement faire face à la réalité que constitue le mal et la transcender, et apprendre comment vivre dans la béatitude à travers tout cela et malgré tout cela.

Il y a aussi toute la question du rôle des femmes. J'ai l'impression que, dans les Évangiles canoniques, le rôle des femmes est important bien que toujours circonscrit. Mais pas dans les textes gnostiques où les femmes semblent généralement avoir un statut plus élevé – un sujet qui faisait partie de la discussion entre Marie Madeleine et Simon Pierre.

Dans les textes gnostiques, c'est toujours Marie qui dit : « Oubliez le sexe masculin ou féminin. Ce dont nous parlons tous, c'est de devenir vraiment humain. Nous ne discutons pas pour savoir si les gars ou les femmes vont triompher dans la bataille des sexes. » Pierre se trouve du côté de la bataille des sexes, alors que Marie s'élève au-dessus de ce type de conflit et parle de ce que signifie le fait d'être vraiment humain. Que nous devrions pouvoir nous élever au-dessus de ce genre de préoccupations au sujet du sexe masculin ou féminin et être davantage comme Marie. Et je trouve cette idée très libératrice et assez charmante.

Tout cela est si différent de ce à quoi nous pensons quand nous songeons au christianisme traditionnel que je me demande si on devrait réellement considérer les gnostiques comme des chrétiens.

Vous soulevez un point intéressant. Certains spécialistes diraient, par exemple, que l'*Évangile de Judas* n'est pas un évangile chrétien parce que dans cet Évangile, comme dans plusieurs Évangiles gnostiques, Jésus ne meurt pas pour les péchés de qui que ce soit. Et Jésus ne se relève pas physiquement et ne quitte pas son sépulcre, et c'est très vrai. Mais, à mon avis, cela indique simplement une approche différente en ce qui concerne la nature de Jésus et de ses valeurs.

Tel que je le perçois, le mouvement chrétien se définit par une vaste gamme de gens et de groupes qui cherchent tous à découvrir ce que signifie le fait de suivre Jésus, de cheminer avec Jésus, de croire en Jésus ou de croire en Dieu. Alors, d'une certaine façon, je situe cette diversité dans le contexte d'un mouvement unique. L'*Évangile de Judas* est un évangile chrétien. L'*Évangile de Marie* est un évangile chrétien. L'*Évangile de Philippe* est un évangile chrétien. Tout cela fait partie du christianisme – contrairement, je pense, à ce qui se produit dans la façon traditionnelle de voir les choses, qui laisse entendre que « ces gens » ne peuvent faire partie du « cercle intérieur ». En excluant ces croyants, on les tient à l'écart. Puis ils deviennent « les autres ».

Vous avez souligné la diversité de pensées chez les premiers chrétiens et même dans les différents Évangiles gnostiques. Beaucoup de gens aiment citer le passage de l'Évangile de Philippe où Marie est décrite comme une compagne intime de Jésus qui l'embrasse fréquemment sur [lacune dans le texte] – peut-être la bouche. Ce passage implique clairement que Jésus ne semble faire aucune distinction entre l'aptitude d'une femme et celle d'un homme à atteindre une perspective spirituelle élevée.

Puis il y a l'Évangile de Thomas. Ici également, Jésus semble approuver un équilibre égal, intégré, entre les hommes et les femmes. Dans le paragraphe 22, une autre phrase souvent citée, Jésus dit : « Quand pour vous le deux sera l'Unique, quand l'intérieur sera l'extérieur et le haut comme le bas, afin de faire le mâle et la femelle en un seul [...], alors vous entrerez dans le Royaume. » Mais l'Évangile se termine d'une manière outrageante. Le paragraphe 114 débute avec la suggestion de Simon Pierre selon laquelle Marie devrait quitter leur cercle, « parce que les femmes ne sont pas dignes de la Vie ». Ce à quoi Jésus réplique en utilisant des arguments que nous considérerions aujourd'hui comme fortement antiféministes : « Voici que je l'attirerai, pour la faire mâle, pour qu'elle aussi soit un esprit vivant, semblable à vous les mâles. Car toute femme qui se fera mâle entrera dans le royaume des cieux. »

Vous avez beaucoup étudié cet Évangile. Pouvez-vous nous donner votre interprétation de ce qui semble être un préjugé antiféminin de Jésus ?

Eh bien, je pense que, à mesure que les années passent, je comprends un peu mieux l'*Évangile de Thomas* et j'ai une bonne impression à l'égard de ce texte maintenant. Je ne saurais trop comment le classer ; j'ai eu de la difficulté à le considérer comme un Évangile gnostique. Quoi qu'il en soit, je pense que, en fin de compte, cet Évangile reflète une épistémologie liée à une approche particulière de la sagesse.

Je considère réellement l'*Évangile de Thomas* comme un Évangile empreint de sagesse, dans lequel Jésus a recours à la technique – qu'il utilise également dans les Évangiles canoniques – consistant à éviter de tout définir et à laisser les histoires incomplètes ou avec une question en suspens. Cette approche en fait un évangile interactif, qui comporte moins un point de vue orienté qu'une théologie du dialogue destiné à provoquer la réflexion et donnant lieu à plusieurs interprétations.

Alors, y avait-il un message particulier à intégrer à ces dernières paroles de l'*Évangile de Thomas* ? Ou devons-nous présumer qu'il s'agit là d'un exemple polémique qui reproduit en bonne partie ce que nous retrouvons dans la littérature sur le fait que Pierre était très mordant à l'égard des femmes et que Marie était souvent la cible de ses critiques ? Je pense qu'il s'agit de cette dernière supposition, interprétée de différentes façons à mesure qu'elle venait à la connaissance de différentes personnes. Et j'imagine que si c'est réellement un groupe de moines qui a recopié l'*Évangile de Thomas* et que si un moine dans sa cellule a pris l'*Évangile de Thomas* et lu le dernier paragraphe, il n'avait pas un point de vue mystique et éclairé, ou encore une vision symbolique de ce passage. Je suis sûr qu'il songeait à cette belle femme qui passait devant sa fenêtre – qui, en fait, le soumettait à la tentation et provoquait en lui de viles pensées sexuelles. Eh bien, elle peut également trouver le salut, mais elle devra abandonner son caractère féminin et sa sexualité et devenir mâle et semblable à Dieu !

Quand vous examinez la question de la modification du sexe, de la femme qui devient homme, vous vous rendez compte qu'il existe une vaste littérature sur ce sujet. Dans une grande partie de cette littérature, ce genre de change-ment de sexe est plutôt symbolique et les catégories ont tendance à devenir métaphoriques. En réalité, beaucoup d'œuvres laissent entendre que, quels que soient les organes sexuels d'une personne et le sexe particulier de la personne qui habite le corps, tous les humains ont à la fois un côté mâle et un côté femelle. Et c'est le côté mâle dont il faut prendre soin.

Si vous acceptez cette manière de penser plus symbolique et métaphorique, le côté mâle est relié au ciel et à l'esprit ainsi qu'à d'autres choses semblables, tandis que le côté femelle concerne davantage la terre mère et le monde créé, de même que tout le cycle de la vie en ce monde, qui peut finalement mener à la décrépitude et à la mort, ainsi que les péchés, la perception par les sens, et tout ce qui fait partie de ce monde physique. Et de ce point de vue, si la femme doit devenir homme, elle doit transcender ce monde et devenir une partie du monde supérieur.

Revenons à l'opposition entre les paragraphes 22 et 114 dans lesquels on peut voir l'application de ce concept.
Le paragraphe 22 présente une vision de l'androgynie selon laquelle l'homme et la femme fusionnent. Puis nous avons ces paroles provocantes à la fin, si provocantes que certaines personnes ont déclaré qu'elles avaient probablement été ajoutées par un moine qui détestait les femmes. Mais, en réalité, il existe un envers de la médaille dans le monde antique. Il y a des histoires qui racontent que, au début, il y avait un androgyne, et que cet androgyne a été séparé par le milieu. Dans Le Banquet*, Platon présente une vision de l'humanité qui laisse entendre qu'il peut exister des hommes, des femmes et des androgynes.*
Alors, nous pouvons dire que l'homme et la femme ont déjà habité le paradis et que, au début, nous ne formions qu'une personne, que, maintenant, nous sommes deux, et que nous redeviendrons une seule personne à nouveau dans une existence béatifique. C'est une façon de voir les choses. Mais il y avait également un autre point de vue sur la question des sexes, et c'est l'approche du sexe unique. D'après ce point de vue, il n'existe en réalité qu'un seul sexe et c'est le sexe masculin. C'est le sexe achevé, et si vous enlevez seulement les organes sexuels, le pénis de l'homme, vous obtenez une femme. Ou si une femme devient complète ou est

rendue ainsi par les dieux et les déesses, alors il peut lui pousser un pénis, des organes sexuels mâles.

Dans certaines œuvres mythologiques, les femmes essaient d'échapper à certaines restrictions reliées au mariage ou découlant du fait qu'elles sont des femmes, alors elles prient les dieux de les transformer en hommes, et elles éprouvent tout à coup une pression dans l'abdomen et voilà que leur poussent des organes sexuels mâles. Elles se font pousser un phallus. Selon cette manière de voir, elles peuvent être qualifiées d'androgynes parce que ce sont des femmes chez qui s'est développé un pénis. Et, alors, elles deviennent complètes. Elles ont atteint la plénitude du sexe unique.

Ce qui, d'après moi, se produit dans l'*Évangile de Thomas*, c'est que ces deux paragraphes, 22 et 114, s'il s'y trouve une quelconque vision particulière des sexes, pourraient bien en fait parler d'androgynie, mais de ces deux images différentes de l'androgynie. L'image la plus attrayante à notre époque est qu'on atteint l'unicité par le biais d'une union. L'autre point de vue, l'image de la femme qui peut devenir un homme, est fermement désavoué aujourd'hui sous prétexte qu'il est tout à fait déplacé.

Mais je crois que, dans l'*Évangile de Thomas*, le paragraphe 114 est traité d'une manière plus symbolique ou métaphorique si nous tenons compte de l'autre littérature, la littérature gnostique ou mystique. Dans cette littérature, la tendance est de ne pas jouer ces jeux dans lesquels les phallus poussent, mais plutôt de parler de façon plus symbolique et métaphorique de la vie dans ce monde comme étant féminine et la vie dans le monde supérieur, ou la vie avec Dieu, ou la vie de l'esprit, comme étant davantage masculine.

Cela dit, les deux points de vue ne seront ni l'un ni l'autre très acceptables, et je crois encore que nous ressentons un malaise en lisant le paragraphe 114. Il nous irrite encore, et c'est peut-être une bonne chose. Un symbolisme à propos des sexes comme nous le retrouvons dans le paragraphe 114 correspond peut-être au monde antique, mais il semble tout à fait déplacé dans notre monde.

Quelles parties des Évangiles gnostiques vous ont aidé à mieux comprendre Marie Madeleine? Comportent-ils des anecdotes qui ont un attrait particulier à vos yeux?

Je pense que mon passage favori viendrait sans doute de l'*Évangile de Marie* quand, après la crucifixion, les disciples sont dans tous leurs états. Marie les rassure en disant : « Ne soyez pas dans la peine et le doute, car Sa Grâce vous accompagnera et vous protégera : louons plutôt Sa grandeur, car Il nous a préparés. Il nous appelle à devenir pleinement des êtres humains. » C'est là une manière de penser si différente et si puissante en ce qui a trait à la véritable nature de l'Évangile. Selon cette manière de comprendre la bonne nouvelle de Jésus, c'est en le suivant qu'on réalise notre véritable situation d'être humain. Et qu'on découvre que l'expérience la plus profonde du salut survient au moment où nous atteignons la vraie humanité. C'est un message merveilleusement humaniste. Un autre de mes passages favoris se trouve dans la *Pistis Sophia*. Jésus donne des directives à ses disciples, y compris Marie Madeleine : « Et lorsqu'il eut dit ces choses à ses disciples, il leur dit : "Que celui qui a des oreilles pour entendre entende !" Et lorsque Marie eut entendu les paroles qu'avait dites le Sauveur, elle se mit à regarder fixement dans l'espace durant une heure. Et elle lui dit : "Seigneur, permets-moi de parler ouvertement." Jésus, miséricordieux, répondit : "Marie, tu es bénie, toi que je rendrai parfaite dans tous les Mystères d'En Haut, parle ouvertement, toi dont le cœur est dirigé vers le Royaume des Cieux plus que celui de tous tes semblables[29]." »

Vous ne pourriez demander mieux comme preuve de reconnaissance de la force spirituelle de Marie Madeleine.

Ne craignez-vous pas que ce type de point de vue spirituel se perde parmi toutes ces interprétations ? Que toutes les contro-verses – si Marie et Jésus ont eu ou non des relations sexuelles, si elle s'est retrouvée en France et a fondé une lignée, etc. – nous fassent oublier l'élément principal de son histoire, comme le pape Grégoire ou les légendes de la France médiévale ont distrait notre attention de son histoire ?

Oui, cela me préoccupe énormément. Nous n'avons au sujet de toutes ces controverses que des preuves mitigées, et aucun moyen de les résoudre. Les arguments fondés sur le silence, qui sont souvent ceux auxquels les gens ont recours et à propos desquels ils vitupèrent le plus, sont notoirement

---

29. Traduction libre. (N.d.T.)

hypothétiques. Le fait de discuter de la possibilité qu'ils aient été des partenaires sexuels, ou qu'ils aient été mariés, pourrait constituer une autre façon de marginaliser Marie Madeleine et nous risquerions de tomber dans le même piège. Tout comme Luc a prétendu qu'elle était hystérique, et Grégoire le Grand, qu'elle était une putain, nous pourrions également dire : « Elle n'était que la partenaire sexuelle du gars le plus important de son entourage. » Et alors, nous passons à côté de ce que les textes tentent de mettre en lumière, à savoir que c'était une femme brillante et indépendante, ainsi qu'un chef de file spirituel.

LES PLUS FOLLES EXAGÉRATIONS JAMAIS PROFÉRÉES. UNE CRITIQUE DES INTERPRÉTATIONS POLITIQUEMENT CORRECTES DES ÉVANGILES GNOSTIQUES

UN ENTRETIEN AVEC PHILIP JENKINS

La découverte de la bibliothèque de Nag Hammadi – généralement connue sous le nom d'« Évangiles gnostiques » – a complètement bouleversé notre compréhension du christianisme primitif. Présentés et popularisés par un nouveau groupe de spécialistes féministes et d'autres experts, diffusés par des médias impatients de susciter un débat à une époque de renouveau religieux, et projetés dans l'imagination populaire par le Da Vinci Code, ces textes font maintenant figure de nouvelle vérité sur le rôle de Marie Madeleine parmi les disciples de Jésus.

Philip Jenkins croit que cette nouvelle convention ne découle pas tant de ce qu'affirment ces Évangiles que de notre inclination à voir ce que nous désirons voir. Il soutient que plusieurs de ces soi-disant « découvertes » sont connues depuis au moins deux siècles. De plus, ces Évangiles ont été écrits beaucoup plus tard que les Évangiles canoniques, ce qui les situe aussi loin dans le temps que nous le sommes, en Amérique du Nord, des guerres françaises et indiennes. Comme il n'existe aucun registre écrit contemporain du temps de Jésus, demande Jenkins pour la forme, peut-on se fier à une histoire orale vieille de deux à trois cents ans ? Il espère qu'à l'avenir, lorsque de nouveaux textes bibliques apparaîtront, ils seront tout au moins « évalués selon leur mérite, et non seulement d'après leur valeur dans le cadre de batailles culturelles ».

Jenkins est professeur d'études historiques et religieuses à la Pennsylvania State University et a exposé ses opinions en détail dans son livre intitulé Hidden Gospels : How the Search for Jesus Lost its Way.

Le sous-titre de votre livre Hidden Gospels *est provocateur:*
«How the Search for Jesus Lost Its Way» (Comment la recherche
de Jésus s'est écartée de sa Voie). Pourriez-vous résumer ce que
vous entendez par là? Et la recherche de Marie Madeleine s'est-
elle également «écartée de sa Voie»?

Mon titre comporte un jeu de mots volontaire avec le
mot «*Way*» («Voie»), celui qu'employaient les premiers
disciples de Jésus pour décrire leur nouvelle foi avant même
qu'elle ne devînt le «christianisme». Ils suivaient la Voie
(«*odos*» en grec). Une fois que vous savez cela, vous retrouvez le mot dans tout le Nouveau Testament et en particulier
dans les Évangiles et les Actes des Apôtres. Je laissais entendre que beaucoup de spécialistes modernes présentaient
une image trompeuse de Jésus et qu'ils avaient perdu leur
«voie». Le Jésus qu'ils présentaient se fondait surtout sur
une interprétation particulière de deux documents recom-
posés, l'Évangile perdu et les premières parties de l'*Évangile*
de Thomas. En se fondant sur ces sources, ils prétendaient
que le «Jésus original» était un maître de sagesse et que,
pour autant que nous le sachions, les histoires surnaturelles
s'étaient accumulées autour de lui plus tard. Je crois plutôt
que les miracles, les guérisons et le surnaturel se trouvaient
au cœur même du mouvement de Jésus à ses débuts et que
le «Jésus de sagesse» recomposé se fondait sur une mauvaise
interprétation de ces premiers textes.

De même, je pense que Marie Madeleine est un personnage fascinant, mais que beaucoup d'écrits modernes à
son sujet se sont égarés en l'interprétant, d'un point de vue
moderne, comme une femme représentant la spiritualité
féministe, une époque révolue où les femmes dirigeaient
l'Église et ainsi de suite. Albert Schweitzer comparait la
recherche de Jésus au fait de regarder au fond d'un puits et
d'y voir le visage de Jésus quand, bien sûr, il s'agit de son
propre reflet. C'est ce qui s'est produit en ce qui concerne
certaines opinions récentes sur Marie Madeleine. Comme le
dit l'adage, nous voyons les choses non pas comme elles sont,
mais comme nous sommes.

Vous écrivez que, par le passé, l'expression «vérité de l'Évangile»
symbolisait une norme de vérité absolue – mais maintenant,
en partie à cause de la découverte de Nag Hammadi, en partie

à cause du phénomène du Da Vinci Code, *les spécialistes et le grand public semblent être parvenus à la conclusion contraire, c'est-à-dire qu'il existe plus d'une vérité, qu'il existe plusieurs christianismes. Et on devrait accorder une importance égale, sinon supérieure, à ces autres points de vue.*

Les « nouvelles études » sur les débuts du christianisme persistent à réinventer la roue et c'est quelque chose de contrariant. Si vous consultez les études bibliques d'il y a un siècle ou plus, vous constaterez que ce sont exactement les mêmes idées dont les gens discutaient librement à l'époque. En 1934, Walther Bauer écrivait un livre dévastateur intitulé *Orthodoxy and Heresy in Early Christianity* dans lequel il affirmait que, aux IIe et IIIe siècles, il y avait différents types de christianisme « orthodoxes » dans différentes parties du monde, et que chacun possédait son propre Évangile. Ce n'est que progressivement qu'une école particulière a remporté la partie, s'est déclarée orthodoxe et qu'elle a rétroactivement proclamé que ses propres documents représentaient « les vrais Évangiles ». Ces idées n'ont rien de nouveau.

Le problème dans tout cela, c'est que Bauer a beaucoup exagéré. Les Évangiles n'ont pas été créés égaux. Certains ont été rédigés beaucoup plus tôt que d'autres, qu'il s'agisse de l'époque à laquelle ils ont été écrits ou des sources auxquelles les auteurs avaient accès. Il ne fait pas de doute que les quatre Évangiles canoniques sont plus anciens dans les deux sens que tous leurs concurrents, bien que quelques fragments d'évangiles trouvés en Égypte pourraient contenir les vestiges d'autres textes plus anciens. Si les dirigeants de l'Église ne se sont pas préoccupés des autres soi-disant Évangiles, c'est que la grande majorité de ces textes commençaient seulement à être rédigés à cette époque, et plusieurs d'entre eux n'allaient pas être écrits avant qu'une bonne partie du IIIe siècle ne se soit écoulée. L'Église traditionnelle ne rejette pas les « Évangiles cachés » parce qu'elle croit qu'ils divergent de l'orthodoxie, mais plutôt parce qu'elle sait que ce sont des productions récentes qui ne méritent pas de respect en tant que documents historiques.

La datation est essentielle lorsqu'il s'agit de déterminer l'authenticité. Et c'est pourquoi un texte comme l'*Évangile de Marie* peut nous apprendre beaucoup de choses sur le début du IIIe siècle, au moment où il a été rédigé, mais rien du tout sur la véritable Marie Madeleine, qui était probablement décédée deux cents ans plus tôt.

Vous croyez que la découverte de Nag Hammadi nous a permis de mieux comprendre les débuts du mouvement chrétien, mais que nous poussons trop loin nos interprétations de ce qu'elle signifie. Pourquoi ? Ces Évangiles ne nous ont-ils pas obligés à revoir notre interprétation de Marie Madeleine d'une manière positive – en tant qu'apôtre et même en tant que modèle ?

Les documents de Nag Hammadi représentent une source extrêmement riche et ils nous apprennent beaucoup de choses sur les débuts du monde chrétien. Mais ils ne nous apprennent pratiquement rien de neuf sur Marie Madeleine en tant que véritable personnage historique ou chef de file légendaire du christianisme primitif. Déjà vers la fin du XIXe siècle, quiconque s'intéressait à la religion – au christianisme, à une religion du Nouvel Âge, à la spiritualité féminine – pouvait immédiatement consulter la célèbre *Pistis Sophia*, un long dialogue qui met principalement en scène Jésus et Marie Madeleine, où elle est décrite à la fois comme un des principaux disciples et comme un grand personnage spirituel. Ceci nous permet de mieux comprendre la vénération qu'avaient certains gnostiques à l'endroit de Marie, probablement au IIIe siècle – mais, comme je l'ai dit, nous n'y apprenons absolument rien sur la véritable femme qui portait ce nom.

Et la *Pistis Sophia* ne constitue qu'une des sources que nous avions bien avant Nag Hammadi. Même l'*Évangile de Marie* n'a pas été découvert à Nag Hammadi, mais a été redécouvert en 1896. Nous possédons également une multitude de morceaux de dialogues entre Jésus et Marie dans des fragments d'Évangiles que nous connaissons depuis les premiers écrivains chrétiens. Autrement dit, une grande partie de ce que les gens qualifient de nouvelle découverte extraordinaire ne l'est aucunement.

Certains spécialistes ont trouvé un public réceptif en exposant le concept selon lequel ces « Évangiles cachés » révèlent au monde « une possibilité qui aurait pu être glorieuse » (pour employer vos propres mots) s'ils n'avaient pas été déclarés hérétiques puis délibérément cachés par l'Église de Pierre. Qu'est-ce qui cloche dans ce point de vue ?

Les événements que décrit votre question laissent entendre qu'il existe une chronologie, que les gnostiques ont existé très tôt, et que la perfide Église a caché la vérité à leur sujet. L'Église des IIe et IIIe siècles n'a pas caché les Évangiles. C'est seulement qu'elle savait qu'ils étaient récents et que, en conséquence, ils n'avaient pas une grande valeur. Qui plus est, si l'Église a essayé de cacher les Évangiles gnostiques, elle a été peu efficace, puisque ses fondateurs ont préservé une si grande quantité de leurs textes.

Mais oui, je pense vraiment que le principal intérêt des «Évangiles cachés» est de permettre à nos contemporains de réfléchir aux avenues qui n'ont pas été prises. À titre d'exemple, en 1900 comme aujourd'hui, les gens regardaient les grandes religions asiatiques et regrettaient amèrement que le christianisme eût condamné l'hindouisme et le bouddhisme. Ne pourrions-nous pas tirer des leçons des grands enseignements spirituels d'Asie? Toutefois, les Évangiles gnostiques dépeignent un Jésus beaucoup plus en accord avec le monde du gourou asiatique, un monde qui a de l'attrait à nos yeux. Un des premiers succès de librairie présentant une perspective moderne de Jésus fut *The Brook Kerith* de George Moore, publié en 1916. Ce livre décrit exactement Jésus comme un sage bouddhiste qui survit à la crucifixion et finit par se joindre à des moines bouddhistes retournant en Inde. Comme je l'ai mentionné, le *Da Vinci Code* n'est pas le premier livre qui soumet de tels arguments radicaux – ce n'est même pas le centième. D. H. Lawrence a abordé cette idée d'un Jésus marié, comme l'ont fait également Frank Harris et Robert Graves. Nombre d'auteurs ont également exploré l'idée d'un Jésus ayant survécu à la crucifixion.

Et l'idée selon laquelle Jésus aurait épousé Marie Madeleine est aussi très ancienne. En fait, je m'étonne que personne n'ait encore repris celle de Christopher Marlowe d'après laquelle Jésus aurait eu des relations sexuelles avec l'évangéliste Jean. Peut-être quelqu'un travaille-t-il à ce roman en ce moment même.

Chaque génération a besoin de reconstruire les débuts du christianisme à sa propre image, et elle le fait. Il n'est pas étonnant que la «découverte» du Jésus marié coïncide exactement avec l'agitation au sein de l'Église catholique à propos des questions de célibat et des revendications visant à ce que les femmes y jouent un rôle plus important, et les accusations de complot et de dissimulation suivent également les scandales provoqués par l'exploitation sexuelle de la part de membres du clergé.

Vous semblez montrer du doigt les médias et dire : « Si vous aviez refusé d'être des complices – puisque vous êtes esclaves de la rectitude politique et de l'environnement social "serein" du jour –, ce révisionnisme ne serait pas devenu aussi populaire parce qu'il ne le mérite certainement pas. » Pouvez-vous expliquer cette idée plus en détail ?

Je ne serais pas assez idiot pour critiquer les médias parce qu'ils essaient de faire leur travail de base qui consiste à attirer le plus vaste public possible. Mais, par définition, les nouvelles concernent toujours quelque chose de nouveau. Les spécialistes en matière de religion deviennent inquiets lorsqu'ils reçoivent le coup de téléphone habituel autour de Pâques – « Alors, quoi de neuf sur la résurrection ? » Et s'il n'y a rien de neuf, les journalistes ont une tendance naturelle à publiciser des théories qui pourraient être marginales ou complètement farfelues. Ils ont aussi tendance à structurer leurs histoires pour qu'elles deviennent un récit prenant sur des découvertes renversantes, sur de courageux spécialistes solitaires qui affrontent les institutions, sur de nouveaux documents qui ébranlent le monde de l'érudition, et ainsi de suite. Le problème dans tout cela, c'est que nous perdons la perspective de la mémoire, qu'en fait, une si petite partie de ce qui est prétendument nouveau et révolutionnaire ne l'est pas en réalité, et que les spécialistes le savent fort bien depuis littéralement des siècles. Le récit des Mystères perdus et de leur soudaine redécouverte s'est transformé en un modèle d'amnésie récurrente.

Alors, si les « nouvelles études » ont suscité un point de vue exagéré sur les découvertes de Nag Hammadi et d'autres Évangiles récemment retrouvés, quel est, pour nous, la façon la plus appropriée de comprendre Marie Madeleine en tant que personne, en tant qu'apôtre et en tant que chef de file spirituel ? Et tout le phénomène entourant le Da Vinci Code a-t-il aidé ou nui à notre compréhension du début du christianisme et du rôle de Marie Madeleine ?

À mes yeux, les rencontres entre Jésus et Marie Madeleine postérieures à la résurrection ne sont pas seulement superbes du point de vue littéraire ; elles font partie des passages les plus émouvants de toutes les Écritures religieuses. J'en ai la chair de poule quand je les lis. Il n'est pas étonnant que tant d'artistes et d'auteurs se soient servis de ces scènes et les aient citées. Et, si vous le permettez, je vais profiter de cette occasion pour mentionner la magnifique histoire de Rudyard Kipling intitulée *The Gardener*, dans laquelle il met en scène une rencontre entre Jésus et Madeleine dans un environnement moderne (en fait, il fusionne cette Marie avec la mère de Jésus).

J'ai beaucoup parlé des raisons pour lesquelles je ne crois pas que les Évangiles gnostiques nous apprennent quoi que ce soit de valable sur la véritable Marie Madeleine, mais je poursuivrai en disant que les Évangiles canoniques eux-mêmes en font un personnage fascinant. Personnellement, je ne doute pas qu'elle ait été un personnage essentiel au sein de la plus ancienne communauté chrétienne et je n'ai aucune réticence à croire qu'elle portait le titre de disciple.

Nous devons aussi nous interroger sur le vrai mystère que constitue la façon dont les Évangiles racontent l'apparition de Jésus à Marie et sur ce qu'il est advenu de cette idée au sein de l'Église naissante. Dans le plus ancien récit de la résurrection, écrit par Paul autour des années 50, Marie n'est pas mentionnée, et c'est à Pierre qu'apparaît Jésus la première fois après sa résurrection. Pourtant, tous les Évangiles font de Marie la vedette du récit (l'Évangile selon saint Marc que nous avons est incomplet, mais on ne peut douter qu'il avait l'intention de terminer son récit par l'apparition de Jésus à des femmes). Alors, Paul n'est-il pas au courant de la tradition concernant Marie Madeleine ? Ou n'y croit-il pas ? Ou considère-t-il qu'il ne vaut pas la peine d'en parler, puisque Marie est une femme ? Et s'il connaît la tradition entourant Marie Madeleine, quand et comment cette tradition apparemment précoce a-t-elle débuté ?

Il serait facile de croire le premier récit raconté sur la première apparition de Jésus à Marie, qui était doublement suspecte en étant une femme et en ayant des antécédents de troubles de la personnalité (notre terminologie moderne pour traduire le fait que sept démons ont été chassés d'elle). Dans ce cas, peu après, l'Église aurait essayé d'effacer l'ardoise, en faisant en sorte que Jésus apparût pour la première fois à Pierre, et essayé aussi d'enterrer toute l'histoire de Marie Madeleine. Le critique païen Celse considérait certainement Marie comme un mauvais témoin, mais, en réalité, c'est le contraire ! Les histoires sur Marie se sont développées de diverses façons à partir des récits de Pierre. Mais qui pourrait dire en ce moment s'ils sont apparus plus tôt, plus tard ou en même temps ? Des spécialistes du XIXe siècle comme Renan et Strauss ont d'abord trouvé l'origine de l'idée de la résurrection dans les « visions subjectives des femmes au sépulcre, puis dans celles des autres disciples, influencées par leur intense amour pour le Christ, et par leur surexcitation ».

Bref, pourquoi Marie Madeleine s'y trouve-t-elle, sinon parce qu'il existait une tradition ancienne et incontournable qui lui accordait la prééminence dans le récit pascal ? Mais si c'était le cas, pourquoi n'apparaît-elle pas dans Paul ? Un enjeu ici pourrait avoir trait au conflit (ou tout au moins, à l'absence de conflit) entre les traditions de la Galilée et celles de Jérusalem ou, pour dire les choses autrement : Pierre versus Marie. Voici ce que je suggère : peut-être que les disciples galiléens avaient leur propre ensemble d'idées et de traditions dont Pierre était le héros, et que c'est ce que Paul a entendu lorsqu'il s'est rendu en Palestine. Mais, dans la région de Jérusalem, l'Église avait retenu comme héroïne Marie Madeleine, et elle s'est assurée que son histoire se retrouve dans les Évangiles. Et qui sait, peut-être a-t-elle été un personnage important de l'Église à cet endroit.

En fin de compte, je pense que les récentes histoires rocambolesques sur Marie Madeleine ont en réalité détourné l'attention du radicalisme qui régnait au début de la chrétienté et qui touchait les questions de sexe autant que le reste. Il s'agit là d'une chose que nous, Occidentaux, avons manquée, mais qu'ont comprise les lecteurs en Asie ou en Afrique parce que les arrangements sociaux traditionnels leur sont plus familiers. À mes yeux, la scène dans laquelle Jésus parle à la Samaritaine au puits constitue une des parties les plus poignantes du Nouveau Testament et, ce faisant, il bafoue d'innombrables tabous et restrictions. Maintenant, réfléchissez-y selon une perspective asiatique moderne. Ce n'est pas que dans l'ancienne Palestine que l'interaction entre

Jésus et la Samaritaine au puits aurait transgressé les limites acceptées, ou que la participation active d'une femme dans le cadre d'un dialogue aurait semblé audacieuse. Il nous faut regarder, au-delà de Marie Madeleine, les autres interactions de Jésus avec des femmes, et nous devons le faire en nous fondant sur des documents historiques fiables et non sur des idées fantaisistes imaginées quelques siècles plus tard.

Que pensez-vous de toute la controverse entourant Dan Brown et les gens dont il se réclame dans ses livres – comme Lynn Picknett (The Templar Revelation[30]) *et Michael Baigent et ses collègues* (Holy Blood, Holy Grail[31]) *? S'agit-il d'une hérésie de la part de gens simplement mal informés, ou ne s'agit-il que d'une histoire romanesque?*

Des gens comme Baigent, Brown et Picknett sont des auteurs populaires qui n'ont absolument rien à voir avec les études sérieuses et on ne devrait pas en discuter au même niveau que des spécialistes comme Elaine Pagels ou Karen King. Dan Brown, en particulier, est romancier et, en tant que tel, il n'a aucune obligation en ce qui a trait à la vérité historique. Personnellement, je n'aime pas son style d'écriture, mais, de toute évidence, des millions de gens l'adorent. Et, dans cette mesure, je lui souhaite bonne chance (comme s'il avait besoin de mes bons vœux). Ce qui me préoccupe dans son œuvre, c'est qu'il présente un point de vue sur le christianisme qui est absolument contraire à tout point de vue vaguement traditionnel sur la foi, et son opinion sur la grande conspiration de l'Église se nourrit d'un sentiment assez radicalement anticatholique.

Alors, je répondrai par un plaidoyer en faveur de la cohérence. Si nous voyons que des œuvres d'art vont offenser les gens, faisons en sorte que tous soient également responsables. N'isolons pas un seul groupe – comme l'Église catholique – pour l'attaquer, alors que tous les autres s'en tirent. Honnêtement, je ne suis pas de ceux qui croient qu'il faille bannir certains livres, parce que je suis un fervent partisan du premier amendement de la Constitution américaine sur la

---

30. Lynn Picknett, *La Révélation des Templiers*, trad. par Paul Couturiau, Paris, Rocher, 2005.

31. Michael Baigent, Richard Leigh et Henry Lincoln. *L'Énigme sacrée, op. cit.*

liberté de presse, mais que les chances d'offenser soient égales pour tous.

Alors, plutôt que de prendre connaissance d'idées hypothétiques sur Jésus, Marie Madeleine et le christianisme «révisionniste» auprès des auteurs comme Dan Brown, vers qui les gens devraient-ils se tourner?

J'adorerais voir les maisons d'édition modernes réimprimer les œuvres classiques sur des hypothèses sur Jésus et l'Église primitive écrites il y a une centaine d'années par George Moore, Frank Harris, Robert Graves et d'autres. Ces livres et ces récits sont intéressants en soi, et les gens seraient surpris de constater à quel point il n'y a rien de nouveau sous le soleil. Et je serais ravi si les gens qui les lisaient se précipitaient pour lire la nouvelle de Kipling, *The Gardener*.

Marie Madeleine.
Un portrait hérétique

par John Lamb Lash[32]

Il y a, dans toutes les études modernes sur le gnosticisme, une ironie qui nous échappe, écrit John Lash dans son article percutant. À l'époque et à l'endroit où ils ont émergé, les enseignements et les pratiques gnostiques ont été condamnés sous prétexte d'hérésie par des Pères de l'Église comme Irénée et saint Augustin. De fait, le gnosticisme représentait une telle menace pour le christianisme romain que les premiers Pères de l'Église ont insisté pour que les écrits gnostiques soient bannis, afin de pouvoir imposer leur propre système de doctrines sans remises en question, critiques ou opposition – et ils ont pratiquement réussi.

Mais la question fondamentale de savoir si, oui ou non, le gnosticisme constituait véritablement une hérésie, en ce sens qu'il aurait représenté un système de croyance dangereux et négatif, a peu fait l'objet d'examens à notre propre époque. Ironiquement, affirme Lash, les spécialistes contemporains ont tendance à considérer le gnosticisme comme valable seulement en raison de ce qu'il révèle sur le début du christianisme et non pas pour ses enseignements en soi. La plus grande part de ce que nous apprenons sur cette ancienne hérésie a tendance à expliquer et, à certains égards, à favoriser le système de croyances qui l'a supprimée.

---

32. Cet article est une version condensée d'un article en trois volets écrit pour Metahistory.org, un site consacré à la critique des systèmes de croyances, qui comporte une vaste gamme d'écrits sur Marie Madeleine, la Sophia et la gnose.

Lash, auteur de quatre livres, cofondateur et rédacteur principal de Metahistory.org, se décrit lui-même comme un «spécialiste indépendant éclectique». Il voit dans le personnage de Marie Madeleine une occasion de récupérer une véritable caractéristique hérétique du gnosticisme. Il dit que son prochain livre, Not in His Image: Gnostic Vision, Sacred Ecology, and the Future of Belief, *fera renaître «la vision sophianique des Mystères». Dans ce qui pourrait être un des points de vue les plus radicaux dans* Les Secrets de Marie Madeleine, *Lash décrit Marie comme une* gnostikos *païenne, c'est-à-dire comme une personne qui enseigne des opinions contraires à la doctrine du salut, opinions qui contrastent de manière frappante avec son image courante de simple disciple dévote de Jésus. Dans cet article, la compagne de Jésus apparaît comme une hérétique fidèle à ses origines gnostiques plutôt que comme une partisane du message chrétien sur le salut.*

Le roman de Dan Brown, *Da Vinci Code*, a suscité un intense intérêt envers le personnage anciennement marginal et possiblement hérétique de Marie Madeleine. Apparaissant à travers une fissure dans la psyché collective, une révélation prend forme dont le centre d'intérêt est Madeleine. Mais la révélation de quoi, à qui et dans quel but? Quoi que ce puisse être d'autre, cette vaste reconnaissance de Madeleine devrait modifier la façon dont on voit Jésus, et peut-être même la façon dont on pourrait parvenir au salut. Une fois intégrée à l'histoire du Sauveur, Madeleine change cette histoire. La présence de la célèbre prostituée s'inscrit dans l'imagination collective à trois niveaux d'incidence croissants: le niveau 1, où émerge une autre histoire de la vie de Jésus; le niveau 2, où émergent les antécédents jusqu'alors inconnus de la vie de Jésus, y compris les facteurs païens et non chrétiens; et le niveau 3, où la Passion du Christ se transforme en passion des Amants et où les archétypes s'entrechoquent comme des plaques tectoniques.

Niveau 1 : l'autre vie de Jésus

Au premier niveau d'incidence, Marie Madeleine introduit une autre histoire au sujet de la vie de Jésus dont l'événement principal est la rencontre au jardin le matin de Pâques, lorsque Marie Madeleine voit pour la première fois Jésus sous sa forme «ressuscitée». Les spécialistes débattent de plusieurs passages des Évangiles qui pourraient ou non faire référence à Marie, mais ils s'entendent tous pour dire qu'il s'agit d'elle dans cet épisode. La rencontre laisse deviner une profonde complicité entre Jésus (ou le « Christ » sous son aspect surhumain) et la femme qui, nous dit-on, le confond avec le jardinier. Les textes gnostiques ne décrivent pas cette rencontre, mais ils affirment clairement que Marie Madeleine, même si elle était mortelle, était l'égale et l'homologue du Seigneur ressuscité. Dans la *Pistis Sophia* où Madeleine discute avec le Seigneur après son ascension, on l'appelle « la femme qui savait Tout ». On dit que les fragments conservés de l'*Évangile de Marie* contiennent, dans ses propres mots, un enseignement sur la nature humaine.

D'un point de vue gnostique (c'est-à-dire d'un point de vue hérétique), Madeleine représente, tout autant que Jésus, l'élément divin chez l'être humain. Et elle parle de l'humanité sous l'effet d'une inspiration divine qui détient une autorité égale à la sienne.

Le *Da Vinci Code* demeure presque muet en ce qui concerne le message de Madeleine. Il traite plutôt de l'affirmation controversée selon laquelle elle aurait été la femme de Jésus et, plus important encore, la mère de ses enfants. Les personnes qui rejettent cette hypothèse soutiennent qu'il s'agit d'une dénaturation des faits, ou d'un mensonge pur et simple, ou qu'elle ne concorde pas avec les faits historiques (comme si les récits du Nouveau Testament pouvaient être considérés comme la réalité absolue !), ou encore qu'il s'agit d'un blasphème par rapport à la divinité de Jésus, etc. Les personnes qui adoptent cette hypothèse affirment qu'elle présente un point de vue plus humain sur Jésus, qu'elle intègre les femmes aux événements fondateurs du christianisme et qu'elle comporte un modèle de spiritualité qui crée une égalité entre les hommes et les femmes. Quels que soient les arguments en faveur ou à l'encontre de cette hypothèse, le fait d'intégrer Madeleine au portrait modifie ce que *nous désirons croire* à propos du personnage principal de l'histoire, que l'on peut sans doute considérer comme le personnage central de l'histoire de l'humanité.

Les principales croyances qui régissent le comportement humain sont rarement transmises d'une manière directe, dans un langage simple et ouvert. Elles sont plutôt encodées dans des histoires, des documents, des récits. Nous pouvons mieux comprendre à quel point ces croyances ont une influence sur nous lorsque nous saisissons la façon dont elles sont encodées sous forme d'histoires, car c'est *en nous identifiant à une histoire* que nous adoptons des croyances et que nous les intégrons à notre identité. Dans la trame de l'histoire conventionnelle de Jésus, on trouve la croyance selon laquelle le sexe est un acte charnel sordide auquel aucun fils d'un dieu chrétien ne se laisserait aller. Selon les croyances chrétiennes, la sexualité entraîne et caractérise à la fois notre séparation du divin. Cette croyance a d'abord été encodée dans l'histoire de la chute, dans l'Ancien Testament : en découvrant leur sexualité, Adam et Ève sont expulsés du paradis (c'est-à-dire de l'état extatique que suscite la présence directe de Dieu, du divin). La trame du Nouveau Testament contient la croyance selon laquelle Jésus, étant divin, n'aurait pas pu ou voulu se laisser tenter par des activités sexuelles.

Au premier niveau d'incidence, l'autre histoire met fortement en lumière la sexualité de Jésus en tant qu'homme. En ce qui a trait à cette question délicate, l'autre histoire sur Jésus se sépare en deux intrigues distinctes. D'un côté, il y a le scénario de la lignée sacrée qu'introduisirent Baigent, Lincoln et Leigh dans *Holy Blood, Holy Grail*[33] et que Dan Brown a présenté sous forme romancée. Tous les partisans de cette intrigue croient d'emblée que la sexualité de Jésus a eu des conséquences biologiques : des enfants nés de lui et de Marie Madeleine. Cette intrigue intègre la croyance selon laquelle Jésus avait une nature particulière, étant davantage qu'humain, ou peut-être une incarnation divine intégrale, et que, en conséquence, on doit considérer sa lignée génétique comme étant sacrée, sainte, divine. Le scénario du Saint-Graal expose de nouveau l'ancienne croyance d'après laquelle les humains seraient de descendance divine. Il s'agit là du fondement de la théocratie, c'est-à-dire le fait que doivent régner les dieux ou leurs descendants. Inscrite au cœur même de cette autre histoire de Jésus, cette croyance fournit la base d'une grandiose théorie du complot concernant une société secrète dont les membres s'emploient à restaurer la théocratie en Europe en révélant l'identité des descendants de Jésus et de Marie Madeleine.

Tout ceci semble assez sensationnel, mais ce n'est pas tout, car le récit du Saint-Graal ne constitue pas la seule

---

33. Michael Baigent, Richard Leigh et Henry Lincoln. *L'Énigme sacrée, op. cit.*.

intrigue que l'on puisse déduire des documents gnostiques sur Madeleine. Il ne s'agit même pas de l'intrigue la plus probable. Le fait d'affirmer que Jésus a eu des relations sexuelles avec une femme peut sembler révoltant aux yeux de beaucoup de gens, mais il existe une autre affirmation encore plus outrageante : il l'aurait fait non pour procréer, mais pour le simple plaisir de la chose. Cette affirmation nous amène au deuxième niveau d'incidence dans lequel nous retrouvons les antécédents païens de l'histoire de Jésus, qui avaient été tirés du Nouveau Testament et que Baigent, Brown et d'autres ont, dans une large mesure, ignorés.

Niveau 2 : l'histoire de la spiritualité païenne

La procréation fait partie du plan divin. Dans l'Ancien Testament, Yahvé exhorte les Hébreux à se reproduire et à se répandre sur la Terre. Encore aujourd'hui, l'Église catholique condamne la contraception pour deux raisons : parce que les relations sexuelles pour le plaisir constituent un péché, et parce que les humains n'ont pas le droit de s'occuper des fonctions procréatives que le Créateur leur a léguées. Bien avant que l'Église ne définît et ne mît en vigueur ces doctrines, les païens (c'est-à-dire les non-chrétiens) s'amusaient ferme à cet égard dans le monde classique, en exprimant une sexualité lascive et innocente. Les gnostiques (de *gnostokoi*, « ceux qui connaissent les choses divines »), en particulier, avaient des idées bien arrêtées sur la libération sexuelle.

Ici, la deuxième intrigue, celle qui a été moins racontée, s'éloigne carrément du scénario de la lignée sacrée qu'avait adopté Dan Brown de manière peu critique et qui stupéfie actuellement le monde entier. Le fait de lier Jésus à un complot théocratique peut fonctionner extraordinairement bien dans un roman, mais, en fait, les documents dérivés de l'interprétation gnostique concernant Marie Madeleine et Jésus n'appuient pas cette hypothèse, car les gnostiques n'acceptaient pas le point de vue chrétien sur la divinité humaine qui imprègne le projet théocratique. Autrement dit, en rejetant l'idée de divinité humaine (l'Incarnation, théologiquement parlant), les gnostiques s'opposaient au concept même de théocratie. Comment le scénario de la lignée sacrée peut-il se fonder sur des sources gnostiques alors que les gnostiques, rejetaient toutes les prétentions quant à une descendance théocratique?

Certains documents de Nag Hammadi rejettent carrément les concepts d'incarnation et de résurrection, les deux signes fondamentaux de la divinité de Jésus. L'*Évangile de Philippe*, qui contient le fameux passage dans lequel Jésus embrasse Madeleine, affirme: «Moi je blâme aussi ceux qui disent que la chair ne ressuscitera pas. Tous sont dans l'erreur», et *The Second Treatise of the Great Seth*[34] estime que l'incarnation constitue une imposture, une imitation des véritables illuminés qui incite les gens à adopter «la doctrine d'un homme décédé». Aux yeux des gnostiques, ce qui est divin dans l'humanité, ce n'est ni le sang ni même l'esprit désincarné, mais le *nous*, l'intelligence semblable à Dieu qui nous relie à la déesse Sophia, dont le nom signifie «sagesse». Selon le mythe gnostique de la création enseignée dans les Mystères, Sophia créa d'abord l'humanité (*Anthropos*) à partir de sa propre imagination (*Ennoia*), puis elle se transforma pour devenir la planète Terre (*Gaia*), devenant elle-même ainsi le décor dans lequel l'humanité pouvait développer sa faculté quasi divine, le *nous*. L'humanité est divine *parce qu'elle s'est vu accorder cette faculté*, et Jésus ne constitue pas une exception, bien qu'il ait pu être considéré comme un enseignant remarquable de l'Anthropos, c'est-à-dire l'humanité authentique, en termes gnostiques. (Même s'il en était ainsi, on ne peut identifier le Jésus gnostique au Jésus quasi historique du Nouveau Testament, car les paroles attribuées à *ce* Jésus contiennent une bien mince part du message concernant l'Anthropos.)

La théologie anthropique des gnostiques représentait le summum de la spiritualité païenne, le point culminant d'un ancien héritage qui avait précédé de loin le christianisme. (James Robinson, chef de l'équipe de traduction des documents de Nag Hammadi, assure que le gnosticisme constituait un mouvement diversifié et étendu au sein du monde païen et non pas simplement une branche secondaire du christianisme primitif, un mouvement plus ancien que ne le suggère la date des documents qui ont survécu.) Considérés comme des païens et des hérétiques, Jésus et Madeleine auraient été un

---

34. Louis Painchaud. *Le Second Traité du grand Seth*, Sainte-Foy (Québec), Presses de l'Université Laval/IQRC, 1982.

couple de maîtres initiés aux Mystères, les universités spirituelles du monde classique. À ce titre, ils auraient enseigné le potentiel divin de l'humanité, mais n'auraient pas prétendu à la divinité pour eux-mêmes, ou pour quiconque. Les premiers idéologues de l'Église, qui détestaient les gnostiques, les ont à tort accusés de se réclamer d'un statut divin, mais, en procédant à une analyse minutieuse des écrits gnostiques et des arguments patristiques, on se rend compte qu'il s'agit d'un acte malicieux de désinformation. Comme je l'ai expliqué dans mon livre *Not in His Image*, la principale exigence de l'initiation aux Mystères était la mort de l'ego et la transcendance de l'identité propre d'un individu – un concept fort éloigné de l'élévation de soi jusqu'à un niveau divin. La gnose avait pour but d'acquérir le même savoir que les dieux, non de devenir Dieu sous forme humaine, ni même de trouver Dieu au plus profond de soi.

Dans le contexte de la spiritualité païenne, Madeleine semble beaucoup plus outrageante que dans le rôle de la femme fidèle de Jésus et celui de la mère dévouée à ses enfants. Presque tout ce que nous savons d'elle provient de sources gnostiques, de textes qui la dépeignent comme une prophétesse accomplie, un maître initié ou *telestes*. Elle aurait été une femme illuminée confrontée à un monde en crise spirituelle. À l'aube de l'ère des Poissons (vers 120 av. J.-C.), certains maîtres païens sont sortis de l'anonymat des cultes reliés aux Mystères et se sont lancés dans une mission publique afin de s'attaquer à la controverse principale de cette époque. Suscitée par la révélation publique de la précession des équinoxes par Hipparque vers 150 av. J.-C., cette controverse mettait l'accent sur une seule question, essentielle : le destin des êtres humains est-il prédéterminé, ou chacun de nous peut-il être guidé sur une voie qu'il a lui-même choisie dans la vie ? Au cours de cette période extrêmement troublée, une sorte de fièvre du Nouvel Âge faisait rage dans tout l'Empire romain. Beaucoup de gens s'attendaient à la venue d'un messie qui apporterait la justice sociale. D'autres, comme les Zaddikim de la mer Morte, attendaient la fin du monde et le salut quasi extatique de la part d'extraterrestres arrivant dans des chariots auréolés de lumière. Dépeints comme des initiés gnostiques (juifs ou non), Jésus et Madeleine se seraient engagés à guider les gens sur la voie spirituelle, aidant les personnes de toutes les classes de la société à trouver leur voie malgré les diktats du destin.

C'était un moment extraordinairement prometteur, duquel aurait pu découler un grand changement pour l'humanité. Ce qui s'est plutôt produit, c'est que le christianisme romain a pris le contrôle de la vie morale et spirituelle du monde classique et que la possibilité qui se présentait d'exploiter à fond le potentiel réel de l'Anthropos, modelé selon la vision sophianique des gnostiques, fut rejetée, transformée en hérésie et réprimée dans la violence. L'assassinat du maître gnostique Hypatie d'Alexandrie en 415 apr. J.-C. marque la descente du monde occidental dans l'âge des ténèbres.

Le profil païen de Jésus et de Madeleine, qu'appuient fortement des preuves historiques et documentaires, contredit carrément le scénario de la lignée sacrée. Même si Jésus et Madeleine avaient eu des relations sexuelles, ils n'auraient pas eu d'enfants. Dans le cadre des études gnostiques, peu d'éléments font l'unanimité, mais tous les spécialistes s'entendent sur ce fait : les gnostiques rejetaient la procréation comme étant une forme de collusion avec le démiurge, une pseudo-déité démente qu'ils identifiaient à Yahvé ; mais ils acceptaient d'emblée la sexualité joyeuse sans inhibition, en tant que célébration de l'innocence humaine et comme une forme de yoga spirituel. L'*Évangile de Philippe* décrit comment les initiés s'unissent sexuellement dans le *nymphion* (« chambre nuptiale ») pour réaliser un rite sacramentel qui les enfermait dans un cocon de lumière protecteur. Pour les gnostiques, comme pour leurs homologues asiatiques, les adeptes du Tantra, l'extase sexuelle constituait un exutoire divin qui provoquait l'illumination et les immunisait contre les formes de pensées négatives ou les entités psychiques importunes. Les orgies représentaient une pratique spirituelle importante chez certains groupes gnostiques, comme les Ophites ou « adorateurs du serpent ». Ophis, le serpent divin, correspondait en tous points à la Kundalini de la tradition asiatique. Si Jésus et Madeleine avaient été des initiés païens, comme l'indiquent les documents gnostiques, ils n'auraient pas eu d'enfants, mais ils auraient pratiqué le tantrisme. Épiphane de Salamine, un chrétien converti qui infiltra une secte gnostique vers 335 apr. J.-C., a décrit de telles pratiques avec force de détails dans son *Panarion*. Les préliminaires et les ébats semblent avoir été fort nombreux au cours des activités sexuelles sacramentelles païennes. Épiphane cite un passage perdu des *Questions de Marie* (*Panarion* 26, 8, 2-3) dans lequel Jésus rencontre Madeleine pour des ébats sexuels sur un flanc de montagne et lui apprend les points subtils du sexe oral.

L'hédonisme spirituel haut de gamme des gnostiques était, et demeure, beaucoup plus menaçant en ce qui a trait aux croyances conventionnelles à propos de Jésus que l'image confortable de Madeleine en tant qu'épouse et mère. Mais, à ce jour, on connaît relativement peu cet aspect délicat de la carrière de la prostituée sacrée, et le scénario de la lignée sacrée détient un monopole sur le rôle de Madeleine.

Niveau 3 : l'histoire des Amants

À l'évidence, les documents secrets d'Épiphane comportent un aspect fortement perturbant, mais nous n'en sommes pas encore à l'élément le plus perturbateur de l'incidence générée par le personnage de Marie Madeleine. Selon le troisième niveau, le scénario des maîtres gnostiques prend la forme du plus puissant archétype connu de l'humanité : les Amants.

Baigent, Brown et d'autres négligent le fait que les textes gnostiques qualifient Madeleine de compagne (*koinonos*) de Jésus, jamais d'épouse. Ainsi, on ne peut avoir recours aux sources gnostiques sur lesquelles se fonde l'autre histoire pour appuyer l'affirmation concernant le mariage. Madeleine est la concubine (*paredros*) de Jésus, que l'on peut comparer à la *maithuna* ou partenaire sexuelle-spirituelle dans le Tantra asiatique. À l'origine, la *paredros* était une grande prêtresse qui s'accouplait à un prétendant au titre de roi dans le but de mettre à l'épreuve sa capacité de régner avec tendresse et force (les deux principales caractéristiques d'un bon amant). Elle oignait littéralement le candidat de ses fluides sexuels. Le terme grec « *christos* » est une traduction du mot hébreu « *mashias* », « messie, celui qui a été oint par l'esprit de Dieu ». Dans le Nouveau Testament apocryphe (un recueil d'autres textes qui n'ont pas été découverts à Nag Hammadi), les Actes de Jean décrivent une danse mystique qu'effectue Jésus au cours de la Dernière Cène. Selon la tradition, Madeleine est la femme au vase d'albâtre qui parfumait les pieds de Jésus – non pas pour qu'il pût mourir sur la croix, mais pour qu'il pût danser et célébrer le miracle d'être vivant. La «danse de Jésus» offre un contraste frappant avec le mélodrame brutal de la crucifixion, que Jean, le témoin intime, rejette du revers de la main parce qu'il y voit une hallucination sadomasochiste. Il s'agit ici d'un gnosticisme radical qui présente Madeleine comme un personnage érotique et hérétique égal à Jésus. Les Actes de Jean étaient si menaçants aux yeux de l'Église romaine que, des siècles après l'élimination des Mystères, on en cherchait encore des exemplaires et on les brûlait, de même que ceux qui les possédaient.

Selon une légende médiévale, Marie Madeleine serait partie en Provence, dans le sud de la France. Cette légende ne découle pas de croyances gnostiques, mais elle n'appuie pas non plus le scénario de la lignée sacrée. Compte tenu de l'image hérétique de la prostituée sacrée, on peut imaginer l'exil de Madeleine de manière fort différente de celle qu'ont adoptée Baigent et Brown dans leur scénario. Elle a peut-être eu l'intention de perpétuer non pas une lignée mais *l'idéal de l'union spirituelle dans l'amour charnel*, selon les pratiques gnostiques décrites dans l'*Évangile de Philippe* et célébrées dans la danse des Actes de Jean. Le lien d'amour passionné, lorsqu'il comporte une dimension spirituelle sincère, enchâsse la personne aimée dans le cœur de l'amant, et les unit par un pouvoir qui transcende la mort. Leur immortalité réside dans leur passion l'un pour l'autre, et fait en sorte qu'ils seront unis après leur mort.

Ce langage peut sembler extravagant, mais il correspond exactement à l'archétype des Amants divins, le puissant complexe imaginal que nous retrouvons au troisième niveau d'incidence de Madeleine. Selon la structure de croyance traditionnelle, Jésus-Christ correspond à l'archétype du Sauveur, l'instrument divin de la rédemption, à la fois le modèle et le garant de la vie éternelle. Le Sauveur est un bouc émissaire, une victime innocente qui meurt pour les péchés des autres. Ainsi, Jésus incarne l'archétype de la Divine Victime. La foi en Jésus et la croyance en sa mission dépendent du fait qu'on l'accepte en tant que reflet humain de l'archétype de la victime, mais l'arrivée de Madeleine dans l'histoire de Jésus présente un choix époustouflant: imaginer Jésus-Christ en tant qu'Amant plutôt que Victime.

D'accord, l'archétype du Sauveur-Victime est extrêmement puissant dans l'imaginaire humain, mais les Amants ont un pouvoir égal, ou supérieur. Dans la psyché humaine, ces deux archétypes s'affrontent, et l'un est certain de vaincre l'autre, tôt ou tard. Avec l'entrée en scène mondiale de Marie Madeleine à titre de personnage important dans la vie de Jésus, l'archétype des Amants a pris les devants. S'il continue ainsi, il surpassera celui du Sauveur-Victime.

En fait, sur le plan historique, le processus est à peine amorcé. Au XIIe siècle, la région du sud de la France où, dit-on, Madeleine s'était réfugiée après la mort de Jésus, a connu une floraison de mouvements spirituels, culturels et littéraires sous la forme du culte d'Amor. La poésie des troubadours, un élément central de ce mouvement, célébrait une femme mystérieuse, la Dame que l'on nommait Domna, une contraction du latin « *domina* », le féminin de « seigneur, maître ». En un renversement étonnant, les troubadours voyaient le « Seigneur » non pas dans le Sauveur immolé, mais dans la femme séduisante dont la beauté a inspiré certaines des plus grandes œuvres littéraires que le monde ait connues. Dans *Tristan*, de Gottfried de Strasbourg, vers 1210 apr. J.-C., le poète compare la passion de Tristan et d'Iseult au sacrement de la communion. Leur amour spirituel est aussi puissant *dans la chair* que l'est la présence de Jésus dans l'Eucharistie (un dogme confirmé lors du quatrième concile de Latran, en 1215). Ce glissement capital de la foi religieuse vers la foi romantique s'est produit parce que l'archétype de l'Amant avait surpassé celui du Sauveur et modifié par le fait même et pour toujours le rôle de Jésus-Christ dans l'imagination humaine.

L'incidence psychospirituelle profonde qu'a générée le culte de l'amour romantique est venue non pas de Jésus, mais de sa compagne et homologue, Marie Madeleine. Son message concerne le caractère divin de la passion humaine et son pouvoir de transcender la mort. Ce message, que l'on peut considérer comme la suprême hérésie, n'a pas survécu sous forme de documents écrits, mais dans le personnage d'une putain et d'une hérétique ainsi que dans les mythes qui l'entourent. Pour paraphraser une expression beaucoup citée des années 1960, la Madeleine *est* le message.

CHAPITRE 4

Marie Madeleine.
Marginalisée, « putanisée » et honnie

Renversement des rôles. Le combat pour rétablir la réputation de Marie

Un entretien avec Ann Graham Brock

Il semble que le christianisme ne soit pas seulement né d'un conflit contre le *statu quo* d'il y a deux mille ans, mais de la rivalité et de la lutte pour le pouvoir au sein du mouvement pratiquement dès sa naissance. Cette controverse semble avoir été moins liée aux paroles de Jésus qu'à un combat pour l'obtention du pouvoir. Après l'ascension de Jésus, lequel parmi ses plus proches partisans serait en mesure de s'appeler «disciple»? Qui serait désigné comme étant digne de répandre le message de Jésus en tant qu'apôtre?

Marie Madeleine représentait un candidat, puisqu'elle avait été le premier témoin de la résurrection. Grâce aux documents de Nag Hammadi, nous avons maintenant la preuve qu'elle était la préférée parmi les partisans de Jésus en raison de la façon dont elle comprenait son message. Le Nouveau Testament donne des indices d'une lutte dont le résultat fut que la réputation de Madeleine fut en fin de compte éclipsée par celle de Pierre.

Il est donc fort possible, affirme la spécialiste Ann Graham Brock, que le statut d'apôtre puisse avoir servi d'instrument politique aux rédacteurs du Nouveau Testament. Comme elle l'explique dans son livre Mary Magdalene, the First Apostle: The Struggle for Authority, *« les critères selon lesquels divers auteurs du début du christianisme attribuaient un pouvoir apostolique à certains partisans de Jésus et non à d'autres dans les premiers documents chrétiens donnent un aperçu du jeu politique des diverses factions au sein de l'Église primitive. »*

Dans cet entretien, Brock résume ses conclusions. Il semble que, avant même d'être officiellement «putanisée» au VIᵉ siècle, Marie Madeleine avait été mise à l'écart, malgré ce que nombre de spécialistes contemporains croient avoir été ses liens intimes avec Jésus et son rôle central à titre de témoin de sa résurrection.

La Bible nous en apprend fort peu sur la personnalité de Marie Madeleine, et la seule information que nous possédons provient des quatre Évangiles canoniques du Nouveau Testament. Pouvez-vous nous parler de la façon dont elle est dépeinte dans chacun des Évangiles? Pourquoi croyez-vous qu'il existe entre eux des différences?

En ce qui concerne Marie Madeleine, les Évangiles du Nouveau Testament présentent certaines similitudes importantes, mais également certaines différences intéressantes. Tous les quatre mentionnent Marie Madeleine (ce qui n'est pas le cas de certains des disciples de sexe masculin) et, à une seule exception près, chaque fois que ces documents font référence à un groupe de femmes, c'est son nom qui apparaît le premier. Plus important encore, tous les quatre dépeignent Marie Madeleine (de même que les autres femmes parfois) comme ayant été choisie pour être le premier témoin de la résurrection.

Malgré toutes les similitudes, cependant, il existe quelques différences importantes. L'image de Marie varie d'un Évangile à l'autre pour un certain nombre de raisons, en partie parce que les rédacteurs des Évangiles étaient issus de traditions quelque peu différentes, mais aussi, plus important encore, parce qu'ils avaient des intérêts ou des objectifs différents en écrivant. La politique au sein de l'Église avait également une influence majeure. Par exemple, trois des quatre Évangiles racontent que Marie Madeleine, seule ou avec toutes les femmes, s'est vu confier le mandat d'aller annoncer aux autres la bonne nouvelle, mais Luc n'en souffle mot. Lui seul mentionne que, après sa résurrection, Jésus est apparu à Simon (Pierre), le disciple auquel l'Évangile selon saint Luc attache la plus grande importance.

Parmi ces diverses représentations, y en a-t-il une qui vous semble davantage conforme à la réalité? ou plus importante?

Les deux meilleures descriptions de Marie Madeleine sont celles qu'on trouve dans Matthieu et Jean. Ce que j'apprécie dans l'Évangile selon saint Matthieu, c'est qu'il nous fournit la description la plus complète et la plus globale: chaque fois qu'il est question de plusieurs traditions entourant Marie, il mentionne les deux interprétations plutôt que de faire état d'une seule tradition. À titre d'exemple, d'après une histoire ancienne qui circulait à l'époque, Marie Madeleine et les femmes (dans Marc, chapitre 16, versets 1 à 8 ; dans Matthieu, chapitre 28, versets 1 à 8 ; et dans Luc, chapitre 24, versets 1 à 12) furent témoins d'une apparition céleste (ou de plusieurs), alors que, d'après une autre, Jésus lui-même apparut à Marie Madeleine (dans Matthieu, chapitre 28, versets 9 à 10 et dans Jean, chapitre 20, versets 14 à 18), mais Matthieu établit un équilibre en parlant des deux traditions – d'abord l'ange, puis Jésus.

Le texte sans doute le plus précieux pour les études sur Madeleine est celui de Jean, car il commence à lui accorder la reconnaissance et l'importance que son personnage semble avoir atteints au fil de l'histoire. Cet Évangile met presque exclusivement l'accent sur sa présence au tombeau (sans même mentionner les autres femmes), et le fait en donnant les descriptions les plus détaillées à propos des apparitions lors de la résurrection. Jean décrit longuement sa rencontre avec Jésus après la résurrection : celui-ci appelle Marie par son nom, elle le reconnaît, puis il lui donne ses directives. Qui plus est, cet Évangile est le seul qui nous raconte le moment où elle trouve les autres disciples et leur dit qu'elle a vu le Seigneur.

Dans Mary Magdalene, The First Apostle, *vous soumettez l'argument que l'Église aurait refusé à Marie le titre auquel elle avait droit. Quels étaient les critères pour devenir un apôtre ? Marie Madeleine ne répondait-elle pas à ces critères ? Se peut-il qu'il y ait eu d'autres raisons pour lesquelles elle aurait été « disqualifiée » ?*

Plusieurs définitions d'« apôtre » circulaient au sein des premières églises chrétiennes, mais, malgré les différences entre ces définitions, elles avaient toutes un point commun, à savoir la corrélation entre le fait d'être un apôtre et celui d'être témoin d'une apparition de Jésus après sa résurrection. Les Épîtres de Paul montrent clairement cette corrélation lorsqu'elles affirment son statut d'apôtre en arguant que le Christ lui est apparu après sa résurrection. Par exemple, il y est écrit : « Ne suis-je pas libre ? Ne suis-je pas apôtre ? N'ai-je pas vu Jésus notre Seigneur ? » (1 Corinthiens, chapitre 9, verset 1)

L'Évangile selon saint Luc est le seul qui ne suggère pas que Marie Madeleine possédait les qualités nécessaires pour être une apôtre. Dans mon livre, j'explique les raisons pour lesquelles le fait que la représentation de Marie dans cet Évangile semble extrêmement différente de celles des autres récits peut difficilement constituer une coïncidence. Seul cet Évangile la présente comme une personne possédée par sept démons et qui, en conséquence, avait besoin d'être guérie par Jésus. C'est aussi le seul Évangile qui amoindrit son rôle et celui des autres femmes au pied de la croix en ajoutant d'autres personnages connus de Jésus dans la scène de la crucifixion et en les mentionnant même en premier. Et quand les femmes, finalement nommées, racontent ce miracle aux disciples, leurs paroles « [semblent] à leurs yeux comme des contes ». Fait plus important encore, l'Évangile selon saint Luc ne fait aucunement référence à l'apparition de Jésus à Marie et ne parle d'aucun mandat, que ce soit de la part d'un ange ou de Jésus. Si nous examinons minutieusement le texte, nous pouvons discerner chez Luc un lien perceptible entre les divers moyens qu'utilise l'auteur pour façonner les traditions de manière à accentuer le rôle de Pierre, tout en diminuant celui de Marie Madeleine.

Dans plusieurs documents contemporains sur Marie Madeleine, on la qualifie souvent d'« apôtre des apôtres ». N'y a-t-il pas une contradiction ici ? Comment a-t-elle pu acquérir ce titre s'il n'est pas mentionné dans ces histoires bibliques ?

Bien que nous n'en connaissions pas l'origine exacte, Hippolyte, évêque et martyr de Rome, pourrait avoir été le premier à mentionner ce titre en parlant de Marie Madeleine et des autres femmes dans le cadre de son commentaire sur le *Cantique des Cantiques* : « Et pour qu'ils ne doutent pas qu'elles étaient [bien] envoyées par les anges, le Christ alla à la rencontre des apôtres, afin que les femmes fussent ses apôtres et que le péché de l'ancienne Ève fût réparé par l'obéissance.[...] Le Christ se montra aux apôtres et leur dit : "C'est moi qui suis apparu à ces femmes, et ai voulu vous les envoyer, à vous les apôtres." » Ainsi, Hippolyte confirme dans ce passage le rôle des femmes en tant qu'apôtres du Christ et, puisque Marie Madeleine fut la première à recevoir cet honneur (et seulement dans Jean), elle finit par être connue comme l'*apostola apostolorum*.

Alors, est-il juste d'affirmer que la question des sexes représente un enjeu au cœur de ces conflits ? Que signifie la rivalité entre Pierre et Marie dans un contexte politique et social ? Et à quel autre endroit voyons-nous les femmes ainsi « attaquées » ?

Nous ne souhaiterions certainement pas simplifier à l'excès la situation en affirmant que la question des sexes constitue le seul enjeu, mais, à n'en pas douter, certains dialogues laissent croire qu'il s'agissait d'un facteur important. Cependant, il nous faut demeurer prudents en ce qui a trait aux conclusions que nous pouvons tirer de ces affrontements. À titre d'exemple, nous ne pouvons tenir pour acquis que ces débats ont réellement eu lieu entre Pierre et Marie, mais il est fort possible que les premiers chrétiens qui considéraient Pierre comme une autorité et ceux qui étaient plutôt partisans de Marie Madeleine aient été en conflit les uns avec les autres. Ces histoires illustrent de telles tensions et, même si nous ne connaissons pas la cause exacte de ces tensions, il se peut qu'elles aient été liées au leadership des femmes ainsi qu'à la place qui leur revenait de droit au sein du mouvement, en particulier puisque la question des sexes refait surface dans presque chaque dialogue sur une controverse. Par exemple :

1) On trouve de telles références dans l'*Évangile de Thomas*, un texte du Ier ou du IIe siècle comportant cent quatorze paroles de Jésus, qui mentionne rarement le nom des disciples (seulement sept contemporains de Jésus, dont cinq s'expriment dans le texte : Thomas, Simon Pierre, Matthieu, Marie et Salomé). Dans un de ces passages, Pierre se plaint précisément de Marie et inclut toutes les femmes dans sa critique en disant : « Que Mariam sorte d'ici, parce que les femmes ne sont pas dignes de la Vie. » (paragraphe 114) Remarquez qu'il ne met pas seulement Marie au défi en disant : « Que Mariam sorte d'ici, parce que Mariam n'est pas digne de la Vie », mais prétend plutôt que *les femmes* n'en sont pas dignes.

2) Dans l'*Évangile de Marie*, Pierre doute de la vision de Marie et, une fois encore, ses propos font référence aux sexes : « Est-il possible que le Maître se soit entretenu ainsi, avec une femme, sur des secrets que nous, nous ignorons ? Devons-nous changer nos habitudes, écouter tous cette femme ? » (page 17, lignes 6-7) (Il est intéressant de constater que, par contre,

l'objection d'André dans le texte ne tourne pas autour de la personne de Marie, mais se fonde plutôt sur des arguments théologiques. Il dit : « [...] ces pensées diffèrent de celles que nous avons connues [...].»)

3) De même, dans la *Pistis Sophia I*, Pierre se plaint de Marie en disant : « Mon Seigneur, nous ne pouvons souffrir que cette femme nous enlève notre place et ne laisse parler aucun de nous, car elle parle très souvent.» (*PS*, Livre 1, chapitre 36)

4) Dans *Pistis Sophia IV*, Pierre se plaint encore : « Mon Seigneur, fais que les femmes cessent de t'interroger, pour que nous puissions t'interroger nous aussi.» (*PS*, Livre 4, chapitre 146)

Même si ces récits font état d'actes qui défient l'autorité de Marie, ces controverses montrent également que Marie bénéficiait du soutien d'autres disciples. Par exemple, Lévi défend Marie après que Pierre l'a attaquée en ces mots : « Si le Sauveur l'a jugée digne, qui êtes-vous pour la rejeter ? Car sûrement, la connaissant, Il l'aimait beaucoup[35].» La version copte de ce texte montre également ce type de soutien : « Pourtant, si le Maître l'a rendue digne, qui es-tu pour la rejeter ? Assurément, le Maître la connaît très bien. Il l'a aimée plus que nous.»

Ce type de controverse au sujet du leadership des femmes s'est poursuivi pendant les siècles suivants et demeure encore aujourd'hui, dans les congrégations, un sujet brûlant.

Qu'impliquait la lutte pour le pouvoir entre Pierre et Marie ? Comment se fait-il que les femmes aient été considérées comme des participantes à part entière à l'époque de Jésus, puis que, en quelques siècles seulement, elles se soient retrouvées, dans une large mesure, sous le joug de l'Église patriarcale ?

Il n'y a pas de doute qu'une compétition pour obtenir le pouvoir a eu lieu au sein de l'Église primitive. Même Paul a dû défendre la place qui lui revenait de droit. Il semble que, aux premiers temps du christianisme, les femmes aient joui d'un rôle plus important en tant que dirigeantes, en particulier parce que les premières congrégations se réunissaient souvent dans leurs foyers. Naturellement, les

---

35. Traduction libre. (N.d.T.)

femmes aidaient à servir l'agape – le repas pris en commun dans un esprit de camaraderie et de charité – et la communion qui l'accompagnait, l'événement ayant lieu chez elles. Une telle participation correspond bien à la représentation de Jésus qui accorde des pouvoirs à des femmes tout au long des récits évangéliques (voir, par exemple, la façon dont il traite la Samaritaine au puits dans le chapitre 4 de Jean). Il me semble extrêmement intéressant que, lorsque nous examinons tous les récits et toutes les paroles du Nouveau Testament dont nous avons hérités au sujet de Jésus, nous ne trouvions aucun endroit où il dit à des femmes de demeurer silencieuses. Cette habitude qu'il avait d'accorder des pouvoirs aussi bien aux femmes qu'aux hommes pourrait avoir contribué à rendre le christianisme primitif très menaçant pour le *statu quo* et la société patriarcale que chérissaient les Romains.

Avec le temps, le puissant message du christianisme atteignit de plus en plus de gens, à un point tel que les réunions attirèrent tant de personnes qu'on dut, à un moment donné, les tenir dans des édifices gouvernementaux appelés « *basilicas* ». C'est à ce moment que les femmes furent écartées du pouvoir et même réduites au silence. Le fait d'abandonner les souvenirs ou les traditions entourant de puissants modèles féminins au début du christianisme ne profita à personne d'autre qu'à ceux qui étaient en concurrence pour obtenir le même type de pouvoir ou de statut. À mon avis, en qualifiant cette lutte de pouvoir de « complot organisé » à grande échelle contre Marie Madeleine et les femmes, on fait une grossière et excessive généralisation. Je suis certaine que tout cela n'était pas bien organisé, même si ça s'est révélé efficace. La diminution du statut de Marie Madeleine représentait à coup sûr un avantage pour ceux qui souhaitaient que les femmes exercent un leadership moins évident parce que c'était en partie en suivant son exemple et en se réclamant d'elle que d'autres femmes avaient revendiqué le pouvoir de prêcher ou de diffuser la bonne nouvelle. De toute évidence, lorsqu'on rabaissa son rôle à celui de prostituée, son statut de dirigeante s'en trouva ébranlé et diminué.

Dans votre livre, vous expliquez en détail les façons dont Marie Madeleine aurait été dénigrée: comme témoin, comme apôtre et comme modèle. Pouvez-vous nous donner quelques exemples?

Il existe de multiples exemples des façons dont le rôle de Marie Madeleine a été amoindri au cours des années. Nous avons déjà vu en gros comment les fausses images d'elle en tant que prostituée ont affaibli sa réputation à titre de figure d'autorité et de dirigeante. On peut également en voir d'autres exemples dans certaines traductions de l'histoire de la résurrection en syriaque ou en copte, qui remplacent Marie Madeleine par Marie la mère de Jésus dans la dernière scène du jardin en compagnie de Jésus ressuscité. On ne peut prendre à la légère une telle substitution parce que le fait d'être le premier témoin de la résurrection accordait en soi une grande autorité. La traduction des Actes de Philippe du grec au copte présente également une substitution. Cette fois, c'est Pierre qui devient Marie, la personne qui accompagne Philippe au cours de son voyage missionnaire. Il ne s'agit là que de quelques exemples des différentes manières dont son rôle a subi des déformations, des substitutions, ou même des omissions complètes. Il est essentiel, si on désire obtenir une égalité des sexes au sein du christianisme, de redécouvrir le rôle de Marie Madeleine à titre de témoin, de dirigeante et d'apôtre.

De quel côté vous situez-vous dans l'éternelle discussion sur le fait que Marie Madeleine ait été ou non l'épouse de Jésus? Et, aussi intéressant soit-il, ce débat n'obscurcit-il pas un aspect de Marie Madeleine sur lequel il est plus important de se concentrer?

Si nous possédions des preuves incontournables que Jésus a été marié, alors Marie Madeleine serait de loin la candidate la plus plausible. Cependant, nous ne possédons pas de telles preuves. Depuis un certain temps déjà, certaines personnes avancent que, Jésus étant un juif dévot, les gens auraient été en droit de s'attendre à ce qu'il se marie. Toutefois, il s'agit d'une généralisation tout à fait excessive parce que, même si on s'attendait à ce qu'un juif de l'âge de Jésus se marie, nous savons que les exceptions à cette règle sont nombreuses, notamment un de ses proches parents, Jean le Baptiste, de même que Paul de Tarse et plusieurs autres dirigeants chrétiens de l'époque.

Bien que, à plusieurs égards, Jésus ait pu fort bien avoir été un juif dévot, il lui est apparemment arrivé, à certaines occasions, de devoir réinterpréter les règles (sa guérison du sabbat, entre autres) ou de remettre en question certaines pratiques (lorsqu'il a «nettoyé» le Temple, par exemple).

Ma première réaction face à cette question de savoir si Marie Madeleine et lui étaient mariés est de me demander pourquoi les gens ont tant de difficulté à s'imaginer qu'elle pourrait avoir simplement été, en soi, un personnage extraordinaire et important, tout comme Pierre, Jacques et d'autres disciples des premiers temps. Ce qui, à mon avis, représente un problème dans un tel jumelage de Marie Madeleine et de Jésus, c'est que leur relation soit si souvent présentée sous l'angle sexuel. Par le passé, Marie Madeleine a été à tort dépeinte comme une prostituée repentante et, maintenant, même s'ils ont au moins fait d'elle une « honnête femme », elle demeure davantage un être sexuel qu'un chef de file religieux. N'est-il pas possible que Marie Madeleine ait été une disciple remarquable qui comprenait véritablement les enseignements de Jésus, sans nécessairement avoir eu des relations sexuelles avec lui ?

Où en seraient aujourd'hui l'histoire chrétienne et le christianisme si la façon dont Marie interprétait les enseignements de Jésus avait prévalu plutôt que celle de Pierre ?

De fait, il est difficile d'évaluer à quel point la façon dont Marie interprétait les enseignements de Jésus existe encore de nos jours, puisque nous ne savons pas réellement ce qu'était cette interprétation. Je pense que nous pouvons tout au moins supposer que la controverse au sujet du leadership légitime des femmes et de leur contribution à l'édification de l'Église aurait été moindre si le rôle de Marie Madeleine avait été mieux reconnu. Il en aurait peut-être résulté une Église plus égalitaire et qui aurait partout ordonné des femmes à la prêtrise. Mais, à mon avis, il est difficile d'en dire davantage.

Toutefois, une des questions les plus importantes que nous pourrions nous poser serait : pourquoi la reconnaissance du statut de Marie Madeleine en tant qu'apôtre des premiers temps ne s'est-elle pas davantage généralisée parmi les chrétiens ? Il importe d'examiner les raisons de cette résistance que nous rencontrons même aujourd'hui, malgré les preuves que nous possédons selon lesquelles les femmes ont souvent pris une part importante à la formation du christianisme.

La bataille des Écritures et les croyances que nous n'avons pu connaître

Un entretien avec Bart D. Ehrman

L'opinion générale sur l'évolution du christianisme est que Jésus a lancé une chaîne ininterrompue de sagesse qui a été transmise par les apôtres, puis à leurs successeurs au sein de l'Église structurée – les anciens, les ministres, les prêtres et les évêques. Il y avait une seule organisation, une seule foi, une seule pratique, toutes combinées pour «assurer l'unité et l'uniformité des croyances et des pratiques chrétiennes», comme l'exprimait Karen King. Cette orthodoxie a été ratifiée par le canon du Nouveau Testament, par le concile de Nicée et par les rituels minutieusement prescrits de l'Église.

Toutefois, au cours des dernières décennies, une multitude d'études nous ont démontré que le christianisme primitif, tout en étant monothéiste, n'avait rien de monolithique. Il n'existe aucun récit unique qui prévaut. En fait, on pourrait décrire les premiers siècles comme un grand amalgame religieux, avec diverses traditions orales, des écritures alternatives, des Évangiles perdus, des cultes des Mystères et autres enseignements qui tous tentaient d'être acceptés et d'obtenir la primauté.

Bart D. Ehrman figure parmi les principaux pionniers dans l'étude des diverses tendances. Il est directeur du Département des études religieuses à la University of North Carolina, à Chapel Hill, ainsi qu'un spécialiste de la vie de Jésus et de la diffusion de ses enseignements pendant les premiers siècles de ce que l'on a finalement appelé la «chrétienté». C'est là le sujet d'un de ses premiers livres, Lost Christianities : the Battle for Scriptures and the Faiths We Never Knew *et de son plus récent,* Peter, Paul, & Mary Magdalene.

Au cours de cette entrevue, Ehrman parle des tendances alternatives les plus importantes au sein de ce que nous appelons maintenant le «christianisme» (un terme qui n'est apparu qu'au IIᵉ siècle). Au fil du temps, ces autres sectes en sont venues à être vues comme une menace à l'orthodoxie croissante. En réalité, les idées concurrentes ont été systématiquement déclarées hérétiques, puis supprimées ou marginalisées par l'Église triomphante.

Ehrman se réjouit de l'intérêt populaire qu'a suscité le Da Vinci Code à l'endroit des débuts du christianisme, un livre qu'il qualifie d'«inhabituellement intelligent pour ce genre». Pourtant, il aimerait mettre les choses au point et souligner que la véritable histoire des débuts du christianisme foisonne de luttes, de personnalités, de perfidie et de révélations étonnantes, tout autant qu'un polar contemporain.

Vous avez mis en lumière les façons dont la foi chrétienne a subi un changement au fur et à mesure que cette nouvelle théologie et son ensemble de documents passaient de la Terre sainte à l'époque de Jésus au statut de religion d'État de l'Empire romain plusieurs siècles plus tard. Quels sont en fait les changements dont vous parlez ? Et dans quelle mesure ces différences sont-elles radicales ou triviales ?

Le christianisme est passé d'une religion juive étrange selon laquelle la fin des temps approchait et qui affirmait que les gens ne devaient pas vivre en fonction des valeurs de leur société, mais devaient plutôt se priver afin de se préparer au Royaume futur, à cette religion temporelle de gentils. Cette dernière ne mettait pas l'accent sur la fin imminente de toutes choses et enseignait plutôt l'importance d'œuvrer avec le monde afin de le convertir pour que les gens puissent accéder à une vie après la mort. D'aucuns diront que le christianisme qui a fini par triompher est une religion tout à fait différente de celle qui est née à Jérusalem après la mort de Jésus et qu'il s'agit même, en fait, d'une religion différente de celle de Jésus lui-même ! Selon ce point de vue, le christianisme constitue moins la religion que Jésus a enseignée (la religion *de* Jésus) que la religion qui se réclame de Jésus (la religion *sur* Jésus). Je dirais qu'il existe des différences assez profondes entre les deux.

Ce qu'il est convenu d'appeler les « Évangiles gnostiques » trouvés près du village égyptien de Nag Hammadi ont, à juste titre, beaucoup attiré l'attention. À votre avis, quelles en ont été les plus importantes répercussions ?

La plus importante « découverte » des temps modernes a été que le christianisme primitif était extrêmement diversifié – beaucoup plus que n'auraient pu l'imaginer les spécialistes antérieurs. Les Évangiles gnostiques nous ont appris qu'il existait des groupes de chrétiens qui avaient une vaste gamme de croyances que nous ne qualifierions même pas de chrétiennes aujourd'hui. Par exemple, certains croyaient que le monde constituait une erreur cosmique et qu'il avait été créé par une divinité inférieure plutôt que par le Dieu tout-puissant ; que Jésus n'avait pas réellement souffert sur la croix ; que la voie pour atteindre le salut éternel passait non pas par la croyance en la mort de Jésus, mais plutôt par la compréhension de ses enseignements secrets. Ces croyances, et de très nombreuses autres, étaient le fait de gens qui se considéraient comme chrétiens, qui affirmaient suivre les enseignements de Jésus et de ses apôtres, et qui possédaient des livres le *prouvant* – des livres prétendument écrits par les apôtres eux-mêmes. Les découvertes de Nag Hammadi nous ont, à tout le moins, permis de réaliser à quel point le christianisme primitif représentait quantité de points de vue.

Les gens qui lisent la traduction des Évangiles gnostiques en anglais en ressortent souvent très confus. Ces Évangiles sont remplis d'idées étrangères à la pensée religieuse occidentale traditionnelle. Compte tenu du fait que plusieurs groupes différents ont été classés sous la rubrique «gnostiques», ces documents expriment-ils une pensée cohérente?

Ces livres prêtent à confusion non seulement dans leur traduction anglaise, mais aussi dans leur langue d'origine, le copte! Les auteurs de ces Évangiles ne pensaient pas comme la plupart d'entre nous. Plusieurs d'entre eux étaient très axés sur la métaphysique et le mythique. Ils ne voulaient pas déclarer des vérités absolues, mais étaient intrigués par la poésie de l'existence et les mystères de ce monde ainsi que par la façon dont nous en sommes venus à l'habiter.

Cela dit, je crois qu'il est difficile d'avoir une compréhension conceptuelle de ce qu'impliquaient les systèmes gnostiques, comme j'ai tenté de l'expliquer dans mon livre intitulé *Lost Christianities*. En bref, les gnostiques croyaient que ce monde n'était pas un bon endroit, mais résultait d'un désastre cosmique. Certains d'entre nous n'appartiennent pas à ce monde, disaient-ils, mais sont des esprits issus du monde supérieur qui ont été piégés ou emprisonnés dans ces corps physiques. Les religions gnostiques ont pour but de nous enseigner comment nous échapper. Nous pouvons éviter les pièges physiques de ce monde en acquérant la connaissance secrète («*gnosis*» en grec) sur nous-mêmes: qui nous sommes véritablement, d'où nous venons, comment nous sommes arrivés ici et comment nous pouvons retourner dans le monde supérieur. Ainsi, le salut est accordé à ceux qui apprennent la vérité sur eux-mêmes, et ces livres gnostiques – dont plusieurs sont déroutants, à n'en pas douter – représentent des tentatives pour nous aider à mieux nous connaître. Quand nous comprenons cela, nous pouvons être libérés.

Le désir de mieux se connaître a constitué de tout temps une aspiration. Il existait avant l'époque de Jésus et continue d'exister chez les spiritualistes du Nouvel Âge. Alors, qu'est-ce qui aurait pu rendre les croyances gnostiques non pertinentes? Pourquoi ces sectes – et toutes les autres premières sectes chrétiennes – se seraient-elles éteintes ?

Bien qu'il y ait à cela une multitude de raisons historiques et culturelles, la plupart de ces groupes ont probablement disparu parce qu'ils ont été attaqués avec succès sur des questions théologiques et qu'ils étaient loin d'être aussi efficaces que leurs propres campagnes de propagande. Ils n'ont pas réussi à recruter de nouveaux membres, alors que les groupes « orthodoxes » mettaient sur pied une solide structure, avaient recours à des campagnes épistolaires et à d'autres moyens pour diffuser leurs points de vue, et leur rhétorique convainquait les gens.

Mais ce qui leur a vraiment assuré la victoire, ç'a été la conversion de l'empereur Constantin au christianisme. Naturellement, il s'est converti au type de christianisme qui dominait à l'époque. Une fois que Constantin s'est converti à un type orthodoxe de christianisme, et que l'État a possédé le pouvoir, et que l'État est devenu chrétien, alors l'État a commencé à exercer son influence sur le christianisme. Ainsi, à la fin du IVᵉ siècle, il y avait déjà des lois contre les hérétiques. Et l'Empire qui avait toujours été jusque-là antichrétien est devenu chrétien. Et il ne s'est pas contenté de devenir chrétien ; il a également essayé de dicter la forme que devait avoir le christianisme.

Évidemment, les répercussions de ce changement sont énormes. Il a modifié de fond en comble la façon dont le monde occidental se comprend et la façon dont les gens comprennent les choses. Vous n'avez qu'à songer au concept de culpabilité. Si certains autres groupes avaient prédominé, les choses auraient pu être totalement différentes.

Dan Brown a-t-il raison de laisser entendre que les vrais « hérétiques » pourraient être les Romains, qui ont transformé une religion des opprimés – au sein de laquelle les femmes jouaient un rôle prééminent et où on trouve des traces de croyances anti-matérialistes profondes – en la religion d'État de l'Empire romain, caractérisée par la hiérarchie, le patriarcat et la politique ?

Il est faux de prétendre que Constantin a modifié la religion une fois pour toutes en transformant une religion où les femmes avaient leur place en une religion patriarcale, qu'il a décidé que Jésus serait Dieu, qu'il a choisi quels livres feraient partie du Nouveau Testament. Constantin n'a rien fait de tout cela. Cela s'était passé (ou allait se passer en ce qui concerne l'établissement du canon) des décennies – plus d'un siècle, en fait – avant que Constantin n'entre en scène. Mais ces changements se sont certainement produits. Au début, le christianisme accordait un rôle de pouvoir aux femmes, qui furent plus tard opprimées et réduites au silence. Il a débuté en tant que religion détachée du monde pour devenir une religion qui adoptait les valeurs et les normes de ce monde. Il a commencé par s'opposer à l'État et à tout ce qu'il représentait, puis il en est venu à adopter cet État et à être adopté par lui. Les chrétiens du début du Ier siècle n'auraient sûrement pas reconnu le christianisme de la fin du IVe siècle.

Certains éminents spécialistes de la religion pensent que les femmes en général, et Marie Madeleine en particulier, jouaient un rôle important et très visible parmi ces sectes. Existe-t-il des preuves de cela dans les Évangiles apocryphes ? Y existe-t-il une tendance perceptible quant à la façon dont les femmes étaient traitées au sein de l'Église ?

Les chrétiens orthodoxes n'étaient pas les seuls à opprimer les femmes en insistant pour qu'elles se taisent et se soumettent. On peut trouver de semblables tendances dans d'autres types de christianisme. Cela dit, il est évident que certains groupes gnostiques étaient renommés pour l'importance qu'ils accordaient aux femmes et pour leur point de vue selon lequel les révélations secrètes qui menaient au salut pouvaient être transmises aux femmes aussi bien qu'aux hommes. Nous en avons pour preuve l'*Évangile de Marie*, le seul Évangile portant le nom d'une femme à avoir survécu pendant l'Antiquité ; un Évangile qui affirme essentiellement que Jésus a révélé la vérité à Marie Madeleine et clairement *pas* aux disciples mâles !

De prostituée fidèle à « apôtre des apôtres ». La résurgence de Marie Madeleine au Moyen Âge

par Katherine Ludwig Jansen[36]

Il me semble que chaque époque crée une Marie Madeleine qui répond à ses besoins et à ses désirs. L'époque médiévale a imaginé une Marie Madeleine pécheresse dont la vie représentait une leçon d'espoir et de repentir. Mais elle était également une sainte ainsi qu'une apôtre et une prêcheuse influente. Ces aspects de la sainte reflétaient les besoins sociaux de la période médiévale. À notre propre époque, l'intérêt pour Marie Madeleine est alimenté par des besoins et des désirs fort différents. Le mouvement des femmes, qui a donné naissance à l'histoire des femmes, nous a permis de redécouvrir nos ancêtres féminines, et parmi elles Marie Madeleine. Les études en matière de spiritualité – historiques et autres – nous ont permis de formuler des questions qui nous ont mieux fait comprendre la fonction du culte des saints dans divers contextes historiques. Les études directement axées sur Marie Madeleine nous ont aidés à comprendre comment la spiritualité s'est exprimée de diverses manières selon l'époque et le lieu. Les études sur les différences entre les sexes nous ont amenés à nous demander s'il était possible de distinguer clairement la spiritualité et l'expression religieuse féminines de celles des hommes. Et, en dernier lieu, nous ne devrions pas oublier la politique dans un contexte religieux. À l'évidence, l'enjeu contemporain de l'ordination des femmes au sein de l'Église catholique a suscité de nouvelles recherches sur le rôle de Marie Madeleine dans l'Église primitive.

La nouvelle Madeleine du pape Grégoire

Il importe de garder à l'esprit que les représentations de Marie Madeleine ont évolué sur une très longue période,

---

36. Katherine Ludwig Jansen, professeure agrégée d'histoire à la Catholic University, a écrit *The Making of the Magdalen: Preaching and Popular Devotion in the Later Middle Ages*.

à partir du début du christianisme jusqu'à nos jours. Ces représentations sont le fruit de leur époque et, pour bien les comprendre, il nous faut comprendre le contexte qui les a produites. Vers la fin de l'Antiquité (les IVe et Ve siècles), l'époque des Pères de l'Église, il existait certainement un intérêt pour Marie Madeleine, mais probablement pas davantage que pour n'importe quel autre personnage des Écritures – cet intérêt ne se manifestait que dans la mesure où il était question des commentaires bibliques des auteurs patristiques comme Augustin d'Hippone et Ambroise de Milan. Il n'existait pas d'unanimité quant à l'identité de Marie Madeleine, et il régnait même une certaine confusion lorsque les Pères de l'Église tentèrent d'harmoniser les récits évangéliques contradictoires de sa vie.

Le premier témoignage écrit dans lequel le personnage de Marie Madeleine devient la pécheresse-sainte ou, plus précisément, la greffe réussie de la pécheresse anonyme de Luc (Luc, chapitre 7, versets 37 à 50) au personnage biblique de Marie de Magdala, nous vient du début du Moyen Âge, une période que les historiens situent généralement entre les années 500 et 1000. En 591, le pape Grégoire Ier, également connu sous le nom de Grégoire le Grand, a prononcé à Rome une homélie qui allait déterminer l'image de Marie Madeleine pendant des siècles, celle d'une femme qui était à la fois une pécheresse et une sainte.

Nous devons nous rappeler que Grégoire a vécu à une époque où régnait une grande incertitude. L'Empire romain s'était effondré au cours du siècle précédent et, avec lui, le leadership politique, l'administration et les services sociaux efficaces. La Rome de l'époque de Grégoire était fortement ébranlée par les ravages que faisaient les guerres gothiques et la peste. De plus, les Longobardi ou Lombards, une féroce tribu germanique qui avait conquis la majeure partie du nord de l'Italie, continuaient de menacer la Ville éternelle. En cette période de grande incertitude et de grands bouleversements, Grégoire le Grand, l'éternel bon pasteur, essayait d'instiller un peu de certitude chez ses fidèles abattus. Par l'entremise d'une exégèse biblique, il a tenté d'imposer une sorte d'ordre et de stabilité dans une petite partie de ce monde chaotique et en désintégration. La « nouvelle Madeleine » qu'a créée l'évêque de

Rome était l'œuvre d'un pasteur aux abois qui répondait aux besoins de ses fidèles aux abois, lesquels avaient probablement soulevé des questions sur l'identité de Madeleine. Ainsi est apparu le personnage de la pécheresse-sainte que le début du Moyen Âge a légué au monde chrétien. L'autorité de Grégoire était si grande, au Moyen Âge et bien au-delà, que sa sainte amalgamée a largement été acceptée en Occident. Toutefois, il convient toujours de mentionner que l'Église byzantine n'a jamais accepté cet amalgame.

De la fiction pieuse à *La Légende dorée* : Marie Madeleine en Provence

L'image de Marie Madeleine prêchant en Provence remonte à une légende du XIe siècle originaire de Vézelay, qui tentait d'expliquer la présence de la sainte dans le sud de la France. Cette légende, que les spécialistes appellent la « *vita apostolica* » (vie apostolique) commença à circuler en Occident. Selon ce récit, lorsque s'amorça la première vague de persécutions chrétiennes, Marie Madeleine et ses compagnons – Marthe et Lazare, entre autres – furent expulsés de Jérusalem. On les mit dans un bateau sans gouvernail et on les envoya dériver sur la mer. Grâce à la divine providence, ils débarquèrent en Provence, où ils se dispersèrent pour prêcher la nouvelle foi chrétienne. Marie Madeleine fit d'abord œuvre d'évangélisation à Marseille, puis à Aix-en-Provence, où elle se retira finalement pour vivre le reste de sa vie en ermite dans les étendues sauvages environnantes. Dès le XIIe siècle, ces histoires pieuses, qui avaient d'abord pour but d'ajouter une touche d'authenticité au nouveau sanctuaire de pèlerinage de Vézelay nommé en son honneur, étaient considérées comme des faits biographiques véridiques sur la vie de Marie Madeleine. Au XIIIe siècle, elles faisaient partie de sa « biographie officielle », au point où elle fut intégrée à l'hagiographie la plus populaire de l'époque, *La Légende dorée* de Jacques de Voragine, qui connut un succès presque égal à celui de la Bible dans le monde médiéval. À cette époque, les gens croyaient posséder toutes les preuves dont ils avaient besoin pour croire que Marie Madeleine avait évangélisé la Provence et y avait vécu pendant les trente dernières années de sa vie. Ils en étaient entourés : dans les sermons qu'ils entendaient, dans les œuvres d'art qu'ils voyaient sur les murs des églises, dans les hymnes qu'ils entendaient chanter et dans les histoires pieuses sur les saints qu'ils lisaient ou entendaient raconter. Nous ne pouvons reprocher aux gens du Moyen Âge de croire à ces fictions pieuses, mais, à notre propre époque, nous ferions bien de nous rappeler que les preuves concernant la carrière apostolique de Marie Madeleine en Provence ne sont apparues qu'au XIᵉ siècle.

La « fermentation magdalénienne » ou la semence des graines de la dévotion

Même si les plus importants sites de pèlerinage consacrés à Marie Madeleine au Moyen Âge se trouvaient en Provence et en Bourgogne, nous ne devons pas en déduire que la dévotion à la sainte se limitait à la France. Nous possédons des preuves montrant que le culte de Marie Madeleine avait débuté aussi tôt qu'au VIIIᵉ siècle en Angleterre : Bède, moine et historien de l'Église, avait inscrit son jour anniversaire dans son calendrier liturgique rédigé vers 720 apr. J.-C. On trouve d'autres témoins intéressants mais peu nombreux de la dévotion à la sainte au début de la période médiévale, mais c'est le XIᵉ siècle qui constitua réellement l'époque de la « fermentation magdalénienne », ainsi que l'a surnommée de manière si mémorable Victor Saxer, l'historien français de Marie Madeleine. Comme nous l'avons vu, c'est à cette époque qu'apparut le culte à Vézelay, de même que les récits légendaires qui y étaient associés et qui y circulaient à propos de la dévotion que l'on avait à cet endroit pour Marie Madeleine. Malgré cela, j'affirmerai que ce n'est qu'au XIIIᵉ siècle, à l'époque des moines mendiants (les franciscains et les dominicains), que la dévotion à sainte Marie Madeleine connut vraiment une diffusion internationale. Ces deux ordres étaient très dévoués à la sainte. Saint François d'Assise adopta comme modèle de dévotion au Christ souffrant la fidélité de Marie Madeleine envers le Seigneur, que nous pouvons voir dans de nombreuses représentations de saint François à partir de cette période, où il remplace Marie Madeleine au pied de la croix. Les dominicains étaient, quant à eux, si dévoués à la sainte, en particulier sous son aspect apostolique, qu'ils en firent la sainte patronne de leur ordre. Les moines firent connaître partout leur dévotion à la sainte dans le cadre de leurs campagnes de prêche et, comme les ordres avaient été fondés en Italie, ces prêches furent d'abord axés sur les grands centres urbains de l'Italie du Nord et du centre. Bien sûr, leur Marie Madeleine ne représentait pas seulement la Marie de Magdala des Écritures, mais la pénitente-sainte que le pape Grégoire le Grand avait créée au VIe siècle maintenant combinée à la sainte légendaire – l'« apôtre de Provence » – que Vézelay avait fabriquée au XIe siècle. À cette époque, les sermons ne constituaient pas uniquement le gagne-pain des moines : ils représentaient les médias de masse. Et c'est par l'entremise des prêches que les gens ordinaires de toute l'Europe connurent Marie Madeleine.

Les moines réussirent extrêmement bien à semer les graines du culte de la Madeleine en Italie : dans toute la péninsule, des églises, des couvents et des monastères lui furent consacrés. Au XIVe siècle, le nom « Maddalena » était devenu un prénom féminin populaire auprès des femmes, aussi bien religieuses que laïques, particulièrement en Toscane. Et les bailleurs de fonds – religieux et laïques – commandaient des chapelles, des peintures sur bois et des retables pour illustrer leur dévotion à différentes facettes de la sainte. Cependant, dans le sud de l'Italie, la situation était passablement différente. Depuis 1266, la partie méridionale de la péninsule était gouvernée par des étrangers : la maison française d'Anjou. Fait significatif, c'était la même dynastie qui régnait sur la Provence et dont l'héritier, Charles II, avait redécouvert les reliques de Marie Madeleine en 1279. Et comme le peuple de cette région souffrait sous le joug de ses dirigeants français, il demeura indifférent à Marie Madeleine qui, à ses yeux, était trop liée à la dynastie angevine. Conséquemment, même si nous trouvons nombre d'institutions, de couvents, d'églises et de chapelles dédiés à Marie Madeleine dans le sud de l'Italie, plus particulièrement à Naples, alors capitale du royaume angevin, ce n'étaient pas des monuments qu'avaient fait faire les citoyens du royaume. La plupart d'entre eux avaient été commandés par des membres de la maison d'Anjou ou leurs proches associés. Ainsi, je pense que, dans le sud de l'Italie, nous pouvons discerner une politique de sainteté dans laquelle le culte de Marie Madeleine était considéré avec une certaine suspicion parce qu'il avait été importé par des étrangers et qu'il était trop imprégné de la politique angevine pour prendre racine pendant que la famille régnait sur la partie méridionale de la péninsule italienne connue sous le nom de royaume de Naples.

Son héritage : *apostola apostolorum*

« Apôtre des apôtres » (*apostola apostolorum*) est un titre honorifique qui semble être entré dans l'usage populaire lorsqu'on parlait de sainte Marie Madeleine au XIIᵉ siècle. Plusieurs parmi les plus grands théologiens de cette époque – Hugues de Cluny, Pierre Abélard et Bernard de Clairvaux, entre autres – lui donnaient ce titre. Cette appellation découle évidemment du statut privilégié de Marie Madeleine en tant que premier témoin de la résurrection du Christ (dans trois des quatre Évangiles) et de la mission qu'il lui a confiée de communiquer la bonne nouvelle de la résurrection aux autres disciples. Comme nous l'avons vu, au XIIᵉ siècle, les légendes associant la sainte à un ministère apostolique en Provence circulaient déjà et lui avaient valu le titre d'« apôtre de Provence ». Il est possible que la propagation de ces légendes ait inspiré la création du titre « apôtre des apôtres ». Nous n'éclaircirons sans doute jamais le mystère des origines de ce titre, mais nous savons que des écrivains et des artistes continuèrent de décrire Marie Madeleine comme l'« apôtre des apôtres » pendant tout le Moyen Âge. Et même si les théologiens et les canonistes interdisaient aux femmes de prêcher en public, Marie Madeleine n'avait pas, la plupart du temps, à se soumettre à cette règle. Elle était décrite en train de prêcher dans des sermons, dans la littérature pieuse, dans des pièces sacrées, ainsi que dans les arts visuels où elle fut plus d'une fois représentée en train de prêcher du haut d'une chaire.

Le titre et l'image durèrent pendant toute la période médiévale, mais furent finalement victimes des réformes entreprises dans la foulée du concile de Trente, rassemblé au XVIᵉ siècle pour répliquer aux critiques que formulaient les réformateurs protestants à l'endroit de l'Église catholique. Une de ces critiques ciblait le culte des saints dont les réformateurs protestants tournaient souvent en dérision les biographies

ILLUSTRATION 1 : Page manuscrite originale, en copte, de l'*Évangile de Marie*. Ici, la Madeleine termine son compte rendu des paroles que Jésus lui a dites en privé. André exprime son incrédulité et Pierre demande : « Est-il possible que le Maître se soit entretenu ainsi, avec une femme, sur des secrets que nous, nous ignorons ? Devons-nous changer nos habitudes, écouter tous cette femme ? L'a-t-Il vraiment choisie et préférée à nous ? » Marie demande à Pierre s'il croit qu'elle « dise des mensonges » et, à la toute fin de la page, Lévi demande à Pierre « ... si le Seigneur l'a rendue digne, qui es-tu pour la rejeter ? »

Voir les chapitres 1 et 3 pour des commentaires plus approfondis sur cet Évangile alternatif.

L'Évangile de Marie (Papyrus Berolinensis) Ve siècle après J.-C., Bildarchiv Preussischer Kulturbesitz/Art Resource.

(Photo : Joerg P. Anders, NY)

ILLUSTRATION 2 :
Carlo Crivelli (1435/40-1493),
Sainte Marie Madeleine, détail
d'un polyptique, Collegiata di S.
Lucia, Montefiore dell'Aso, Italie.

(Photo : Scala/Art Resource, NY)

ILLUSTRATION 3: *La Crucifixion* et *Les Saintes Femmes au tombeau*, c. 586 CE, Évangéliaire de Rabula, Zagba sur l'Euphrate, Syrie. MS. Plut. 1,56, f. 13r., Bibliothèque laurentienne, Florence, Italie.

(Photo: Scala/Art Resource, NY)

ILLUSTRATION 4 EN HAUT : Jean Fouquet, *Sainte Marie Madeleine*, c. 1445, in *Les Heures d'Étienne Chavalier*, Mss. fr. 71, Musée Condé, Chantilly, France.

(Photo : Erich Lessing/Art Resource, NY)

ILLUSTRATION 5 CI-CONTRE : *Marie Madeleine*, n.d., couvent San Domenico, Pistoia, Italie.

(Photo : Scala/Art Resource, NY)

ILLUSTRATION 6: Fra Angelico, *Noli Me Tangere*, c. 1440-45, Musée de San Marco, Florence, Italie.

(Photo : Scala/Art Resource, NY)

ILLUSTRATION 7 : Lucas Moser, *Retable de la Madeleine*, 1423, Église de Tiefenbronn, Allemagne.

(Photo : Erich Lessing/Art Resource, NY)

ILLUSTRATION 8: Masaccio, *Crucifixion*, début du XVᵉ siècle, Museo Nazionale di Capodimonte, Naples, Italie.

(Photo: Scala/Art Resource, NY)

ILLUSTRATION 9: Lucas Cranach le Vieux, *Le Christ et la femme adultère,* vers 1540, The Metropolitan Museum of Art, New York, collection Jack and Belle Linsky (1982.6-.0.35).

ILLUSTRATION 10: El Greco, *Madeleine repentie*, n.d., Szépmûvészeti Muzeum, Budapest, Hongrie.

(Photo: Erich Lessing/Art Resource, NY)

ILLUSTRATION 11: Arnold Böecklin, *Maria Magdalena Beweint den Toten Christus*
(Marie Madeleine déplore la mort du Christ), 1867, Kunstmuseum, Bâle, Suisse.

(Photo: Erich Lessing/Art Resource, NY)

ILLUSTRATION 12 : William Etty, *Femme nue contemplant un crâne et un crucifix* (Étude sur Madeleine), milieu du XIXe siècle, Victoria and Albert Museum, Londres.

(Photo : Art Resource, NY)

ILLUSTRATION 13: Max Beckmann, *Le Christ et la femme adultère*, 1917, The Saint Louis Art Museum, St. Louis, legs de Curt Valentin.

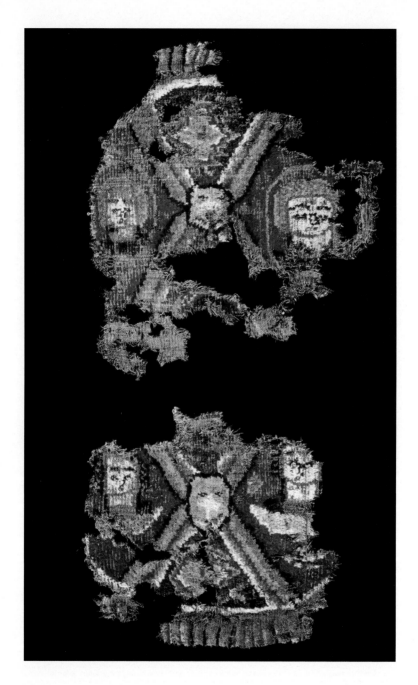

ILLUSTRATION 14: Deux fragments du « Tapis de l'exil », vers 150–180 après J.-C., région de la Méditerranée.

(Photo : Jeremy Pine)

ILLUSTRATION 15: Reproduction du «Tapis de l'exil» tel qu'il devait apparaître dans son intégrité.

(Reconstitution et photo: Jeremy Pine)

Illustration 16 : *La Bible des Pauvres* (Biblia Pauperum), XVᵉ siècle, édition en fac-similé de la British Library, traduction et commentaires par Albert C. Labriola et John W. Smeltz. Avec l'autorisation de la British Library (C.9.d.2).

(Photo : British Library, Londres)

qu'ils estimaient avoir été embellies par les légendes. Les réformateurs catholiques réagirent en décrétant que, à partir de ce moment, les biographies de saints devaient être aussi exactes que possible sur le plan historique et que tous les ajouts légendaires devaient être supprimés. Comme nous l'avons vu plus tôt, les faits sur la vie de Marie Madeleine que nous trouvons dans la Bible ont été embellis par les légendes et, lorsque l'aspect légendaire a été éliminé, il en a malheureusement été de même du titre d'« apôtre des apôtres ». Même si le titre s'inspirait des Écritures, ni le protestantisme ni le catholicisme de cette époque n'acceptaient facilement l'idée que des femmes religieuses puissent prêcher des hommes.

Il me semble que le titre d'« apôtre des apôtres » constitue un des plus importants héritages que nous a légués le monde médiéval en ce qui a trait à la sainte. Il résume l'importance extraordinaire du fait que Marie Madeleine, une femme, a été choisie comme témoin de la résurrection du Christ et, qui plus est, que c'est à elle que Jésus a accordé le privilège de prêcher la bonne nouvelle de la résurrection, le principe fondamental de la foi chrétienne. À mon avis, il s'agit là d'une preuve convaincante, fondée sur les Écritures et la tradition, qui appuie la revendication pour l'ordination des femmes dans l'Église catholique. C'est sur ce dernier point que les préoccupations contemporaines chevauchent les représentations médiévales de la sainte : à cette époque comme aujourd'hui, le personnage de Marie Madeleine, l'apôtre des apôtres, constitue un symbole éminemment important, puissant et inspirant.

LES CONTROVERSES AUTOUR DE MARIE MADELEINE

PAR ARNE J. DE KEIJZER

Était-elle la « pécheresse » ?

Plusieurs des auteurs qui ont collaboré à la rédaction des *Secrets de Marie Madeleine* parlent du sermon désormais célèbre du pape Grégoire le Grand (540-604), dans lequel il a amalgamé deux autres femmes – Marie de Béthanie et la « femme dans la ville, qui était une pécheresse » – à Marie Madeleine. D'un seul coup, il a asséné ce que nombre de spécialistes modernes considèrent comme le coup de grâce de la marginalisation des femmes au sein de l'Église primitive en général, et de Marie Madeleine en particulier. À l'époque, ce sermon a brutalement mis fin aux discussions sur l'identité de Marie Madeleine et l'a cataloguée en tant que « pécheresse pénitente ». Elle allait garder cette étiquette pendant mille trois cent soixante-dix-huit ans.

On peut expliquer le geste de Grégoire de plusieurs façons. Peut-être ce malheureux amalgame découlait-il d'un besoin de simplifier un élément biblique complexe à une époque d'incertitude théologique et politique. Par exemple, certains évêques estimaient que les divers Évangiles, de même qu'un vaste débat parmi les enseignants sur ce qu'ils devaient enseigner, créaient trop de confusion. Ou peut-être, comme d'autres l'affirment, ce geste faisait-il partie d'un complot fomenté par les Pères de l'Église afin d'éliminer les derniers vestiges du pouvoir des femmes. Quel qu'en ait été le motif, ce jugement sur Marie Madeleine en tant que prostituée et pénitente devint rapidement une référence pour la théologie catholique, une référence perpétuée grâce à des moyens subtils mais importants. Grégoire déclara que la lecture en chaire qui soulignerait le jour anniversaire de Marie Madeleine, le 22 juillet, serait désormais tirée du chapitre 7 de Luc, qui se lit comme suit :

> Et voici, une femme dans la ville, qui était une pécheresse, et qui savait qu'il était à table dans la maison du pharisien, apporta un vase d'albâtre [plein] de parfum ; et se tenant derrière à ses pieds, et pleurant, elle se mit à les arroser de ses larmes, et elle les essuyait avec les cheveux de sa tête, et couvrait ses pieds de baisers, et les oignait avec le parfum. Et le pharisien qui l'avait convié, voyant cela, dit en lui-même : Celui-ci, s'il était prophète, saurait qui et quelle est cette femme qui le touche, car c'est une pécheresse. (Luc, chapitre 7, versets 37 à 39)

En 591, le pape Grégoire interpréta ainsi ces versets :

> Celle que Luc appelle une pécheresse, et que Jean nomme Marie [cf. Jn 11, 2], nous croyons qu'elle est cette Marie de

laquelle, selon Marc, le Seigneur a chassé sept démons [*cf.* Mc 16, 9]. Et que désignent ces sept démons, sinon l'universalité de tous les vices ? [...] Il est bien évident, mes frères, que cette femme, autrefois adonnée à des actions défendues, s'était servie de parfum pour donner à sa chair une odeur [agréable]. Ce qu'elle s'était accordé à elle-même d'une façon honteuse, elle l'offrait désormais à Dieu d'une manière digne de louange. Elle avait désiré les choses de la terre par ses yeux, mais les mortifiant à présent par la pénitence, elle pleurait. Elle avait fait valoir la beauté de ses cheveux pour orner son visage, mais elle s'en servait maintenant pour essuyer ses larmes. Sa bouche avait prononcé des paroles d'orgueil, mais voici que baisant les pieds du Seigneur, elle fixait cette bouche dans la trace des pas de son Rédempteur. Ainsi, tout ce qu'elle avait en elle d'attraits pour charmer, elle y trouvait matière à sacrifice. Elle transforma ses crimes en autant de vertus, en sorte que tout ce qui en elle avait méprisé Dieu dans le péché fût mis au service de Dieu dans la pénitence.

En grande partie à cause de pressions provenant de l'intérieur même de l'Église, le Vatican a annulé cette interprétation sur Marie Madeleine en 1969, sans excuses ou de déclaration officielle. Le concile Vatican II a seulement modifié la lecture du jour anniversaire dans le cadre d'une réforme générale du calendrier liturgique concernant la façon dont on devait se souvenir de certains saints. Le missel romain et le calendrier romain exigeaient maintenant que cette lecture soit remplacée par l'Évangile selon saint Jean, chapitre 20, versets 1-2 et 11-18.

> 1 Et le premier jour de la semaine, Marie de Magdala vint le matin au sépulcre, comme il faisait encore nuit ; et elle voit la pierre ôtée du sépulcre.

> 2 Elle court donc, et vient vers Simon Pierre et vers l'autre disciple que Jésus aimait, et elle leur dit : On a enlevé du sépulcre le Seigneur, et nous ne savons où on l'a mis.

> 11 Mais Marie se tenait près du sépulcre, dehors, et pleurait. Comme elle pleurait donc, elle se baissa dans le sépulcre ;

12 et elle voit deux anges vêtus de blanc, assis, un à la tête et un aux pieds, là où Jésus avait été couché.

13 Et ils lui disent : Femme, pourquoi pleures-tu ? Elle leur dit : Parce qu'on a enlevé mon Seigneur, et je ne sais où on l'a mis.

14 Ayant dit cela, elle se tourna en arrière, et elle voit Jésus qui était là ; et elle ne savait pas que ce fût Jésus.

15 Jésus lui dit : Femme, pourquoi pleures-tu ? Qui cherches-tu ? Elle, pensant que c'était le jardinier, lui dit : Seigneur, si toi tu l'as emporté, dis-moi où tu l'as mis, et moi je l'ôterai. Jésus lui dit : Marie !

16 Elle, s'étant retournée, lui dit en hébreu : Rabboni (ce qui veut dire, maître).

17 Jésus lui dit : Ne me touche pas, car je ne suis pas encore monté vers mon Père ; mais va vers mes frères, et dis-leur : Je monte vers mon Père et votre Père, et vers mon Dieu et votre Dieu.

18 Marie de Magdala vient rapporter aux disciples qu'elle a vu le Seigneur, et qu'il lui a dit ces choses.

Ce faisant, le pape Jean-Paul II renversait la décision de son prédécesseur et retransformait Marie Madeleine d'une pécheresse repentante en une personne que l'Évangile décrit comme un personnage central dans l'histoire de la résurrection – de même qu'un personnage important en soi.

Était-elle l'épouse de Jésus ?

Et voilà [...] comment l'Église a réussi la plus grande opération de désinformation de toute l'histoire de l'humanité. Jésus n'était pas seulement marié, il était père ! Marie Madeleine était véritablement le Vase sacré, porteuse du fruit d'une union royale. Elle était dépositaire de la lignée.

– Da Vinci Code

Je pense que le récent intérêt à faire de Marie Madeleine madame Jésus ou l'amante de Jésus est davantage lié à Jésus qu'à Marie Madeleine. S'il doit devenir un gars réel, il faut qu'il ait une femme. Il s'agit là d'une autre façon d'utiliser une femme pour réfléchir à propos d'un homme.

– Jane Schaberg

À l'évidence, la question de savoir si Marie et Jésus étaient mariés a inspiré plusieurs débats animés (et intrigants). Mais elle tend à voiler un sujet beaucoup plus profond, un sujet qui se trouve au cœur même du message chrétien : le caractère divin de Jésus tel que diffusé par les Évangiles canoniques.

En tant que fils de Dieu, il est divin et, même s'il subit parfois des tentations, il s'élève au-dessus des péchés et des faiblesses de l'humanité. Ainsi, il est écrit dans l'Épître aux Hébreux (chapitre 4, verset 15) : « [...] nous n'avons pas un souverain sacrificateur qui ne puisse sympathiser à nos infirmités, mais [nous en avons un qui a été] tenté en toutes choses comme nous, à part le péché. » Ce passage semble inclure le sexe, mais, selon la théologie traditionnelle, Jésus représente un modèle de célibat pour les prêtres.

Toutefois, s'il est marié, Jésus redevient un être humain, un « simple » prophète, même s'il s'agit d'un prophète radical. Pour employer un euphémisme, la gamme d'opinions des spécialistes sur cette question est vaste. Certains croient que la question elle-même relève de l'hérésie, qu'il n'existe absolument aucune preuve de cette union dans le Nouveau Testament ou dans les Évangiles apocryphes. D'autres ne l'excluent pas. Certains croient que c'est peu probable, mais possible. Et pour d'autres encore, cela va de soi. En ce qui concerne « l'homme de la rue », un sondage réalisé par le site Internet religieux Beliefnet. com révélait que lorsqu'on demandait aux gens si Jésus était marié, 41 % des personnes interrogées répondaient : « Bien sûr que non » ; 23 % disaient : « Oui, il était marié avec Marie Madeleine » ; 5 % répondaient : « Oui, mais nous ne savons pas à qui » ; et 31 % disaient « Ça n'a pas d'importance. »

Notre propre sondage, présenté comme un « exercice visant à provoquer la réflexion », recueille les opinions d'une multitude d'érudits, de théologiens et de spécialistes – un excellent tremplin pour d'autres recherches intellectuelles.

Non, Jésus et Marie n'étaient pas mariés

Comme l'on pouvait s'y attendre, ce sont les catholiques qui appuient le plus ardemment cette position. Greg Jones, spécialiste et pasteur catholique, la résume ainsi : « Il n'existe rien dans les faits, l'histoire ou les Écritures qui laisse supposer que Marie Madeleine et Jésus se soient mariés, aient eu des enfants, se soient embrassés ou se soient même tenu les mains. »

Richard P. McBrien, professeur de théologie à la University of Notre Dame, est d'accord avec Jones, et ce, pour trois raisons. Premièrement, les Évangiles ne font mention d'aucun mariage entre eux. Deuxièmement, il y avait, au début du christianisme, un préjugé antiérotique. Troisièmement, « quand saint Paul invoquait son propre droit de se marier, pourquoi n'a-t-il pas parlé du mariage de Jésus pour appuyer son argument ? » Quoi qu'il en soit, affirme McBrien, « si Jésus avait été marié, cela n'aurait pas compromis son caractère divin. » Et s'il avait été marié, ce serait un raccourci facile que de dire que c'était avec Marie Madeleine.

« Est-ce une blague ? » demande Kenneth Woodward, un collaborateur à la rédaction de *Newsweek*, qui écrit souvent sur la religion. D'après lui, Marie Madeleine est victime d'un « changement d'apparence », un « projet axé sur un certain type d'études féministes biaisées sur le plan idéologique ».

Darrell Bock, spécialiste de la Bible au Dallas Theological Seminary, croit que l'idée d'un mariage entre Jésus et Marie Madeleine est non seulement complètement erronée, mais a aussi des relents de complot. « Tout ce débat, dit-il, traduit une tentative de – et je vais utiliser ce terme de manière délibérée – reléguer le christianisme au niveau des autres religions. » Le mariage réduirait Jésus à « un grand personnage religieux parmi beaucoup d'autres, plutôt qu'à celui d'un personnage extraordinaire ayant une nature divine ».

Nombre de spécialistes qui ont des opinions semblables à celles de Woodward et de Bock – et d'autres qui ont vertement critiqué ce qu'ils appellent « les études féministes révisionnistes engagées sur le plan idéologique » – seraient surpris d'apprendre que leurs adversaires théologiques sont en fait d'accord avec eux sur ce sujet controversé. Par exemple, selon Katherine Ludwig Jansen, de la Catholic University of America, « les seules preuves que nous détenons de l'existence de Marie Madeleine se trouvent dans le Nouveau Testament. » Et, comme ses collègues, elle soutient que le Nouveau Testament ne contient absolument rien sur une telle union.

Dans son livre intitulé *Mary Magdalene: Myth and Metaphor*, Susan Haskins affirme que, oui, elle était la compagne de Jésus et également « la principale disciple, la première parmi les apôtres et l'amie bien-aimée du Christ ». Mais Haskins croit également que l'imagerie sexuelle que transmettent la Bible et les Évangiles gnostiques ne représente qu'« une métaphore sur la réunion du Christ et de l'Église qui a lieu dans la chambre nuptiale », rien de plus qu'un « symbole de l'amour du Christ pour l'Église ». Alors, étaient-ils vraiment mariés ? Haskins rejette cette hypothèse en la qualifiant de « bizarre ».

Esther de Boer, qui comme plusieurs de ses collègues est habituellement fort critique à l'égard du patriarcat de l'Église catholique, rejette la théorie selon laquelle la phrase de l'*Évangile de Philippe* parlant de la « compagne » laisserait entendre que Jésus et Marie Madeleine étaient mariés ou même qu'ils étaient amants. « Nous ne devons pas comprendre ce "baiser" dans un sens sexuel mais dans un sens spirituel, dit-elle. La grâce que s'échangent les personnes qui se donnent un baiser les fait renaître. »

Non, mais…

Bruce Chilton, qui a récemment écrit une biographie de Marie Madeleine, soutient qu'il n'existe aucune indication du fait qu'ils aient été mariés et aucune raison de nous en préoccuper, même si c'était le cas. « À mon avis, il est parfaitement plausible qu'ils aient eu une relation sexuelle. Toutefois, en faisant cette affirmation, il est également sage d'éviter d'en déduire qu'ils étaient mariés. Aucun des deux ne représentait un bon candidat au mariage (compte tenu de la tradition familiale juive de l'époque). »

Possible, peut-être même probable, mais certainement pas déterminé

John Spong, évêque épiscopalien à la retraite et auteur de *Born of a Woman*, croit qu'un mariage entre Marie Madeleine et Jésus est «probable», une conclusion fondée sur la mauvaise manière dont le christianisme a toujours traité les femmes. «Le caractère négatif associé à l'idée selon laquelle Jésus pourrait avoir été marié semble de plus en plus étrange à notre époque. Il met en lumière les vestiges de ce profond négativisme chrétien envers les femmes qui imprègne encore l'Église.» Spong conclut que, même s'il n'existe aucune preuve de ce fait, la Bible présente «une argumentation cumulative qui laisse entendre que Jésus pourrait bien avoir été marié, que Marie Madeleine, en raison de sa prééminence dans le récit évangélique lui-même, était l'épouse de Jésus, et que ce fait a été supprimé, mais pas totalement éliminé par l'Église chrétienne avant que les Évangiles ne soient rédigés».

Lynn Picknett, dans son livre *The Templar Revelation*[37], une des sources principales de Dan Brown lorsqu'il rédigeait le *Da Vinci Code*, écrit: «Il existe des preuves montrant que la Madeleine était la femme de Jésus – ou tout au moins, son amante[38].» Elle juge «très étrange» le silence qui règne à ce sujet, puisque les juifs pensaient que le célibat était «inconvenant» et que Jésus et ses disciples pourraient avoir «éveillé les soupçons des autorités... par crainte de l'homosexualité». Mais selon Picknett, ce silence dans les Évangiles pourrait être interprété d'une autre façon. «Il aurait pu avoir une autre partenaire sexuelle qui n'était pas son épouse ou avoir adopté un autre type d'union que les juifs ne reconnaissaient pas.»

---

37. Katherine Ludwig Jansen, professeure agrégée d'histoire à la Catholic University, a écrit *The Making of the Magdalen: Preaching and Popular Devotion in the Later Middle Ages*

38. Traduction libre. (N.d.T.).

Peut-être que oui, peut-être que non, mais ce n'est pas important

Jane Schaberg, auteure de *The Resurrection of Mary Magdalene*, croit que la façon ambiguë et énigmatique dont l'*Évangile de Philippe* décrit la relation entre Marie Madeleine et Jésus est «extrêmement importante et profonde». Une telle ambiguïté évite deux propositions qui appuient les idées patriarcales sur le corps de la femme: 1) que toute relation homme-femme doit impliquer des relations sexuelles; et 2) que «les relations homme-femme "sacrées" ou "spirituelles" ne le doivent pas». D'après Schaberg, la question du mariage représente une fixation qui n'a rien d'utile.

Gerald O'Collins, professeur de théologie à l'Université pontificale grégorienne à Rome, affirme que ces théories ont été mises en évidence parce qu'«elles se vendent bien». Et il ajoute: «Elles constituent un bon matériel pour les romans, et elles mettent du piment dans un récit, mais elles avilissent la véritable Marie Madeleine.»

Elizabeth Clare Prophet, auteure de *Mary Magdalene and the Divine Feminine*, se décrit comme une pionnière «en matière de spiritualité pratique, notamment en ce qui concerne le recours à la puissance créatrice des sons pour la croissance personnelle et la transformation du monde». Elle est d'accord avec le fait que le débat sur leur mariage passe à côté de la question. «Il est possible que ce qui s'est passé entre eux n'ait pas été intégré aux livres d'histoire, et je n'affirme pas le savoir moi-même, mais si c'était le cas, cela n'aurait pas d'importance à mes yeux. Le Sauveur n'aurait été en rien diminué s'il avait épousé Marie Madeleine et avait eu des enfants, car son pouvoir et son importance ne sont pas fondés sur la façon dont il avait choisi d'avoir une relation avec elle.»

Bien sûr qu'ils étaient mariés

Les spécialistes de Marie Madeleine dont s'est inspiré Dan Brown pour exposer sa théorie sur la lignée sacrée sont, bien sûr, en faveur de cette idée. Une de ces sources, Margaret Starbird, croit que les Écritures appuient sa théorie selon laquelle Jésus était l'époux de Marie Madeleine, une théorie qu'elle avait avancée pour la première fois dans son livre de 1993 intitulé *The Woman with the Alabaster Jar: Mary Magdalene and the Holy Grail*[39].

Dans *Jesus and the Lost Gospels*, Timothy Freke et Peter Gandy écrivent : « Dans l'Évangile selon saint Luc, Marie essuie avec ses cheveux les pieds de Jésus. Selon la loi juive, seul un époux avait le droit de voir la chevelure de sa femme détachée, et si une femme déliait ses cheveux devant un homme, il s'agissait d'un geste inconvenant qui pouvait motiver un divorce obligatoire [...].» Alors, nous pouvons interpréter ce passage comme s'il montrait Jésus et Marie soit en tant qu'époux et épouse, soit en tant qu'amants libertins qui faisaient peu de cas des subtilités morales.

Pour Laurence Gardner, auteur, musicien, historien et Templier, les Évangiles canoniques ont déjà réglé cette question. Dans *The Magdalene Legacy*[40], il écrit : « Les Évangiles (tous les quatre) affirment clairement que Jésus était marié[41].»

La plus fervente partisane de la théorie du «oui, ils étaient mariés» pourrait bien être Barbara Thiering, une spécialiste australienne des manuscrits de la mer Morte. Thiering a écrit que, selon les coutumes traditionnelles des esséniens, «dès le début du ministère de Jésus, lui et Marie Madeleine tinrent la première cérémonie de mariage "sur la route"». À 18 heures, le jeudi 6 juin de l'an 30, rien de moins. Qui plus est, affirme Thiering, «peu avant la crucifixion, Marie était enceinte de trois mois, et les derniers vœux de mariage furent prononcés entre eux».

Et, en tant que couple marié, ils ont eu des enfants qui ont perpétué «la lignée royale»

Fait intéressant, les auteurs de *Holy Blood, Holy Grail*[42], qui ont poursuivi Dan Brown devant un tribunal londonien pour avoir «plagié» leur hypothèse sur la lignée (ils ont perdu),

---

39. Margaret Starbird. *Marie Madeleine et le Saint-Graal*, *op. cit.*

40. Laurence Gardner, *La Descendance de Marie Madeleine*, trad. par Bernard Dubant, Paris, Guy Trédaniel, 2005,

41. Traduction libre. (N.d.T.)

42. Michael Baigent, Richard Leigh et Henry Lincoln. *L'Énigme sacrée*, *op. cit.*

croient qu'il existe une multitude d'arguments montrant que le couple a eu des relations sexuelles et une progéniture, mais ils ne vont pas jusqu'à affirmer qu'ils étaient certainement mariés.

Margaret Starbird croit que Marie Madeleine était enceinte au moment de la crucifixion mais que, après avoir fui la persécution, elle donna naissance à une fille en Égypte avant que toutes deux ne se rendent en France. D'après ceux qui croient à la légende de Marie Madeleine en France, ce fut cette fille qui amorça la lignée des rois français, une lignée qui, selon le *Da Vinci Code* et autres contes semblables, se perpétue à ce jour.

En ce qui concerne l'hypothèse du « oui, ils étaient mariés » (citée plus haut), Barbara Thiering va jusqu'à affirmer qu'ils ont eu « en réalité » trois enfants : une fille (Tamar), née en 33 (après la crucifixion), et deux garçons, l'un né en 37 (Jesus Justus) et un autre né en 44 (Jacques). Thiering fonde son analyse sur ce qu'elle appelle la « *pesher* » des manuscrits de la mer Morte – « *pesher* » signifiant « interprétation » dans le sens de « solution » en hébreu. La raison pour laquelle Jésus pourrait avoir eu deux autres enfants après la crucifixion, soutient-elle, découlerait du fait qu'il aurait survécu à cette épreuve et que, par la suite, il aurait participé de manière active à la fondation de l'Église chrétienne. Mais il y a plus : Thiering a « découvert » que, au moment du schisme de l'Église primitive en 44, « Marie délaissa leur union, croyant que Jésus s'était éloigné des véritables idées religieuses ». Jésus épousa alors une femme du nom de Lydia en 50, avec qui il eut deux autres enfants.

Laurence Gardner soutient fondamentalement la même thèse que Thiering en ce qui a trait au nombre d'enfants, mais croit en une autre destinée pour la famille. « En 53 apr. J.-C., Jésus Fils fut officiellement proclamé prince héritier à la synagogue de Corinthe », mais les autres enfants se retrouvèrent avec leur mère en Provence où Jesus Justus devint père à son tour et nomma son fils Jesus III. Il semble que leur fille Tamar se soit mariée avec saint Paul à Athènes, en 53.

Selon deux auteurs britanniques, Tom Kenyon et Judi Sion, qui sont convaincus que Marie Madeleine s'est rendue en France, il est probable qu'elle soit également allée en

Angleterre. Poussant un peu plus cette thèse, Ani Williams, une chanteuse Nouvel Âge qui fournit des «médicaments sains» et organise des pèlerinages sur la route de Marie Madeleine, affirme que, durant son voyage en Angleterre, Marie Madeleine était accompagnée de Joseph d'Arimatie qui y apporta le Saint-Graal et l'enterra dans l'abbaye de Glastonbury. C'est également la thèse que soutient Graham Phillips, un «enquêteur sur les mystères historiques», dans son livre intitulé *The Chalice of Magdalene*.

Était-elle à la fois le «disciple bien-aimé» et le véritable auteur de l'Évangile selon saint Jean?

L'Évangile selon saint Jean comporte deux mystères sur lesquels ont buté les spécialistes depuis les tout premiers débuts du christianisme. Le premier réside dans la personne que Jean évoque seulement comme étant le disciple bien-aimé (plus littéralement: «le disciple que Jésus aimait»). Le deuxième mystère concerne l'identité de la personne qui a écrit cet Évangile; contrairement à Matthieu, à Marc et à Luc, on n'a pu identifier aucun auteur. Qui Jean pourrait-il être? Certains ont avancé l'hypothèse selon laquelle la réponse aux deux questions pourrait être une seule personne: Marie Madeleine. Les hypothèses sur cet auteur ont varié du disciple Zébédée, en passant par Lazare de Béthanie, jusqu'à Jean le Baptiste. Aucun d'entre eux ne représente le bon candidat, affirme Ramon K. Jusino, spécialiste catholique, enseignant et auteur d'un essai qui a connu une vaste diffusion: *Mary Magdalene: Author of the Fourth Gospel?* Il est fondamentalement convaincu que le quatrième Évangile a réellement été écrit par Marie, et que c'était elle, le disciple bien-aimé. Il n'est pas le seul. Esther de Boer, une spécialiste renommée, a qualifié Marie Madeleine de «candidate sérieuse» au titre de disciple aimée dans l'Évangile selon saint Jean, et Sandra Schneider, une spécialiste de la Bible, a fait de même dans le cadre d'une argumentation extrêmement nuancée.

Jusino fonde son argument au sujet des questions relatives à l'auteur sur des déductions tirées des Évangiles gnostiques de Marie et de Philippe. Les deux décrivent Marie Madeleine non seulement comme une disciple, mais comme une disciple « que Jésus aimait plus que les autres ». Ainsi, soutient Jusino, il n'est pas exagéré de déduire que « Jean » parlait de Madeleine. Il croit qu'elle était en réalité la fondatrice de la première communauté chrétienne et qu'elle a commencé à accumuler ces enseignements de Jésus qui furent plus tard subsumés en une seconde version fortement modifiée de Jean. Aucun dirigeant de la première communauté chrétienne ne pouvait accepter le fait que Jésus pût avoir eu une femme comme disciple, croit Jusino, alors la solution consistait à supprimer son nom, et à le remplacer par le « disciple bien-aimé » anonyme – et mâle.

Pour ce qui est d'identifier le disciple bien-aimé comme étant Marie, Jusino fonde sa conviction sur une analyse textuelle de deux scènes : celle de Marie Madeleine au pied de la croix et celle où elle se trouve devant le sépulcre vide. Ces deux scènes, dit-il, étaient trop bien ancrées pour que l'on pût simplement les effacer. Pourtant, le rédacteur souhaitait que le disciple bien-aimé (mâle) fût témoin de ces événements. Il résolut ce dilemme en intégrant les deux personnages, renforçant ainsi l'idée qu'il s'agissait de deux personnes différentes. Mais Jusino souligne dans le texte la présence d'incohérences structurelles, corroborées par d'autres spécialistes, qui, selon lui, laissent entendre que le rédacteur aurait pu insérer une personne supplémentaire dans les scènes. C'est cette version révisée qui devint le quatrième Évangile canonique connu sous le nom d'Évangile selon saint Jean.

Ann Graham Brock, une spécialiste de l'évolution du premier mouvement chrétien, émet des doutes. « Même si je suis ouverte à plusieurs possibilités, affirmait-elle, et que j'ai consacré des années à rechercher des vestiges de l'héritage de Marie Madeleine, je dois avouer que, jusqu'ici, je ne suis pas persuadée que Marie Madeleine soit l'auteure de l'Évangile selon saint Jean. De toute évidence, cet Évangile affiche davantage d'intérêt en ce qui a trait aux contributions des femmes que les trois autres Évangiles canoniques. [...] Marie Madeleine occupe effectivement une place très importante dans l'Évangile selon saint Jean, mais un tel intérêt ne suffit pas pour démontrer que Marie Madeleine en est l'auteure. J'aurais besoin de davantage de preuves. »

En conclusion de son article qui prête à la controverse, mais qui a fait l'objet d'une recherche minutieuse, Jusino admet que la quête du véritable auteur du quatrième Évangile demeure un bon polar. Mais il existe une multitude de preuves, dit-il, certain que plusieurs documents n'ont pas encore été découverts, qui confirmeront ce en quoi il croit fermement : que l'identité du disciple bien-aimé, de même que celle de l'auteur du quatrième Évangile, est Marie de Magdala.

Le mormonisme et Marie Madeleine

par Maxine Hanks

Le mormonisme est sans doute la seule branche de la religion chrétienne qui, dès ses origines, a adopté la croyance selon laquelle Jésus était marié et avait des enfants. Cette idée n'est pas nouvelle chez les mormons, qui croient que le mariage est nécessaire pour être une bonne personne ou pour accéder à un niveau plus élevé d'« exaltation » au paradis.

Cette idée aurait été enseignée par Joseph Smith, le fondateur du mormonisme, selon ce que rapportent ses proches compagnons (appelés « apôtres »), qui ont diffusé ses enseignements privés après sa mort. Apparemment, Joseph Smith n'a pas communiqué lui-même publiquement des détails particuliers sur la vie ou les enfants de Jésus, pas plus qu'il ne les a publiés. L'Église de Jésus-Christ des Saints des Derniers Jours n'a jamais officiellement affirmé qu'elle croyait au mariage de Jésus. Pourtant, l'idée d'un Jésus marié est connue au sein de la secte mormone comme étant une doctrine populaire sacrée mais peu répandue qui remonte aux premiers temps de son existence.

En fait, la croyance des mormons sur le mariage de Jésus nous en apprend peu sur Marie Madeleine, mais davantage sur la lignée de Jésus. Smith a nommé au moins deux personnes comme étant « [des] descendant[s] direct[s] de Jésus-Christ ». Il laissait également entendre la même chose à son propre sujet. Six mois après le décès de Smith, Brigham Young a suggéré que la mystérieuse déclaration de Smith, « nul ne connaît mon histoire », faisait allusion à sa descendance sacrée. « Vous avez entendu Joseph dire que les gens ne le connaissaient pas. [...] Certains ont supposé qu'il parlait de l'Esprit, mais il parlait en réalité de la relation sanguine. »

Le concept d'une lignée choisie est fort populaire chez les mormons. Smith écrivait en 1835 : « Il a été décrété que l'ordre de cette prêtrise doit se transmettre de père en fils, et qu'il appartient de droit aux descendants littéraux de la postérité élue, à qui les promesses ont été faites » (Doctrine et alliances, section 107, paragraphe 40). En 1858, Brigham Young affirmait : « Dissimulé dans le sang de nombreux membres de l'Église de Jésus-Christ des Saints des Derniers Jours, circule le sang d'Israël provenant de tous les horizons, y compris du Sauveur. Mais c'est surtout grâce au droit du sang divin de Jésus-Christ par l'entremise de Joseph Smith fils que tous les membres de l'Église représentent les héritiers légitimes de la promesse[43]. »

Les premiers mormons croyaient que Jésus s'était marié afin de préserver sa lignée et la prêtrise. L'apôtre Orson Hyde disait : « Aux noces de Cana, en Galilée, le fiancé était Jésus. [...] Nous disons que c'est Jésus-Christ qui s'est marié afin de nouer une relation qui lui permettrait de connaître sa descendance avant d'être crucifié[44]. » Joseph F. Smith, président de l'Église et neveu de Joseph Smith, affirmait que Jésus s'était marié afin de se conformer à l'ensemble des lois divines.

Pourtant, les mormons sont allés un peu plus loin en laissant entendre que Jésus était marié à plus d'une femme. Le neveu de Smith disait également : « Marie et Marthe semblaient entretenir avec Jésus une relation beaucoup plus étroite que celle qu'auraient eue de simples croyantes [en Jésus][45]. » Les apôtres de Smith citaient souvent comme épouses de Jésus les sœurs de Béthanie, de même que Marie Madeleine. Orson Hyde déclarait : « Marie, Marthe et d'autres étaient ses épouses et [...] il engendra des enfants[46]. »

---

43. Traduction libre. (N.d.T.)

44. Traduction libre. (N.d.T.)

45. Traduction libre. (N.d.T.)

46. Traduction libre. (N.d.T.)

Doté d'un messie ayant plusieurs épouses, Smith lui-même épousa trente-quatre femmes. La première doctrine mormone au sujet de la polygamie semble étroitement associée à l'idée selon laquelle Jésus était marié. La révélation de Smith sur la polygamie se lit comme si elle provenait de Jésus-Christ :

« Moi, le Seigneur, j'ai justifié mes serviteurs Abraham, Isaac et Jacob, ainsi que Moïse, David et Salomon, mes serviteurs, à propos du principe et de la doctrine qui leur permettaient d'avoir beaucoup d'épouses et de concubines. […] Je te révèle une nouvelle alliance éternelle ; et si tu ne respectes pas cette alliance, tu seras damné ; car nul ne peut rejeter cette alliance et recevoir la permission d'entrer dans ma gloire. […] Que là où je suis, vous y soyez aussi. […] Recevez […] la loi de ma Sainte Prêtrise. »

Il semble que les premiers mormons croyaient 1) que Jésus était marié ; 2) que ses épouses étaient probablement Madeleine, Marthe et Marie de Béthanie ; 3) que les descendants de Jésus avaient préservé sa lignée royale et la prêtrise ; 4) que Joseph Smith était un descendant de Jésus et qu'il avait hérité, ainsi que d'autres mormons, de sa lignée et de la prêtrise. Étant moi-même mormone, j'ai souvent entendu ces enseignements ; la foi centrée sur la généalogie a produit des arbres généalogiques comme celui qui montre que ma lignée familiale « remonte jusqu'au Christ ».

D'où Joseph Smith tient-il ces idées ? On attribuait la plupart de ces enseignements à sa vocation de prophète. Il a également étudié de nombreuses traditions spirituelles, notamment les idées juives, chrétiennes, gnostiques, hermétiques, mystiques, magiques et maçonniques. Le mormonisme a uni les traditions chrétiennes et ésotériques par le biais d'une vision renouvelée dans laquelle l'orthodoxie et l'hérésie étaient réunies au sein d'une même foi.

Pourtant, Smith et ses apôtres n'utilisaient pas de termes ésotériques comme « graal » mais plutôt le langage biblique. Ainsi, le point de vue mormon sur Jésus découle davantage de la Bible qu'il n'a été emprunté aux traditions ésotériques.

Les mormons avaient besoin de comprendre la polygamie – en tant que peuple choisi pour rétablir la lignée des prêtres de Jésus, le messie.

Smith voyait en Jésus un dieu mâle ressuscité et considérait la polygamie comme une loi de Dieu. Il voyait aussi
le mormonisme comme le rétablissement du « christianisme
d'origine » ainsi que le vivait Jésus ; le mormonisme allait
donc rétablir les pratiques de Jésus, notamment en matière
de mariage. Le mormonisme a repris un curieux modèle du
christianisme primitif. Joseph Smith était un martyr religieux ;
sa femme Emma était une importante dirigeante, et pourtant
Brigham Young, le principal apôtre, l'a emporté en obtenant
l'adhésion de la majorité des croyants. On attribue à Jésus,
à Madeleine et à Pierre un modèle semblable – un modèle
archétypal du roi agonisant auquel a survécu une compagne
éplorée/supplantée, et un successeur mâle plein d'assurance
qui lui est hostile.

Les premiers mormons vénéraient Madeleine à la fois
comme témoin et comme épouse du Christ, et pourtant les
enseignements mormons officiels nous en apprennent peu à
son sujet, ou en ce qui concerne son importance à titre de
témoin ou d'apôtre. On n'a pas examiné les implications de
son rôle. Malgré cela, le mormonisme comporte un canon
ouvert relatif à « une révélation permanente » qui donne
lieu à des perspectives, une inspiration et des interprétations
nouvelles. Ceci permet aux croyances passées de se modifier,
reconnaît le besoin humain d'évoluer et la responsabilité
divine de s'améliorer.

Après 1890, les dirigeants mormons ont abandonné la
pratique de la polygamie, et la doctrine a même été modifiée.
Toutefois, l'enseignement ésotérique selon lequel Jésus était
marié n'a jamais été réfuté – jusqu'à récemment. Au moment
où cet article allait être imprimé, l'Église mormone a rendu
publique cette déclaration : « La croyance selon laquelle le
Christ était marié n'a jamais fait partie de la doctrine officielle
de l'Église. Elle ne l'approuve ni ne l'enseigne. Il est vrai que
quelques dirigeants de l'Église, au milieu du XIXe siècle, ont
exprimé leur opinion sur le sujet, mais il ne s'agissait pas, à
cette époque comme aujourd'hui, d'une doctrine de l'Église
mormone. »

CHAPITRE 5

Les Secrets de Marie Madeleine.
Table Ronde

La table ronde sur Marie Madeleine

Ç'a été un événement hors du commun. Au début de 2006, alors que nous étions à réunir les divers éléments entrant dans la rédaction des *Secrets de Marie Madeleine*, nous avons convié six des plus grandes spécialistes mondiales à une discussion de style table ronde sur les principaux thèmes, questions, débats et controverses entourant l'étude de Marie Madeleine[47].

Chacune de ces spécialistes a écrit, donné des conférences et publié nombre d'articles et d'ouvrages sur des sujets comme le rôle de Jésus dans l'histoire, les débuts du christianisme, le gnosticisme et les autres tendances et mouvements au sein de la chrétienté, les Évangiles apocryphes, le rôle des femmes dans l'Église primitive, l'art religieux, l'archéologie et la culture des temps bibliques à nos jours, ainsi que sur plusieurs autres thèmes inscrits dans le champ de recherche genre/spiritualité/ religion/mythe/archétype. Une atmosphère particulière a régné dans la pièce où nous les avions réunies, alors que ces spécialistes – toutes des femmes brillantes et passionnées ayant une connaissance approfondie des cultures religieuses aussi bien anciennes que modernes – étaient engagées ensemble dans une discussion ouverte et stimulante.

Chacune à leur façon, elles ont évoqué le fascinant pouvoir émotif de même que la complexité intellectuelle témoignant de leurs longues années de recherches et des découvertes marquantes qui leur ont permis de mieux comprendre Marie Madeleine et de développer de nouvelles idées sur des événements vieux de deux mille ans, lesquelles idées ont modifié nos perceptions à l'endroit de ce personnage fascinant.

Voici la liste des participantes à cette captivante table ronde :

Katherine Kurs, animatrice de débat, est membre de la faculté des études religieuses du Eugene Lang College de la New School University. Son ouvrage *Searching for Your Soul* a figuré parmi les meilleurs livres de religion/spiritualité en 1999.

Elaine Pagels, professeure de religion à la Princeton University, est l'auteure du livre à succès primé *The Gnostic Gospels*[48] ainsi que de *Beyond Belief*.

---

47. Nous aimerions remercier de leur soutien et de leur collaboration les gens de Hidden Treasures Productions Inc., qui ont filmé l'événement et en ont produit une version DVD qui s'intitule également *Les Secrets de Marie Madeleine*.

48. Elaine Pagels, *Les Évangiles secrets, op. cit.*

Susan Haskins, historienne des arts et de la culture, est l'auteure du succès de librairie *Mary Magdalene: Myth and Metaphor*, qui en est à sa seconde édition.

Lesa Bellevie, fondatrice et webmestre du site Internet Magdalen.org, est aussi l'auteure de *Complete Idiot's Guide to Mary Magdalene*.

Deirdre Good, qui enseigne le Nouveau Testament au General Theological Seminary de New York, a aussi publié *Mariam, the Magdalen, and the Mother*.

Diane Apostolos-Cappadona, professeure associée en arts et culture à la Georgetown University, est l'auteure de *A Dictionary of Christian Art* et la conservatrice de l'exposition « In Search of Mary Magdalene: Images and Traditions ».

Jane Schaberg, professeure d'études religieuses et d'études féminines à la University of Detroit Mercy, est l'auteure de *The Resurrection of Mary Magdalene: Legends, Apocrypha, and the Christian Testament*.

Kurs : Bienvenue à toutes. Aujourd'hui, nous avons la chance extraordinaire de partager des idées et d'échanger des points de vue sur un personnage qui suscite chez beaucoup de gens un intérêt passionné ; je veux parler, bien sûr, de Marie Madeleine. À certaines périodes de l'histoire, il semble que son pouvoir ait été contenu alors que, à d'autres moments, il s'est trouvé augmenté. À cet égard, il est certain qu'au fil de l'histoire elle a été perçue de différentes manières par différentes personnes, selon les perspectives. Mais permettez-moi d'abord d'entreprendre ce tour de table par une question quelque peu personnelle : que représente Marie Madeleine pour vous ?

Pagels : À titre d'historienne, je présume qu'elle a figuré dès le début parmi les disciples de Jésus, qu'elle était probablement reconnue comme étant particulièrement proche de lui, qu'elle était une femme indépendante qui n'avait peut-être pas d'autre compagnon que Jésus et qu'elle est alors devenue le centre d'une immense controverse autour de la participation et de l'exclusion des femmes, du rôle de la sexualité, et de la constellation très particulière d'imageries qui ont gravité autour de ces questions au cours des vingt derniers siècles.

Bellevie : J'ai tendance à considérer Marie Madeleine de la même façon que les gnostiques la considéraient au IIIᵉ siècle, c'est-à-dire comme l'épouse symbolique du Christ, qui représente l'aspiration humaine à connaître Dieu. Je trouve par ailleurs très inspirant le fait qu'elle soit un personnage si complexe. Les gens vrais ont des vies complexes. Elle éprouvait des émotions humaines et elle a mené une vie tout ce qu'il y a d'humain, et c'est pourquoi je la considère comme l'une des nôtres.

Good: Pour moi, Marie Madeleine incarne une présence solide et opiniâtre face à la détresse totale, là où il n'y a pas d'espoir, pas de vie, pas d'avenir. Le témoignage discret de Marie Madeleine revêt une grande importance, de nos jours. Nous vivons dans le monde de l'après 11 septembre, où il arrive qu'on ne puisse enterrer les corps parce qu'ils ne sont tout simplement plus là! Dans ce contexte, Marie Madeleine vient nous rappeler que, lorsque les corps de ceux que nous aimons ont disparu, la présence est cruciale. Et c'est de cette présence que surgit l'espoir.

Schaberg: Ma vie spirituelle et ma vie professionnelle sont intimement liées. J'ai donc tendance à considérer le personnage de Madeleine à la façon d'une historienne, c'est-à-dire comme une personne réelle qui a vécu à une certaine époque et qui, je crois, peut prétendre plus que Paul au titre de fondatrice du christianisme, dans la mesure où elle a été parmi les premiers témoins de la résurrection. Mais il ne me plaît pas de la considérer comme silencieuse. Il est vrai qu'elle a été bâillonnée pendant longtemps, mais ce n'est plus le cas aujourd'hui.

Apostolos-Cappadona: Dans un certain sens, ma réponse rejoint la vôtre, Jane. Mais je l'exprimerai de façon quelque peu différente, dans la mesure où nous vivons et travaillons toutes dans un univers ésotérique, philosophique ou universitaire, mais aussi dans la vie quotidienne. Et à certains égards, Marie Madeleine relie ces deux sphères. Elle est pour moi, d'une part, une source de recherche intellectuelle, de préoccupation historique et d'intérêt scientifique, mais d'autre part elle surgit constamment dans ma vie quotidienne. Par exemple, je suis en vacances et, tout à coup, je l'aperçois dans une œuvre d'art que je ne m'attendais pas à trouver sur ma route ou encore je vois son nom mentionné dans un livre. Elle est donc constamment présente dans les sphères de ma vie. En un sens, je crois que cela ressemble beaucoup à ce que Jane vient de dire sur le rôle que Marie Madeleine joue dans sa vie, mais j'ai aussi le sentiment que nous devons l'envisager de plusieurs manières.

Elle est un lien entre toutes les parties de nos vies, tous les aspects de notre être, et peut-être que, même absente, elle est plus présente encore que si nous l'avions physiquement en face de nous.

Haskins: À mon avis, Marie Madeleine est le personnage des Évangiles qui paraît incarner le mieux tous les éléments du féminin qui ont été perdus pendant si longtemps. Elle est forte, courageuse, intrépide et indépendante. Je crois que ces traits de caractère illustrent ce qui devrait personnifier la nature féminine, ou ce que la nature féminine devrait représenter, et c'est ainsi que je la vois: comme un message et un symbole très puissants pour les femmes. Depuis la fin du XXᵉ siècle jusqu'à aujourd'hui, alors que nous sommes entrés de plain-pied dans le XXIᵉ siècle, Marie Madeleine est evenue une représentation dynamique, stimulante, séduisante et passionnée de la femme. Elle n'est plus celle que nous avons connue, belle mais toujours en larmes sous le poids de ses péchés; aujourd'hui, elle s'affirme. Dans les Évangiles, elle rencontre le Christ ressuscité et, dans un certain sens, elle représente à cet égard la force, le courage et la fidélité de la femme et son rapport avec le divin. Elle s'est unie à cette figure divine et cela représente sans doute une chose que la plupart des femmes aimeraient pouvoir faire, c'est-à-dire éprouver le sentiment de plénitude qui découle d'une telle union avec Jésus ou avec le divin.

Bellevie: Elle représente en effet un symbole puissant pour celle qui aspire à s'unir au divin, à devenir l'épouse symbolique du Christ. Et cette analogie avec le mariage s'est aussi appliquée non seulement aux individus mais à la chrétienté dans son ensemble, c'est-à-dire à un groupe de gens en quête d'une communion avec Dieu. Il s'agit donc d'un langage extrêmement fort et sensuel qui nous rappelle ce passage du *Cantique des Cantiques* où la femme est à la recherche de son bien-aimé.

Schaberg: Marie Madeleine, à notre époque, est une figure d'action; un personnage qui vous pousse à vous engager, à voter correctement, à vous informer et à vous bouger le derrière. Elle représente une fusion de l'érotique, du spirituel et de l'intellectuel, une espèce de Tina Turner ou de Dixie Chick qui veut avoir une influence sur l'époque où elle vit.

Une vedette de notre temps

Kurs : Spécialistes, théologiens, fidèles et tant d'autres personnes se sont penchés pendant des siècles sur le rôle de Marie Madeleine. Et les interprétations radicales la présentant comme l'épouse de Jésus ont cours depuis au moins cent ans. La découverte et la traduction des Évangiles « alternatifs » – ou gnostiques – trouvés en 1945 ont créé tout un émoi parmi les spécialistes, mais, dans l'ensemble, le public n'est pas entré dans le débat. Puis, tout à coup, Marie Madeleine devient un sujet d'actualité, elle est évoquée dans les sermons de toutes confessions et fait l'objet de documentaires à la télévision. Pourquoi ? Quelle est la cause d'une vague d'intérêt aussi soudaine ? Le *Da Vinci Code* n'explique pas tout, n'est-ce pas ?

Pagels : Ce qui me frappe, c'est le fait que nous disposons maintenant d'informations nouvelles sur Marie Madeleine provenant de textes très anciens comme l'*Évangile de Marie*, la *Pistis Sophia*, l'*Évangile de Philippe* et l'*Évangile de Thomas*. Nous n'avions pas ces documents auparavant. Certains d'entre eux sont disponibles depuis un bon moment, mais c'est seulement maintenant que les gens commencent à en entendre parler.

Haskins : C'est vrai. Le rôle des femmes dans les écrits du Nouveau Testament a été considéré traditionnellement comme négligeable et sans importance, en partie parce que la traduction de ces textes a surtout été faite par des hommes. Au cours des dernières années, toutefois, les spécialistes de sexe féminin ont accompli un extraordinaire travail de recherche en découvrant de nouvelles informations non seulement sur le rôle de Marie Madeleine, mais aussi sur celui d'autres femmes évoquées dans les Évangiles, ce qui témoigne de la place dynamique que les femmes peuvent prendre aujourd'hui à la fois au sein de l'Église et dans la société. Maintenant, Marie est un exemple d'apostolat, de leadership, de courage, de fidélité et du pouvoir des femmes. Il y a seulement vingt-cinq ans, jamais on n'aurait pensé à Marie Madeleine en ces termes. Que ce personnage dynamique en soit venu à représenter ces rôles nouveaux pour les femmes, par opposition à celui où on l'avait relégué pendant deux mille ans, est une chose extrêmement stimulante.

Bellevie : Cette nouvelle perspective sur Marie Madeleine – celle d'un « personnage dynamique », comme vient de très bien le décrire Susan – nous rappelle également pourquoi nous ne l'avons pas considérée comme tel avant une époque relativement récente. Je parle évidemment du patriarcat qui est inscrit dans le christianisme traditionnel et de la perte concomitante de la croyance « païenne » dans le Féminin sacré. Il est clair que le christianisme n'a pas inventé le patriarcat, mais vers le Moyen Âge une forte mythologie s'est développée autour de l'idée d'un principe féminin qui s'était perdu. Carl Jung a écrit à ce sujet, ses étudiants aussi, et Joseph Campbell l'a observé dans ses ouvrages sur le mythe. Bref, beaucoup d'idées sur la question ont circulé au cours de cette période. Sans doute les légendes du Graal ainsi qu'un certain nombre de contes issus des traditions populaires – comme Cendrillon et ses très nombreuses variantes – évoquent-ils cette perte du principe féminin. Ce qui se passe aujourd'hui, c'est que les gens interprètent ces contes médiévaux comme des expressions de la perte de Marie Madeleine, particulièrement en tant qu'épouse du Christ. Je pense que la mythologie moderne autour de Marie Madeleine peut être envisagée comme l'expression de ce sentiment de perte que certains ressentent par rapport à une dévaluation des principes féminins.

Schaberg : Je suis d'accord avec l'idée qu'il y a plusieurs raisons qui expliquent cette popularité soudaine de Marie Madeleine. L'une d'entre elles est certainement liée au fait que nous sommes actuellement au cœur d'une nouvelle phase du mouvement féministe, et les universitaires féministes ont énormément contribué à l'émergence de perspectives révisionnistes de l'histoire. Les études religieuses représentent un aspect déterminant de cette tendance.

Une autre de ces raisons se rattache aux nouvelles informations dont nous disposons, lesquelles nous disent clairement que l'image de prostituée accolée à Marie Madeleine a été nettement exagérée. Ce sentiment s'est déjà infiltré dans l'imagination populaire et nourrit aujourd'hui les interprétations du personnage. L'insatisfaction par rapport aux politiques de l'Église et à ses fourberies – notamment en ce qui concerne la pédophilie de certains de ses prêtres – a incité beaucoup de gens à se méfier de tout ce qui pourrait ressembler à des tentatives de dissimulation de la part de l'Église. Ce sentiment a clairement nourri l'intrigue de Dan Brown à propos de codes mystérieux et d'entreprises secrètes. Je crois aussi que l'imagination populaire éprouve un profond sentiment d'insatisfaction par rapport au fait que religion et sexualité – tout au moins dans une perspective chrétienne – n'ont jamais fait bon ménage. Il y a un besoin de nouvelles idées à cet égard. Les églises – et nous pourrions dire : les mouvements religieux en général – ont supprimé la capacité des femmes d'exercer une quelconque autorité. Elles ont effacé les éléments de l'histoire qui démontrent que cette capacité existe ainsi que les métaphores féminines reliées au sacré et au divin. Tout cela a eu un effet boule de neige et il ne sera pas possible de l'arrêter.

Et puis, malheureusement, il y a aussi une autre raison : le personnage est devenu commercial. Il y a du fric à faire avec Marie Madeleine. Elle est devenue une espèce de jouet, une sorte de Barbie.

Good : Mais nous ne devons quand même pas perdre de vue l'aspect positif des choses. Marie Madeleine a été un modèle pour beaucoup de femmes tout au long de la tradition chrétienne. Malheureusement, nous possédons très peu de documents qui parlent des sentiments et des prières de ces femmes, mais nous disposons toutefois de livres de prières et de textes liturgiques qui témoignent du rôle de Marie Madeleine dans la vie spirituelle des gens. Je pense que, encore aujourd'hui, elle joue un rôle très important à titre de propagatrice de la bonne nouvelle. En fait, pour beaucoup de femmes de la tradition épiscopale – dont je fais partie – qui s'apprêtent à être ordonnées prêtres, Marie Madeleine est une inspiration.

Bellevie : C'est vrai. Et tout cela se produit à un moment où le climat social permet l'échange d'idées longtemps considérées comme hérétiques et où les femmes ont enfin le pouvoir de remettre en question le *statu quo*. Beaucoup de gens reconnaissent aujourd'hui qu'il existe un déséquilibre entre les hommes et les femmes dans les organisations chrétiennes, et Marie Madeleine est devenue le centre de cette controverse. En tant que disciple de Jésus, Marie Madeleine aurait pu prétendre à être investie de la même autorité morale que les apôtres pour prêcher la parole du Christ. Et aujourd'hui, on se demande pourquoi les femmes ont été ainsi exclues des positions de leadership au sein de la chrétienté.

Apostolos-Cappadona : Évidemment, la fascination des gens pour Marie Madeleine n'est pas nouvelle. Parmi les phénomènes intéressants qui se manifestent à son sujet – et j'emploie ici le pluriel à dessein – figurent ces explosions soudaines d'intérêt pour elle. C'est un peu comme si elle s'était effacée pendant de longues périodes et que, tout à coup, surgissaient de toutes parts de nouvelles légendes, de nouvelles imageries, et elle est sur toutes les lèvres. L'un de ces regains d'intérêt pour elle est survenu au XIIIe siècle, en France, puis dans la peinture italienne de la Renaissance. Ces situations se produisent à différentes époques et on peut généralement les relier à quelque phénomène culturel ou théologique.

Ainsi, on a vu se manifester un tel regain d'intérêt pour Marie Madeleine *avant* la publication du *Da Vinci Code*. Par exemple, si vous êtes à la recherche de documents relatifs à Marie Madeleine – si vous êtes atteint de « Madeleinia », comme il m'arrive de nommer ce phénomène –, vous constaterez que beaucoup de ces documents ont été publiés vers l'an 2000. Malgré ce que croient certaines personnes, je ne pense pas que cela ait quoi que ce soit à voir avec la ferveur millénariste. Je crois plutôt que la cause en est l'intérêt des spécialistes féministes pour l'ordination des femmes. À mesure que ces femmes cherchaient à accroître le soutien en faveur du sacerdoce féminin, elles posaient également une question récurrente : « Qui était Marie Madeleine ? »

Je suis d'avis, par ailleurs, que ce mouvement d'intérêt pour Marie Madeleine a réalisé des gains importants dans la foulée du 11 septembre, encore que je ne base pas ce lien sur l'attaque terroriste en soi mais plutôt sur ses conséquences. Les personnes qui ont perdu des membres de leur famille ou des amis dans l'une des tours jumelles ou dans l'un des avions ont dû faire face à une réalité horrible : celle de n'avoir aucun corps sur lequel pleurer, aucun corps à inhumer ; bref, de faire leur deuil sur une tombe vide. Quand vous vous trouvez devant une tombe vide, vous vous en remettez toujours à Marie Madeleine. Elle est celle qui s'est tenue au pied de la croix. Elle est celle qui s'est tenue devant un tombeau vide. Elle est celle qui attend et qui, alors, est touchée non seulement par la grâce des larmes, non seulement par la conversion, mais aussi par le privilège d'être le premier témoin du Christ ressuscité, de l'assurance d'une vie nouvelle. Cette assurance est au cœur de la vraie foi.

La Marie Madeleine des Évangiles

Kurs: Revenons un moment en arrière. Vous avez expliqué à quel point la perception qu'on a de Marie Madeleine a connu des transformations extraordinaires au fil du temps. Mais, à des fins de comparaison, revenons si vous le voulez aux textes « originaux ». Parlons de la Marie Madeleine décrite dans le Nouveau Testament. Nous savons que les comptes rendus de Matthieu, de Marc, de Luc et de Jean présentent de légères différences les uns par rapport aux autres. Et avec la découverte relativement récente de ce qu'on appelle les Évangiles gnostiques, ces différences paraissent encore plus prononcées. Dites-nous ce qu'il faut tirer de ces divers points de vue qui nous ont été légués aux Ier, IIe et IIIe siècles, et comment ils ont façonné la vision moderne de Marie Madeleine.

Good: Il faut d'abord noter que, dans le Nouveau Testament, chacun des Évangiles est présenté comme l'Évangile selon… Matthieu, Marc, Luc ou Jean. Autrement dit, il y a un Évangile mais il en existe quatre versions différentes. Mon point de vue sur cette question est que la multiplicité est au cœur du message évangélique. Le message de l'Évangile n'est pas homogène. Une fois qu'on a reconnu que la diversité est inscrite dans le principe évangélique – même dans un contexte où on ne compte que quatre Évangiles canoniques –, on peut dire que, hors du canon, d'un point de vue strictement historique, il y en a beaucoup plus que quatre. L'*Évangile de Marie* est l'un de ces textes qui se situent hors du canon. C'est également le cas de l'*Évangile de Philippe*. La *Pistis Sophia*, écrite au IVe siècle, est un autre de ces textes offrant énormément d'informations sur Marie Madeleine. Lorsqu'on tient compte de tous ces documents, encore une fois dans une perspective historique, on se retrouve alors devant un éventail passionnant de textes, au-delà des quatre Évangiles du Nouveau Testament.

Pagels : Un exemple, entre beaucoup d'autres, des différences qu'on trouve dans les Évangiles canoniques : certains textes disent que Marie Madeleine a été guérie par Jésus, qu'elle a voyagé avec lui et qu'elle faisait apparemment partie du cercle de ses disciples. Mais dans l'Évangile selon saint Luc, on lit plutôt que les femmes et les disciples formaient des entités distinctes. Il paraît donc clair que Marie ne comptait pas parmi les disciples. Mais il subsiste quand même des ambiguïtés à ce sujet, car elle est présentée dans tous les Évangiles du Nouveau Testament comme la première ou l'une des premières personnes à avoir vu Jésus ressuscité d'entre les morts. Cela est très révélateur dans la mesure où, dans un autre contexte, si elle avait été un homme, elle aurait sans doute été un apôtre.

Schaberg : Dans l'Évangile selon saint Marc, dont la version originale se termine au chapitre 16, verset 8 – encore que, au fil des siècles, des dénouements différents aient été ajoutés –, Marie ne voit pas le Christ ressuscité. Elle et les autres femmes s'enfuient du tombeau vide et n'en disent rien à personne, car elles ont peur. C'est ainsi que prend fin l'Évangile selon saint Marc. Dans chacun des Évangiles, elle est au pied de la croix. Mais le Christ ne lui apparaît pas dans celui de Luc, qui ne parle pas non plus d'une quelconque instruction lui demandant d'aller répandre la nouvelle de sa résurrection, alors qu'il en est fait mention dans les Évangiles de Marc, de Jean et de Matthieu. Et dans l'Évangile selon saint Luc, lorsqu'elle fait effectivement part de sa vision du Christ ressuscité, ses paroles sont interprétées comme de la frénésie teintée de délire, mais le lecteur sait très bien que ce n'est pas le cas.

Kurs : Nous savons que l'Église traditionnelle, dans son combat pour l'orthodoxie, a considéré les textes gnostiques comme hérétiques et a tenté de les détruire. Parlez-nous de ces documents parmi lesquels on compte les Évangiles de Marie, de Philippe, de Thomas et de plusieurs autres.

Pagels : Les textes que nous appelons Évangiles gnostiques ont été découverts en Haute-Égypte, en 1945, par un paysan qui creusait la terre à la recherche d'engrais près d'une falaise. Il y trouva une immense jarre dans laquelle se trouvaient douze ou treize livres anciens contenant des Évangiles dont plusieurs étaient jusqu'alors inconnus. On savait que beaucoup d'Évangiles avaient été écrits dans l'Antiquité, mais certains avaient été enterrés, détruits ou tout simplement brûlés par les dirigeants de l'Église qui les considéraient comme des hérésies abominables. On n'avait jamais su, avant cette découverte, ce que ces hérétiques avaient écrit de si terrible. Enfin, nous étions en mesure, si j'ose dire, de les entendre parler de leur propre voix.

Good : L'un de ces textes, l'*Évangile de Marie*, est le compte rendu de sa vision de Jésus ressuscité. Lorsqu'elle fait part de cette vision aux disciples, certains d'entre eux s'inquiètent de ce que le Christ se soit confié à elle et non à eux, alors que d'autres ont une attitude plus positive et désirent en savoir plus sur cette rencontre. Il manque malheureusement six pages au milieu de ce texte gnostique, mais ce qu'on peut en dire, selon le début et la fin, c'est que Marie console les disciples de leur deuil et les encourage par le message contenu dans sa vision. À la fin du texte, elle incite les disciples à partir et, comme le souligne le texte, à devenir « l'Être humain dans son entièreté » et à proclamer la bonne nouvelle. C'est ainsi que se termine le texte, sur une note d'apostolat évangélique.

Pagels : Il y a des gens qui, aujourd'hui, se définissent comme des chrétiens gnostiques, notamment parce qu'ils apprécient les enseignements contenus dans ces textes, qui rappellent ceux des traditions mystiques juive et bouddhiste. Ces enseignements tournent autour de l'idée que si vous cherchez la source divine, vous la découvrirez. J'ai rencontré un jour une évêque gnostique, une femme magnifique d'origine cubaine, qui dirige une église en Californie. Elle m'a dit avoir été initiée aux mystères de Marie Madeleine en France, où cette tradition remonte déjà à plusieurs siècles. De nos jours, le mouvement chrétien déborde largement ce que nous appelons la tradition orthodoxe. Il y a eu une époque où nous étions certains de bien connaître Jésus et ses disciples, et notre foi était fondée sur cette connaissance. Mais, aujourd'hui, nous réalisons que le champ des perceptions est beaucoup plus large parce que nous disposons, par exemple, de textes comme le *Dialogue du Sauveur*, dans lequel Marie Madeleine est présentée, avec Matthieu et Thomas, comme une disciple de premier plan et décrite comme la femme qui comprend toutes choses. Cette compréhension de la foi s'appuie non pas sur un processus intellectuel, mais sur une sagesse du cœur, et c'est exactement ce à quoi aspirent ces gens qui se disent gnostiques. Il s'agit non pas d'une abstraction, mais d'une recherche de profondeur spirituelle et de sagesse divine. Cet autre éventail de sources évangéliques soulève beaucoup de questions qui, pour les Pères de l'Église, ne devaient pas être posées.

Kurs : Les questions que les Pères de l'Église posaient avaient trait à la façon appropriée d'interpréter les textes qu'*ils* avaient adoptés, c'est-à-dire les Évangiles de Matthieu, de Marc, de Luc et de Jean. C'est aussi ce que continuent de faire toutes les personnes qui, comme nous, sont engagées dans les études religieuses, parce que ces textes renferment encore beaucoup d'énigmes. Mais commençons par ce que nous pourrions considérer comme le cœur de toute discussion sur Marie Madeleine, à savoir son rôle au moment de la résurrection.

Pagels : Il n'y a que deux personnages du Nouveau Testament dont on puisse dire qu'ils ont vu Jésus en tête à tête après la résurrection. Il s'agit de Pierre et de Marie. Si cette dernière avait été un homme, on présumerait aujourd'hui qu'elle faisait partie des disciples ou des apôtres, qu'elle était en quelque sorte une représentante de Jésus. Sa vision de Jésus ressuscité lui aurait donné accès à ce titre.

Mais on trouve dans le Nouveau Testament beaucoup de tentatives pour la disqualifier et faire croire au lecteur que, même si elle s'est entretenue avec Jésus et faisait donc partie du cercle très restreint des privilégiés – ils n'étaient que deux –, elle n'était pas une disciple. Ce qu'elle a vécu ne compte pas : elle est une femme et, selon la loi hébraïque de l'époque, elle n'a pas le droit de témoigner devant une cour. Par conséquent, elle doit se présenter aux disciples, et c'est à eux qu'il reviendra de confirmer la résurrection de Jésus parce que son témoignage à elle est considéré comme sans intérêt. Il est important de noter à cet égard que le fait d'avoir été témoin de la résurrection aurait dû représenter une base sur laquelle affirmer son autorité morale et que c'est précisément cette autorité qui est en cause ici.

Bellevie : Il y a, encore aujourd'hui, des manœuvres subtiles qui ont cours à propos du témoignage de Marie Madeleine sur la résurrection. Je pense que si ce rôle avait été joué par un homme, le portrait aurait été différent. Si un homme avait été le premier témoin de la résurrection et en avait fait part aux disciples, il aurait probablement été tenu pour le premier des apôtres. Et je crois que le fait qu'elle était une femme influe, encore aujourd'hui, sur les perceptions.

Pagels : Ce qui est aussi frappant, c'est le contraste entre le traitement réservé aux femmes dans les textes canoniques et dans les documents non canoniques. Ainsi, dans Luc et les autres Évangiles, il y a les femmes d'un côté et les disciples de l'autre. Les femmes ne sont pas des disciples, et les disciples ne sont pas des femmes. Mais si vous lisez l'*Évangile de Thomas*, l'*Évangile de Marie*, l'*Évangile de Philippe* et le *Dialogue du Sauveur*, Marie est présentée non seulement comme l'un des disciples, mais aussi comme l'un des plus importants. Les traditions qui soutiennent que Pierre est le premier des disciples ont généralement tendance à dénigrer Marie, et celles qui valorisent Marie présentent Pierre de façon plutôt négative. Il semble donc exister entre Pierre et Marie cette rivalité qui s'articule ou s'exprime autour de la question de savoir qui des deux est le favori ou le disciple le plus proche de Jésus et à qui il a confié sa révélation. Dans l'un de ces documents non canoniques, appelé *La Sagesse de Jésus-Christ*, Pierre se plaint de ce que Marie ne cesse de parler ; il pense qu'elle devrait se taire, mais Jésus encourage plutôt Marie Madeleine à parler. On comprend très bien pourquoi ce texte ne figure pas dans le canon. Il ne fait pas partie de la tradition catholique. Si une Église a décrété que seuls des hommes ont été choisis par Jésus pour être prêtres et enseigner la bonne nouvelle, il est clair qu'elle n'adoptera pas un Évangile qui prétend que non seulement Marie Madeleine n'était pas une prostituée, mais qu'en plus elle était une disciple de première importance et jouissait de l'affection particulière de Jésus.

Schaberg : Il y a aussi cette scène dans le jardin, racontée dans le chapitre 20 de Jean, qui contient clairement des allusions érotiques. Et dans ce cas, l'érotisme en vient presque à supplanter l'idée que Marie est témoin du Christ ressuscité.

Pagels : Que pensez-vous de cette scène ? En ce qui me concerne, elle m'a toujours laissée perplexe.

Schaberg : J'ai commencé à remarquer que, dans les tableaux consacrés à cette scène, Madeleine est généralement placée assez bas. Jésus ressuscité est debout et, quelquefois, Marie Madeleine semble à la hauteur de son aine. Comme vous le savez, on y trouve l'idée qu'elle veut s'accrocher à son corps et je crois qu'il s'agit là d'une grave erreur d'interprétation. Non pas que l'érotisme soit absent de cette scène, mais je pense qu'on l'a réduite uniquement à cela.

Pagels : Beaucoup de gens ont soutenu que cette scène laisse entendre que Marie était une sorte de témoin ou une apôtre, mais je pense en fait que Jean a voulu suggérer exactement l'inverse. Dans l'Évangile selon saint Jean, Jésus s'adresse à Marie et elle le reconnaît tout à coup et lui dit « *Rabboni* », ce qui signifie « mon maître ». Et à cet instant où elle le reconnaît, il y a effectivement un moment de grande tendresse alors qu'il lui dit : « Ne me touche pas, car je ne suis pas encore monté vers mon Père. » Il s'agit d'une très belle scène, tout à fait inoubliable, que beaucoup de féministes apprécient. Leur sentiment est en effet que Jean montre alors que Jésus aime particulièrement Marie Madeleine et la tient en très haute estime.

Même si j'aimerais bien que cela soit vrai, je crois plutôt que, en écrivant cela, Jean a été un peu plus retors qu'on ne pourrait le croire. Ce qu'il dit, en fait, c'est ceci : Je sais que Marie Madeleine a été le premier témoin de la résurrection ; pourquoi alors ne comptait-elle pas parmi les disciples ? Parce qu'elle n'était pas un homme. Puis vient alors la démonstration inventée par Jean. Lorsque Marie aperçoit Jésus, il lui demande de ne pas le toucher parce qu'il n'est pas encore monté aux cieux. Cela signifie qu'il n'a pas encore reçu le pouvoir de la consacrer comme disciple. À la scène suivante, il monte aux cieux, se voit investi par le Père du pouvoir divin, et souffle l'Esprit saint sur ses disciples. Marie Madeleine est absente de cette scène.

Ce passage montre en fait le contraire de ce que certaines d'entre nous voudrions y voir. Il montre que Marie, bien qu'elle fût la première à voir Jésus ressuscité, ne faisait pas partie du cercle des disciples. Parce qu'elle n'était pas présente lorsque Jésus a transmis à ses disciples le souffle de l'Esprit saint et qu'il les a fait apôtres. Je crois donc que c'est une erreur de voir dans la scène du jardin une glorification du rôle de Marie. En fait, Jean indique clairement dans ce passage la raison pour laquelle la tradition orthodoxe chrétienne refuse catégoriquement de considérer Marie comme une disciple.

Schaberg: Je vois cette scène de façon très différente. J'ai commencé à établir certains liens entre ce passage où Jésus dit: «Je monte vers mon Père» et celui du 4e livre des Rois (chapitre 2, verset 9) où Élie est sur le point de quitter le monde et où Élisée, son disciple, tente de le retenir. Alors, Élie dit à Élisée: «Si tu me vois [quand je serai] enlevé d'avec toi, il y aura une double mesure de mon esprit sur toi.» C'est donc dans ce sens que je l'aborde. Mais je pense que vous avez raison: à la façon dont le chapitre 20 de Jean est écrit, je soupçonne qu'une source a été sinon perdue, du moins trafiquée. On y trouve une Marie très ignorante, contrairement à celle des Évangiles gnostiques. Dans l'Évangile selon saint Jean, Marie ne sait pas où est le corps, elle ne sait pas qui est Jésus, en fait, elle ne sait rien du tout.

Good: Dans l'Évangile selon saint Jean, toutefois, Marie est présentée comme une prédicatrice, en particulier parce que Jésus lui a demandé d'aller dire aux apôtres qu'il s'apprêtait à «monter vers [son] Père». Ce sont les paroles de Jésus: «Je monte vers mon Père et votre Père, et vers mon Dieu et votre Dieu.» Et cela devient la mission apostolique de Marie Madeleine. Il existe des versions illustrées de ce passage où elle prêche les disciples médusés, qui semblent dans un état de profonde détresse. On voit son doigt tendu, alors qu'elle proclame avec insistance la bonne nouvelle de la résurrection à ces apôtres incrédules. Dans d'autres textes non canoniques,

Jésus enjoint Marie Madeleine de se rendre auprès de Pierre et de lui rappeler certaines choses que Jésus lui a dites et qu'il risque d'avoir oubliées. Il est donc très intéressant de constater que, tout au moins dans les textes, le rôle de Marie comme prédicatrice et comme apôtre n'est jamais mis en doute.

Apostolos-Cappadona: Selon moi, l'ironie de tout cela réside dans le fait que le christianisme orthodoxe de l'Église d'Orient n'a jamais considéré Marie Madeleine, tout au moins sur le plan canonique, comme autre chose qu'une «sainte égale aux autres apôtres». Non pas *apostola*, apôtre parmi les apôtres, mais sainte égale aux autres apôtres. Elle est le témoin, elle est la *myrrophore* – la gardienne du mythe –, la porteuse de l'onction. Elle n'est pas vraiment une femme déchue, elle n'est pas la grande pécheresse, elle n'est pas ceci, elle n'est pas cela; elle n'est aucune de ces inventions qui ont été si déterminantes pour l'Église d'Occident. Elle est plutôt celle qui s'en va prêcher à Rome avant même que Pierre ne se rende auprès de l'empereur, si l'on en croit la tradition orthodoxe de l'Église d'Orient. Et bien qu'elle ait fait tout cela, y a-t-il aujourd'hui des femmes qui détiennent des postes de responsabilité ecclésiastique dans l'Église orthodoxe? Y a-t-il des femmes parlant d'autorité dans l'Église orthodoxe? Si elle a été une pionnière, aucune femme en tout cas n'a suivi ses traces. Ma préoccupation à cet égard est donc la suivante: même si nous réussissons à situer Marie dans la tradition chrétienne de l'Église d'Occident, en espérant ainsi donner aux femmes voix au chapitre ecclésiastique, cela ne veut pas nécessairement dire qu'on y parviendra, compte tenu de ce qui s'est passé au sein de l'Église orthodoxe d'Orient.

Bellevie: D'après moi, la plus grande leçon que nous puissions tirer de Marie Madeleine est indirecte. Elle touche notre perception du christianisme primitif et la façon dont nous l'envisageons aujourd'hui. Les choses sont ainsi faites que le christianisme primitif était extrêmement diversifié. Des idées variées circulaient à l'époque sur le christianisme et sur Marie Madeleine. Aujourd'hui, beaucoup de gens prennent connaissance de points de vue divers sur Marie Madeleine et se disent: «Comment se fait-il que je n'en aie jamais entendu parler auparavant? Comment se fait-il que je n'aie jamais eu connaissance de ces Évangiles gnostiques ? Comment se fait-il que ces autres versions ne soient jamais venues à mon oreille ? » Les gens deviennent donc engagés plus profondément dans leur vie religieuse et dans leur spiritualité, alors qu'auparavant ils avaient peut-être plutôt tendance à se contenter de ce qu'on leur offrait. Cela explique largement la popularité actuelle de Marie Madeleine.

La propagande Marie Madeleine

Kurs : Parlons maintenant du lien entre Marie Madeleine et la prostitution. Existe-t-il des preuves historiques de cela ? D'où cette idée est-elle venue ? C'est une image extrêmement lourde qui a traversé les siècles et qui semble être récurrente dans les représentations visuelles de Marie Madeleine aussi bien que dans la tradition orale.

Pagels : Je crois qu'il est important d'établir clairement ce que disent les sources. Nous savons qu'aucun passage du Nouveau Testament ne l'identifie comme une prostituée. C'est seulement plusieurs siècles plus tard que des gens, au sein de l'Église, ont commencé à associer Marie Madeleine à cette scène où une prostituée se repent et lave les pieds de Jésus avec ses cheveux. Et cette association est aujourd'hui pratiquement spontanée pour beaucoup de gens qui ont grandi dans la tradition chrétienne, mais elle n'est tout simplement pas présente dans le Nouveau Testament.

Haskins : Cette déformation est basée sur le passage de l'Évangile selon saint Luc dans lequel il est écrit que Marie Madeleine a été délivrée de sept démons. Nous ne connaissons pas la nature de ces sept démons, mais si on examine les Évangiles, on s'aperçoit que les démons chassés du corps des hommes ne sont pas reliés à leur sexualité. On évoque la perversion, la démence et bien d'autres troubles, mais aucun qui soit à caractère sexuel. Mais, dans le cas de Marie Madeleine, ses démons sont affligés de sept vices et l'Église ne veut pas revenir là-dessus. Ces démons, ces péchés sont sa luxure, sa vanité, son appétit sexuel.

À partir du VIIe siècle environ, Marie Madeleine a été considérée comme une pécheresse repentie par une Église qui, depuis les IIe et IIIe siècles, était dominée par une hiérarchie ecclésiastique exclusivement masculine. Le développement des idées sur la divinité de Jésus et la virginité de sa mère s'est alors répercuté sur le personnage de Marie Madeleine qui, jusqu'alors, n'avait été qu'une disciple de Jésus. Vers la fin du VIe siècle, le pape Grégoire le Grand a décidé que le péché de Marie Madeleine, puisqu'elle devait être une femme repentie, était celui du sexe. Elle devenait donc la contrepartie de la Vierge Marie. Ainsi, pour être rachetée, une femme devait renoncer à sa sexualité.

Les sermons qu'on lit évoquent toujours la beauté de Marie Madeleine, ses cheveux qui troublaient les hommes, ses yeux qui troublaient les hommes, son corps qui troublait les hommes. Et alors on a fait d'elle cette personne qui séchait les pieds du Christ avec ses cheveux et les lui baisait, à plat ventre sur le sol. Elle est ainsi devenue un symbole de la féminité repentante. C'est ce que Marie Madeleine a représenté pour la chrétienté et il s'est agi là d'une attitude extrêmement négative à l'égard des femmes. Elle est devenue le fer de lance de la propagande de l'Église contre les femmes. Dans une fresque italienne du XIVe siècle, Marie est debout et porte un magnifique vêtement, mais fendu sur les côtés. Pendant qu'un prédicateur dominicain rappelle que Jésus a laissé transpercer son flanc pour le salut de l'humanité, on voit Marie Madeleine laissant voir sa chair aux hommes. Cette façon misogyne et perverse de présenter Marie Madeleine constituait un puissant message pour les femmes. Elle est évoquée dans les prêches comme un modèle de repentir pour tous les pécheurs, mais surtout pour les femmes.

Certains chrétiens pensent, encore aujourd'hui, que le fait d'accorder une quelconque attention à une prostituée dans la tradition chrétienne est une perte de temps. Ils sont d'avis que plusieurs des textes susceptibles de les renseigner sur Marie Madeleine sont tardifs, peu originaux, secondaires, non canoniques, alors pourquoi s'en préoccuperaient-ils? J'aimerais simplement dire à ces gens qu'il est important de se poser des questions sur la moitié de l'humanité. Les femmes représentent cinquante pour cent de l'humanité et nous devons nous pencher sur la façon dont elles sont perçues dans la tradition chrétienne et sur les rôles qu'elles y ont joués, qu'ils soient importants ou complémentaires. Or, Marie Madeleine offre une possibilité de comprendre cela dans une perspective physique, corporelle, réelle et tangible.

L'assimilation de Marie Madeleine à la prostitution et au cortège des faibles et des méprisés – en particulier les femmes dans les auberges au Moyen Âge et même au XIXe siècle, et encore aujourd'hui dans certaines parties de l'Europe – a été déterminante pour sensibiliser les chrétiens à leurs devoirs d'aide et d'hospitalité envers les plus démunis. Donc, lorsqu'on pense à Marie Madeleine comme à une prostituée, on ne devrait pas rejeter du revers de la main cet aspect de la tradition. Il est trop facile de dire : « D'accord, le Nouveau Testament n'apporte aucune preuve qu'elle était une prostituée. Donc, elle n'a rien à voir avec cet univers. » En fait, beaucoup de femmes, beaucoup d'indigents ont trouvé refuge dans la tradition chrétienne grâce à la représentation de Marie Madeleine comme « femme perdue ». C'est une image qu'il ne faut pas déprécier si aisément.

Schaberg : Les points de vue féministes sur la prostitution sont très diversifiés. Certaines spécialistes féministes voient d'un bon œil le fait qu'une femme utilise sa sexualité comme source de profit, alors que d'autres considèrent cela comme un choix tragique et, en fait, comme une absence de choix. Mais le fait que Marie Madeleine y ait été associée est une chose que nous ne devrions pas oublier en tant que féministes, parce que c'est une question importante pour quiconque s'intéresse au bien-être des femmes et aux aspects positifs de leur sexualité, de même qu'à l'abus que certains font de la sexualité des femmes pour des motifs de profit.

La mosaïque Marie Madeleine

Kurs : Au fil des siècles, les points de vue sur la véritable nature de Marie Madeleine ont connu de profonds changements, en grande partie parce qu'une certaine confusion a toujours régné par rapport à son identité. Cette confusion se vérifie notamment dans l'histoire de la peinture. Diane, parlez-nous des multiples représentations de Marie Madeleine et de ce qu'elles nous disent à propos des attitudes religieuses des époques où elles ont été réalisées.

Apostolos-Cappadona : La compréhension du personnage de Marie Madeleine a été différente d'une étape à l'autre de l'histoire chrétienne. Elle a été tour à tour la femme perdue, l'apôtre entre les apôtres, le premier témoin de la résurrection, et la façon dont elle est dépeinte dans les drames liturgiques reflète ces changements. Ainsi, sur certains tableaux, on la voit les cheveux couverts ; sur d'autres, ses cheveux sont découverts, comme dans la scène de la pécheresse aux pieds de Jésus et à l'ombre de la croix au moment de la crucifixion. En voyageant dans l'histoire, on s'aperçoit que ses attributs et son cheminement ont été grandement exagérés. Certaines féministes contemporaines sont d'avis qu'on devrait se débarrasser des traits négatifs qui lui ont été attribués, qu'il faudrait revenir à la clarté du texte, établir de façon distincte tous les autres rôles qu'elle a joués et plonger au cœur même de ce que disent les Écritures à son sujet. Malheureusement, chaque fois que des tentatives en ce sens ont été entreprises, la tradition orthodoxe a réagi vivement.

Si on étudiait soigneusement les images et les comptes rendus qui ont jalonné l'histoire, on réaliserait que Marie Madeleine incarne l'expérience humaine dans toute sa richesse : le processus de vieillissement, nos faiblesses, nos forces, nos qualités, notre existence de pécheurs, de saints, de pénitents. Elle a clairement été un être d'émotion, de passion et d'amour. Mais le fait qu'elle ne se soit pas mariée demeure un mystère. Dans notre système de valeurs, le fait de se marier et d'avoir des enfants représente sans doute le summum de la passion et du romantisme pour un être humain. Et nous voilà face à une femme qui, à bien des égards, incarne la sensualité et la passion en plus de faire preuve d'un haut degré de spiritualité et de dévotion, mais voilà que se pose une énigme : Où est le mari ? Où est l'enfant ?

Nous devons nous arrêter et nous demander quelles sont les différentes caractéristiques de l'amour, quelles sont les différentes passions, comment elles ont été définies aux différentes époques de l'histoire et qui était cette femme qui aimait mais ne touchait pas. Qui était cette femme qui personnifiait à ce point la féminité qu'elle est la patronne des parfumeurs, des gantiers, des bijoutiers, des couturiers et de tous ces métiers qui, en un sens, confèrent sa féminité à une femme ? Il nous faut réfléchir un moment et nous poser des questions sur les multiples conceptions de l'amour. La façon dont nous envisageons la passion aujourd'hui est nettement différente de ce qu'elle était dans les premiers siècles de la chrétienté ou encore au Moyen Âge. « *Passio* », la racine latine du mot « passion », signifie « souffrir ». Dans notre système de valeurs, le premier degré de l'amour est l'érotisme. Le deuxième est le souci de l'autre. Mais le degré ultime de l'amour est atteint lorsqu'on entre dans une sorte d'union avec Dieu.

Alors, lequel de ces degrés de l'amour incarnait Marie Madeleine ? Sans doute les trois à la fois, si on considère ses multiples visages. Où est l'enfant ? Je ne pense pas qu'il y en ait eu ; je ne crois pas que ce type de rapport ait existé entre Marie Madeleine et le personnage historique que nous connaissons comme Jésus de Nazareth. Marie Madeleine était une femme indépendante et, à ce titre, elle n'avait besoin ni d'un enfant ni d'un mari. Son besoin de passion et d'amour était comblé autrement, comme on peut le constater dans les textes et les images qui nous sont parvenus. Elle a nourri ce besoin en devenant prédicatrice, missionnaire, évangéliste, guérisseuse, en faisant des miracles. Elle a été la femme qui a aidé les autres femmes à mettre leurs enfants au monde. Voilà les raisons pour lesquelles les gens étaient attirés vers elle.

Haskins : Permettez-moi d'ajouter une note politique pour expliquer comment se sont effectués ces changements d'images. Dès les tout premiers débuts du christianisme, Marie Madeleine a été changée en pécheresse repentante. Les premiers Pères de l'Église ont tous tenté, à leur manière, d'expliquer les multiples rôles de Marie Madeleine tels que rapportés dans les Évangiles jusqu'à ce que, en l'an 591, le pape Grégoire le Grand décrète que ce courageux et fidèle témoin de la résurrection recelait aussi deux autres femmes, désormais réduites à une seule, soit la pécheresse repentante.

Les choses se sont encore compliquées lorsque l'Église a associé Marie Madeleine à l'importance croissante du célibat qui, en 1100, est devenu la règle pour les prêtres. À la même époque, d'autres thèmes ont aussi pris place au cœur du débat religieux, comme le rôle de la virginité de sa mère dans la divinité du Christ ainsi que la nécessité de la pénitence.

Marie Madeleine est alors devenue la figure emblématique et le symbole de la pénitence. En 1215, le sacrement de pénitence a été créé et, dès lors, tous les chrétiens ont dû se confesser et communier. Marie Madeleine est devenue à la fois un symbole de pénitence et de communion, puis a changé du tout au tout de personnage pour devenir un symbole de luxure. Dans les prêches de l'Église à son sujet, il était question de son amour du sexe, de sa vanité et de sa vie dissolue.

Marie Madeleine : prostituée ou madame Jésus

Kurs : La question du sexe continue bien sûr d'être au cœur du personnage de Marie Madeleine. Mais elle a sans doute été portée, en quelque sorte, dans une sphère plus « élevée » : celle du Féminin sacré. Grâce au *Da Vinci Code* et aux ouvrages d'auteurs populaires tels que Margaret Starbird, Merlin Stone et Lynn Picknett ainsi qu'à la chanteuse pop Tori Amos, Marie Madeleine a pour ainsi dire cessé d'être une « simple » prostituée pour devenir un symbole du Féminin sacré, une tradition dans laquelle s'inscrivent des notions comme celles de la prostituée sacrée, des rites sexuels sacrés et du mariage sacré. Est-il possible de retracer cette évolution, en évoquant d'abord la notion préchrétienne du mariage sacré – ou *hieros gamos* en grec –, puis les textes évangéliques ?

Bellevie : Dans certaines religions préchrétiennes de Mésopotamie, il existait des cultes de la fertilité dont la spiritualité s'articulait autour de la terre et où entrait le concept de communauté d'esprit. Dans le *hieros gamos* – ou rituel de mariage sacré –, une femme, prenant l'identité d'une déesse, et un homme, qui était peut-être roi ou à qui on donnait au moins un attribut symbolique de royauté, s'unissaient charnellement et leur union était destinée à procurer des bienfaits à la terre et aux gens qui l'habitaient. Et aujourd'hui, des ouvrages comme ceux de Margaret Star- bird et d'autres auteurs estiment que les scènes d'onction qu'on trouve dans les quatre Évangiles rappellent les rites du *hieros gamos* qui avaient cours en Mésopotamie, bien qu'il n'existe pas de preuve indubitable que de tels rites étaient pratiqués dans l'Empire romain au Ier siècle. Ces auteurs soutiennent que les gens de l'époque connaissaient si bien ce concept que, en lisant les scènes d'onction figurant dans les Évangiles, ils y auraient vu spontanément des symboles reliés au *hieros gamos*.

Schaberg : L'idée derrière le *hieros gamos* est que l'acte sexuel entre un homme et une femme représente l'union de souverains célestes dans le royaume divin. Ainsi, la scène du *Da Vinci Code* où la jeune fille aperçoit son grand-père nu emporté dans un mouvement de va-et-vient avec une partenaire sexuelle est précisément une représentation de ce rite païen. Le grand-père et sa partenaire sont engagés dans une relation sexuelle sacrée qui est censée représenter une union divine. N'est-ce pas magnifique ?

Apostolos-Cappadona : Ceux qui voient dans l'onction une certaine forme de *hieros gamos* font allusion au passage de l'Évangile selon saint Luc (chapitre 7, versets 36 à 50) dans lequel la pécheresse s'agenouille aux pieds d'un personnage important, de la figure même de l'autorité. Ce geste est de ceux qu'une femme accomplirait devant son mari. Cette scène a été portée à l'écran par Zeffirelli dans son film *Jésus de Nazareth*. On y voit Anne Bancroft à plat ventre, gémissant doucement et versant des larmes, non sans un air de distinction. Il s'agit d'une scène de gratitude : la pécheresse est pardonnée. Elle est reconnaissante et aimée. C'est le moment du film dont chacun se souvient.

Pagels : Il y a quand même une ironie dans tout cela, dans une perspective chrétienne. L'Église a traditionnellement attribué à Marie Madeleine l'image d'une prostituée, alors qu'aujourd'hui elle est souvent dépeinte comme la femme et l'amante de Jésus. Dans les deux cas, ce sont des images qui font appel à l'érotisme, mais de façon différente : il y a la bonne et la mauvaise. Ce qu'on trouve dans les textes anciens est nettement différent. Au lieu d'être un objet de fantasme masculin, Marie Madeleine est présentée comme une disciple de premier plan de Jésus. Elle est très proche de lui, il lui transmet des visions et un enseignement particulier qu'il ne dispense qu'à elle seule. Il la préfère non seulement aux autres femmes, mais aussi aux autres disciples. Je crois que l'idée même que Jésus lui ait confié des enseignements d'une profondeur particulière est encore plus choquante aux yeux de l'Église que celle voulant qu'elle ait été une prostituée ou une amante.

Schaberg: Je pense que le récent intérêt à faire de Marie Madeleine madame Jésus ou l'amante de Jésus est davantage lié à Jésus qu'à Marie Madeleine. Elle existe pour transmettre un message sur la sexualité de Jésus dans certaines formes d'interprétation, la plupart étant des romans. Si Jésus doit devenir un gars réel – bref, s'il n'est pas gay –, il faut qu'il ait une femme. Il s'agit là d'une autre façon d'utiliser une femme pour réfléchir à propos d'un homme.

Kurs: Puisque nous parlons de monsieur et madame Jésus, si on relit certains textes anciens, ceux qui ne figurent pas dans le Nouveau Testament – l'*Évangile de Philippe*, l'*Évangile de Thomas*, la *Pistis Sophia* –, on retrouve ces images d'union mystique. Ces images semblent nous avoir accompagnés pendant des milliers d'années, incarnant cette quête d'union divine.

Pagels: Parfois cette quête s'exprime en termes sexuels. Je pense à ce passage de l'*Évangile de Thomas* dans lequel une autre femme demande à Jésus, en une allusion de nature plutôt sexuelle: «Qui es-tu, homme? De qui es-tu né, pour être monté sur mon lit et avoir mangé à ma table?» Et il semble la réprimander en ne répondant pas à la question de façon directe, mais en disant plutôt: «Je suis celui qui a été créé de son Égal.» Je pense qu'il fait alors allusion à la création primordiale qui précède l'identité sexuelle, et qu'il dit en fait: «Je viens de ce qui existait avant le masculin et le féminin, mon identité sur le plan spirituel n'est pas davantage celle d'un homme que la tienne est celle d'une femme. Elle va au-delà des sexes, au cœur même de Dieu.» Alors, voilà une autre façon d'évoquer cette sorte d'union.

Kurs: Et que penser de ces affirmations plutôt provocatrices selon lesquelles Jésus embrassait Marie Madeleine sur la bouche? Comment devons-nous interpréter cela?

Pagels: Ce passage, qui figure en fait dans l'*Évangile de Philippe*, est à l'origine de beaucoup d'interprétations romanesques. Il se lit ainsi: «Et la compagne du fils est Marie

Madeleine. Le Seigneur l'aimait plus que tous les disciples et il l'embrassait souvent sur la…» Le mot suivant est illisible et les gens ont rempli l'espace avec le mot «bouche» parce qu'il semblait bien s'intégrer dans l'espace vide, mais nous ne sommes pas certains que ce soit le bon. Et quand on va plus loin dans le texte, on réalise que le sensationnalisme sexuel qu'on avait d'abord cru y voir est beaucoup moins évident et que, en fait, on y perçoit beaucoup plus le genre de langage mystique qu'on trouve dans les traditions hébraïque et bouddhiste. Cette imagerie sexuelle du baiser représente la façon dont les chrétiens étaient initiés à leur foi; c'est ce qu'on appelle le baiser de paix. Après avoir été baptisés et avoir reçu l'Eucharistie, les gens s'embrassaient et c'est ainsi que les nouveaux chrétiens «naissaient», pour ainsi dire. Il s'agit d'une transformation de l'acte de procréation sexuelle en un acte de procréation spirituelle assimilable au baptême.

Apostolos-Cappadona: Il nous faut également placer ce baiser dans un contexte culturel bien précis et nous demander ce que ces termes et ces gestes signifiaient dans le cadre social de l'époque. Comme vous le signaliez, il peut s'agir du baiser de paix ou peut-être cela représente-t-il la notion d'échange d'idées, d'intégration des initiés dans une communauté, ou encore de renaissance.

Kurs: Vous voulez dire que ce baiser n'a pas une connotation aussi érotique que certains voudraient le croire?

Pagels: Dans le contexte de l'*Évangile de Philippe*, l'érotisme a souvent une valeur métaphorique: l'imagerie sexuelle est souvent évoquée pour exprimer un lien spirituel. Quand on lit Philippe, on a l'impression qu'il existe un caractère érotique dans l'amour que Jésus et Marie éprouvent l'un pour l'autre; l'amour physique en tant qu'expression d'amour divin occupe une part importante de ces textes. L'imagerie sexuelle a toujours fait partie de la tradition mystique. Dans beaucoup de textes, l'amour divin est évoqué comme un lien entre époux. Les grands mystiques de la tradition catholique, comme saint Jean de la Croix, se décrivent aussi comme des amoureux de Dieu. Le *Cantique des Cantiques* est également rempli d'allusions sexuelles, mais il est interprété comme une métaphore de l'amour infini de Dieu pour l'être humain. L'amour sexuel et l'amour divin y sont réunis d'une manière que l'on ne retrouve pas dans la tradition orthodoxe, qui les traite généralement de façon très distincte.

Kurs : L'interaction entre l'érotique et le divin est sûrement manifeste dans l'imagerie de Marie Madeleine. En fait, Susan, je crois que c'est vous qui avez inventé l'expression «pornographie pieuse». Pouvez-vous nous dire ce que vous entendez par là?

Haskins : La pornographie pieuse se rattache essentiellement aux images de Marie Madeleine qui ont été diffusées depuis le XVIe siècle. À partir de ce moment, dans les peintures et les sculptures, elle a souvent été représentée nue. Cette imagerie conventionnelle tire sa source de la légende selon laquelle elle se serait réfugiée dans le sud de la France et y aurait vécu dans une caverne où elle se serait dépouillée de ses vêtements et aurait laissé pousser ses cheveux tout le long de son corps. D'après cette légende, elle priait et jeûnait et, chaque jour, des anges descendaient et la portaient au paradis pour un repas céleste. Tout au long de la Renaissance, les représentations de Marie Madeleine avaient plus trait à sa nudité qu'à quoi que ce soit d'autre, et certaines de ces images sont carrément de la pornographie très explicite. Elle y est la chair personnifiée – ou la chair féminine personnifiée –, même quand elle lit et même quand elle prie.

Apostolos-Cappadona : Qu'elle soit représentée lisant, se promenant dans le jardin ou étendue sur un rocher, nous devons replacer ces images dans le contexte culturel des époques où elles ont été créées. Souvent – pas toujours –, elle est représentée comme un objet de voyeurisme. Mais il nous faut regarder ces représentations tout en nous rappelant ce qui se passait à ces époques. Qu'est-ce que les gens pensaient, non seulement à l'égard de Marie Madeleine mais par rapport au corps humain? Comment envisageaient-ils la sexualité? Quels étaient, selon eux, les fondements du christianisme? Était-ce l'Incarnation en tant qu'esprit fait chair?

Schaberg : La vraie question est de savoir ce qu'ils pensaient du corps de la femme. En fait, c'est de savoir comment les hommes voient le corps de la femme.

Kurs : Alors, quel rôle le corps de Marie Madeleine a-t-il joué à différentes époques ?

Apostolos-Cappadona : Je crois qu'on a commencé à la représenter lisant dévêtue à peu près au même moment où on a commencé à représenter saint Jérôme lisant dévêtu. Le premier exemple de cela se trouve sans doute dans l'œuvre d'Adriaen Isenbrant (mort en 1551). Il y a certains parallèles à établir entre l'histoire et l'iconographie de Jérôme et de Marie Madeleine. Les premières représentations de saint Jérôme lisant dans le désert le montrent vêtu et c'est la même chose pour les premières représentations de Marie Madeleine lisant dans le désert. Puis on commence tranquillement à les dépouiller de leurs vêtements. On voit un sein de Marie Madeleine, puis, dans le cas de saint Jérôme, Isenbrant dévoile une partie de sa poitrine. À la fin, Jérôme n'est plus représenté qu'en pagne.

Kurs : Je comprends, d'après ce que vous dites, que, malgré la grande diversité des représentations de Marie Madeleine à travers l'histoire, celles-ci n'en continuent pas moins d'offrir une connotation érotique qui nous a été léguée par des hommes.

Haskins : C'est vrai, mais il faut quand même les replacer dans leur contexte. Les tableaux du XVIᵉ siècle ont été réalisés à une époque où le corps féminin représentait le corps idéal. Marie Madeleine pouvait alors être décrite comme une beauté idéale. Elle était une Vénus en robe de toile, pour employer une expression déjà utilisée par une historienne de l'art. Donc, tout en étant dépeinte comme la femme idéale, elle avait aussi une autre image imposée par l'Église.

Après la rupture avec les protestants, Marie Madeleine est devenue une arme de propagande pour l'Église catholique, qui insistait alors particulièrement sur le sacrement de pénitence. Dans ce contexte, Marie Madeleine est devenue la repentante nue et cette nudité était nouvelle. Cette transformation avait un lien avec la légende, selon laquelle elle serait allée finir sa vie dans le sud de la France, et avec le rapport entre la vanité liée au port de vêtements et la vérité de la nudité. L'idée était que, en se tournant vers Dieu, elle avait purifié son âme et son corps. Sa nudité était ainsi le symbole de la vérité qu'elle avait embrassée.

Marie Madeleine s'était convertie au Christ. Sa nudité était celle de la naissance. Mais il y a aussi des questions à se poser sur les motifs des mécènes qui commandaient ces tableaux et qui étaient surtout des aristocrates de sexe masculin. Marie Madeleine était une pin up, pour employer le langage populaire. On commandait des tableaux la représentant complètement nue, à peine couverte par une partie de sa chevelure. Il existe une peinture de Marie Madeleine qui aujourd'hui pourrait facilement être publiée en page 3 d'un certain journal britannique[49]. Elle y apparaît nue comme un ver, et seule une mèche de ses cheveux lui couvre la poitrine. Un an après avoir peint cette toile, le peintre est devenu prêtre. La distinction entre le sacré et le profane est pour le moins difficile à cerner.

La Marie Madeleine du *Da Vinci Code*

Kurs: Aujourd'hui, toute conversation ayant pour thème Marie Madeleine débouche sur le *Da Vinci Code*; je suppose que c'est inévitable. Les gens se demandent, bien sûr, si Dan Brown a raison. Ils veulent savoir si les comptes rendus alternatifs de l'histoire ont plus de valeur que ce qui nous a été enseigné.

Good: D'une part, je suis très reconnaissante à Dan Brown d'avoir inscrit Marie Madeleine dans les traditions du christianisme naissant. Ce faisant, il a incité le public à prendre connaissance des textes non canoniques dans lesquels Marie Madeleine joue un rôle important, comme l'*Évangile de Marie* et l'*Évangile de Philippe*. Mais, d'autre part, je trouve que l'usage qu'il fait de ces textes est très limité. En fait, il ne met en scène Marie Madeleine que dans la mesure où elle est en relation avec Jésus. Elle n'y parle pas de sa propre voix.

---

49. Le quotidien londonien *The Sun* publie en page 3 de chacune de ses éditions la photo d'une jeune fille très légèrement vêtue. (N.d.T.)

Nous n'y retrouvons pas l'écho de son propre témoignage prophétique à Jésus.

Schaberg: La Marie Madeleine présentée par Dan Brown a suscité en moi beaucoup de colère. Non seulement elle y apparaît comme madame Jésus, mais en plus son rôle d'épouse y est minimisé. Dans plusieurs passages, elle est évoquée comme un simple contenant. Comment peut-on être aussi réducteur?

Good: Dans le *Da Vinci Code*, Dan Brown fait une affirmation incroyable qui invertit tout ce que nous savons des textes qui ne figurent pas dans le canon: il présente l'*Évangile de Marie* et l'*Évangile de Philippe* comme des documents historiques. Pourquoi? Parce qu'ils offrent des témoignages selon lesquels Jésus et Marie Madeleine auraient été mari et femme. Cette façon de procéder met sens dessus dessous tout le travail de recherche qui a été réalisé pendant deux mille ans. Nous croyions jusqu'alors que les Évangiles du Nouveau Testament – ceux de Matthieu, de Marc, de Luc et de Jean – étaient sans doute étroitement reliés aux traditions historiques. Dans ces Évangiles, il n'est pas question de mariage entre Jésus et Marie Madeleine et celle-ci apparaît simplement parmi les autres disciples comme faisant partie de l'entourage de Jésus. Dans ces textes, elle fait particulièrement preuve de perspicacité, de savoir-faire et de ténacité dans son rôle de disciple, de suivante et, par la suite, d'égale. Alors, pourquoi Dan Brown a-t-il inversé tout ce que nous savions des textes non canoniques? Simplement pour soutenir sa trame romanesque. Il ne met en lumière que les passages donnant à penser que Jésus et Marie Madeleine étaient mariés et ignore les autres. Si on veut invoquer deux textes à l'appui d'une thèse précise, on peut sans aucun doute le faire. Mais pourquoi n'a-t-il pas fait appel à l'ensemble des documents et cherché des preuves cumulatives?

Marie Madeleine, la femme indépendante

Kurs: Dan Brown, comme tous ceux qui s'intéressent au débat sur Marie Madeleine, doit beaucoup aux spécialistes féministes telles que vous qui, au cours des vingt ou trente dernières années, ont fait un si important travail de recherche – tant dans les textes que dans les documents visuels – sur ce que certains appellent aujourd'hui le «passé utilisable». Dans ce contexte, y a-t-il une leçon à tirer de la vie de Marie Madeleine? D'une part, nous avons cette notion de pornographie pieuse dont nous avons discuté plus tôt et, d'autre part, nous parlons aussi d'une femme solide, indépendante et douée d'une forte spiritualité. Marie Madeleine représente-t-elle un modèle, aussi bien pour les femmes que pour l'Église?

Haskins: Je la considère comme une arme de propagande contre les femmes, en particulier quand on songe à son image de soi-disant prostituée repentante. Pour devenir sainte, il a fallu qu'elle renonce à sa sexualité et devienne asexuée. Voilà l'image que l'Église a voulu créer.

Schaberg: Mais je crois que la pensée féministe sur la question de la prostitution ne peut ignorer le fait que certaines prostituées estiment faire une choix en ce qui concerne leur sexualité, alors que d'autres féministes les considèrent comme des victimes. Ce qui est quand même intéressant à cet égard, c'est le fait que plusieurs groupes de prostituées s'intéressent à cet aspect du personnage de Marie Madeleine.

Apostolos-Cappadona: À leurs yeux, elle a été une femme indépendante qui a fait son chemin dans un monde où les possibilités étaient limitées.

Bellevie: Même si son identité de prostituée relève de la fiction – et chacun reconnaît aujourd'hui que les Écritures ne contiennent aucun fondement pour une telle assertion –, si on mettait de côté cette image durable de Marie Madeleine, est-ce qu'on ne couperait pas le lien d'identification, valable à plusieurs points de vue, que certaines personnes ont avec elle? À cet égard, il est assez intéressant de noter que, en certaines circonstances, nous continuons de la voir ainsi; par exemple, beaucoup d'organisations de secours mènent encore leurs activités sous le patronage de Marie Madeleine. Le fait que l'Église catholique a modifié sa désignation sur le calendrier des saints ne suffit pas à faire disparaître si rapidement quelque quatorze siècles d'idées reçues. Elles sont inscrites en nous, nous n'y pouvons rien. Mais je crois que cela peut s'avérer sain, dans la mesure où certaines personnes cherchent encore à vivre dans l'émulation de la Vierge Marie et que personne n'est en mesure d'atteindre cet idéal. Or, Marie Madeleine a toujours été un personnage à propos duquel les femmes pouvaient dire : « Si Jésus l'aimait, eh bien, il peut m'aimer aussi ! » Ce sont des choses qui arrivent encore aujourd'hui. C'est l'une des façons par lesquelles les gens s'identifient à elle.

Haskins : Ma propre vision de la véritable Marie Madeleine est celle du personnage évangélique tel que nous le connaissons, mais sans les ajouts anecdotiques et sans qu'on l'assimile à d'autres personnages comme la pécheresse de Luc et Marie de Béthanie. La véritable Marie est une figure dynamique qui, dans les Évangiles, a été le chef de file des disciples.

Schaberg : Je pense aussi qu'elle devrait être considérée comme une figure dynamique, mais pour ma part je ne vois pas beaucoup l'utilité de la voir comme l'apôtre des apôtres. Cela ne mène nulle part. L'Église orthodoxe et le Vatican peuvent bien affirmer qu'elle a été une apôtre importante parmi les apôtres, ils n'en continuent pas moins de la confiner dans le rôle assigné par la tradition. Son importance comme apôtre ne signifie rien pour les femmes d'aujourd'hui qui souhaiteraient exercer un leadership au sein de l'Église.

Apostolos-Cappadona : J'ai lu tous les textes, aussi bien les Évangiles apocryphes que le Nouveau Testament. Et je reconstruis le personnage historique qu'a été Marie Madeleine comme une prophète mystique, une figure très importante des premiers moments de la chrétienté ou de ce qui allait devenir la chrétienté. J'aborde mon travail comme spécialiste féministe dans le même esprit que les autres spécialistes féministes dans d'autres champs d'étude : je veux reconstruire l'histoire et en donner une compréhension nouvelle, étudier le passé et en corriger les erreurs afin de susciter un vaste mouvement social d'où émergeront des sociétés justes pour les femmes et les enfants, les pauvres et ceux qui ne font pas partie de l'élite.

Haskins: Au XXe siècle, les gens – surtout les femmes – ont considéré Marie Madeleine comme un modèle en raison de sa force de caractère et de son indépendance. Marie Madeleine a fait ce qu'elle voulait, elle n'a été forcée à faire quoi que ce soit. D'après les Évangiles, elle a été fidèle à elle-même jusqu'à la fin, et sa loyauté a été récompensée par sa rencontre du Christ ressuscité. Aujourd'hui, je dirais qu'elle s'inscrit dans une sorte de Féminin sacré qui est au cœur de chaque femme, et beaucoup d'entre nous souhaitent compter sur cette figure déifiée ou ce Féminin sacré comme une force qui les guide pour demeurer fidèles à elles-mêmes.

Schaberg: Les interprétations féministes de Marie Madeleine sont beaucoup plus que des interprétations qui tirent le tapis sous les pieds de ceux qui, dans les cercles religieux, s'opposent à l'ordination des femmes ou les empêchent d'exercer un leadership au sein de l'Église. La reconstruction féministe de l'histoire se réalise dans la perspective d'une réforme des structures sociales à l'échelle mondiale. Et cela, aux yeux de certains, est beaucoup plus dangereux que la simple ordination des femmes.

Pagels: Ce que nous voyons aujourd'hui, c'est une Marie Madeleine que les féministes tentent de réinventer. Il s'agit d'une personne – à la fois une représentation et un symbole – qui s'est inscrite dans la tradition dès les tout premiers débuts. C'est un peu comme si un personnage de premier plan sur une photographie avait été «aérographié», et que maintenant nous réalisions que ce personnage était là depuis le début. Et nous comprenons que ce personnage a toujours appartenu à notre tradition.

Kurs: Il est clair que l'Église n'a pas été en mesure de contenir Marie Madeleine. Sa présence demeure. Merci d'être venues ici aujourd'hui, de nous avoir parlé d'elle, de nous avoir fait part de vos réflexions et de l'avoir fait vivre parmi nous.

CHAPITRE 6

La mosaïque Marie Madeleine.
Entre pécheresse et sainte

Revisiter le Lys écarlate[50].
Marie Madeleine dans l'art
et la culture de l'Occident

par Diane Apostolos-Cappadona[51]

Le fait central de son histoire est qu'elle a tellement aimé le Christ qu'elle s'est repentie de son passé pour en venir à accepter la mortalité de la chair et l'immortalité de l'âme. Pourtant, ses représentations picturales contredisent ce fait. C'est comme si sa conversion n'avait jamais eu lieu. La peinture a été incapable de traduire cette renonciation. Elle l'a représentée, avant tout, comme une femme offerte et désirable. Elle est demeurée l'objet docile d'une méthode picturale axée sur la séduction[52].

- John Berger, Ways of Seeing[53]

---

50. *The Scarlet Lily* (Le Lys écarlate), de l'auteur américain Edward F. Murphy, est un roman publié en 1944 et ayant pour thème la vie de Marie Madeleine. Il n'en existe pas de version en français.

51. Diane Apostolos-Cappadona, professeure à la Georgetown University de Washington, est historienne des cultures spécialisée en art religieux. Elle a mené ses premiers travaux sur l'iconographie de Marie Madeleine alors qu'elle était étudiante à la Georgetown University sous la direction de Laurence Pereira Leite, professeure d'histoire de l'art, qui est alors devenue son mentor en art et en culture du monde chrétien. Son premier texte sur ce fascinant personnage biblique qu'est Marie Madeleine, intitulé « Images, Interpretations, and Traditions: A Study of the Magdalene », a été publié dans le cadre de l'ouvrage *Interpreting Tradition: The Art of Theological Reflection*, sous la direction de Jane Kopas (Chico, Scholar's Press, 1984, p. 109-123). Le présent article, qui intègre les résultats de recherches subséquentes effectuées par Susan Haskins, Katherine Ludwig Jansen et d'autres spécialistes, est une nouvelle version du manuscrit original. L'épithète de « lys écarlate » accolée à Marie Madeleine s'inspire de l'un des romans d'inspiration biblique les plus inventifs écrits à son sujet.

52. Traduction libre. (N.d.T.)

53. John Berger, *Voir le voir*, trad. par Monique Triomphe, Paris, Alain Moreau, 1976.

Aucune figure féminine dans l'histoire de l'art chrétien n'a subi autant de transformations visuelles et interprétatives que Marie Madeleine. Son image dans l'art chrétien – tout comme son personnage dans l'histoire du christianisme – a été continuellement façonnée et remaniée au gré des bouleversements culturels et théologiques qui se sont produits au cours de deux mille ans d'histoire chrétienne. En explorant ses multiples métamorphoses comme sainte et comme pécheresse au fil de l'évolution de l'art chrétien – des premiers temps de la chrétienté, en passant par le Moyen Âge, la Renaissance, la Réforme et la contre-réforme, le Siècle des lumières et l'époque romantique, jusqu'aux ères de l'existentialisme et du Verseau –, nous pouvons voir le reflet de notre propre compréhension de la religion et de la spiritualité.

L'iconographie fondamentale de Marie Madeleine est celle d'une magnifique jeune femme à la longue chevelure tenant une jarre de parfum dont elle s'apprête à oindre les pieds de Jésus, dans la maison du pharisien, ou près de son corps crucifié (figure 2). Plusieurs tableaux célèbres la représentent faisant pénitence dans un état de profonde contemplation, souvent avec un crâne, un crucifix ou un fouet, symboles de sa conversion, de sa transition de pécheresse à sainte. Lorsqu'elle est dépeinte en méditation silencieuse, fixant son reflet dans une glace, il s'agit non pas d'un retour à son narcissisme passé, mais plutôt d'une introspection spirituelle, d'un regard sur la métamorphose que son âme a subie. Maintes fois dans l'art chrétien, elle est représentée dans divers états physiques et émotionnels, comme une ermite hirsute et pâle errant dans le désert ou comme une vieille femme affligée dans l'attente de la mort. Quel que soit le thème abordé, Marie Madeleine est le plus souvent représentée dans des vêtements dont le symbolisme des couleurs est caractéristique : les nuances d'orangé rappellent son passé dissolu, alors que le violet exprime la pénitence et le deuil. Son manteau rouge évoque tous les aspects de l'amour, *eros* et *agapè*, familial et personnel, égocentrique et collectif.

Sa longue, gracieuse et magnifique chevelure est un attribut important de Marie Madeleine. Elle rappelle son double rôle de dispensatrice de l'onction pour Jésus de Nazareth et de pécheresse repentie. La chevelure a une grande valeur symbolique dans l'art chrétien. Dans la culture méditerranéenne classique préchrétienne, les cheveux cuivrés ou roux révèlent un personnage chargé d'érotisme. C'est ainsi que Marie Madeleine a été identifiée comme la femme adultère d'abord anonyme, puis comme une prostituée. Aussi ambigu que cela puisse paraître, les cheveux sont également symboles d'énergie et de fertilité. Une chevelure abondante représente l'*élan vital*[54], la *joie de vivre*[55] et l'énergie spirituelle. À cette époque, l'abondance et la beauté de la chevelure étaient des signes de l'évolution spirituelle de l'individu. Ainsi, les représentations de Marie Madeleine confirment son évolution sur le plan spirituel, en particulier après sa conversion.

Partout dans le monde méditerranéen de la période classique, les jeunes femmes célibataires portaient les cheveux longs et détachés, un style qui devint bientôt un synonyme d'amour sacré, alors que les cheveux tressés ou remontés en chignon sur le dessus de la tête symbolisaient l'amour profane. C'est dire que la chevelure longue et flottante de Marie Madeleine dénote à la fois ces usages culturels et les textes des premiers Pères de l'Église ainsi que la Litanie des Saints dans lesquels elle est présentée comme une vierge.

Les artistes du début de l'ère chrétienne ne se sont pas penchés sur les questions relatives à l'identité de Marie Madeleine ou sur la façon dont un pape en est venu à fondre un groupe de femmes évoquées dans les Écritures en une seule sainte et pécheresse connue désormais sous le nom de Marie Madeleine. La principale intention de ces artistes était d'exprimer l'idée que cette sainte n'était pas aussi importante à titre *individuel* que comme témoin des miracles et autres épisodes de la vie de Jésus de Nazareth. Ce qui préoccupait l'art des premiers temps de la chrétienté n'était pas tant la créativité et l'innovation théologiques que l'expression et la confession de la foi, qui n'étaient pas sans traduire par ailleurs le souci de l'artiste à l'égard de son propre salut.

Il est difficile, voire impossible, de trouver des représentations identifiables de Marie Madeleine dans la phase suivante de l'art

---

54. En français dans le texte.

55. En français dans le texte.

religieux, soit celle de la période byzantine[56]. À cette époque, les artistes se sont plutôt attachés à représenter les miracles dans lesquels elle avait joué un rôle – en particulier la résurrection – ou certains épisodes des Écritures dans lesquels on trouve des femmes qui ne sont pas nommées, tels que *L'Onction à Béthanie* et *Le Christ et la Femme adultère*. C'est à partir du IVe siècle que certains sarcophages découverts à Milan et à Servanne, que des tableaux d'ivoire retrouvés à Milan et à Munich, que les portes de bois de l'église Santa Sabina à Rome et que des mosaïques de San Apollinare Nuovo à Ravenne témoignent des premières manifestations d'intérêt artistique pour un personnage féminin qui pourrait être Marie Madeleine. L'évangéliaire de Rabula, un document du VIe siècle, contient également des représentations manifestes de Marie Madeleine en compagnie de Marie de Nazareth au pied de la croix, devant le sépulcre vide et lors de l'apparition du Christ ressuscité (figure 3).

À la suite d'une homélie prononcée à la fin du VIe siècle dans laquelle le pape Grégoire Ier la transforme en pécheresse repentie, l'art du début du Moyen Âge entreprend de représenter une Marie Madeleine composite, ce que j'ai nommé « la mosaïque Marie Madeleine ». Des documents visuels de toutes sortes – mosaïques, fresques, enluminures, sculptures – confirment que c'est de ce moment que date l'identification de Marie Madeleine à la pécheresse anonyme convertie. Des représentations de diverses scènes d'onction sont alors réunies en une seule alors que Marie Madeleine devient clairement identifiée aux autres dispensatrices anonymes de l'onction. Cette reconnaissance visuelle de Marie Madeleine comme la pécheresse repentante et assimilée à Marie de Béthanie, sœur de Lazare et de Marthe, a solidifié l'image composite des Écritures favorisée par Grégoire. Cette confusion des épisodes des Écritures et les images qui l'ont alimentée dans l'art chrétien ont fixé dans l'imagination populaire et la collectivité chrétienne la personnalité de Marie Madeleine.

---

56. Voir à ce sujet mon article « On the Visual and the Vision : The Magdalene in Early Christian and Byzantine Art and Culture », dans Deirdre Good (dir.), Mariam, The Magdalen, and the Mother, Bloomington, Indiana University Press, 2005, p. 123-149.

Le Moyen Âge

Marie Madeleine entreprend donc au Moyen Âge son périple pictural en tant qu'«actrice de second rôle» du drame chrétien joué par les saintes dans l'art roman et gothique pour devenir peu à peu un personnage indépendant de premier plan, une héroïne de plein droit. Les représentations de Marie Madeleine deviennent alors fréquentes dans les cycles narratifs et liturgiques des églises médiévales, qu'il s'agisse de voûtes sculptées ou peintes, de fresques ou de portails sculptés. Parallèlement à cette transformation artistique, on commence aussi à vénérer Marie Madeleine à titre de sainte pénitente et elle est assimilée à une autre prostituée réformée devenue sainte, Marie d'Égypte, qui a mené une vie de pénitence dans le désert égyptien (figure 4).

Le Moyen Âge fut une période de foi profonde, aussi bien individuelle que collective, où l'on reconnaissait le pouvoir du péché et les vertus de la pénitence. Au XIVe siècle, par exemple, la peste noire mit en lumière de façon quotidienne la souffrance, la misère et la fragilité de la vie humaine. En tant que «grande pécheresse» investie du pardon, de l'amour et de la première vision de la résurrection, Marie Madeleine devint aux yeux de l'ensemble des pécheurs un symbole quotidien de soutien et de réconfort (figure 5).

Le Moyen Âge fut aussi témoin d'une explosion marquée de ferveur chrétienne, manifestée par les croisades, les pèlerinages, les drames liturgiques ou mystères de la Passion et la spiritualité franciscaine. Marie Madeleine tenait une place de choix dans les drames liturgiques présentés de ville en ville, en particulier comme personnage principal des scènes de lamentation et de résurrection (figure 6). L'un des effets artistiques immédiats de ces drames toucha l'arrangement de ses cheveux, qui désormais n'étaient plus couverts d'un châle ou d'un voile, mais flottaient librement sur ses épaules. Cet effet théâtral, destiné à humaniser Marie Madeleine par rapport à son iconographie précédente de sainte et de matrone, la rendit plus attachante pour les spectateurs.

Les légendes et les écrits théologiques s'avèrent être une source importante d'informations au sujet de ces métamorphoses qu'a subies l'image de Marie Madeleine au cours du Moyen Âge. Ainsi, on sait qu'elle est devenue, pour la tradition spirituelle franciscaine alors naissante, un symbole d'amour, d'humilité et de pénitence. Les *Méditations sur la vie de Jésus-Christ*, attribuées à saint Bonaventure, contiennent également de nombreuses mentions de Marie Madeleine. Plusieurs commentateurs de l'époque ont aussi soutenu la véracité de la légende selon laquelle Marie Madeleine et l'évangéliste Jean auraient formé le couple uni lors des noces de Cana. Toujours au Moyen Âge, d'autres auteurs, dont Jacques de Voragine dans *La Légende dorée*, ont par ailleurs cherché à nier toute révélation associant Marie Madeleine à la mariée des noces de Cana. Les sermons de Bernard de Clairvaux sur le *Cantique des Cantiques*, en particulier le sermon 57, s'inscrivent aussi dans la tradition établie par Origène dans ses *Commentaires sur le Cantique des Cantiques*, reliant la mariée des noces de Cana à Marie Madeleine, la dispensatrice de l'onction à Jésus de Nazareth. Rapidement, la figure d'une Marie Madeleine sainte et digne a disparu de l'imaginaire chrétien au profit d'une fusion symbolique de l'amour humain et de l'amour spirituel, d'*eros* et d'*agapè*. Donc, le christianisme médiéval a mis au monde une Marie Madeleine nouvelle, une sainte matrone bientôt transformée en séduisante héroïne des vertus chrétiennes.

Cependant, c'est sans doute en France que se développa, au Moyen Âge, la plus grande dévotion envers Marie Madeleine qui devint dans ce pays une missionnaire et une sainte pénitente hors du commun[57]. Des légendes détaillées racontant ses prédications et des miracles réalisés partout dans le sud de la France formèrent la base d'une vénération particulière à son endroit (figure 7). Au XIIIᵉ siècle, une chapelle dédiée à Marie Madeleine fut d'ailleurs construite à Marseille sur les ruines d'un temple consacré à Diane d'Éphèse. La légendaire expédition qui la mena de Jérusalem en Provence aurait eu lieu entre les années 34 et 40. Selon la tradition, elle traversa la Méditerranée à bord d'une embarcation dépourvue de voile ou de rames, dans laquelle avaient également pris place sa sœur Marthe, son frère Lazare, Marie Salomé, Marie Jacob,

---

57. À ce sujet, outre les sources historiques traditionnelles – dont l'étude en deux volumes de Victor Saxer sur la place de Marie Madeleine dans l'histoire de France, ainsi que *Mary Magdalene* de Digby et *La Légende dorée* de Jacques de Voragine –, on peut consulter le résultat de mes recherches menées sur place en Camargue et en Provence en octobre 2005.

l'évêque Maximin, Sarah l'Égyptienne ainsi que quatre-vingt-deux disciples. Ils débarquèrent aux Saintes-Maries de la Mer où se fixèrent Sarah et les autres Marie, alors que Marthe se rendit à Tarascon, Lazare, à Marseille, et Marie Madeleine, à la Sainte-Baume (ou « sainte grotte ») après avoir évangélisé la région. Elle y demeura pendant trente ou trente-trois ans, selon les sources, et y mena une vie d'ascète consacrée à la prière et ponctuée d'élévations quotidiennes au mont Saint-Pilon, où des anges lui jouaient des musiques célestes et lui apportaient l'Eucharistie. Malgré un litige entre les gens qui assuraient que ses restes « authentiques » étaient à Vézelay et ceux qui affirmaient qu'ils étaient à Saint-Maximin-la-Sainte-Baume, sa grotte et les cathédrales qui lui avaient été consacrées devinrent des lieux de pèlerinage fréquentés même par les rois de France et leur suite.

Marie Madeleine commença alors à intégrer – en France et ailleurs – les attributs des déesses vierges de la période classique, telles que Diane d'Éphèse, considérées comme des protectrices des femmes – particulièrement en matière de fertilité, de grossesse et d'accouchement – et des jeunes enfants. À cet égard, la légende qui renforça sans doute le plus la domination de Marie Madeleine sur Diane d'Éphèse est celle d'une reine de France déclarée stérile qui donna miraculeusement naissance à un fils. Ce miracle fut bientôt suivi d'un autre, alors que la même reine fut ramenée à la vie après être morte en couches ou de noyade, selon les légendes pieuses écrites ou orales consignées dans la *Mary Magdalene* de Digby ou *La Légende dorée*. Les retables et les drames liturgiques du Moyen Âge s'unissent aux légendes populaires pour confirmer que Marie Madeleine n'était plus, dès lors, une simple actrice dans le drame du salut, mais bien une authentique héroïne.

Vers la fin du Moyen Âge, des preuves spectaculaires de son nouveau statut jalonnaient littéralement l'intérieur des cathédrales. Ces images de Marie Madeleine inscrites dans des représentations des mystères du salut, qui avaient d'abord orné les portails avant, avaient été transférées à l'intérieur où elles décoraient désormais les vitraux, les murs et les tableaux entourant l'autel. Ainsi, les fidèles se découvrirent une proximité nouvelle avec Marie Madeleine.

La Renaissance

Au cours de la Renaissance, une période axée sur l'affirmation de l'humain, les représentations artistiques de Marie Madeleine trouvèrent leur justification. Sa popularité atteignit alors son sommet. Libérée désormais de ses attaches narratives, l'iconographie de Marie Madeleine s'enrichit considérablement pour embrasser les motifs picturaux à la fois de la pécheresse, du témoin, de la pénitente, de la disciple endeuillée, de la dispensatrice de l'onction et de la sainte patronne. Par exemple, du milieu du Moyen Âge au début de la Renaissance, Marie Madeleine fut représentée au pied de la croix et dans le cadre de scènes des Écritures liées à son image de « femme déchue » qui avait oint la tête et les pieds de Jésus de Nazareth. À n'en pas douter, pour les artistes de cette époque, Marie Madeleine et la dispensatrice anonyme de l'onction n'étaient qu'une seule et même personne. Ainsi, cette avenue artistique refléta et nourrit cette association légendaire qui représentait, aux yeux des fidèles, Marie Madeleine. D'un point de vue artistique aussi bien que spirituel, une telle identification s'appuyait sur des motifs sinon profonds, tout au moins pratiques, soit l'expression visuelle de la puissance évocatrice de la mort expiatoire de Jésus de Nazareth pour l'humanité déchue. Ainsi, la position agenouillée de cette femme désespérée et « déchue » au pied de la croix offrait aux chrétiens l'expression picturale d'une promesse de rédemption (figure 8).

De telles représentations s'attachent à deux scènes des Écritures qui en sont venues à être associées à Marie Madeleine : la première, celle de la femme agenouillée aux pieds de Jésus de Nazareth – ces mêmes pieds qu'elle vient tout juste d'oindre et de sécher avec sa longue chevelure –, révèle en même temps sa nature de « femme déchue » ; la seconde, celle où elle veille comme une sentinelle près du corps de Jésus crucifié, est une référence linguistique à la légende du *migdol*. Cette image de Marie Madeleine aux pieds de Jésus devint, aussi tôt qu'au Ve siècle, une convention artistique de première importance en Occident.

Le thème du *Noli me tangere* – la scène de l'apparition du Christ ressuscité à Marie Madeleine relatée dans l'Évangile selon saint Jean (chapitre 20, verset 17) – surgit dans l'art chrétien vers la fin du Moyen Âge et connut une grande popularité durant la Renaissance[58]. Ce motif artistique conféra à Marie Madeleine une importance croissante (figures 5 et 6). Plus tard, la spiritualité chrétienne inspirée par saint François d'Assise confirma le symbolisme à la fois médiéval et théologique de Marie Madeleine comme *le* symbole féminin de la pénitence, de l'humilité et de l'amour. Sa popularité grandit encore avec le désir croissant des fidèles de comprendre et de vivre l'expérience du pardon. À cet égard, Marie Madeleine était la grande pécheresse repentie à qui Jésus de Nazareth avait pardonné ses péchés. Elle était ensuite devenue sa fidèle disciple, et c'est elle qui, finalement, avait été la première personne à qui il était apparu après sa résurrection[59]. De la même façon que les drames liturgiques imposèrent cette image de Marie Madeleine, des peintres tels que Duccio, Giotto et Fra Angelico (figure 6) trouvèrent une expression artistique au *Noli me tangere* dans leurs fresques et leurs retables.

Compte tenu de la prédilection de la Renaissance pour l'être humain, l'assimilation de Marie Madeleine à la « prostituée repentie » permit la représentation du corps féminin, très souvent partiellement ou complètement dévêtu. Les représentations picturales de très belles Madeleine se multiplièrent alors dans un contexte de pédagogie chrétienne ou d'enseignements sur la pénitence et, très souvent, comme « motif » de l'art du portrait féminin.

La post-Renaissance

La période de l'histoire traditionnellement nommée la Réforme et la contre-réforme fut une époque d'intense émotion spirituelle, en particulier dans le sud de l'Europe où la fidélité au catholicisme romain stimula la popularité de Marie Madeleine. La production artistique de cette période est

---

58. Pour une introduction à l'histoire et au symbolisme de ce motif iconographique, voir mon article « *Mary Magdalene: First Witness* », *Sacred History Magazine* 2.3, mai 2006, p. 30-33.

59. Voir mon article « Pray with tears and your request will find a hearing: On the iconology of the Magdalene's Tears », dans Kimberley C. Patton et John Stratton Hawley (dir.), *Holy Tears: Weeping in the Religious Imagination*, Princeton, Princeton Univrsity Press, 2005, p. 201-228.

identifiée comme étant de style « baroque » – d'un mot portugais signifiant « perle de forme irrégulière » – et, compte tenu des divisions religieuses qui avaient alors cours en Europe, elle fut plus tard subdivisée en deux catégories régionales distinctes, soit l'école du Nord et l'école du Sud. De par sa nature même, l'école du Nord s'éloigna de l'art chrétien traditionnel qu'elle qualifiait de « catholique romain », et les images pédagogiques de personnages bibliques tels que Marie Madeleine furent rapidement classées selon la moralité ou l'immoralité des femmes représentées (figure 9). Cependant, les peintres de l'école du Sud se mirent à exalter Marie Madeleine qui, tout comme Pierre, devint le symbole du sacrement de pénitence, que les protestants dénonçaient avec autant de ferveur que les théologiens catholiques le défendaient.

Les peintres du Sud popularisèrent les représentations de Madeleine pénitente dans le désert, de Marie Madeleine recevant sa dernière communion et de Marie Madeleine en contemplation. Ils mirent en évidence sa nature voluptueuse et sensuelle par l'agencement des couleurs et la représentation de la lumière naturelle, d'étoffes vaporeuses et de poses provocantes. Toutefois, dans l'esprit des catholiques, ces images n'en conservaient pas moins l'influence religieuse et la motivation spirituelle qui, en fait, avaient présidé à leur création. Beaucoup d'artistes baroques du Sud représentent Marie Madeleine comme une magnifique jeune femme aux longs cheveux flottants, portant un vêtement décolleté – parfois même diaphane – et pleurant sur son sort (figure 10). Sa nudité symbolise non pas la frivolité, mais l'innocence et la pureté de l'âme humaine qui a vécu le repentir et le pardon. La popularité de Marie Madeleine à cette époque s'explique en partie par sa situation de défenseur de la foi, de croisée symbolique de la tradition catholique romaine qui garantit le salut par les voies mystérieuses des sacrements de l'Église.

L'Europe du XVIIIe siècle (connu plus tard sous le nom de Siècle des lumières) vit aussi la montée des sciences et le déclin de la religion. Ce que l'on appela la sécularisation de la culture occidentale toucha tous les aspects de la vie, y compris les arts. Les représentations de Marie Madeleine réalisées à cette époque témoignent de cette division croissante, alors qu'elle commence à faire figure, d'une part, de personnalité de premier plan dans la spiritualité chrétienne et, d'autre part, de symbole profane de prostituée réformée en art, en littérature et dans l'imagination populaire. Aux XVII\ᵉ et XVIII\ᵉ siècles, son image d'antan est souvent remplacée, en littérature et en peinture, par celle de « la putain (au cœur d'or) », honnête ou crapuleuse, bonne ou méchante, pathétique ou comique.

Au XIX\ᵉ siècle, plusieurs mouvements artistiques furent à l'origine d'un regain d'intérêt pictural pour Marie Madeleine. Une première résurgence de son iconographie se manifesta en France avec la restauration des Bourbons sur le trône et le rétablissement de son culte à Sainte-Baume en 1822. À peu près au même moment, le mouvement romantique trouva particulièrement inspirante l'image romancée de Marie Madeleine comme héroïne de la chrétienté. Des mouvements artistiques crypto-religieux comme la Confrérie préraphaélite et les Nazaréens manifestèrent un attachement particulier pour les représentations dramatiques de l'image composite de Marie Madeleine (figure 11), alors que des peintres tels que Paul Baudry, William Etty et Jean-Jacques Henner transformèrent la représentation de Marie Madeleine en un alibi pour le nu féminin. Les symbolistes, quant à eux, allaient faire subir à l'image de Marie Madeleine une profonde métamorphose en la représentant désormais comme une femme fatale[60]. À ce titre, d'autres personnages féminins de l'histoire – Judith, Salomé et Cléopâtre notamment – verront leur image ainsi transformée. L'iconographie de la femme fatale qui se développera au XIX\ᵉ siècle mettra particulièrement l'accent sur l'abondance de la chevelure, la révélation d'un corps androgyne et une suggestivité criante (figure 12).

À la fin du XIX\ᵉ siècle, l'image de Marie Madeleine devint carrément un carrefour d'érotisme et de sensualité. Dans l'Angleterre victorienne, le seul nom de Madeleine était synonyme de prostituée, et l'histoire de sa vie prit une tournure fortement sexuelle, comme en témoigne le succès qu'eut à l'époque la pièce *L'Amante du Christ*, écrite en 1888. Les représentations picturales de Jean Béraud, d'Alfred Stevens et de James Ensor montrent la pseudo-innocence des « peintures de salon » alors que, au tournant du XX\ᵉ siècle, des artistes tels que Félicien Rops, Auguste Rodin, Lovis Corinth

---

60. En français dans le texte.

257

et Eric Gill créent des images de « nus ambigus » qui présentent Marie Madeleine dans des positions d'une telle intensité physique qu'elles frôlent l'érotisme blasphématoire.

Au XXe siècle, les artistes ont continué de représenter Marie Madeleine, mais en mode abstrait, fragmenté ou figuratif teinté de nostalgie, et ce, au moment où elle devenait le modèle de la « femme ordinaire » en une ère d'anxiété et d'angoisse existentielle. Tout comme leurs homologues des premiers temps de la chrétienté, des peintres modernes comme Paul Cézanne, Otto Beckman, Rico Lebrun et Pablo Picasso ne s'intéressaient pas à l'identité profonde de cette femme, mais cherchaient plutôt à dépeindre les valeurs culturelles et la portée émotive de son rôle à titre de prostituée réformée devenue sainte (figure 13). Plus récemment, des artistes féministes telles que Kiki Smith et Marlène Dumas sont toutefois revenues à la représentation d'une Marie Madeleine à la chevelure abondante, comme moyen d'établir un lien entre le personnage historique et sa signification pour la femme contemporaine. Les œuvres de Dumas ayant pour thème Marie Madeleine représentent une fusion du sacré (art chrétien traditionnel) et du profane (la beauté commerciale de la fin du XXe siècle), alors que celles de Smith se présentent comme un argument visuel qui soutient l'instinct de survie de la femme, même dans un contexte de déchéance et de répression.

Conclusion

La popularité de Marie Madeleine tout au long des vingt derniers siècles s'explique par le fait que les transformations qu'a subies son image ont été en phase avec l'évolution de la spiritualité chrétienne et séculière. Ces réinterprétations successives ont toujours eu pour fondement l'archétype de son personnage et la capacité de le représenter dans un langage que chaque nouvelle génération était en mesure de comprendre aisément. Aucune image de Marie Madeleine ne révèle ou n'exprime pleinement ce qu'elle a été pour les chrétiens de chaque époque, dans la mesure où les divers aspects du personnage ont chacun ses traits distinctifs, mais demeurent dépendants les uns des autres.

L'attachement à Marie Madeleine – que ce soit sur le plan personnel ou sur le plan de la dévotion – ne s'est jamais démenti depuis les tout premiers débuts de l'ère chrétienne, atteignant à certaines époques une grande intensité. Au-delà du caractère énigmatique de son personnage ou de l'intérêt manifesté par les spécialistes, c'est avant tout sa popularité constante auprès des masses chrétiennes qui confirme son importance religieuse. Marie Madeleine est en effet devenue le symbole classique de la nature rédemptrice de l'amour chrétien et de sa capacité de transformer les êtres. Dans sa vie de tous les jours, le chrétien – ou la chrétienne – en vient à mieux accepter la réalité de concepts aussi abstraits que le péché et le pardon, dans la mesure où le parcours de Marie Madeleine du péché à la sainteté représente toute la richesse de l'expérience humaine.

Dans son périple à travers les siècles, l'image de Marie Madeleine a pris la forme d'une véritable mosaïque : prostituée, déesse, prédicatrice, mystique, contemplative, thaumaturge et muse qui n'a cessé d'inspirer non seulement peintres et écrivains mais aussi l'ensemble des fidèles. Certaines de ces images, en particulier celles de prostituée et de muse, peuvent au premier abord ne pas sembler convenir à une sainte. Le fait qu'on l'ait assimilée à la femme adultère anonyme dans Jean (chapitre 8, versets 1 à 11) et à la tout aussi anonyme dispensatrice de l'onction dans Luc (chapitre 7, versets 36 à 50) a fait d'elle la prostituée repentante. À ce titre, elle incarne la fragilité humaine, dans la mesure où son état de pécheresse est reconnu et racheté par l'amour librement offert de Jésus de Nazareth. Ainsi, ce qui, en d'autres circonstances, pourrait paraître profane devient un symbole de transformation spirituelle. De la même façon, le fait de voir Marie Madeleine comme une muse pourrait aussi sembler pour le moins étrange comme expression de spiritualité, surtout dans ses représentations les plus sensuelles. Pourtant, même lorsqu'elle inspire des œuvres de nature profane – ou des romans aussi controversés que *La Dernière Tentation du Christ* ou le *Da Vinci Code* –, cela n'en suscite pas moins, au bout du compte, une visibilité et une reconnaissance continues du phénomène religieux.

À sa manière tout à fait unique, Marie Madeleine intègre plusieurs des images et caractéristiques paradoxales de la femme au sein des traditions chrétiennes. Par exemple, elle a tour à tour été qualifiée de frivole, de virginale, de destructrice, de créative, de pure, de maternelle. Des études plus poussées de sa féminitude éclaireraient certainement notre compréhension du rôle des femmes dans les traditions chrétiennes et la culture occidentale, dans la mesure où chaque représentation de Marie Madeleine explique cette approche culturelle particulière du rôle sociétal de la femme.

Marie Madeleine a résisté au temps et à l'histoire pour en émerger comme une figure marquante du XXIe siècle. Les représentations artistiques de son personnage affirment encore aujourd'hui qu'elle est le symbole d'une humanité faillible qui, sans en être digne, n'en continue pas moins de recevoir la grâce divine. C'est précisément Marie Madeleine qui rend la possibilité de cette grâce intelligible et sa réalité compréhensible pour le commun des mortels.

Le « Tapis de l'exil ». Une œuvre qui nous parle à travers dix-huit siècles d'histoire

par Jeremy Pine

L'un des plus évidents défis à relever lorsqu'on tente de comprendre le personnage historique qu'a été Marie Madeleine est le fait que très peu de renseignements relatifs à sa vie proviennent véritablement de l'époque où elle a vécu. Les multiples légendes et traditions la concernant semblent, pour la plupart, issues de documents romancés créés au Moyen Âge. Ces textes datent donc d'un millénaire et non de deux. C'est dire que s'il existe de nombreux récits – en particulier dans la tradition populaire française – selon lesquels Marie Madeleine aurait quitté la Terre sainte après la crucifixion à bord d'une petite embarcation sans rames ni voile pour aboutir dans le sud de la France, la plupart d'entre eux ont été écrits longtemps après les faits qu'ils prétendent relater.

Peu de temps après la publication des Secrets du code Da Vinci *en 2004, un courriel nous a été transmis de la part d'un étrange personnage qui affirmait avoir trouvé par hasard un fragment de tapis montrant la fuite de Marie Madeleine. Il nous a assuré que ce fragment, dont l'authenticité avait été établie, datait d'environ mille huit cents ans. Si cette pièce était aussi ancienne que le disait notre correspondant et si elle dépeignait réellement Marie Madeleine en fuite à bord d'un bateau, alors il s'agirait du plus vieux document connu à évoquer ce récit, par une marge de plus d'un millénaire.*

L'histoire semblait plus qu'improbable. Elle semblait avoir été inventée par quelqu'un qui avait passé trop de temps à potasser le Da Vinci Code. *Mais nous n'en étions pas moins intrigués. Après quelques recherches, nous avons découvert que ce curieux correspondant était connu de plusieurs directeurs de musées parmi les plus distingués comme «l'expert mondial en textiles himalayens». Nous avons également appris que des gens occupant des postes clés au Metropolitan Museum of Art de New York le tenaient en haute estime. Puis, nous l'avons rencontré en personne et il nous a fait part d'anecdotes encore plus fascinantes à propos des reliques et des artefacts qu'il avait découverts au cours de sa carrière. Si les informations qu'il possédait sur ce fragment de tapis étaient avérées et authentifiables et si ses interprétations étaient correctes, leur portée était aussi marquante, à bien des égards, que celle des Évangiles gnostiques et autres documents de l'Antiquité qui avaient changé le cours du savoir moderne en la matière. Car il nous a dit non seulement que ce fragment de tapis relatait la fuite de Marie Madeleine en France, mais qu'en outre il contenait le plus ancien portrait connu de Jésus.*

Lorsque nous mettons en chantier un ouvrage de la série des Secrets, *nous ne faisons généralement pas de recherches préliminaires: ni essais de laboratoire, ni travaux sur le terrain, ni projets de recherche. Nous nous mettons plutôt en quête des gens qui offrent les perspectives les plus intéressantes, les plus innovatrices et les plus significatives, et nous les invitons à partager leurs idées avec nos lecteurs.*

C'est dans cet esprit que nous avons fait place dans nos pages à Jeremy Pine et à son incroyable aventure dans l'univers de ce qu'il appelle lui-même le «Tapis de l'exil».

Jeremy Pine est un antiquaire américain qui a vécu pendant trente-cinq ans à Katmandou, la capitale du Népal. Spécialisé en textiles antiques, il a mené des recherches sur des milliers de pièces de tissu, qu'il s'agisse de lainages, de soieries ou de tapis. De 1993 à 1995, il a été directeur d'expédition pour le compte de l'Académie des sciences de Moscou et de l'Institut de la culture matérielle de Saint-Pétersbourg. À ce titre, il a mené trois expéditions à Touva afin d'excaver d'anciennes sépultures pour le bénéfice du musée de l'Ermitage. Il a passé les deux dernières années dans la Vallée de la montagne d'argent, ou Mongün Taiga, une région isolée et peu connue qui est située juste au nord de la frontière mongolienne. Marié et père de deux enfants, Jeremy Pine s'est récemment retiré des affaires pour devenir le conservateur permanent du «Tapis de l'exil» et des trésors qui y sont reliés.

Connais ce qui est en face de ton visage, et ce qui t'est caché se révélera à toi.

– Évangile de Thomas

Le « Tapis de l'exil » est un tapis tissé de forme ovale. Il en subsiste aujourd'hui deux fragments qui donnent à penser que, à l'origine, il devait mesurer environ quarante-huit pouces de longueur[61]. Deux « X » zébrés en forme d'arc-en-ciel composent la septième subdivision de la pièce. Dans la partie supérieure droite, un personnage auréolé aux cheveux roux et portant une marque sur le front se tient dans une embarcation de couleur bleue (toutes les représentations de bateaux que l'on connaît de cette époque ont une forme similaire). La partie inférieure gauche présente un personnage aux cheveux sombres qui n'a pas d'attribut divin (donc dépourvu d'auréole), mais qui transporte vers le bateau ce qui ressemble à un « supplément de bagages ». On trouve également une figure semblable dans la partie inférieure droite, avec en plus un couple de canards qui nagent tout à côté du bateau. Les personnages des coins inférieurs gauche et droit ont aussi une marque sur le visage.

Quatre masques léonins ornent les quatre pointes d'une subdivision centrale en forme de diamant, dans laquelle on aperçoit également les cheveux et la double auréole du personnage principal[62], au-dessus et en dessous duquel se trouvent des rameaux fleuris. Le tapis original semble avoir été entièrement bordé d'un arc-en-ciel.

Pour interpréter adéquatement le dessin figurant sur ce tapis, il importe au départ de déterminer à quelle période il a été tissé. Le carbone 14 a fourni la réponse à cette question. Ayant été testée à deux reprises, il n'y a aucun doute que cette pièce est authentique et nous pouvons même affirmer avec un degré raisonnable de certitude qu'elle a été produite dans la seconde moitié du IIe siècle, peut-être au début du IIIe.

La présence de personnages aux cheveux roux exclut une origine orientale et, d'ailleurs, le style de la représentation est à ce point gréco-égyptien que la région méditerranéenne

---

61. Il n'est pas possible de dire, à partir de ce qui en subsiste, si la figure de Jésus, au centre de la pièce, est également dans une embarcation ou dans une autre position. En tissant la reproduction (voir figure TK), on l'a arbitrairement placé dans un bateau pour des raisons de symétrie. Les implications des diverses autres positions possibles représentent autant de matières à débat.

62. Les masques du haut et du bas sont évidents. Toutefois, seuls les yeux et les oreilles des deux masques figurant à gauche et à droite sont visibles au bas du fragment A (voir figure Tapis de l'exil).

s'impose tout de suite à l'esprit comme lieu probable de fabrication de cette pièce. Pour comprendre la signification du dessin figurant sur ce tapis, il faut donc se pencher sur ce qui se passait en Méditerranée au IIe siècle.

À cette époque, la croix n'avait pas encore été adoptée comme symbole chrétien. Le «X», toutefois, en était un, puisqu'il est la première lettre du mot «*christ*» en grec. D'ailleurs, on désignait déjà comme le monogramme du Christ un «X» figurant dans un cercle. L'élément de base du dessin tissé sur ce tapis est formé par les deux «X» inscrits dans la forme ovale. Cet élément, auquel il faut ajouter les quatre masques de lion situés aux pointes du diamant qu'ils forment, donne à penser que la figure centrale du «Tapis de l'exil» est nul autre que Jésus-Christ, le lion de la tribu de Judas (Révélations, 5). Bien que seuls les cheveux et l'auréole subsistent, nous pouvons dire qu'il s'agit là de la plus ancienne image de Jésus-Christ que nous possédions.

Mais si le personnage central est Jésus, qui sont donc les personnages roux auréolés figurant juste au-dessus? Dans une bonne partie des tableaux représentant la Madone et l'Enfant, l'un ou l'autre ou les deux ont une chevelure rousse. Mais il est peu probable que le personnage roux de plus petite taille soit Jésus enfant, puisqu'on le voit dans la partie centrale avec des cheveux bruns. Le seul autre personnage à la chevelure rousse qui ait occupé une place de choix dans la vie de Jésus-Christ est, bien sûr, Marie Madeleine. Cette interprétation semble par ailleurs accréditer la légende de son exil en Gaule dans une embarcation qui prenait l'eau et était dépourvue de rames, de gouvernail et de voile. Beaucoup de sculptures et de tableaux que l'on peut encore admirer dans des églises d'Europe montrent d'ailleurs Marie Madeleine accostant à bord d'un bateau bleu. Le dessin du tapis ne nous dit pas si effectivement le bateau prenait l'eau, mais, pour le reste, tout semble concorder.

À cette époque, les esclaves portaient une marque sur le front, un peu de la même façon qu'aujourd'hui on marque les bestiaux. Les premiers chrétiens avaient aussi coutume d'inscrire une marque sur leur front ou leur oreille pour signifier qu'ils étaient les esclaves du Christ. Cette «marque du Christ» est évidente sur le front de Marie Madeleine comme sur celui des autres. Par ailleurs, l'auréole dorée qui l'encercle témoigne de sa divinité.

On trouve aussi dans la partie supérieure gauche de la pièce un autre personnage divin dont la taille semble à dessein réduite à la moitié de celle des autres. Est-ce à dire que l'on veut indiquer par là que ce personnage est un enfant?

Il existe des églises consacrées à l'arrivée de Marie Madeleine en France, et plusieurs lieux de pèlerinage dans ce pays prétendent abriter certaines de ses reliques ou avoir été témoins d'événements marquants de ses années d'exil. La légende de son exil en France offre plusieurs versions et, dans certaines d'entre elles, elle est accompagnée d'un ou de plusieurs enfants dont le père était présumément Jésus. Voilà sur quoi se fonde la légende de la «lignée royale» dont Jésus et Marie Madeleine seraient à l'origine. Personne ne semble nier le fait qu'elle se soit effectivement exilée là-bas. La question sujette à controverse est: «Qui l'accompagnait?»

Les gens – sans doute un groupe de chrétiens – qui firent usage de ce tapis devaient se sentir très proches de la Sainte Famille. Le fait que l'exil de Marie Madeleine en soit le thème principal laisse entendre que ces personnes avaient, de quelque façon, des liens légitimes avec cet épisode.

Au milieu du IIᵉ siècle, l'histoire offre au moins deux possibilités à cet égard.

Les desposyni («ceux qui appartiennent au Seigneur») étaient des descendants du Christ, c'est-à-dire des cousins, des demi-frères et des demi-sœurs de Jésus et leurs descendants. Le tapis date de plus de cent ans après la crucifixion, ce qui donne à penser qu'il existait déjà à cette époque plusieurs branches de desposyni vivant sur les bords de la Méditerranée, chaque individu, homme ou femme, dirigeant sa propre secte. Si certains d'entre eux se considéraient comme des descendants de Jésus et de Marie Madeleine, ils se sont vraisemblablement inclus dans ce groupe.

On a probablement tissé le «Tapis de l'exil» dans l'intention d'en faire un autel. Les chrétiens gnostiques ne sont pas connus pour avoir rendu leur culte dans des églises. Ils se rencontraient en divers endroits. On présume que le tapis, une fois étendu, consacrait par le fait même le lieu de rencontre. Si les fidèles étaient des desposyni, alors le personnage de taille réduite figurant dans la partie supérieure gauche pourrait bien être Sarah (dont le nom hébreu signifie « princesse »). Dans certaines versions de la légende de Marie Madeleine, elle débarque en Gaule accompagnée d'une fille prénommée Sarah. Dans ce cas, le couple de canards en bas de la pièce prendrait une signification encore plus importante, dans la mesure où, à cette époque, ces animaux symbolisaient l'union sacrée, représentant en quelque sorte la bague d'alliance.

Il existait aussi à cette période, au bord de la Méditerranée, une autre secte de chrétiens digne d'intérêt : les carpocratiens, du nom de leur fondateur, Carpocrate, considéré comme le père du gnosticisme. Célèbres au IIe siècle, Carpocrate et ses disciples encoururent l'ire de l'Église établie. Irénée, évêque de Lyon (vers 115-202), et Clément d'Alexandrie (160-215) reprochèrent à Carpocrate, entre autres crimes, d'avoir réduit en esclavage un prêtre d'Alexandrie afin de lui soutirer une copie de l'Évangile secret de Marc. Carpocrate aurait également répandu l'hérésie selon laquelle Jésus était un homme, né de Joseph. Il aurait aussi ordonné des femmes à la prêtrise. À la même époque, les carpocratiens avaient la réputation de fabriquer des images du Christ et d'autres personnages, « certaines peintes, d'autres réalisées avec divers matériaux ». Les carpocratiens sont en effet les seuls chrétiens de cette période dont on soit certain qu'ils ont réalisé des images pieuses, ce qui était interdit par le deuxième commandement (Exode, chapitre 20, verset 4). Carpocrate prétendait même avoir en sa possession un portrait de Jésus-Christ peint par Ponce Pilate lui-même. Il affirmait en outre tenir ses enseignements en droite ligne de Marie Madeleine, de Marthe et de Salomé.

Compte tenu des données historiques, il est fort possible que Carpocrate ait eu quelque chose à voir avec la conception de ce tapis. Si cela est vrai, alors le personnage figurant dans la partie supérieure gauche pourrait effectivement être Sarah. Toutefois, il se peut aussi qu'il s'agisse de Salomé ou de Marthe (qui, selon certains récits, auraient accompagné Marie Madeleine en France), Marthe ayant été proclamée sainte par les carpocratiens. Le fait que deux « X » figurent au centre de la pièce évoque également la dualité qui apparaît comme un trait dominant de la philosophie gnostique à cette époque. L'égalité était en effet au cœur de la doctrine de Carpocrate :

égalité entre hommes et femmes, entre riches et pauvres et ainsi de suite. Ce pourrait être une autre raison expliquant la forme ovale du tapis, dans la mesure où aucune personne debout ou assise autour n'aurait pu prétendre être « à sa tête », ce qui rejoint à bien des égards les intentions de la Table ronde du roi Arthur.

Qui étaient ces gens sans auréole et aux cheveux sombres qui portent la marque du Christ sur le front, dans les autres bateaux? Diverses légendes affirment que des parents accompagnaient Marie Madeleine sur ce bateau de fortune. Peut-être ces deux personnes sont-elles Lazare et Joseph d'Arimathie qui, s'il faut en croire la légende, transportaient le Graal et autres « bagages ». Dans plusieurs œuvres d'art réalisées par la suite, ces personnages ont sans doute aussi été proclamés saints.

Les fleurs en haut et en bas du tapis sont vraisemblablement des roses. Celles du dessus pourraient symboliser la *sub rosa* – le secret –, et celles du dessous, la *super rosa* – l'absence de secret. Cela pourrait s'expliquer par la double nature de leur enseignement, qui était à la fois secret et public. Beaucoup de spécialistes contemporains considèrent en effet le Nouveau Testament comme l'enseignement public du christianisme, et les Évangiles « alternatifs » ou gnostiques comme l'enseignement secret. En fait, la rose peut avoir à cet égard de multiples significations. Enfin, les « X » zébrés en forme d'arc-en-ciel ainsi que les bordures aussi en forme d'arc-en-ciel ne peuvent que symboliser le paradis ou le royaume des cieux.

Mais peu importe que le « Tapis de l'exil » soit le fait des desposyni, des carpocratiens ou d'une autre secte gnostique, l'important est qu'il raconte l'exil de Marie Madeleine. En tant qu'œuvre d'art, il n'a pas été orienté, traduit d'une langue à l'autre ou retissé de manière à respecter les conventions, comme cela arrive si souvent dans le monde de l'écrit. L'existence de ce document soulève des questions historiques aussi bien que philosophiques et théologiques. Ce que nous comprenons de l'interprétation qu'il faut donner au dessin figurant sur ce tapis, c'est qu'il s'agit de la plus ancienne image connue de Jésus-Christ. Il s'agit également de la plus ancienne représentation de Marie Madeleine. Le « Tapis de l'exil » représente l'un des premiers balbutiements du christianisme et, à ce titre, il est une *preuve* que la « légende » de l'exil de Marie Madeleine en Gaule n'est pas un mythe romancé issu du Moyen Âge. Elle était dans la chronique au moins mille ans auparavant, en fait quelques dizaines d'années seulement après que les événements relatés se furent prétendument produits.

L'HISTOIRE SECRÈTE DE MARIE MADELEINE ENCODÉE DANS UN POÈME ÉPIQUE DU XVIIᵉ SIÈCLE

PAR JOHN M. SAUL

Si vous croyez que l'encodage et le décodage de messages secrets sur Marie Madeleine en tant que porteuse du Saint-Graal est une lubie d'écrivains contemporains, cet article de John M. Saul vous incitera sans doute à reconsidérer votre point de vue sur la question. Dans ce texte, Saul convie le lecteur à entrer dans un cercle incroyablement ésotérique : celui de la poignée de spécialistes qui sont au fait de l'œuvre de Pierre de Saint-Louis, un obscur poète français du XVIIᵉ siècle. Son poème épique sur Marie Madeleine contient des acrostiches, des doubles sens et des allusions voilées qui, suggère Saul, laissent entendre que, selon le poète, Marie Madeleine était effectivement l'épouse de Jésus et la mère d'une lignée royale.

John Saul est détenteur d'un doctorat en géologie du Massachusetts Institute of Technology. Il y a plus de trente ans, il a été parmi les premiers à réaliser des travaux de recherche sur les légendes entourant Marie Madeleine dans le village français de Rennes-le-Château. À cette époque, se rappelle-t-il, beaucoup de gens croyaient pouvoir découvrir d'immenses « secrets » dans l'une ou l'autre des caves de pierre de cette région. « En 1974, Marie Madeleine n'était pas un grand sujet de conversation et chacun souhaitait – certains même croyaient – que "le trésor du Temple de Jérusalem" ou "le trésor des Templiers" serait découvert dans l'une de ces caves. » Par la suite, John Saul a collaboré à la recherche du riche ouvrage Holy Blood, Holy Grail[63], *publié pour la première fois en 1982, qui est à l'origine d'une grande partie de l'intérêt suscité partout dans le monde contemporain à l'endroit de diverses légendes sur Marie Madeleine épouse de Jésus et mère de ses enfants, les rois mérovingiens, les chevaliers du Temple, le Prieuré de Sion et tant d'autres. Beaucoup de ces thèmes ont suscité une nouvelle attention après la publication du roman de Dan Brown, le* Da Vinci Code, *en 2003. Cependant, bien qu'il ait collaboré à* Holy Blood, Holy Grail, *Saul était en désaccord avec ses auteurs sur plusieurs points, notamment sur la crédibilité des informations données par Pierre Plantard, le prétendu « grand maître » de la version contemporaine du Prieuré de Sion.*

---

63. Michael Baigent, Richard Leigh et Henry Lincoln. *L'Énigme sacrée, op. cit.*

267

Dans le texte qui suit, John Saul présente son point de vue personnel sur les éléments de Holy Blood, Holy Grail *et du* Da Vinci Code *reliés à Marie Madeleine et à Jésus, et poursuit en abordant ce très étrange « Poème de la Madeleine », écrit il y a trois siècles par Pierre de Saint-Louis.*

Qui n'a pas rêvé lorsqu'il était enfant – et même durant sa vie d'adulte – de faire une découverte unique, connue de personne, bref, de mettre au jour une sorte de grand secret. C'est exactement ce que fit, au XVIIᵉ siècle, un carme déchaussé. Il découvrit – ou tout au moins il crut avoir découvert – un secret d'une immense portée. Malheureusement, tout indique que, par la suite, les choses ne se passèrent pas très bien pour lui.

Publié en 1982, *Holy Blood, Holy Grail* s'attaque à ce même secret vieux de plusieurs siècles, soit le prétendu mariage de Jésus et de Marie Madeleine. Selon ses auteurs, un ou plusieurs enfants sont nés de ce mariage et la lignée qui en a découlé a été protégée par un ordre secret de « gardiens du Graal ». Puis, vingt ans plus tard, le héros du roman de Dan Brown, *Da Vinci Code*, rencontre précisément sur son chemin les descendants contemporains de ce mariage.

Pourquoi ces auteurs modernes se sont-ils ainsi attachés à Marie Madeleine, cette femme prétendument déchue qui s'est amendée à la suite de sa rencontre avec Jésus ? Pourquoi évoquer cette sainte dont l'icône est un pot ou un autre récipient couvert – communément appelé la « coupe du Graal » – qu'elle tient à sa taille ? Quelles ont été les sources d'information – ou d'inspiration – de ces auteurs ?

Aussi étrange que cela puisse paraître, ce n'est qu'en 591 – cinq siècles après sa mort – que Marie Madeleine a été identifiée de façon définitive comme une prostituée repentie. Ce n'est qu'avec l'Homélie 33 du pape Grégoire le Grand que sa réputation a été transformée, lui faisant ainsi subir un sort sans doute unique dans l'histoire. Qui aujourd'hui – même un pape – pourrait ainsi salir de façon convaincante la réputation d'une femme qui a vécu il y a cinq cents ans en la déclarant prostituée, réformée ou non ? Qui aurait des raisons de le faire ? Vrai ou faux, pour qui cela aurait-il fait une différence à une date aussi tardive ?

Au cours des dernières années, une explication possible à cet étrange moment de l'histoire a été mise en lumière :

l'Église aurait déclaré Marie Madeleine prostituée dans le but d'attaquer la légitimité de ses enfants. En effet, Marie Madeleine était juive (comme Jésus) et, en vertu de la loi juive, les enfants de prostituées étaient considérés comme n'ayant pas de père. Jamais ces enfants ou leurs descendants ne pourraient se proclamer « roi des juifs » ou prétendre à quelque légitimité monarchique que ce soit.

Cette situation légale pourrait avoir tué dans l'œuf un grave problème éventuel pour les souverains et les papes de la très chrétienne Europe du Moyen Âge. Car si quelqu'un quelque part, *qu'il ait été connu ou non*, avait été un descendant légitime de Jésus – si le sang du Christ avait coulé dans ses veines –, alors qui aurait pu l'empêcher de revendiquer son droit au trône ? Et quelle aurait été, alors, la légitimité de l'Église de Pierre ?

S'il faut en croire le *Da Vinci Code*, dont le personnage féminin principal se fait appeler « Princesse », il existe un ordre secret nommé « le Prieuré de Sion » qui protège la lignée *royale et légitime* de Marie Madeleine. Dan Brown présente ce groupe comme une « véritable organisation ». Vingt ans plus tôt, les auteurs de *Holy Blood, Holy Grail* avaient aussi enquêté sur le Prieuré de Sion pour en arriver aux mêmes conclusions.

Le point de départ de cette enquête sur le Prieuré de Sion était un texte presque incohérent qui a été déposé en 1967 à la Bibliothèque nationale de France sous le titre *Dossiers secrets d'Henri Lobineau* (catalogue 4°LM1 249). Il contient plusieurs longues listes généalogiques comprenant une multitude de noms – certains familiers, d'autres obscurs –, de brèves références à des migrations de gens peu connus datant de plusieurs siècles, des armoiries – dont certaines avaient été de toute évidence fabriquées pour l'occasion – et les noms de grands maîtres de sociétés secrètes. Cités par les auteurs de *Holy Blood, Holy Grail*, les *Dossiers secrets* ne contiennent en fait aucune allusion à Jésus ou à Marie Madeleine. Néanmoins, ils soulignent avec insistance que la dynastie mérovingienne, qui a donné ses premiers rois à la France et qui est décrite comme « notre première race de rois », était de descendance biblique. Selon les *Dossiers*, voilà le « secret » sur lequel a veillé le Prieuré de Sion au cours des derniers siècles.

Le *Da Vinci Code* est un roman et ne peut, à ce titre, être considéré comme une source historique fiable. C'est la même chose pour les *Dossiers secrets*, dont l'objectif est de hâter le jour béni où la France rétablira sa monarchie sacrée. Mais les *Dossiers* n'en contiennent pas moins des informations fort valables, dont certaines seraient extrêmement difficiles à trouver, même par un chercheur de talent ayant accès à une bibliothèque très fournie. Cela pose un énorme problème à quiconque s'intéresse au Prieuré de Sion. Car Pierre Plantard (1920-2000), qui, selon une multitude d'indications, était *sans aucun doute* le cerveau derrière la version moderne du Prieuré de Sion et les *Dossiers secrets*, n'était *pas* un chercheur de talent. Il n'était que le prétendant à un trône qui n'existe plus, un décrocheur scolaire sans envergure intellectuelle qui se montre systématiquement peu soucieux des faits et dont l'incompétence générale l'a même mené en prison en quelques occasions pour de courtes périodes. Bref, cet homme était un gaffeur. Mais il n'en demeure pas moins que Plantard, qui à partir de 1989 s'est fait appeler Pierre Plantard de Saint-Clair, détenait des informations historiques auxquelles vous et moi n'avons jamais eu accès.

Holy Blood, Holy Grail diffère du *Da Vinci Code* et des *Dossiers secrets* dans la mesure où il n'est pas un roman et n'a pas été conçu pour promouvoir des choses personnelles ou secrètes. Son intention était d'évoquer certaines possibilités historiques découlant de la lecture des inventions de Plantard en les reliant à la découverte selon laquelle le terme «Saint-Graal» proviendrait de «*sangreal*», un mot d'origine inconnue qui, si on le divise en deux après le «g», se lit «sang réal», c'est-à-dire «sang royal». Mais de quel sang royal s'agit-il? De la lignée de Pierre Plantard? De celle des Saint-Clair? Ou des «rois perdus» d'origine mérovingienne? Ou encore des descendants de la tribu de Benjamin, comme le suggèrent les *Dossiers*? Ou enfin d'une lignée tirant son origine du mariage de Jésus et de Marie Madeleine à Cana? Au bout du compte, les auteurs de *Holy Blood, Holy Grail* essaient de combiner toutes ces lignées, rejetant uniquement celle du gaffeur Plantard. Leurs efforts résultent en une vision de l'histoire occidentale dans laquelle la plupart des événements d'intérêt peuvent être reliés aux luttes impliquant les présumés descendants de Jésus et de Marie Madeleine.

Dan Brown, les auteurs de *Holy Blood, Holy Grail* et même Pierre Plantard (malgré ses prétentions) n'ont jamais retracé une véritable généalogie. Ils se sont plutôt appuyés sur une tradition royale ancienne qui, comme ils s'accordent à le dire, a eu pendant longtemps et conserve toujours la possibilité d'influer sur le cours de l'histoire.

Les idées découlant de cette tradition circulaient bien avant notre époque. Elles ont notamment été exprimées au XVIIe siècle par un obscur poète, Pierre de Saint-Louis, dans *La Magdeleine au désert de la Sainte-Baume en Provence* (Lyon, 1668, 1694 et 1700; La Haye, 1714; et une édition non datée et sans indication du lieu de publication). Au début de cette extravagance poétique composée avec soin et couvrant plus de deux cents pages, l'auteur nous offre « une leçon d'histoire » et « une leçon de grammaire » dans lesquelles sa muse, identifiée comme étant Marie Madeleine, « SE CONJUGUE » avec « LE VERBE », c'est-à-dire avec Jésus. Le prolifique auteur, critique et rédacteur Théophile Gautier (1811-1872) a décrit ce poème comme « abracadabrant », mais « aussi complet à sa façon que *L'Iliade* ou *L'Odyssée* ». « Il semble impossible à quiconque, ajoute-t-il, de composer de manière délibérée d'aussi étranges vers… et l'indigence littéraire [de l'auteur] n'est pas une indigence banale. Elle est étudiée, exquise et consciencieuse. Le poème du père Pierre de Saint-Louis est indubitablement l'ouvrage le plus excentrique, pour le fond et la forme, qui ait jamais paru dans aucune langue du monde. » Simone de Reyff, une spécialiste contemporaine de la littérature française du XVIIe siècle, affirme que Pierre de Saint-Louis avait une réputation de perfectionniste. Abracadabrant ou non, son texte reflétait de toute évidence ses intentions.

Pierre de Saint-Louis, qui serait né le 5 avril 1626 à Valréas, était le fils de Jacques Barthélemy et d'Anne Canal, lesquels auraient eu au moins un autre fils. Il abandonna son nom séculier de Jean-Louis (Ludovic) Barthélemy lorsqu'il devint un carme déchaussé en 1651. Selon le catalogue de la bibliothèque de Viollet-Leduc, Pierre de Saint-Louis avait vécu à Aygalades, près de Marseille, jusqu'à sa nomination comme directeur du collège de Saint-Marcellin dans le Dauphiné. Il est également précisé dans le catalogue que l'auteur était entré chez les carmélites et avait écrit son poème à la suite du décès d'une fiancée prénommée Madeleine.

Les écrits de Pierre de Saint-Louis ont circulé sous forme manuscrite pendant de longues périodes, peut-être plusieurs décennies, et au moins un de ces manuscrits qui ont survécu n'a jamais été véritablement examiné. (Voltaire fait mention de Pierre de Saint-Louis dans sa lettre à Thiriot, datée du 7 février 1738.)

Pour des raisons inexpliquées, l'année de la mort de Pierre de Saint-Louis n'est pas la même dans tous les documents qui parlent de lui. On trouve 1670, 1672, 1673, 1677 ou, ce qui semble plus probable, 1683 ou 1684. On dit qu'il est mort « en disgrâce » à « Pinet en Suisse », bien qu'il paraisse plus vraisemblable que le lieu de son décès ait été le couvent carmélite d'Eyzin-Pinet, au sud de Lyon. On a la nette impression que quelque chose a été dissimulé à propos de sa mort et que certains détails de sa vie que nous avons évoqués ne résisteraient pas à une enquête sérieuse. C'est notamment le cas de sa fiancée Madeleine. En fait, il est légitime de se poser la question : A-t-elle seulement existé ?

Le gros de ce que nous savons – ou de ce que nous croyons savoir – sur Pierre de Saint-Louis provient d'un article signé « Follard », paru dans un numéro du *Mercure de France* en juillet 1750. Mais comme l'écrivait un historien frustré, Jean de Servières, dans le périodique *Provincia* (Marseille, 1925) : « Nous ne sommes pas près de savoir pourquoi les éditeurs du *Mercure de France* ont attendu si longtemps – 23 ans ! – pour publier l'article biographique de Follard [sur Pierre de Saint-Louis], ni pourquoi ils l'ont finalement publié. » Mais qui, exactement, était « Follard » ? Nicolas-Joseph Folard (1664 – env. 1736), un ecclésiastique de Nîmes dont le nom nous est parvenu orthographié avec un seul « l », semble être le seul auteur possible de cet article, mais ni le style ni le choix du sujet ne paraissent lui appartenir.

Évoquant *La Magdeleine au désert de la Sainte-Baume en Provence* dans son monumental traité en deux volumes intitulé *Monuments inédits sur l'apostolat de sainte Marie Madeleine en Provence* (Paris, 1848), E.-M. Faillon écrit : « Cet ouvrage, auquel l'auteur a consacré cinq années de veille, est demeuré totalement ignoré sur les rayons des librairies pendant une décennie. Après la mort de l'auteur, les invendus ont été tirés de la poussière par un jésuite nommé "P. Berthet" (ou "Nicole") et immédiatement tous vendus. Le livre a dû ensuite être réimprimé… »

Évoquant la décision de publier une nouvelle édition en 1714, Servières rappelle : « De partout, un nombre considérable de personnes avaient écrit à Lyon pour en obtenir des copies, mais en vain. Il y a fort longtemps qu'aucune n'est plus disponible. »

Dès les premières lignes, le poème est étrange, commençant par une dédicace à « Madame de la Blache, Gabrielle de Levi », dont le patronyme est juif, mais dont Pierre de Saint-Louis affirme qu'elle vient d'une famille descendant de la Vierge.

L'auteur prévient le lecteur qu'il tombera, en cours de lecture, sur plusieurs types de jeux de mots et d'anagrammes composés des lettres de « Magdeleine » et de « Madeleine ». L'une de ces anagrammes les plus aisées à décoder se lit ainsi : « *Je mets ici la grande Amante* », une claire allusion à l'amour physique. Puis, freudien avant l'heure, il décrit la grotte de Sainte-Baume, près de Toulon, où, selon la légende, Marie Madeleine aurait vécu, comme une « caverne terrifiante » (Livre XI).

En plus de se voir prodiguer des leçons d'histoire et de grammaire, les lecteurs de *La Magdeleine au désert de la Sainte-Baume en Provence* entendent parler d'un écho qui, lorsqu'on lui demande quel souvenir gardera la postérité de Marie en pleurs, répond « *marrie* », un terme d'ancien français signifiant « affligée » mais rappelant aussi phonétiquement la notion de mariage ou d'union. Puis, dans le Livre IV, on trouve une ligne dans laquelle Marie endeuillée est comparée à « une mer » et, précisément, lorsqu'il évoque sa mort, il l'appelle « la Mer morte », ce qui, phonétiquement, est bien sûr similaire à « la mère morte ».

Prises une à une, nombre de ces bizarreries pourraient à la rigueur s'expliquer, encore qu'avec une difficulté croissante, dans la mesure où beaucoup d'entre elles ne sont compréhensibles qu'à la lumière des précédentes. Toutefois, un passage du Livre X a été combiné avec tant de soin qu'il paraît impossible d'y trouver une explication ailleurs que dans les traditions reliées à une lignée royale descendant de Marie Madeleine. Après avoir fait diverses allusions aux rois de France, l'auteur évoque la représentation iconographique bien connue de Madeleine tenant la «coupe du Graal», ce mystérieux objet qui, selon la légende, renferme le sang de Jésus. Le poète ordonne alors :

Touchez cette Urne icy, la morte [Marie Madeleine] vous l'aprête,

Que ce beau pot en main, soit vôtre pot-en-tête.

Il compare Marie Madeleine à un phénix renaissant de ses cendres (Livre X), l'appelle «excellente princesse» (Livre XI), multiplie les références aux rois français du XVIIᵉ siècle, qualifiés de «potentats» désignés (Livre X), puis décrit Marie Madeleine comme «l'amante fidèle d'une maison obscure» (Livre XI) et comme un réceptacle qui a servi tant et tant (Livre XI). À peu près à ce point du poème, le lecteur n'aura sans doute pas donné de sens particulier au mot «pot-en-tête», avant de comprendre que sa similitude phonétique avec «potentat» n'est pas anodine.

La Magdeleine au désert de la Sainte-Baume en Provence, Poëme spirituel & Chrétien – dont le titre varie d'une édition à l'autre – est une œuvre qui doit être lue plus d'une fois. Par exemple, le *Caprice spirituel* figurant dans les pages d'introduction non numérotées ne nous a paru, à la première lecture, ni capricieux, ni spirituel, ni inspirant, ni intéressant. Un commentateur l'a même qualifié de «plutôt insipide». Pourtant, ici et là dans ce passage d'à peine seize lignes, on trouve quatre mots qui ont été imprimés en italique sans raison évidente : *mariage*, *pas*, *fruit* et *clandestin*. C'est dire qu'en accord avec plusieurs auteurs du XXᵉ siècle, mais en conservant tout de même la retenue imposée par les circonstances, Pierre de Saint-Louis a évoqué le «fruit» d'un mariage légitime.

À la fin de son ouvrage, Pierre de Saint-Louis laisse là Marie Madeleine et son «réceptacle» dont tant de choses pourraient encore être dites dans une histoire qui n'a «ni fin ni commencement» et informe ses lecteurs qu'il a au moins

« exposé l'Extrait ». Dans ce contexte, l'extrait pourrait être traduit par « résumé ». Mais l'auteur avait beaucoup trop de talent pour se contenter d'avoir sans raison « exposé le résumé d'un réceptacle ». Il semble plutôt qu'il ait évoqué, avec toutes les précautions voulues, la progéniture de Marie Madeleine, cette « excellente princesse » qu'il avait présentée, au cours des deux cents pages précédentes, en compagnie de Jésus.

Pierre de Saint-Louis fut aussi l'auteur d'un autre manuscrit volumineux dont la publication ne fut pas autorisée par les autorités ecclésiastiques. La raison invoquée était que, avec deux livres de ce même auteur, « le monde serait trop riche ».

Un tableau représentant Marie Madeleine aujourd'hui attribué à Léonard de Vinci. Un commentaire sur la page couverture du présent ouvrage

par Dan Burstein

Parmi les nombreux éléments nouveaux sur Marie Madeleine exposés dans ce livre, l'un des plus intéressants a trait à notre page couverture : un tableau de la Renaissance représentant Marie Madeleine et récemment exposé en Italie pour la première fois depuis plus de cinquante ans. Les historiens de l'art avaient toujours attribué cette toile à un peintre mineur de la Renaissance, Gianpetrino, qui avait été un élève de Léonard de Vinci. On avait d'ailleurs toujours supposé que Léonard de Vinci avait supervisé la réalisation du tableau en question.

Puis Carlo Pedretti, sans doute le plus grand spécialiste vivant de Léonard de Vinci – qui y a consacré presque toute sa vie –, a récemment déclaré, après mûre réflexion : « Je suis enclin à penser qu'il s'agit de beaucoup plus qu'une supervision de l'élève par le maître. » Ce portrait étonnant et voluptueux de Marie Madeleine a été finalement montré à l'occasion d'une exposition tenue en octobre 2005 à Ancône, en Italie, à la lumière de cette nouvelle supposition qu'il avait, en fait, été peint par Léonard de Vinci.

S'il s'avère qu'il s'agit bien d'un tableau de Léonard de Vinci, ce serait la seule œuvre du grand maître consacrée à Marie Madeleine, à moins bien sûr que l'on accepte la thèse du *Da Vinci Code* selon laquelle ce serait Marie Madeleine qui figurerait à la droite de Jésus dans *La Cène*. Mais la plupart des historiens de l'art rejettent cette hypothèse d'un message didactique codé inscrit dans ce tableau et suggérant que Marie Madeleine aurait été l'épouse du Christ et la représentation métaphorique du Saint-Graal. Lorsqu'on les interroge à propos des traits nettement féminins du personnage figurant aux côtés de Jésus, les spécialistes traditionnels sont prompts à souligner que les peintres italiens de la Renaissance dépeignaient fréquemment le jeune Jean, l'apôtre bien-aimé, comme le seul disciple imberbe et le représentaient sous des traits féminins et souvent endormi. Ainsi, ils accentuaient son air de jeunesse.

Carlo Pedretti est l'un des très rares historiens de l'art à accorder un certain crédit à l'importance du caractère féminin de ce personnage de *La Cène*. Pendant la vague de curiosité suscitée par le *Da Vinci Code* en 2003 et en 2004, il a accordé plusieurs interviews dans lesquelles il ouvrait la porte beaucoup plus grande que tout autre historien de l'art à la possibilité que le personnage de *La Cène* pût être une femme. Toutefois, il n'est jamais allé jusqu'à affirmer ou même laisser entendre que cette femme pourrait être Marie Madeleine. Mais sa façon d'entretenir une certaine ambiguïté sur le sexe du personnage assis à la droite de Jésus était en elle-même éloquente.

Si notre page couverture est en effet l'œuvre de Léonard de Vinci, alors il ne faut pas s'étonner que son immense génie créateur ait dépeint Marie Madeleine comme aucun autre. Elle y est concrète, sensuelle, les seins dénudés, et clairement érotique, mais sans honte, ni repentir ni culpabilité d'aucune sorte. Elle y est aussi magnifiquement dépeinte et aussi mystérieuse que *la Joconde*, mais, contrairement à Mona Lisa, elle établit une communication directe, ouverte et sans mystère.

Si je projetais d'écrire un roman à partir de ce tableau, je partirais du principe que si Léonard de Vinci avait compris tant de choses à propos de l'avenir (après tout, n'a-t-il pas conçu des machines volantes, des sous-marins et des véhicules à moteur en plus d'avoir exprimé les premières intuitions sur la théorie du chaos?), il en connaissait aussi sans doute un bout sur le passé. Et ce qu'avait compris cet esprit humaniste modèle de la Renaissance, c'était que les êtres humains sont mortels et non divins et que Jésus et Marie Madeleine étaient précisément des êtres humains ordinaires, peut-être mari et femme. Il avait sans doute aussi entrevu que mettre ainsi en évidence la sensualité d'une femme séduisante – hors des prescriptions imposées par les notions bibliques de moralité, de péché, de culpabilité et de pénitence – représentait la meilleure façon de dépeindre cette magnifique moitié féminine de l'union holistique archétype entre l'homme et la femme. Cette Marie Madeleine est renversante d'humanité et d'humanisme, ce qui n'a rien d'étonnant quand on sait que Léonard de Vinci a sans doute été le plus grand humaniste du dernier millénaire.

Le mystère de Léonard de Vinci, le complot dont il faisait partie, le secret qu'il détenait n'avaient rien à voir avec le prétendu Prieuré de Sion ou autres inepties. Le grand secret de Léonard de Vinci – son hérésie, en quelque sorte – était beaucoup plus simple. Il avait compris la part de sainteté qu'il y a dans chaque être humain, et que le fait de donner la vie, de la vivre et de la célébrer représentait le plus grand devoir de l'humanité et que, dans ce contexte, les femmes avaient un rôle très particulier – un rôle sacré – à jouer.

CHAPITRE 7

Le culte de Marie Madeleine dans la légende et la tradition

La mythologie de Marie Madeleine.
La Légende dorée

PAR JACQUES DE VORAGINE[64]

La Légende dorée est l'un des textes fondamentaux du Moyen Âge, qui décrit la vie des saints dans le cadre d'une série de récits, certains apparemment factuels, d'autres faisant clairement appel à l'imagination, et d'autres enfin carrément sensationnels. Après la Bible, La Légende dorée *est considéré par les spécialistes comme l'ouvrage le plus lu et le plus édité de l'époque. À la fin du Moyen Âge, il avait déjà été traduit dans toutes les langues d'Europe occidentale. Dans son introduction à l'une de ces traductions, Richard Hamer, professeur de langue et littérature anglaise du Moyen Âge à Christ Church (Oxford), écrit : « L'immense succès de ce livre – dont témoigne sa très large diffusion – et sa domination sur l'ensemble de ses rivaux potentiels sont probablement dus en grande partie au fait qu'il a offert, à son époque, la quantité et le genre d'informations que les gens souhaitaient. »*

La Légende dorée compte cent quatre-vingt-deux récits, tous écrits par le moine dominicain Jacques de Voragine entre 1259 et 1266. On peut dire qu'aucun document n'a eu autant d'influence sur la façon dont la réputation d'un saint a été projetée jusqu'à nos jours que le compte rendu coloré qu'il fait de la vie de Marie Madeleine. Comme il fallait s'y attendre, on y retrouve cette confusion entre Marie Madeleine et Marie de Béthanie – sœur de Lazare et de Marthe – qui avait été le fait du pape Grégoire, ainsi que la pécheresse anonyme évoquée dans l'Évangile selon saint Luc, mais l'auteur raconte également son voyage en France et son passé de femme fortunée, bien née et qui « possédait » même la ville de Magdalon. Il insiste aussi sur le fait qu'elle « recherchait tout ce qui peut flatter les sens ». Malgré cela, au bout du compte, Jésus l'aime, l'accepte telle qu'elle est et prend sa défense.*

La Légende dorée ne représente pas le fondement de la légende du Saint-Graal non plus qu'une autre théorie sur le mariage de Jésus et de Marie Madeleine. Elle décrit plutôt cette dernière comme une prostituée réformée qui, grâce à sa conversion à la vie sacrée, a fait partie des disciples les plus saints et les plus importants après la mort de Jésus.*

---

64. Jacques de Voragine. *La Légende dorée*, Numérisation Abbaye Saint-Benoît de Port-Valais, 2004.

Sainte Marie-Magdeleine

Marie, surnommée Magdeleine, du château de Magdalon, naquit des parents les plus illustres, puisqu'ils descendaient de la race royale. Son père se nommait Syrus et sa mère Eucharie. Marie possédait en commun avec Lazare, son frère, et Marthe, sa soeur, le château de Magdalon, situé à deux milles de Génézareth, Béthanie qui est proche de Jérusalem, et une grande partie de Jérusalem. Ils se partagèrent cependant leurs biens de cette manière : Marie eut Magdalon d'où elle fut appelée Magdeleine, Lazare retint ce qui se trouvait à Jérusalem, et Marie posséda Béthanie. Mais comme Magdeleine recherchait tout ce qui peut flatter les sens, et que Lazare avait son temps employé au service militaire, Marthe, qui était pleine de prudence, gouvernait avec soin les intérêts de sa soeur et ceux de son frère ; en outre elle fournissait le nécessaire aux soldats, à ses serviteurs, et aux pauvres. Toutefois ils vendirent tous leurs biens après l'ascension de Jésus Christ et en apportèrent le prix aux apôtres. Comme donc Magdeleine regorgeait de richesses et que la volupté est la compagne accoutumée de nombreuses possessions, plus elle brillait par ses richesses et sa beauté, plus elle salissait son corps par la volupté ; aussi perdit-elle son nom propre pour ne plus porter que celui de pécheresse. Comme Jésus Christ prêchait çà et là, inspirée par la volonté divine, et ayant entendu dire que Jésus Christ dînait chez Simon le lépreux, Magdeleine y alla avec empressement, et n'osant pas, en sa qualité de pécheresse, se mêler avec les justes, elle resta aux pieds du Seigneur, qu'elle lava de ses larmes, essuya avec ses cheveux et parfuma d'une essence précieuse : car les habitants du pays, en raison de l'extrême chaleur du soleil, usaient de parfums et de bains.

Comme Simon le pharisien pensait à part soi que si Jésus Christ était un prophète, il ne se laisserait pas toucher par une pécheresse, le Seigneur le reprit de son orgueilleuse justice et remit à cette femme tous ses péchés. C'est à cette Marie-Magdeleine que le Seigneur accorda tant de bienfaits et donna de si grandes marques d'affection. Il chassa d'elle sept démons, il l'embrasa entièrement d'amour pour lui ; il en fit son amie de préférence ; il était son hôte ; c'était elle qui, dans ses courses, pourvoyait à ses besoins, et en toute occasion il prenait sa défense. Il la disculpa auprès du dit pharisien qui la disait immonde, auprès de sa soeur qui la traitait de paresseuse, auprès de Judas qui l'appelait prodigue. En voyant ses larmes, il ne put retenir les siennes. Par son amour, elle obtint que son frère, mort depuis trois jours, fût ressuscité ; ce fut à son amitié que Marthe, sa soeur, dut d'être délivrée d'un flux de sang, dont elle était affligée depuis sept ans ; à ses mérites Manille, servante de sa soeur, dut d'avoir l'honneur de proférer ce mot si doux qu'elle dit en s'écriant : « Bienheureux le sein qui vous a porté. »

Dans le passage suivant, Marie se rend en Provence en compagnie de son frère, de sa soeur et d'autres chrétiens, dont Maximin qui deviendra évêque d'Aix. L'auteur y fait le récit de leur arrivée en France et de l'œuvre de conversion qu'y entreprend alors Marie.

Après l'ascension du Seigneur, c'est-à-dire quatorze ans après la passion, les juifs ayant massacré depuis longtemps déjà saint Étienne et ayant chassé les autres disciples de leur pays, ces derniers se retirèrent dans les régions habitées par les gentils, pour y semer la parole de Dieu. Il y avait pour lors avec les apôtres saint Maximin, l'un des 72 disciples, auquel Marie-Magdeleine avait été spécialement recommandée par saint Pierre. Au moment de cette dispersion, saint Maximin, Marie-Magdeleine, Lazare, son frère, Marthe, sa soeur, et Manille, suivante de Marthe, et enfin le bienheureux Cédonius, l'aveugle-né guéri par le Seigneur, furent mis par les infidèles sur un vaisseau tous ensemble avec plusieurs autres chrétiens encore ; et abandonnés sur la mer sans aucun pilote afin qu'ils fussent engloutis en même temps. Dieu permit qu'ils abordassent à Marseille. N'ayant trouvé la personne qui voulût les recevoir, ils restaient sous le portique d'un temple élevé à la divinité du pays. Or, comme sainte Marie-Magdeleine voyait le peuple accourir pour sacrifier aux dieux, elle se leva avec un visage tranquille, le regard serein, et par des discours fort adroits, elle le détournait du culte des idoles et lui prêchait sans cesse Jésus Christ. Tous étaient dans l'admiration pour ses manières fort distinguées, pour sa facilité à parler et pour le charme de son éloquence. Ce n'était pas merveille si une bouche qui avait embrassé avec autant de piété et de tendresse les pieds du Sauveur eût conservé mieux que les autres le parfum de la parole de Dieu.

Après avoir évangélisé le pays, Marie Madeleine se retire dans le désert pour y mener une vie de contemplation. Elle y passe trente ans sans nourriture ni eau, ne subsistant que grâce aux repas célestes fournis par des anges. Dans ce passage, l'auteur raconte ses derniers jours sur la Terre et son ascension au paradis.

Un prêtre, qui désirait mener une vie solitaire, plaça sa cellule dans un endroit voisin de douze stades de celle de Marie-Magdeleine. Un jour donc, le Seigneur ouvrit les yeux de ce prêtre qui put voir clairement comment les anges descendaient dans le lieu où demeurait la bienheureuse Marie, la soulevaient dans les airs et la rapportaient une heure après dans le même lieu, en chantant les louanges du Seigneur. Alors le prêtre, voulant s'assurer de la réalité de cette vision, après s'être recommandé parla prière à son créateur, se dirigea avec dévotion et courage vers cet endroit. [...] Après avoir invoqué le nom du Sauveur, il s'écria : « Je t'adjure par le Seigneur, que si tu es un homme ou bien une créature raisonnable habitant cette caverne, tu me répondes et tu me dises la vérité. » Et quand il eut répété ces mots par trois fois, la bienheureuse Marie-Magdeleine lui répondit : « Approchez plus près et vous pourrez connaître la vérité de tout ce que votre âme désire. » Quand il se fut approché tout tremblant jusqu'au milieu de la voie à parcourir, elle lui dit : « Vous souvenez-vous qu'il est question, dans l'Évangile, de Marie, cette fameuse pécheresse, qui lava de ses larmes les pieds du Sauveur et les essuya de ses cheveux, ensuite mérita le pardon de ses fautes ? » Le prêtre lui répondit : « Je m'en souviens ; et depuis plus de trente ans la sainte église croit et confesse ce fait. » – « C'est moi, dit-elle, qui suis cette femme. J'ai demeuré inconnue aux hommes l'espace de trente ans, et comme il vous a été accordé de le voir hier, chaque jour, je suis enlevée au ciel par les mains des anges, et j'ai eu le bonheur d'entendre des oreilles du corps les admirables concerts des choeurs célestes, sept fois par chaque jour. Or, puisqu'il m'a été révélé par le Seigneur que je dois sortir de ce monde, allez trouver le bienheureux Maximin, et dites-lui que, le jour de Pâques prochain, à l'heure qu'il a coutume de se lever pour aller à matines, il entre seul dans son oratoire et qu'il m'y trouvera transportée par le ministère des anges. » Le prêtre entendait sa voix, comme on aurait dit de celle d'un ange, mais il ne voyait personne.

Il se hâta donc d'aller trouver saint Maximin et lui raconta tous ces détails. Saint Maximin, rempli d'une grande joie, rendit alors au Sauveur d'immenses actions de grâce et, au jour et à l'heure qu'il lui avait été dit, en entrant dans son oratoire, il voit la bienheureuse Marie-Magdeleine debout dans le chœur, au milieu des anges qui l'avaient amenée. Elle était de deux coudées au-dessus de terre, debout au milieu des anges et priant Dieu, les mains étendues. Or, comme le bienheureux Maximin tremblait d'approcher auprès d'elle, Marie dit en se tournant vers lui : « Approchez plus près ; ne fuyez pas votre fille, mon père. » En s'approchant, selon qu'on le lit dans les livres de saint Maximin lui-même, il vit que le visage de la sainte rayonnait de telle sorte par les continuelles et longues communications avec les anges, que les rayons du soleil étaient moins éblouissants que sa face.

Maximin convoqua tout le clergé et le prêtre dont il vient d'être parlé. Marie-Magdeleine reçut le corps et le sang du Seigneur des mains de l'évêque, avec une grande abondance de larmes. S'étant ensuite prosternée devant la base de l'autel, sa très sainte âme passa au Seigneur après qu'elle fut sortie de son corps, une odeur si suave se répandit dans le lieu même que pendant près de sept jours, ceux qui entraient dans l'oratoire la ressentaient.

Vol sacré. Les ossements baladeurs de Marie Madeleine

par Katherine Ludwig Jansen

Le culte de Marie Madeleine qui allait déferler sur la France et le reste de l'Europe aux XIe, XIIe et XIIIe siècles se manifesta d'abord au IXe siècle. C'est vers cette époque que l'on commença à la prier et à célébrer son jour anniversaire, le 22 juillet de chaque année. Des signes plus concrets d'un culte à Marie Madeleine furent constatés au Xe siècle, lorsqu'une église en Angleterre assura détenir une relique de la sainte et qu'un autel lui fut consacré en Allemagne. Au XIe siècle, des messes entières étaient célébrées en son honneur et des manifestations de dévotion étaient visibles un peu partout.

Cet enthousiasme ne fut nulle part plus évident qu'en France, où le culte de Marie Madeleine atteignit un sommet en 1050, lorsque Geoffroy, l'abbé de la grande église romane de Vézelay en Bourgogne, affirma posséder des reliques de la sainte. Vézelay demeura un important lieu de pèlerinage – en particulier après 1058, lorsque le pape Étienne émit une bulle reconnaissant les prétentions de l'église – jusqu'à ce que les religieux du monastère de Saint-Maximin en Provence assurent avoir découvert le corps de Marie Madeleine dans une crypte, en 1279.

Pourquoi les reliques revêtaient-elles une si grande importance pour les fidèles au Moyen Âge ? Pourquoi étaient-elles à ce point recherchées que certaines églises allaient jusqu'à se les voler entre elles ? Quel était le rapport véritable de ces reliques avec Marie Madeleine et quel aspect de sa légende les gens voulaient-ils « toucher » ? Enfin, comment cette période s'inscrit-elle dans la grande mosaïque Marie Madeleine ?

Voilà les questions que nous avons posées à Katherine Ludwig Jansen, qui a consacré une grande partie de sa carrière à l'étude du rayonnement de Marie Madeleine durant la période médiévale. Jansen, qui est professeure agrégée à la Catholic University of America, est aussi l'auteure de l'ouvrage The Making of the Magdalen : Preaching and Popular Devotion in the Later Middle Ages. *« Les reliques peuvent êtres considérées comme des liens entre le surnaturel et la réalité, écrit-elle. Elles représentent un prolongement concret et tangible de la sainteté en ce monde. » Jusqu'à ce jour, on a toujours affirmé qu'il existait des reliques de Marie Madeleine et celles-ci sont toujours vénérées, précisément en raison de ce rapport qu'elles établissent entre l'univers de la spiritualité et le monde matériel.*

Depuis les tout premiers débuts de la chrétienté, les fidèles ont vénéré les saintes reliques afin d'attirer l'attention et les faveurs des saints, d'obtenir leur protection contre l'infirmité, la pauvreté, les périls imminents et les défis de la vie quotidienne. Les reliques peuvent être considérées comme des liens entre le surnaturel et la réalité. Elles représentent un prolongement concret et tangible de la sainteté en ce monde.

Le plus ancien témoignage de vénération d'une relique est décrit dans les *Lettres de Polycarpe de Smyrne*, mort martyr vers l'an 156. Au Ve siècle, les ossements de saints qui n'étaient pas nécessairement des martyrs commencèrent aussi à faire l'objet d'une grande dévotion. Au VIIIe siècle, un concile décréta que désormais aucune église ne saurait être consacrée sans qu'elle renfermât une relique. Et, quatre siècles plus tard, le droit canon établit que chaque autel devait également en contenir une.

Parce qu'ils avaient mené une vie exemplaire, on considérait que les saints étaient glorifiés dans les cieux et que la vénération de leurs restes physiques offrait un accès privilégié à leur protection, sur le plan temporel aussi bien que spirituel. La manière la plus spectaculaire dont cette protection se manifestait était bien sûr l'accomplissement de miracles tels que la guérison d'une maladie, le fait d'être sauvé d'un péril physique ou le règlement de différends. Les gens voyaient ces miracles comme des manifestations de la puissance de Dieu suscitées par les reliques des saints.

La logique qui sous-tendait au Moyen Âge cette intercession des saints était fondée sur celle de l'échange de faveurs. Les vivants gagnaient la protection des saints décédés en leur offrant leurs prières et, réciproquement, les saints avaient des devoirs envers ceux qui les priaient. Précisons que ce réseau de protecteurs et de clients n'était pas différent de celui qui se tissait dans la Rome antique ou du rapport qui existait entre seigneurs et vassaux à l'époque féodale. En ce sens, l'usage de reliques reflétait une vision du monde surnaturel fondé sur un réseau social d'intercession qui reliait les chrétiens à Dieu. Dans un contexte où cette structure sociale des mondes antique et médiéval était fortement enracinée, il ne faut pas s'étonner du fait que les serments légaux à cette époque étaient plus fréquemment prêtés sur des reliques que sur la Bible.

Les reliques revêtaient une si grande importance dans le monde médiéval qu'un commerce intense, bien qu'irrégulier, se développa dans le but de pourvoir à la demande de cette « économie du sacré ». Dans son remarquable ouvrage *Le Vol des reliques au Moyen Âge*, Patrick Geary explique très bien comment se déroulait ce commerce de reliques volées à des fins de dévotion (*furta sacra*). Il est intéressant de noter à cet égard que, dans la plus grande partie de l'Occident chrétien, on était d'avis que les reliques de Marie Madeleine avaient fait l'objet d'un tel vol sacré. Au XIe siècle, une pieuse invention – que nous appellerons « la légende de Vézelay » – commença à circuler à propos de la « découverte » des restes de Marie Madeleine à l'église abbatiale romane de Vézelay. Selon cette légende, en l'an 749, durant le règne de Louis le Pieux, le comte Girard, fondateur du monastère de Vézelay, et l'abbé Heudo confièrent à un moine la mission de se rendre à Aix-en-Provence afin d'y récupérer les restes de la disciple bien-aimée de Jésus menacés par les Sarrasins. Lorsque le moine en question, nommé Badilo, arriva en Provence, il ne trouva sur sa route que mort et désolation. Miraculeusement, seul le mausolée de sainte Marie Madeleine avait été épargné. Reconnaissant le sépulcre grâce aux reliefs sculptés décrivant les événements de sa vie tels que racontés dans les Évangiles, Badilo ouvrit le tombeau et y trouva le corps de la sainte intact et non corrompu, les mains croisées sur la poitrine. Comme si cela ne suffisait pas à le convaincre, un autre signe lui confirma qu'il était bien devant l'objet de sa quête : un parfum d'une douceur céleste – une fragrance que ne pouvait exhaler qu'une personne morte en odeur de sainteté – émana du tombeau dès qu'il l'ouvrit.

Angoissé par la tâche qui l'attendait, Badilo eut un autre présage la nuit suivante : la vision d'une femme d'une blancheur incandescente qui le rassura en lui disant que sa mission avait été autorisée par Dieu. Fortifié par cette rencontre mystique, Badilo subtilisa le corps de Marie Madeleine et l'amena dès le lendemain jusqu'en Bourgogne où il fut reçu par des manifestations de joie, des prières et une cérémonie digne de l'accueil qu'il convient de faire à une sainte. Le 19 mars, la précieuse relique fut installée dans l'église abbatiale de Vézelay et, à partir de ce jour, se produisirent dans ce sanctuaire toute une série d'événements miraculeux prouvant à chacun que le Seigneur couvrait de sa bénédiction le transfert en Bourgogne des restes de la sainte. Ainsi donc, chacun estima dès lors que c'est un *furtum sacrum* – un vol sacré – qui avait amené la sainte pécheresse Marie Madeleine à reposer dans l'église de Vézelay.

Des spécialistes contemporains ont noté que la légende de Vézelay est parsemée d'anachronismes, dont le moindre n'est pas la confusion sur l'identité des divers souverains carolingiens ainsi que sur les époques où ils ont régné, sans parler de la date de la fondation de Vézelay. Mais la rigueur historique importe peu. La légende fut écrite, en fait, moins pour commémorer que pour justifier la prétention de Vézelay à la possession des restes de Marie Madeleine, laquelle prétention était mise en avant depuis l'an 1037, date où Geoffroy – un grand fervent de Marie Madeleine – était devenu l'abbé de Vézelay. En 1050, le pape Léon IX avait en outre émis une bulle confirmant Marie Madeleine comme l'une des saintes tutélaires de Vézelay, la plaçant à la tête d'une liste déjà longue qui comprenait notamment la Vierge Marie, saint Pierre et saint Paul. Il est aussi intéressant de noter qu'il ne s'agit que de la première d'une longue liste de bulles papales qui allaient confirmé l'association de Marie Madeleine à Vézelay. La suivante fut émise en 1058 lorsque Marie Madeleine fut désignée comme seule patronne de Vézelay. Mais, surtout, la bulle en question ratifia la prétention de l'église à la possession de ses reliques.

Vézelay devint bientôt un lieu de pèlerinage dédié à la sainte. Tout au long du Moyen Âge, le pèlerinage fut l'une des expressions les plus populaires de dévotion religieuse dans l'ensemble de la chrétienté. Le désir de visiter des lieux saints et d'y prier était intimement relié à la vénération des saintes reliques, lesquelles – si elles étaient vénérées de façon convenable – avaient le pouvoir, croyait-on, d'accomplir des miracles. Les reliques de Marie Madeleine acquirent rapidement cette réputation de faire des miracles. Les premiers miracles rapportés à Vézelay furent ceux accomplis en faveur de prisonniers qui avaient invoqué la sainte pour être libérés de leurs fers.

Ceux qui croyaient avoir bénéficié de ce type d'intercession se rendaient par la suite en pèlerinage à son sanctuaire de Vézelay afin de la remercier des grâces ainsi obtenues. Ils apportaient avec eux les chaînes auxquelles ils étaient attachés pendant leur séjour en prison et les laissaient au sanctuaire comme *ex-voto*, témoins silencieux des miracles accomplis. Un chroniqueur de l'époque affirmait que les entraves abandonnées là étaient devenues si nombreuses que Geoffroy en avait fait une balustrade qui encerclait le maître-autel.

Outre les évasions miraculeuses, les autres miracles de Vézelay attribués à Marie Madeleine consistaient surtout en guérisons. Vézelay atteignit sans doute le faîte de sa gloire à Pâques 1146, lorsque Bernard de Clairvaux y prêcha la seconde croisade en présence du roi Louis VII et de la reine Aliénor d'Aquitaine. La foule y fut si nombreuse et fervente qu'une tribune édifiée pour l'occasion s'écroula au moment où saint Bernard remettait des insignes aux combattants qui s'apprêtaient à porter la croix en Terre sainte. Des chroniqueurs assurèrent même que ce fut grâce à l'intercession de la patronne de Vézelay que personne ne fut blessé.

Vézelay, il faut le souligner, devint également un lieu de pèlerinage d'envergure internationale, notamment parce qu'il était très bien situé sur l'une des principales routes qu'empruntaient les pèlerins d'Allemagne et des pays de l'Est pour se rendre au sanctuaire de Saint-Jacques-de-Compostelle, dans le nord de l'Espagne. Après s'être arrêtés à Vézelay pour vénérer les reliques de sainte Marie Madeleine, ils pouvaient poursuivre leur chemin vers le sud pour prier au sanctuaire de saint Léonard, avant de terminer leur pèlerinage à Compostelle. Les sanctuaires très fréquentés de saint Martin de Tours et de sainte Foy à Conques étaient aussi des étapes possibles non loin de la route menant de Vézelay à Compostelle. En effet, vers le milieu du XIe siècle, les pèlerins qui allaient à Conques instituèrent une dévotion à Marie Madeleine qu'ils avaient apprise à Vézelay. La présence de reliques de saints parmi les plus vénérés procurait aux sanctuaires, aux villes et aux régions de pèlerinage un pouvoir et un prestige certains. Et d'une façon assez similaire à l'industrie touristique aujourd'hui, le commerce associé aux pèlerinages stimulait clairement l'activité économique dans les régions qui prétendaient être dotées de reliques miraculeuses.

Mais l'âge d'or de Vézelay fut relativement bref, car en 1279 le corps non corrompu de Marie Madeleine fut « redécouvert » dans la crypte de l'église Saint-Maximin à Aix-en-Provence. Il fut découvert par Charles II d'Anjou, comte de Provence et prince de Salerne, qui profitait de droits acquis sur les saintes reliques dénichées sur ses territoires. Pour appuyer sa prétention, lui-même et son entourage firent valoir que le vol sacré perpétré par le moine Badilo n'avait jamais eu lieu. Ils laissèrent entendre que Badilo avait, en fait, mal identifié le corps. Ce n'était pas le corps de Marie Madeleine qu'il avait subtilisé, mais plutôt les restes de sainte Sidonie. Les reliques de Marie Madeleine, affirmaient-ils, demeuraient inviolées dans la crypte. Ils produisirent également comme preuves matérielles un certain nombre d'artéfacts, dont un vieux morceau de parchemin trouvé auprès des restes de la sainte et sur lequel étaient inscrits ces mots : « Ici gît le corps béni de Marie Madeleine. »

Cette initiative porta un dur coup à la réputation de Vézelay, à vrai dire un *coup de grâce*[65] dont elle ne se remit jamais. Dès lors, les pèlerins donnèrent leur allégeance (et leur argent) au nouveau sanctuaire de Saint-Maximin où la sainte entreprit bientôt d'accomplir nombre de miracles, lesquels furent consignés par Jean Gobi l'Ancien dans un recueil publié vers 1315. À partir de la fin du XIIIe siècle, le culte de Marie

---

65. En français dans le texte.

Madeleine se mit à rayonner plutôt à Aix-en-Provence, sous le patronage bienveillant des comtes angevins de Provence et de l'Ordre dominicain.

Au fil des siècles, les sanctuaires consacrés à Marie Madeleine dans le sud de la France connurent des fortunes diverses. Néanmoins, encore aujourd'hui, le 22 juillet de chaque année, de nombreux pèlerins – entourés de touristes et de chercheurs du Nouvel Âge – se rendent à la basilique inachevée d'Aix-en-Provence pour vénérer une sainte dont la présence, pendant plus de neuf siècles, a apporté à la région le pouvoir, le prestige et pas qu'un peu de ce que l'on appelle aujourd'hui le sex-appeal.

« JE NE SAIS PAS SI ELLE EST VENUE, MAIS ELLE EST LÀ ». LE PÈLERINAGE DE MARIE MADELEINE DANS LE SUD DE LA FRANCE

PAR ELIZABETH BARD

Fuyant les dangers qui la menaçaient à Jérusalem, Marie Madeleine – s'il faut en croire la légende – longea la côte égyptienne dans une embarcation sans rames ni voile. Selon les versions, il y avait à bord entre trois et plus d'une demi-douzaine de personnes. Les vents et les marées favorables – et, sans aucun doute, l'intervention divine – permirent au bateau de dériver le long des côtes de la Crète, de la Grèce, de la Sicile, de l'Italie, de Malte, de la Sardaigne, de la Corse, du Maroc et d'autres pays bordant la Méditerranée, jusqu'à ce qu'il atteignît finalement Marseille dans le sud de la France. C'est là que Marie Madeleine passa apparemment le reste de sa vie à prêcher et à méditer dans un nombre restreint de villages. Puis vinrent les reliques, les jours anniversaires de la sainte, les boutiques de touristes, les pâtisseries offrant navettes et madeleines, et les auberges et les cafés où les pèlerins épuisés pouvaient enfin se reposer.

Dans le texte précédent, Katherine Jansen a fourni des informations fascinantes sur les reliques de Marie Madeleine et la ville de Vézelay. Pour obtenir un point de vue plus large et plus personnel sur la France de Marie Madeleine, nous avons demandé à Elizabeth Bard – journaliste, experte en art et guide privée au Louvre – de retracer les faits saillants et les multiples strates de la légende, des mythes, des œuvres, des reliques et du commerce qu'un pèlerin du XXIe siècle est susceptible de rencontrer.

Tout périple entrepris sur les traces de Marie Madeleine en France se situe au carrefour de l'histoire et de la légende. Le rôle de premier plan dévolu à Marie Madeleine dans le *Da Vinci Code* est loin de représenter son premier sujet de controverse. La compétition entre Vézelay et la Provence pour la possession de ses reliques est l'une des grandes rigolades de l'histoire ecclésiastique, parsemée d'intrigues, de corps en décomposition et de «vols sacrés». Mais ce périple révèle par ailleurs des sites d'une beauté et d'une tranquillité exception-nelles – un lien spirituel parfait avec une sainte qui, encore aujourd'hui, demeure un modèle de vie contemplative.

Vézelay

La ville de Vézelay est nichée dans les douces et vertes collines de Bourgogne. Aujourd'hui, quand on déambule dans l'étroite rue principale menant à la basilique dédiée à Marie Madeleine, le long des boutiques et des restaurants qui servent l'un ou l'autre des prestigieux vins de la région, il est difficile d'imaginer que, il y a neuf cents ans, on se serait trouvé dans une métropole de dix mille habitants qui constituait l'un des lieux les plus importants de la chrétienté. Au faîte de sa gloire, aux XIe et XIIe siècles, Vézelay attirait chaque année des dizaines de milliers de pèlerins désireux de voir les reliques de Marie Madeleine.

Le lien de la sainte avec la basilique et, de façon générale, avec le sud de la France, est dans une large mesure un produit de la période médiévale, de légendes qui, encore aujourd'hui, laissent planer leur ombre – et leur lot de théories et de suppositions – jusque sur les premiers moments du christia-nisme. L'enthousiasme pour Marie Madeleine qui commença à se manifester au Moyen Âge s'est appuyé sur des raisons aussi cyniques que spirituelles. À l'époque, le fait que votre église fût associée à une sainte qui avait connu Jésus de son vivant représentait un puissant porte-bonheur. La santé, la richesse, les victoires militaires et la rémission des péchés s'offraient à vous, pour peu que vous ayez l'intercesseur approprié auprès des instances divines. Si la France ne pouvait prétendre à la possession des restes de l'un des douze apôtres, comme c'était le cas de Saint-Jacques-de-Compostelle, tout au moins Marie

Madeleine suivait-elle de près en ordre d'importance. Pour certains fidèles, en fait, elle les coiffait tous au fil d'arrivée, ayant été le premier témoin du Christ ressuscité et souvent qualifiée à ce titre d'«apôtre entre les apôtres».

Il y avait aussi des considérations plus terre à terre. Aux XIIe et XIIIe siècles, au moment où furent écrites certaines des légendes les plus durables sur Marie Madeleine, les reliques et les pèlerinages qu'elles suscitaient représentaient des intérêts commerciaux considérables. Un crâne ou un bout de doigt certifié par le pape pouvait attirer les foules à la manière d'un EuroDisney médiéval. Les fidèles voyageaient de ville en ville pour voir les corps (ou des parties des corps) de multiples saints. Pendant leur séjour, ces gens devaient être nourris, logés et divertis. La basilique de Vézelay est située fort à propos sur la plus importante route de pèlerinage d'Europe, qui converge vers Saint-Jacques-de-Compostelle à partir du nord et de l'est du continent. En gravissant la colline sur laquelle s'élève la basilique, on peut encore apercevoir des coquillages – le symbole de Compostelle – incrustés dans la chaussée pour indiquer le chemin. À mesure qu'elle s'approchait du sanctuaire, la pèlerine moderne – encore que profane – que je suis sentit monter en elle des sentiments mêlés où le scepticisme le disputait à l'enthousiasme.

La basilique d'origine, dédiée à la Vierge Marie, était constituée d'un monastère et d'un couvent situés sur le domaine du comte de Roussillon et de son épouse Berthe. Le couple, qui venait de perdre son unique fils et héritier, avait décidé de léguer sa fortune à l'Église. En 863, la propriété fut cédée à Rome en échange de la protection papale et pour des raisons fiscales. Échappant ainsi aux autorités locales, l'église allait désormais être continuellement en conflit avec les seigneurs du lieu et la couronne de France. En 1120, l'édifice d'origine fut rasé par les flammes et plus d'un millier de membres de la congrégation, coincés sous le toit de bois, périrent dans l'incendie.

La basilique qui s'éleva, vers 1145, sur les ruines du monastère est l'une des merveilles de l'architecture romane, un monument qui nous parle à travers les siècles.

Les moines et les religieuses qui vivent aujourd'hui à Vézelay se plaisent à dire que leur église est faite de pierre et de lumière. Et, en effet, la visite de cette abbaye représente un passage, à la fois réel et spirituel, de l'ombre à la lumière.

Lorsque vous pénétrez dans l'abbaye, vous vous trouvez dans une sombre pièce carrée qu'on appelle un narthex. Dans le langage de l'architecture médiévale, les quatre coins de cette pièce rappellent le caractère terrestre – donc imparfait – des choses humaines : les quatre éléments, les quatre points cardinaux, les quatre humeurs (sang, flegme, bile jaune et bile noire). C'est là que les pèlerins se nettoyaient de la poussière accumulée durant le voyage, puis ils dormaient et mangeaient sur la galerie de l'étage supérieur. Pendant l'âge d'or de la basilique, quelque huit cents moines y enseignaient le catéchisme, illustrant leur propos à l'aide de la sculpture du Christ triomphant située dans le tympan central. Sous le tympan, une représentation de Jean le Baptiste accueillait les pèlerins.

Les massives portes intérieures de l'abbaye s'ouvrent sur un univers différent. Nous entrons alors dans le monde du cercle, qui représente la perfection de la vie spirituelle, la vie éternelle qui est la promesse centrale du christianisme. Les rayons du soleil inondent la nef, ses arches arrondies et ses bandes rayées de pierre noire et blanche. Heureux accident du processus de construction, le chœur situé au fond de l'église – érigé vers 1160 – est plutôt de style gothique. Ses larges vitraux et ses arches en pointe caractéristiques de l'architecture de cette époque nous guident, de façon stratégique, vers la lumière.

Les architectes des périodes romane et gothique étaient extrêmement friands de symboles arithmétiques, ce dont témoigne abondamment la basilique. Au second niveau du chœur, on voit quatorze niches distinctes, séparées par des colonnes circulaires, représentant le Christ et ses disciples durant le dernier repas. (Jésus, au centre, occupe une double niche surmontée d'une croix et symbolisant sa double nature divine et humaine.) Si on porte son regard sur la deuxième à gauche, on aperçoit une simple colonne carrée – représentant Judas et sa nature terrestre, donc imparfaite – parmi les colonnes circulaires représentant les autres disciples plus éclairés.

En plus des pèlerins chrétiens et des touristes curieux, on trouve à Vézelay des pèlerins « ésotériques ». L'époque médiévale vit en effet s'épanouir nombre de sociétés secrètes et d'ordres d'initiés, dont certains rituels subsistent peut-être encore aujourd'hui. Ainsi, parmi les visiteurs que j'ai vus à Vézelay, il y avait deux jeunes femmes qui, chacune d'un côté de la nef, sifflaient et soufflaient en direction l'une de l'autre. Alors que la librairie officielle de la basilique n'offre que des publications chrétiennes et touristiques, une autre située juste à sa droite regorge de titres sur les auras, le chamanisme, la cabale et les toujours populaires chevaliers du Temple.

Les grands projets d'ordre architectural et spirituel entrepris à Vézelay n'auraient été ni possibles ni même nécessaires sans l'objet principal de la dévotion des pèlerins, c'est-à-dire les reliques de Marie Madeleine. Pour justifier sa prétention à ce titre, Vézelay réalisa un tour de prestidigitation qui allait avoir une influence considérable sur la fortune de la basilique et les légendes entourant Marie Madeleine.

Après une période de déclin au début du XIe siècle, Vézelay connut une renaissance économique et spirituelle sous la houlette d'un certain abbé nommé Geoffroy... et de la sainte patronne qu'il avait choisie, Marie Madeleine.

Avant l'arrivée de Geoffroy en 1037, il n'existe aucune mention particulière de Marie Madeleine en rapport avec Vézelay. Pourtant, en 1058 le pape Étienne IX déclara Marie Madeleine seule protectrice de Vézelay et confirma officiellement que l'abbaye possédait les reliques de la sainte. Il semble que Geoffroy ait dû exercer quelques pressions politiques pour réussir à se gagner un tel honneur.

Pour soutenir leur prétention, les autorités de la basilique firent circuler l'histoire d'une *furta sacra*, ou «vol sacré», qui aurait été à l'origine de la présence du corps de Marie Madeleine à Vézelay. Selon cette légende, au VIIIe siècle, un moine nommé Badilon aurait été envoyé en Province par le comte de Roussillon afin de sauver les restes de Marie Madeleine de l'envahisseur sarrasin.

Tout indique que la manœuvre a très bien marché. Le commerce associé au pèlerinage connut une forte expansion et fut même attisé par les récits de miracles accomplis par Marie Madeleine grâce à la vénération de ses reliques. On disait que la sainte brisait les chaînes des prisonniers, guérissait les malades et ressuscitait même les morts. Le lieu acquit une telle notoriété que saint Bernard y prêcha la seconde croisade sur une tribune de bois construite pour l'occasion, parce que l'église ne pouvait contenir toute la foule venue l'entendre.

Tout cela se passa sans que personne n'aperçût le moindre bout d'os de Marie Madeleine. Les fidèles venaient se rassembler autour d'un tombeau, mais aucun corps ne fut jamais montré. Aux sceptiques qui voulaient savoir comment le corps avait abouti en Bourgogne, les gens de Vézelay donnaient cette réponse pour le moins tautologique : « Tout est possible à Dieu qui agit selon son bon plaisir[66]. » Les pèlerins devaient donc s'en remettre uniquement à leur foi.

Mais au XIIIe siècle, la réponse classique avait nettement perdu de son pouvoir de persuasion. La foule des pèlerins se faisait moins nombreuse et Vézelay décida alors de porter un grand coup pour faire revivre sa légende. Dans la nuit du 4 au 5 octobre 1265, le corps de Marie Madeleine fut pour ainsi dire « redécouvert » dans la tombe même où elle reposait apparemment depuis le « vol sacré » de Badilon. Le terme médiéval pour désigner la découverte d'une relique est « invention », ce qui, dans les circonstances, semble particulièrement approprié. Un cercueil de bronze fut exposé, dans lequel se trouvaient les reliques soigneusement enveloppées de soie et – pour conclure le marché – une longue chevelure flottante.

Pour confirmer l'authenticité de la relique, la basilique fit appel à saint Louis lui-même, le pieux souverain Louis IX, qui avait un grand engouement pour Marie Madeleine et pour Vézelay et possédait également une exceptionnelle collection privée de reliques. En 1267, en présence du roi saint Louis et d'autres invités de marque, on procéda au « transfert » des reliques du coffre de bronze où elles reposaient à un cercueil en argent. Le roi s'en adjugea une généreuse portion pour garnir sa propre collection et, porté par son enthousiasme, en distribua même à la foule. De toute l'opération, il ne resta à Vézelay qu'un bras, une mâchoire et trois dents.

L'objectif de cette mise en scène était bien sûr de sceller une fois pour toutes le titre de propriété de Vézelay sur les reliques de Marie Madeleine. Mais ce succès fut de courte

---

66. Susan Haskins. *Mary Magdalene : Myth and Metaphor*, p. 117. Dans le chapitre 4 de son ouvrage, publié en 1993, Susan Haskins présente un compte rendu détaillé des controverses entourant les reliques de Marie Madeleine.

durée : en 1279, les moines de Saint-Maximin, en Provence, revendiquèrent leur propre « redécouverte » des restes de Marie Madeleine, battant finalement Vézelay à son propre jeu.

Malheureusement, pour le visiteur qui s'y rend de nos jours, il ne subsiste plus grand-chose de ces intrigues. En 1567, pendant les guerres de religion, la basilique fut pillée et les reliques, brûlées par les armées protestantes. Aujourd'hui, dans la crypte de l'église, un reliquaire soutenu par trois figures dorées – un moine, un ange et un roi – ne contient plus qu'une simple côte. Celle-ci, qui faisait partie d'une portion du corps généreusement distribuée par saint Louis en 1267, fut rendue à Vézelay au XIXe siècle par la cathédrale de Sens.

Dépourvue de l'attrait des « vraies » reliques, la fortune de l'abbaye déclina irrémédiablement et, au XIXe siècle, elle avait été carrément abandonnée, les arbres poussant à travers les planchers, et les pierres se détachant du plafond. L'église était sur le point d'être rasée lorsqu'un jeune architecte, Eugène Viollet-le-Duc, fut chargé de la restaurer. S'étant acquitté avec succès de sa tâche à Vézelay, il se vit confier par la suite celle de restaurer Notre-Dame de Paris.

La basilique de Vézelay et les collines environnantes ont été déclarées site du patrimoine mondial de l'UNESCO en 1979.

Marseille

Malgré l'indéniable succès que connut Marie Madeleine à Vézelay, ses liens légendaires avec la France débutèrent en fait dans la ville de Marseille. C'est là qu'elle aurait accosté après avoir fui Jérusalem dans une embarcation de fortune. Selon les versions consultées, ce bateau plutôt bondé avait aussi à bord un certain nombre d'autres personnages du Nouveau Testament, dont Marie de Béthanie (souvent confondue avec Marie Madeleine), Marthe, Lazare, Marie Jacob, Marie Salomé et sa servante Sarah ainsi que saint Maximin. La légende allait d'ailleurs attribuer à chacun d'entre eux un quelconque rôle dans la conversion de la Gaule païenne au christianisme.

La première chose qu'on remarque lorsqu'on visite Marseille de nos jours est sa dépendance à la mer. Ses monuments et ses commerces suivent le contour de son port comme des oiseaux s'accrochent à une épave. La mer est omniprésente dans presque tous les récits entourant la légende française de Marie Madeleine, et les Marseillais qui vivent au bord de la Méditerranée et en tirent leur gagne-pain éprouvent une affection particulière pour cette sainte qui échoua sur leurs côtes. La plus célèbre pâtisserie de Marseille, le Four des Navettes, fondée en 1781, se spécialise d'ailleurs dans la fabrication de la *navette*, une pâtisserie en forme de baguette avec une rainure en son centre, dont la forme rappelle les petits bateaux de pêche qu'on peut encore apercevoir de nos jours dans le port.

La grotte de la Sainte-Beaume

S'il faut en croire la légende, après avoir prêché la bonne nouvelle à Marseille et dans les environs, Marie Madeleine se retira dans une grotte des montagnes environnantes où elle vécut en ermite pendant une trentaine d'années. Elle y survécut sans nourriture ni eau ni vêtement, s'en remettant simplement à un chœur d'anges qui lui prodiguaient un soutien spirituel. Ce modèle de vie contemplative allait avoir une influence considérable sur les ordres monastiques de l'époque médiévale, et beaucoup de représentations picturales de Marie Madeleine dans l'art occidental décrivent cette période de sa vie. Souvent vêtue de sa seule chevelure – comme une sorte de Lady Godiva biblique –, elle est représentée plongée dans ses pensées, parfois à la lumière d'une bougie ou contemplant un crâne, deux symboles de mortalité.

Lorsqu'on conduit un quatre-quatre sur ces routes de montagne qui nous retournent l'estomac, on ne peut s'empêcher de se demander comment une femme seule montée sur un âne a seulement pu se rendre jusque-là…

La grotte est située au sommet d'une paroi escarpée. Pour y parvenir, nous avons emprunté un sentier forestier appelé le «chemin des Roys». Louis XIII arpenta cette route en 1622 afin d'y prier pour que Dieu lui donnât un fils qui pourrait perpétuer la lignée royale. Son vœu fut exaucé et Louis XIV y revint en 1660, accompagné de sa mère, Anne d'Autriche.

L'église elle-même n'est rien de plus qu'une grotte naturelle aujourd'hui fermée par une façade de pierre. En y entrant, on ressent tout de suite l'humidité des pierres tout en entendant l'eau dégouliner du plafond.

Selon la tradition, il pourrait y avoir eu là un sanctuaire chrétien aussi tôt qu'au Ve siècle, lorsque des pèlerins y furent envoyés par Jean Cassien, le fondateur de la basilique Saint-Victor de Marseille. Comme c'est le cas de tous les sites français associés à Marie Madeleine, plusieurs siècles séparent les événements de sa vie et les premières traces historiques d'activité chrétienne. L'emplacement exact de l'ermitage de Marie Madeleine aurait été établi au Moyen Âge. Le site lui fut dédié vers 1170. Mais personne ne semble plus s'en inquiéter aujourd'hui.

La Révolution française et la Terreur qui l'a suivie n'ont pas été particulièrement tendres à l'égard des sites comme celui-là, en particulier à cause de la protection royale dont ils bénéficiaient. Peu de choses antérieures au XIXe siècle subsistent dans la grotte. On y trouve quand même, dissimulée dans le creux d'un tronc d'arbre, une statue de la Vierge Marie datant du XVe siècle et qui a été préservée par les gens de l'endroit.

Au fond de la grotte, on aperçoit également une pierre, surmontée d'une statue de Marie Madeleine allongée, qui demeure toujours sèche malgré l'humidité ambiante. Des pèlerins ont identifié cette pierre comme étant le lit de Marie Madeleine, et les visiteurs avaient à ce point pris l'habitude d'en tailler des morceaux en souvenir qu'elle fut par la suite ceinte d'une clôture de métal.

Les vitraux dépeignant la vie de Marie Madeleine sont récents; ils ont été terminés dans les années 1980 par Les Compagnons du Devoir, une association professionnelle d'artisans. Aujourd'hui, leur site Internet regorge de conseils pour le développement de carrière à l'intention des soudeurs, des chefs pâtissiers et des charpentiers, mais ils font remonter leurs origines légendaires à maître Jacques, l'un des tailleurs de pierre qui auraient bâti le Temple de Salomon. Au cours de la période médiévale, dans le cadre d'un puissant réseau de corporations, leur histoire a croisé à diverses reprises (en légende et en fait) celle des Templiers et des francs-maçons. Le groupe fait, encore aujourd'hui, un pèlerinage annuel à la Sainte-Baume.

Aujourd'hui, la grotte abrite une église où la messe est célébrée quotidiennement. Le jour où j'y étais, un groupe d'adolescents se préparant à recevoir la confirmation vinrent y entendre un sermon sur Marie Madeleine, dans lequel elle était présentée comme une disciple de Jésus et un modèle de vie chrétienne.

Les dominicains qui assurent l'entretien du monastère abordent avec philosophie la question de la présence de Marie Madeleine à la Sainte-Baume. L'un d'entre eux cite le père Vayssière, qui fut le gardien du sanctuaire de 1900 à 1932 : « Je ne sais pas si elle est venue, mais elle est là. »

Mon pèlerinage à la Sainte-Baume
par Jane Schaberg

Le sentier est abrupt et rocailleux mais bien entretenu. La forêt est dense et silencieuse. De l'endroit où nous sommes, nous pouvons déjà apercevoir la grotte tout en haut, menaçante, vertigineuse, perchée sur son rocher de pierre grise. […] Le moine de service nous invite à entrer ; il nous indique que seulement six moines vivent ici et nous fait pénétrer dans la grotte.

L'air est glacial. Sous un autel de pierre brute se trouve la statue gisante d'une femme – aussi en pierre – recouverte de la taille aux pieds d'un drap de plastique clair. Autour gisent des statues sans tête, sans bras, certaines emmaillotées. C'est ainsi que j'imagine une morgue ou une scène de crime. Contre les murs rugueux et dégoulinant, d'autres statues du XIXe siècle sont disposées en ordre... ou en désordre ; […] on aperçoit çà et là des fils électriques et, étrangement, des cierges allumés. Trois vitraux aux couleurs criardes créés en 1978 et dans les années 1980 (la pécheresse convertie ; le repas de Jésus dans la maison de Marthe ; *noli me tangere*) ne sont pas illuminés.

Je connais cet endroit. C'est mon cauchemar, la frayeur de toute femme, celle de l'isolement absolu. C'est la morgue, la scène d'un crime […].

– Extrait de *The Resurrection of Mary Magdalene* (Continuum Books, 2002)

Basilique Sainte-Marie-Madeleine, Saint-Maximin-la-Sainte-Baume

On dit que, après trente ans d'une vie recluse, Marie Madeleine est morte dans les bras de saint Maximin qui ensevelit son corps près d'Aix-en-Provence, dans le village qui allait plus tard porter son nom.

De nos jours, la basilique de Sainte-Marie-Madeleine à Saint-Maximin donne l'impression d'une église paroissiale d'où aurait surgi un monument de l'époque gothique. Bâtie sur une période de plus de deux cents ans, entre 1295 et 1532, il s'agit du seul exemple à grande échelle d'une église de style gothique en Provence.

La nef est dominée par d'énormes grandes orgues. Dernières d'une longue lignée débutée en 1500, celles-ci furent commandées en 1772 à Jean-Esprit Isnard. Directement au-dessus des grandes orgues, on peut apercevoir le dessin d'un vitrail qui ne fut jamais terminé de crainte que l'humidité n'entravât le bon fonctionnement de l'instrument. L'orgue pourrait d'ailleurs avoir contribué à sauver la basilique de la destruction pendant la Révolution française. Selon une légende locale, l'organiste de l'église apaisa les autorités révolutionnaires de la région (dont Lucien Bonaparte, frère de Napoléon) en se mettant à jouer une version pleine d'entrain de *La Marseillaise* au cours d'une visite officielle. Des concerts d'orgue continuent d'être tenus régulièrement à la basilique ainsi qu'un festival de musique d'orgue qui se déroule chaque été.

La chaire, une imposante construction baroque en bois, est ornée de scènes de la vie de Marie Madeleine. Toute la confusion qui entoure son identité peut être résumée dans ces tableaux sculptés. On y voit Marie de Béthanie, la sœur de Lazare, assise aux pieds de Jésus pendant que sa sœur Marthe prépare le repas. On y voit également la pécheresse anonyme mentionnée dans l'Évangile selon saint Luc, qui lave les pieds de Jésus avec ses larmes et les lui sèche avec ses cheveux. On y présente aussi Marie Madeleine pleurant près du tombeau, juste avant de voir le Christ ressuscité. Toutes ces femmes ont été réunies en un seul personnage populaire dont on pense aujourd'hui qu'il s'agit de Marie Madeleine. La chaire est également surmontée d'une masse ressemblant fort à de la crème fouettée; c'est, en fait, une figure de Marie, soutenue par des anges, qui s'élève au-dessus de la grotte afin de recevoir son soutien spirituel quotidien.

Malgré le décor grandiose qui l'entoure, l'attraction vedette de Saint-Maximim est sa toute petite crypte, censée contenir les « vraies » reliques de Marie Madeleine. En 1279, le duc d'Anjou Charles II avait « redécouvert » les reliques prétendument subtilisées lors de la *furta sacra* de Vézelay. Sans doute jaloux de la prospérité et du prestige de Vézelay, il souhaitait ramener Marie Madeleine en Provence. Selon les autorités de Saint-Maximin, le vol sacré de Vézelay était fondé sur une erreur d'identité. Badilon s'était simplement trompé de corps, et Marie Madeleine, pendant tout ce temps, avait paisiblement dormi dans son lieu de repos original.

Lorsqu'on entre dans la crypte aujourd'hui, la première chose qu'on remarque est un ange doré coiffé de ce qui ressemble à un casque de scaphandrier. Cet étrange buste contient une partie de crâne et un morceau de peau qui auraient été extraits du front de Marie Madeleine. Pourquoi son front ? Dans l'Évangile selon Jean, lorsque Marie est la première personne à voir le Christ ressuscité, elle s'approche de lui pour l'embrasser et il lui dit : « *Noli me tangere.* » (« Ne me touche pas. ») Dans plusieurs représentations picturales de cette scène, Marie s'agenouille devant Jésus et il lui touche le front, la bénissant et la repoussant à la fois. On peut voir cette scène dans une peinture du XVe siècle ornant le mur de gauche de la chapelle de Saint-Antoine.

La crypte contient également plusieurs sarcophages chrétiens datant du IVe au VIe siècle, parmi lesquels, assure-t-on, se trouve celui de Marie Madeleine. Les études scientifiques menées sur cette relique nous apprennent seulement que ce corps appartenait à une femme d'origine méditerranéenne, de petite taille et dont l'âge du décès se situait aux alentours de cinquante ans. Un organe officiel de l'Église affirme que c'est une honte que les tests au carbone 14 exigent un si important volume de chair. Un autre prétexte pour que l'espoir demeure vivant.

Les Saintes-Maries de la Mer

Poursuivant notre route le long de la côte jusqu'aux Saintes-Maries de la Mer, nous avons traversé cette région de zones humides, de pâturages, de dunes et de marais salants qu'on appelle la Camargue. C'est de là que provient principalement la fameuse fleur de sel qui fait la réputation de la France. Des montagnes de sel de mer séchant au soleil bordaient la route, pendant que des flamants pataugeaient dans les marais.

Les Saintes-Maries de la Mer sont une petite ville balnéaire assez moche, peuplée d'enseignes de restauration rapide, de crème glacée et de hot-dogs. En fait, elle n'a presque rien à voir avec Marie Madeleine. Les Marie qui ont donné leur nom à la ville sont Marie Jacob et Marie Salomé, deux disciples moins connues de Jésus qui ont aussi assisté à la crucifixion et à la mise au tombeau. Selon la légende, elles sont arrivées en Provence par bateau en même temps que Marie Madeleine et les autres, s'établissant dans ce village de bord de mer. C'est à ces deux Marie, plutôt qu'à leur célèbre chef de file, que l'église de l'endroit est consacrée.

Avec ses minuscules vitraux, ses hautes tours et ses remparts, l'église des Saintes-Maries de la Mer ressemble plus à une forteresse militaire qu'à une maison de prières. En raison de la source d'eau fraîche coulant sous ses fondations, elle fut souvent utilisée comme refuge les fois où la ville fut assiégée.

Une légende relate comment, en 869, au moment où fut construite l'église fortifiée, les envahisseurs sarrasins enlevèrent l'archevêque d'Arles, qui était responsable de la supervision des travaux. Les habitants d'Arles réunirent rapidement le montant de la rançon, et l'archevêque fut ramené sur son trône avec tous les honneurs dus à son rang. Seulement après que les sarrasins se furent enfuis avec le pactole, le prélat de l'église s'aperçut que l'archevêque était mort pendant sa détention et que les sarrasins avaient, en grande pompe, rendu à son trône un cadavre.

À l'intérieur, l'église est couverte d'*ex-voto* dont le plus ancien remonte à 1591. Il s'agit de remerciements sous la forme de plaques en pierre, de tableaux ou de messages écrits offerts par des gens qui estimaient avoir été guéris ou bénis par les deux Marie au fil des ans.

Un tableau du XIXe siècle montre un couple penché sur un berceau. Dans le ciel, à l'horizon, on aperçoit sur un nuage un bateau transportant les deux Marie. Sur l'inscription est écrit : «Ex-voto de Marie Bariabel, miraculeusement guérie, 25 mai 1860.» Sur le mur opposé figure la photographie d'un homme avec, en dessous, celle de sa voiture détruite ainsi qu'une inscription : «À vous, gracieuse Marie, qui nous avez sauvé la vie.»

En 1448, on découvrit deux corps enterrés sous les combles de l'église. Ils furent rapidement identifiés comme étant les restes de Marie Jacob et de Marie Salomé. Les corps, qui reposent aujourd'hui dans des sarcophages de bois, se trouvent dans une galerie supérieure et sont abaissés sur l'autel à l'occasion de certaines fêtes.

La crypte contient également une statue de Sarah, sainte patronne des gitans, représentée avec la peau noire. Les légendes ne semblent pas s'accorder sur ses origines. Selon certains, elle était la servante noire égyptienne de Marie Madeleine ou de Marie Salomé alors que, pour d'autres, il s'agissait d'une reine indigène de Gaule convertie à la foi chrétienne lors de l'arrivée des deux Marie en l'an 42.

La statue est couverte de robes aux couleurs vives offertes par des gitans de toutes origines. Le 24 mai de chaque année, des milliers d'entre eux convergent vers les Saintes-Maries de la Mer pour accompagner sainte Sarah en procession jusqu'à la mer.

Suivant les pas de sainte Sarah jusqu'à la mer, je tourne le dos aux snack-bars et aux boutiques de souvenirs. Les vagues se brisent sur la plage de la même manière qu'elles devaient le faire il y a deux mille ans, lorsque ces deux femmes entreprirent leur légendaire expédition.

Rennes-le-Château

Le village de Rennes-le-Château est une image de carte postale, perché très haut dans les Pyrénées. Il est aussi à l'origine de l'un des épisodes de la légende de Marie Madeleine parmi les plus bizarres et les plus chargés d'intrigues.

En 1885, un nouveau curé appelé Béranger Saunière entra en fonction à Rennes-le-Château. Il amassa une imposante fortune en un temps étonnamment court et entreprit de rénover en profondeur son église datant du XIe siècle. Pendant les rénovations, il découvrit dans le fond creux d'un des piliers de l'autel ce qu'il prétendait être des documents secrets et codés. On lui conseilla de les amener à Paris pour les soumettre à l'analyse d'un spécialiste. Une fois dans la capitale, il se lia à des gens étranges, trempa dans l'occultisme et eut peut-être même une aventure avec la célèbre chanteuse d'opéra Emma Calvé. Après son retour à Rennes-le-Château, sa fortune continua de s'accroître. Il se fit construire une jolie villa ainsi qu'une curieuse bibliothèque surplombant la vallée, qu'il appelait la Tour Magdala.

Certains – dont les auteurs de *Holy Blood, Holy Grail*[67] – ont soupçonné que la fortune de Saunière aurait pu provenir des cathares et que le document secret découvert dans son église aurait attesté du mariage de Jésus et de Marie Madeleine et du fait que leur lignée se serait étendue jusqu'aux rois mérovingiens. D'autres estiment plutôt que le restaurateur qui acquit plus tard la propriété mit un peu de piquant dans l'histoire pour attirer les visiteurs.

Les ecclésiastiques à qui j'ai parlé pendant mon séjour là-bas m'ont assuré que Saunière avait fait fortune en se livrant à la pratique interdite de la simonie – notamment la vente de messes privées – et non grâce à un quelconque trésor enfoui. Lorsque nous sommes arrivés à Rennes-le-Château, l'église était fermée pour l'hiver. L'un des membres de notre équipe de tournage s'est donc rendu chez le maire du village, qui l'a informé qu'il serait heureux de nous en ouvrir les portes… pour la modique somme de mille euros. Décidément, le sens des affaires instillé par le père Saunière est toujours vif.

Il n'y a pas de fumée…

De nos jours, on peut considérer les sites associés à Marie Madeleine comme les piliers d'une légende soigneusement construite et entretenue autour d'un personnage qui fut à la fois une disciple dévouée, une ermite pénitente et une sainte à l'origine de plusieurs miracles. Mais ces lieux eux-mêmes, malgré leur histoire nébuleuse, offrent des moments authentiques

---

67. Michael Baigent, Richard Leigh et Henry Lincoln. *L'Énigme sacrée, op. cit.*

de repos et de révélation. Les promenades tranquilles le long d'un sentier forestier, les panoramas de la Provence, la crypte silencieuse ou le fait de marcher vers un autel inondé de lumière continuent de stimuler une atmosphère de contemplation qui s'inscrit sinon dans la lettre, au moins dans l'esprit de sa légende.

Mais une question demeure : Est-il vrai qu'il n'y a pas de fumée sans feu ? Pourquoi cette église, cette ville, cette grotte ? Même le plus cynique des voyageurs conclura un tel périple en se demandant si la légende qui nous est parvenue du fond des siècles recèle au moins les vestiges de quelque vérité.

CHAPITRE 8

L'histoire mise à jour.
Marie Madeleine
dans la culture contemporaine

La sainte en femme fatale.
Marie Madeleine au grand écran

par Diane Apostolos-Cappadona[68]

Alors qu'il faisait la promotion de son tout récent film *La Passion du Christ*, Mel Gibson expliqua au cours d'une interview télévisée : « Je lui ai lancé de la boue, puis encore plus de boue. Et à mesure que je la couvrais de boue, elle devenait de plus en plus belle. » La femme dont il parlait était Monica Bellucci, l'actrice qui incarnait Marie Madeleine dans son film intensément personnel sur les derniers jours de la vie de Jésus. Mais la réalité est que si l'on en vient à véritablement *comprendre* la signification profonde de cette affirmation de Mel Gibson, on reconnaît alors que l'on peut voir ce commentaire dans une perspective beaucoup plus large, à la fois en ce qui concerne Marie Madeleine de façon générale et sa représentation dans l'histoire du cinéma. Parmi les nombreuses métamorphoses que lui ont fait subir tant l'art chrétien que la théologie, Marie Madeleine a tour à tour été sainte protectrice, pécheresse, puis prostituée. Son intégrité personnelle a été constamment remise en question et carrément ternie. Pourtant, au moment où nous sommes clairement engagés dans le XXIe siècle, Marie Madeleine est de nouveau au centre de débats, de controverses et de recherches d'ordre culturel et théologique. Pour paraphraser Mel Gibson, on en est venu à reconnaître que la

---

68. Diane Apostolos-Cappadona est professeure associée d'art religieux et d'histoire des cultures au Prince Alwaleed bin Talal Center for Muslim-Christian Understanding et professeure associée d'art et culture au programme d'études libérales de la Georgetown University de Washington. Elle s'est longuement spécialisée dans l'étude de la façon dont l'iconographie religieuse est présentée dans les médias de masse et s'est penchée particulièrement sur l'image de Marie Madeleine au cinéma.

beauté intrinsèque de Madeleine n'est jamais altérée par le flot d'accusations et de fausses interprétations, bref, par toute la boue qu'on a lancée sur elle.

Lorsqu'on se penche sur l'histoire du cinéma, on peut clairement constater ces transformations successives de Marie Madeleine en sainte protectrice, puis en vamp affriolante, puis de nouveau en sainte et ainsi de suite. En commençant par de brèves considérations sur ce que j'appelle les «analogies visuelles» et la façon dont elles se déploient dans le cinéma religieux, je me propose de retracer l'évolution de l'image de Marie Madeleine dans diverses catégories cinématographiques, dont le drame biblique, le conte moral et le film à message religieux. Ce bref examen de l'histoire de Marie Madeleine au grand écran nous permettra de comprendre la puissance de l'image et l'influence des arts dans notre vie quotidienne.

Analogies visuelles et cinéma religieux[69]

Un film, peu importe son thème ou son genre (animation, action, etc.), est composé d'une série de photogrammes filmiques – c'est-à-dire d'images en mouvement – qui forment un flot continu d'images identifiables correspondant au déroulement d'un récit. Ce récit filmique raconte, par le truchement de dialogues et d'images, une histoire sur un événement, un lieu ou une personne (ou plusieurs personnes) et, simultanément, les images et les symboles projetés sur l'écran véhiculent des messages parfois manifestes et parfois cachés. Alors que les images et le récit sont construits par le réalisateur, la *visualisation* est affaire d'interprétation de la part

---

69. On peut consulter ma première analyse de l'analogie visuelle dans le rapport entre la peinture classique et le cinéma dans «The Art of "Seeing": Classical Paintings and *Ben-Hur*», dans John R. May (dir.), *Image and Likeness: Religious visions in American Film Classics*, New York/Mahwah, Paulist, 1992, p. 104-116. Une analyse ultérieure de l'analogie visuelle dans le développement des images féminines dans le cinéma religieux est également parue dans «From Eve to the Virgin and Back Again: The Image of Women in Contemporary (Religious) Film», dans John R. May (dir.), *New Image of Religious Film*, St. Louis, Sheed and Ward, 1997, p. 111-127. L'usage prudent que je fais, tout au long de ce texte, du terme «visualisation» est le reflet de mon engagement par rapport à l'égalité de l'image et du texte et au plaidoyer passionné présenté par mon ancienne élève Lucinda Ebersole au cours de la Septième Conférence Cavalletti sur la théologie et le cinéma selon lequel le cinéma est un média visuel.

de chaque spectateur; chacun de nous, en effet, a une façon différente de voir un film ou une œuvre d'art. Cette façon de voir dépend de l'univers – culturel, religieux, social, politique et économique – dans lequel chacun de nous a grandi et vécu. La visualisation n'est pas une chose passive: c'est un engagement actif des sens par l'intellect et la vision. La visualisation nous engage dans une activité de transmission du savoir. Le savoir *est* le pouvoir. Les images ont un pouvoir dont l'essentiel consiste en leur capacité de transmettre l'autorité et la réalité. Elles incarnent la mémoire partagée qui forme la base de l'identité sociale et politique d'une communauté de foi et de l'intégration des individus à cette communauté.

Dans le média filmé, l'analogie visuelle est la principale source du pouvoir qu'exercent les images. Chaque spectateur a sa propre impression des images qu'il visualise et cela est particulièrement vrai pour les images religieuses. Ce sont celles avec lesquelles nous avons grandi: les illustrations de la Bible, celles des cartes de Noël et de Pâques de notre enfance, les représentations graphiques sur nos bulletins de l'école du dimanche[70] et les motifs des vitraux de nos églises. Beaucoup de ces images sont issues d'œuvres classiques de l'art chrétien, alors que d'autres – notamment certaines illustrations de la Bible réalisées à la fin du XIXe et au début du XXe siècle – ont été spécialement conçues à des fins pédagogiques. L'art chrétien traditionnel a évolué dans sa façon de dépeindre les personnages bibliques tels que Marie Madeleine, ainsi que les événements bibliques comme la crucifixion, au moyen de toute une série de symboles, de costumes, de mises en scène, de toiles de fond et même de caractérisation des expressions faciales et du langage corporel. Au fil du temps, par convention artistique, certains codes facilement identifiables se sont mis en place: par exemple, la Vierge Marie est vêtue de bleu, Judas a les cheveux roux, Jésus apparaît au centre du tableau dans *La Cène* et Marie Madeleine est toujours représentée comme une femme extrêmement séduisante.

Ces particularités visuelles de l'art chrétien classique ont été transférées, de façon plus ou moins consciente, au cinéma.

---

70. Fondées en Angleterre à la fin du XVIIIe siècle par l'éditeur de journaux Robert Raikes, les écoles du dimanche dispensent un enseignement religieux aux enfants dans les traditions réformées ou protestantes, notamment aux États-Unis. (N.d.T.)

Les costumes familiers, les mises en scène, la description des personnages et l'atmosphère visuelle générale ont été transportés d'un média à l'autre et procurent ainsi une aura d'authenticité historique. Ces références visuelles imprègnent les scénarios de films à caractère religieux d'une mémoire culturelle et d'une identité religieuse partagées, programmant le spectateur à accepter les descriptions mises en scène par le réalisateur. Ainsi, nous avons tenu pour réelles les interprétations du Christ et de Marie Madeleine présentées par Mel Gibson ou Cecil B. DeMille parce que ces images correspondaient à l'idée que nous nous sommes formée de ces personnes depuis notre enfance, à partir de la Bible et des bulletins de l'école du dimanche. Souvent, les metteurs en scène ou les réalisateurs expliquent – ç'a été particulièrement le cas des photographies promotionnelles et des interviews de Cecil B. DeMille – quel artiste ou quelle œuvre les a inspirés dans la version cinématographique d'un récit ou d'un personnage biblique. Nous savons, par exemple, que Mel Gibson et son directeur de la photographie ont été fortement influencés par le réalisme intense, la lumière dramatique et la composition des toiles du peintre baroque Caravage dans la conception visuelle de *La Passion du Christ*[71].

Nous comprenons maintenant, grâce à ce que d'aucuns appellent la «théorie des réponses», comment et pourquoi certaines images et certains symboles sont perçus comme authentiques, alors que d'autres sont automatiquement rejetés. Selon cette théorie, ces images et symboles religieux qui traduisent la mémoire communautaire et s'inscrivent dans l'identité politique et sociale d'une communauté de foi sont dotés du pouvoir singulier de former nos « yeux », c'est-à-dire la perspective selon laquelle nous évaluons ce que nous voyons. La réalité, c'est qu'il n'y a pas d'œil

---

71. Voir mon texte «On Seeing *The Passion*: Is There a Painting in This Film? Or Is This Film a Painting?», dans S. Brent Plate (dir.) *Re-Viewing The Passion: Mel Gibson's Film and Its Critics*, New York, Plagrave-Macmillan, 2004, p. 97-108. Pour une analyse spécifique de l'influence du Caravage sur Gibson et son directeur de la photographie Caleb Deschanel, voir «A Savior's Pain: Caleb Deschanel», une interview de John Bailey et de Stephen Pizzello, publiée sous la direction de Stephen Pizzello et de Rachael K. Bosley, dans *American Cinematographer* (mars 2004), disponible en ligne à l'adresse http://www.theasc.com/magazine/index.htm?mar04/cover/index. html-main. ADVANCE \d12

innocent. Nous sommes formés dès l'enfance de façon à distinguer la vérité de la fiction, la réalité du fantasme, et notre éducation à l'égard de ce qui est vrai et de ce qui est faux est particulièrement arbitraire en matière de foi. Alors, quand nous sommes en mesure d'identifier des personnages par leurs costumes et des lieux par leur décor, nous croyons connaître la ligne de démarcation entre la réalité historique et la fantaisie hollywoodienne. Lorsque les costumes et les décors correspondent à ce que nous reconnaissons comme la réalité telle qu'elle nous a été transmise par l'art chrétien, nous sommes persuadés que ce que nous voyons à l'écran est de l'ordre des faits. Donc, le rôle de l'analogie visuelle est d'affirmer la valeur culturelle que nous accordons à la peinture chrétienne classique, même quand nous savons que ces œuvres contribuent à créer chez le croyant un processus de *visualisation* à la fois subliminal et conscient.

Marie Madeleine va au cinéma

On dénombre au moins une trentaine de films dans les catégories drames bibliques ou contes moraux mettant en scène Marie Madeleine. Mais on la retrouve aussi dans d'autres types de films à travers une grande variété de personnages féminins, en particulier la « femme déchue » ou la prostituée au cœur d'or. Par exemple, la comtesse Olenska dans le film de Martin Scorsese *Le Temps de l'innocence*[72] est précisément l'une de ces femmes dont le genre de vie ne s'accorde pas aux mœurs sexuelles de son époque, bien qu'elle apparaisse dans un film profane où les références religieuses sont cachées ou implicites. Mais j'ai plutôt choisi ici de poser un bref regard sur l'image de Marie Madeleine qui est projetée dans les drames

---

72. Parmi les autres « femmes déchues » au cœur d'or, citons des personnages du XIXᵉ siècles tels que Camille et Violette ainsi que certaines représentations, créées au XXᵉ siècle, de « filles de l'Ouest » comme Miss Kitty et Stella Dallas. Pour une analyse de cette iconographie, voir le texte de Linda Nochlin, « Lost and Found : Once More the Fallen Woman », dans son ouvrage *Women, Art, and Power and Other Essays*, New York, Harper and Row, 1988, p. 57-85. S'il fallait inclure dans ce texte de telles représentations profanes de Marie Madeleine au cinéma, il deviendrait alors une déviation de l'argument central autour de l'existence même d'une interprétation aussi significative que celle de DeMille, en plus de prendre une ampleur considérable, de la *Pretty Woman* de Julia Roberts à la *Camille* de Greta Garbo.

bibliques les plus connus et, en particulier, sur l'influence subie par DeMille et celle qu'a eue aussi sa propre représentation de Marie Madeleine dans son œuvre majeure, *Le Roi des rois* (1927).

Dans une telle étude préliminaire sur la représentation de Marie Madeleine dans les drames bibliques, il faut reconnaître deux conventions fondamentales auxquelles doivent se plier les scénaristes et les réalisateurs : elle doit être incarnée par une actrice d'une grande beauté et elle doit aussi généralement être associée à la femme adultère évoquée dans l'Évangile selon saint Jean. Bien que les représentations cinématographiques de Marie Madeleine aient été créées après l'émergence des écoles modernes d'études bibliques – marquées en bonne partie par les théories controversées de Joseph Ernest Renan[73] et ce que l'on a aussi nommé la « quête du Jésus historique » menée par certains éléments du protestantisme –, il y aurait eu peu d'intérêt dramatique à présenter une Marie Madeleine telle qu'elle est clairement définie dans les Écritures. La trentaine de drames bibliques d'importance dans lesquels on peut l'identifier présentent principalement ce que j'appelle la « Madeleine mosaïque », c'est-à-dire un amalgame de plusieurs personnages bibliques féminins ainsi que diverses caractérisations issues d'un certain nombre de sources historiques. Seulement trois de ces films – *Le Roi des rois* de Cecil B. DeMille, *La Plus Grande Histoire jamais contée* de George Stevens et *Jésus de Nazareth* de Franco Zeffirelli – offrent une représentation de Marie Madeleine dans laquelle elle est distincte de la femme adultère évoquée par Jean.

Dans la majorité des films bibliques, Marie Madeleine est d'abord et avant tout une créature fort séduisante dont le rôle principal est celui de pécheresse tentatrice. Les exemples de telles représentations vont du drame italien peu connu *La Spada e Le Croce* (1959), dans lequel Yvonne DeCarlo incarne une séductrice d'une grande beauté, au controversé film *La*

---

73. Joseph Ernest Renan (1832-1892), orientaliste et essayiste français, scandalisa le Tout-Paris lorsque, à titre de professeur d'hébreu au Collège de France, il affirma à ses étudiants que Jésus était un « homme incomparable ». Ses recherches sur les textes sacrés en hébreu le conduisirent à mettre en évidence le caractère humain de Jésus dans sa *Vie de Jésus*, son ouvrage le plus célèbre. Ses affirmations controversées correspondaient alors à ce mouvement en émergence – et surtout protestant – qu'était la « quête du Jésus historique ».

Dernière Tentation du Christ (1988) où les tatouages et les lèvres pulpeuses de Barbara Hershey ont établi une nouvelle norme en matière de personnification voluptueuse de Marie Madeleine, en passant par *La Passion du Christ* (2004) de Gibson, dans lequel on retrouve Monica Bellucci couverte de boue. Le meilleur exemple de la Madeleine mosaïque se trouve sans doute dans la nouvelle version du *Roi des rois*, réalisée en 1961 par Samuel Bronston et Nicholas Ray, avec Carmen Sevilla dans le rôle de Marie Madeleine. La scène où une foule déchaînée poursuit cette dernière en lui lançant des pierres, jusqu'à ce qu'un Jésus obligeant – joué par Jeffrey Hunter – s'avance pour la protéger, nous présente une très belle tentatrice dont le vêtement soigneusement drapé et les bijoux magnifiques accentuent la sensualité. Certaines des premières incarnations de Marie Madeleine au cinéma – Julia Swayne Gordon dans *Though Your Sins Be as Scarlet* (1911), Maxine Elliott dans *The Eternal Magdalene* (1919) et Asta Nielsen dans *I.N.R.I.* (1923) – sont aussi à couper le souffle par l'extravagance de leurs costumes d'époque et leurs poses invitantes. Cependant, même lorsque la rigueur historique est respectée et que Marie Madeleine est présentée comme distincte de « la femme adultère » – comme c'est le cas de Joanna Dunham et de Shelley Winters dans *La Plus Grande Histoire jamais contée* (1965) ou d'Anne Bancroft et de Claudia Cardinale dans *Jésus de Nazareth* (1977) –, Marie Madeleine n'en est pas moins présentée comme une « femme déchue » repentante et d'une grande beauté. On ne sait jamais d'où la déchéance est venue, mais déchéance il y a.

Que le film offre un personnage composite ou une Marie Madeleine conforme aux Écritures, chacune de ces versions cinématographiques s'appuie sur des œuvres classiques de l'art chrétien, leur empruntant l'authenticité en reprenant à son compte les vêtements souvent carrément minimalistes, les bijoux étincelants, la coiffure élaborée ainsi que les poses et les gestes. Certains films présentent aussi une autre Marie Madeleine : la pénitente transformée, qui se distingue par la simplicité des vêtements, l'absence de bijoux et de maquillage, les cheveux défaits, et l'émotion silencieuse qui se dégage d'elle lorsqu'elle parfume les pieds de Jésus (Dunham et Brancroft en sont les exemples les plus émouvants) ou son visage couvert de larmes au moment de la crucifixion (Bellucci et Sevilla). Mais, sans aucun doute, la plus grandiose Marie Madeleine de toute l'histoire du cinéma a été et demeure Jacqueline Logan qui, comme nous allons le voir, a établi une norme encore inégalée dans *Le Roi des rois* de DeMille.

Marie Madeleine, femme fatale et sainte

Le grand mégalomane n'aurait jamais présenté une prostituée en loques. Le choix de Jacqueline Logan pour incarner le rôle de Marie Madeleine s'est traduit à l'écran par l'apparition d'une somptueuse courtisane et par un exemple magistral d'analogie visuelle dialogique dans le film religieux. La scène d'ouverture de cette épopée classique met la table pour l'entrée de la séductrice et de sa suite de splendides esclaves (dont Sally Rand et son légendaire éventail), tout en offrant aux spectateurs une Marie Madeleine correspondant en tous points aux canons de la tradition classique. L'analogie visuelle se déploie ici en deux sens : l'art classique façonne la description de la Madeleine de DeMille et, à son tour, la Marie Madeleine de DeMille confirme l'identité de l'héroïne dans la conscience du spectateur.

La Marie Madeleine de DeMille est prospère, lascive et richement vêtue. Contrariée de ce que l'influence de Jésus sur Judas l'Iscariote – son client préféré – soit si forte que ses visites sont de plus en plus espacées, Jacqueline Logan, sommairement vêtue, ordonne à son esclave nubien de la conduire jusqu'à Jésus dans son attelage décoré de plumes et tiré par des zèbres. Évidemment, nous avons alors droit à des scènes inoubliables, comme celle où Marie Madeleine adopte des poses suggestives devant un soldat romain et celle dans laquelle, se tenant sous son porche, elle se rappelle ses rencontres avec Judas. Son intention est d'affronter Jésus afin de regagner le cœur de « son Judas », mais c'est plutôt Jésus qui la contraint à se repentir de ses péchés. Puis, dans un moment dramatique d'une extraordinaire intensité, Jésus se livre à la séance d'exorcisme la plus flamboyante jamais mise en scène depuis les présentations médiévales de la *Mary Magdalene* de Digby. Elle est projetée dans les airs et ensuite par terre dans toutes sortes de postures pendant que les « sept péchés capitaux » sont chassés de son corps dans un fracas considérable. L'intensité dramatique de cette conversion supplante clairement celle du lien amoureux par ailleurs mélodramatique entre Marie Madeleine et Judas. Elle abandonne symboliquement sa vie de péché en se débarrassant de ses bijoux et de ses vêtements luxueux, qu'elle troque contre une robe de toile lui donnant une apparence asexuée. La formule de DeMille selon laquelle la rédemption n'a de valeur dramatique que si l'on sait pourquoi le pécheur doit être racheté prend tout son sens alors que nous sommes témoins de la métamorphose de Marie Madeleine de vamp lascive en sainte patronne.

Nous savons, grâce à des photographies documentaires sur la réalisation du *Roi des rois* et d'après le journal de bord, des lettres et des notes autobiographiques de DeMille, qu'il était fortement influencé par des images qu'il avait vues, dans son enfance, d'éditions de la Bible illustrées par James Tissot (1836-1902) et Gustave Doré (1832-1883). Les illustrations de Tissot sont demeurées extrêmement populaires aux États-Unis jusque dans les années 1950 et 1960, et une analyse approfondie de celles-ci laisse prévoir l'évolution du drame biblique au cinéma, même jusqu'à *La Passion du Christ*[74]. Ironiquement, alors que la Madeleine de DeMille tire son authenticité d'une analogie visuelle fondée sur les illustrations de Tissot et de Doré, en même temps, elle met en échec l'image de Marie Madeleine dans l'esprit des spectateurs. Ce que je veux dire par là, c'est simplement que *Le Roi des rois* est l'un des films les plus populaires jamais réalisés et l'un de ceux dont l'influence a aussi été la plus forte. Non seulement aux guichets mais aussi parce que, encore de nos jours, il continue d'être montré sur les écrans dans les collèges, les églises et les salles de cinéma partout dans le monde. Alors que ce film a été louangé à son époque comme une représentation réaliste de la vie du Christ,

---

74. Tiré d'une conversation avec Judith F. Dolkart, conservatrice adjointe du département de peinture et sculpture européenne au Brooklyn Museum of Art. La docteure Dolkart travaille actuellement à la préparation de l'exposition « James Tissot : The Life of Christ » (du 14 septembre 2007 au 13 janvier 2008) qui présentera des gouaches originales ayant servi à l'illustration du Nouveau Testament. La série complète de plus de quatre cents œuvres fut acquise en 1900 par le Brooklyn Museum of Art grâce à une souscription publique, après que ces images très populaires eurent fait l'objet d'expositions dans plusieurs villes du monde.

sa *visualisation* a eu un impact indélébile dans l'esprit des milliers de jeunes gens qui l'ont vu tout au long des années 1920 et 1930. Demandez-leur de décrire Marie Madeleine, et je parie que vous reconnaîtrez l'image de Jacqueline Logan, la femme déchue devenue sainte. Après tout, ne dit-on pas que voir, c'est croire?

LA SAINTE EN *POP STAR*. L'INFLUENCE DE MARIE MADELEINE SUR LA CULTURE POPULAIRE

PAR LESA BELLEVIE

En cette ère médiatique, la force d'attraction qu'a Marie Madeleine sur les masses ne fait aucun doute. Elle figure en effet en bonne place dans des romans, des films, des docudrames et même dans des bandes dessinées. Souvent, ceux qui la mettent ainsi en scène lâchent la bride à leur imagination, la présentant soit comme une héroïne moderne en action, soit comme une épouse timide, ou comme un ange déchu devenu vampire.

Pourquoi Marie Madeleine exerce-t-elle sur les esprits une fascination à laquelle la plupart des autres personnages religieux et historiques ne peuvent prétendre? Est-ce l'élasticité de son personnage qui lui confère un tel potentiel de créativité? Est-ce le drame inhérent au personnage même d'une prostituée repentie (et d'une grande beauté)? Ou est-ce plutôt l'idée selon laquelle elle a été diffamée et dénaturée pendant si longtemps? Au bout du compte, que cherchons-nous en elle?

Lesa Bellevie, auteure du Complete Idiot's Guide to Mary Magdalene *et fondatrice du site Internet http://www.magdalene.org. Ce site propose quelques réponses à ces questions. Comme elle l'affirme clairement, la fascination culturelle qu'a exercée pendant deux mille ans cette sainte favorite demeure constante, porte sur un éventail médiatique de plus en plus large, et touche de plus en plus de gens de par le monde.*

Marie, Dieu t'a accueillie dans la puissance des cieux!
Il t'a transmis sa grâce par ses messages célestes.
Tu seras honorée avec joie et respect,
Placée tout en haut des cieux au-dessus des vierges!

– Pièce de Digby, Mary Magdalene, *XVᵉ siècle*[75]

---

75. Traduction libre.

La source la plus récente de la ferveur envers Marie Madeleine est sans aucun doute le *Da Vinci Code*, le livre à succès de Dan Brown. Mais bien que ce roman ait été largement crédité de cette poussée de popularité, Marie Madeleine est loin d'être étrangère à la culture populaire. Pendant plus de huit siècles, elle a été une figure marquante de l'imaginaire populaire et, depuis le XIIIe siècle, elle suscite un tel engouement que des œuvres entières ont été écrites en son honneur. La pièce de Digby, citée en exergue, en est un bon exemple. Exigeant une importante distribution, de nombreux fonds de scène et une imposante mécanique, cette pièce devait représenter à l'époque une production énorme et coûteuse. Mais Marie Madeleine, pour toutes les leçons qu'elle prodiguait, en valait clairement la peine.

Aujourd'hui, tout comme au Moyen Âge, nous continuons de consacrer beaucoup d'énergie artistique à imaginer Marie Madeleine et à explorer ce qu'a dû être sa vie. Dans beaucoup de cas, on peut penser que les raisons pour lesquelles nous le faisons sont les mêmes qu'au XIIIe siècle : un besoin d'inspirer et de divertir, de mettre en avant des questions religieuses sans obliger un auditoire à entrer dans un lieu de culte. Les drames inspirés par Marie Madeleine ont représenté, à l'époque comme aujourd'hui, une façon efficace d'aborder l'un des sujets les plus tabous du moment et de promouvoir des idéaux de pardon, d'amour, de pénitence et de foi. De nos jours, Marie Madeleine demeure encore un personnage auquel la plupart des gens peuvent s'identifier, dans la mesure où sa simplicité et son humanisme lui confèrent un attrait considérable, au-delà des époques.

Une conspiration des temps

Inspiré par une théorie élaborée au début des années 1980 par Michael Baigent, Henry Lincoln et Richard Leigh dans leur ouvrage *Holy Blood, Holy Grail*[76], le roman de Dan Brown propulse Marie Madeleine au cœur d'une interprétation du christianisme selon laquelle elle aurait été l'épouse de Jésus et la mère de ses enfants. Ces enfants auraient

---

76 Michael Baigent, Richard Leigh et Henry Lincoln. *L'Énigme sacrée, op. cit.*.

contracté mariage dans les maisons royales de Gaule, ce qui aurait donné naissance à la première dynastie des rois de France, celle des Mérovingiens. D'après cette théorie, cette lignée existerait encore aujourd'hui.

Mais l'idée d'une relation charnelle entre Jésus et Marie Madeleine circule depuis plusieurs années et de nombreux artistes l'ont exploitée dans un contexte profane. La chanteuse Tori Amos, dans son ouvrage *Piece by Piece* publié en 2005, exprime sa croyance selon laquelle Jésus et Marie Madeleine formaient un couple. La chanson *Marys of the Sea*, qui figure dans son album *The Beekeeper*, est d'ailleurs basée sur des légendes médiévales reliées au séjour de Marie Madeleine en France – souvent évoqué par les tenants de cette théorie – et témoigne de sa conviction que cette histoire est vraie. Elle fait allusion en particulier au village où, selon l'auteure Margaret Starbird, Marie Madeleine et son équipage auraient accosté :

> *Marys of the sea,*
> *The lost bride weeps,*
> *Les Saintes-Maries de la Mer…*

> *(Les Marie de la mer,*
> *L'épouse égarée verse des pleurs*
> *Les Saintes-Maries de la Mer…)*

Dans l'opéra rock *Jesus Christ Superstar*, Tim Rice et Andrew Lloyd Weber ont aussi abordé le sujet à une époque de profonds bouleversements sociaux et politiques. Marie Madeleine y est de nouveau l'objet d'une transformation reflétant la nouvelle perception des femmes et y est présentée comme une compagne fougueuse – mais affectionnée – du Sauveur. D'abord lancé sous forme d'album en 1971, puis monté sur Broadway, *Jesus Christ Superstar* a aussi connu une immense popularité lorsqu'il a été présenté au cinéma deux ans plus tard. Dans chacune de ces versions, Yvonne Elliman offrait une performance remarquable, faisant de la chanson *I Don't Know How To Love Him* un grand succès commercial. Même si certains ont à l'occasion vu dans ce texte le reflet d'une ardeur toute physique, on considère généralement qu'il est l'écho des émotions complexes et contradictoires qui assaillent Marie

Madeleine. En ce sens, il a incité les auditoires à imaginer les zones grises qui ont dû exister dans les rapports entre Marie Madeleine et Jésus, à la fois en tant qu'homme et en tant que Messie.

En 1972, le groupe Jefferson Airplane tira de l'idée que Jésus et Marie Madeleine étaient mariés l'extrapolation d'une famille terre à terre et tapageuse. La chanson *Jesus Had A Son*, sur l'album *Long John Silver*, ne se limite toutefois pas à la seule question de leur mariage. Affirmant d'abord l'existence d'un fils, la chanson nous dit que «*Jesus raised him loud*» (Jésus lui a appris la combativité) et que «*Mary raised him proud*» (Marie lui a appris la fierté). Puis on apprend finalement que la mission intime du fils de Jésus est de venger la mort de son père.

Dans *La Dernière Tentation du Christ*, le roman de Nikos Kazantzakis publié en 1951, Jésus mourant sur la croix est tenté par l'idée de la vie qu'il aurait pu avoir: celle d'un simple mortel. La présence de Marie Madeleine est prépondérante dans cette œuvre et, d'ailleurs, au cours d'une brève hallucination, il l'épouse avant de rejeter cette tentation et d'assumer sa mission sacrificielle. Kazantzakis décrit ainsi la première rencontre entre Jésus et Marie Madeleine:

> [...] Jésus entendit le tintement des bracelets et des colliers provenant du verger de citronniers. Il se retourna: Marie Madeleine, la tête couverte de fleurs de citronniers, se tenait devant lui, timide et tremblante[77].

En 1988, le livre de Kazantzakis fut porté à l'écran par le réalisateur Martin Scorsese, s'attirant des concerts de protestation allant de simples manifestations jusqu'à l'explosion de cocktails Molotov aux États-Unis et en Europe. Beaucoup de gens furent offensés par ce portrait de Jésus dépeint comme un homme normal, aimant comme le serait n'importe quel autre, marié et élevant des enfants. Le film fut qualifié de blasphématoire par des chrétiens de toutes origines, et certaines salles de cinéma refusèrent même de le mettre à l'affiche.

---

77. Traduction libre.

Un mouvement vers le divin

À presque vingt ans d'intervalle, le *Da Vinci Code*, dans un style très accessible agrémenté d'une aura de conspiration, a ramené le sujet dans l'actualité, mais sous un jour entièrement nouveau et encore plus controversé. En effet, alors que le Jésus de Kazantzakis est seulement *tenté* d'épouser Marie Madeleine, celui de Dan Brown passe à l'acte. En outre, la Marie Madeleine de Brown est beaucoup plus qu'une femme et une mère; en fait, elle est l'égale de Jésus en tant que manifestation féminine de la divinité. À cet égard, il est assez intéressant de constater que, dans le roman de Dan Brown, non seulement Jésus est plus humain encore, mais aussi que Marie Madeleine est élevée au rang de déesse.

Bien que nous soyons peut-être entrés dans une nouvelle ère de réforme sociale et religieuse, la « déification » de Marie Madeleine n'a pas commencé avec Dan Brown; il s'agit d'un mouvement qui s'est lentement imposé, avec ou sans une relation présumée avec Jésus. Dans son ouvrage publié en 1977, *Venus in Sackcloth*, l'auteure Marjorie Malvern souligne que les représentations artistiques de Marie Madeleine ont partagé, tout au long de l'histoire, beaucoup de traits avec celles de déesses telles Pandore et Vénus. En 1983, dans son ouvrage *The Woman's Encyclopedia of Myths and Secrets*, Barbara Walker a d'ailleurs exposé à ce sujet un point de vue radicalement révisionniste de l'histoire religieuse en présentant Marie Madeleine comme la prêtresse du temple d'une déesse appelée Mari. Après la publication de *Holy Blood, Holy Grail*[78], Margaret Starbird a poussé l'idée encore plus loin en suggérant qu'effectivement on pouvait considérer Marie Madeleine comme une déesse. Ce faisant, elle proposait une mythologie chrétienne fondée sur la réconciliation du masculin et du féminin dans la notion de Dieu. Selon cette vision, la mission de Jésus a été de « restaurer le féminin », une idée qui, selon elle, a été violemment occultée par une Église conspiratrice.

Incorporant à son roman les idées de Starbird et d'autres, Dan Brown semble avoir touché une corde sensible chez les

---

78. Michael Baigent, Richard Leigh et Henry Lincoln. *L'Énigme sacrée, op. cit.*

lecteurs. Pour plusieurs d'entre eux, en effet, certaines des théories avancées dans son livre « sonnent vrai », malgré la criante évidence que son intrigue est boiteuse. Cet indéfinissable sens de l'authenticité demeure sans doute la plus grande réussite de ce livre en ce qu'il témoigne d'un climat social révélateur. L'intense intérêt suscité par ce roman ne s'explique pas seulement par le goût du public pour la conspiration, l'ignorance de l'histoire ou même une attirance particulière pour la spiritualité Nouvel Âge. Le *Da Vinci Code*, en fait, pourrait bien s'avérer être une semence tombée dans un sol fertile, et la vénération croissante à l'endroit de Marie Madeleine en tant que divinité émergente pourrait n'être que l'un de ses fruits. Comme cela est arrivé si souvent dans le passé, la représentation de Marie Madeleine dans la culture populaire fait figure de baromètre culturel. Nous avons le choix de l'examiner ou de l'ignorer.

Une mauvaise réputation qui perdure

Il y a beaucoup plus dans la présence marquée de Marie Madeleine dans la culture populaire qu'une curiosité collective pour sa relation avec Jésus. Considérée traditionnellement comme une prostituée réformée ayant accompli son salut, l'identité de « mauvaise fille » qu'on a accolée à Marie Madeleine demeure fréquemment évoquée dans la culture pop. Il est pourtant reconnu depuis longtemps que cette réputation n'est pas fondée sur les Écritures, mais ce n'est qu'en 1969 que l'Église catholique a finalement modifié officiellement sa position sur la question. L'erreur historique était alors si fermement ancrée dans la pensée occidentale qu'il est fort improbable que Marie Madeleine soit un jour lavée de cette tache d'inconduite sexuelle.

La musique populaire, en particulier, a fait grand usage de cette image de prostituée pénitente, avec une économie de mots qui sied très bien à la brièveté de la chanson pop :

> *In a harlot's dress you wear the smile of a child*
> *With the faith of Mary Magdalene*
> *Yet you wash the feet of unworthy men*

*(Vêtue comme une catin, tu as le sourire d'une enfant
Et la foi de Marie Madeleine
Mais tu laves les pieds d'hommes qui n'en sont pas dignes)*

Mary Magdalene, de Me'Shell Ndegéocello (album
Peace Beyond Passion, 1996)

Mais loin d'être confinée à la musique pop, Marie
Madeleine, la femme écarlate, transcende les genres. Le
rock, le rhythm and blues, le rap, le country, le jazz et même
la musique classique font leurs choux gras de cette erreur
d'identité. Lenny Kravitz, Linda Davis, Patty Larkin, le groupe
australien Redrum, le groupe écossais Franz Ferdinand et
le groupe métal américain Perfect Circle ont tous, à un
moment ou l'autre, parlé de Marie Madeleine la pécheresse,
soit directement ou en évoquant un personnage portant le
même nom. Et dans *The Girl You Think You See*, extrait de
son retentissant album *Anticipation*, Carly Simon propose à
quelqu'un – vraisemblablement un amoureux – de lui plaire
en devenant sa Marie Madeleine.

Les jeunes filles au cinéma

Le cinéma offre à l'artiste beaucoup plus de temps pour
caractériser le personnage et s'étendre sur les raisons qui expliquent la patine audacieuse de Marie Madeleine. L'une de ces
raisons se trouve au chapitre 8 de l'Évangile selon saint Jean.
Dans ce récit, une femme prise en flagrant délit d'adultère est
amenée devant Jésus. Espérant qu'il se contredise, les autorités
lui demandent quel sort ils devraient réserver à cette femme
qui, en vertu de la loi, devrait être exécutée pour son crime.
La réponse de Jésus, à savoir que celui qui n'a jamais péché lui
jette la première pierre, sauve la vie de la femme adultère. Les
autorités ayant renoncé à la persécuter, Jésus lui dit qu'elle est
pardonnée et lui recommande de ne plus pécher.

La femme dont il est question dans cette scène n'est
jamais nommée, mais elle est souvent confondue avec Marie
Madeleine. Dans *La Dernière Tentation du Christ*, Martin
Scorsese montre Marie Madeleine (magnifiquement incarnée

par Barbara Hershey) tentant d'échapper à une foule barbare jusqu'à ce que Jésus s'interpose. Même Mel Gibson, dans sa très populaire *Passion du Christ* qui se réclame pourtant d'un haut degré de fidélité à la Bible, présente Madeleine (Monica Bellucci) comme étant cette femme prise en flagrant délit d'adultère. Même si la scène elle-même n'a pas figuré dans le montage final, P. J. Harvey, qui incarne la Madeleine urbaine mise en scène par Hal Hartley en 1998 dans *Le Livre de la vie*, a fait part du soulagement qu'elle a éprouvé lorsque Jésus l'a sauvée d'une exécution certaine.

Une scène encore plus fréquemment évoquée est celle figurant dans le chapitre 7 de l'Évangile selon saint Luc où Marie Madeleine est confondue avec la pécheresse anonyme. Alors que Jésus est à la table d'un pharisien, une femme fait irruption dans la pièce et se met à répandre ses larmes sur les pieds du Christ. Elle les sèche ensuite avec ses cheveux et les oint d'un parfum coûteux. Outragé, le pharisien s'écrie que si Jésus était vraiment prophète, il ne permettrait pas qu'une pécheresse le touche. Mais Jésus lui dit alors que cette femme a montré plus d'amour à son endroit que ne l'a fait son hôte et affirme que ses péchés lui sont pardonnés « parce qu'elle a beaucoup aimé ». Cette scène dramatique figure, avec certaines variantes, dans chacun des quatre Évangiles mais jamais, dans aucun d'entre eux, Marie Madeleine n'est identifiée comme cette pécheresse qui parfume les pieds de Jésus. Pourtant, le fait qu'elle ait été ainsi confondue avec la pécheresse représente une erreur d'identité dont elle a été la victime pendant plus d'un millier d'années.

L'erreur historique produit certes du cinéma plus dramatique. Dans la minisérie *Jésus de Nazareth*, réalisée par Franco Zeffirelli en 1977, la rude Marie Madeleine incarnée par Anne Bancroft a fait sensation grâce à l'authenticité qu'elle a apportée à la scène de l'onction. Plus récemment, dans la même scène du film *Maria Maddalena*, tourné en 2002 pour la télévision italienne, Maria Grazia Cucinotta est poignante de vérité dans la séquence où son personnage se convertit. Dans les deux cas, les actrices versent des larmes en abondance, un autre trait associé à Marie Madeleine depuis le Moyen Âge.

Mais comment se fait-il que tant d'artistes et d'auteurs ignorent, encore de nos jours, la probabilité que Marie

Madeleine n'ait pas été la « femme déchue » que certains croient? Est-ce parce que cela n'est jamais venu à leurs oreilles? Comme c'est le cas de Marie elle-même, il y a sans doute dans ce phénomène un peu plus que ce que l'œil peut en voir. Pendant presque quatorze siècles, Marie Madeleine a été considérée comme une pénitente, une femme représentant à la fois le péché et la réconciliation avec Dieu, dans la mesure où elle a renoncé à sa (présumée) vie dissolue pour suivre Jésus. Cette notion même d'un salut accessible à chacun, sans égard à la gravité de ses fautes, demeure encore séduisante de nos jours. Beaucoup de gens considèrent la Marie Madeleine légendaire comme l'un des rares personnages véritablement *humain* des Évangiles. Il est facile de s'identifier à elle, qui a commis des fautes mais qui s'est finalement amendée. Sans doute pour ces raisons, en dépit de la décision officielle (mais lente à venir) du Vatican de modifier son identité de pécheresse, la réputation que la tradition lui a assignée demeure un sujet complexe et passionnant qui intéresse la culture populaire.

Imaginer une Marie Madeleine nouvelle

Certaines œuvres hybrides ont fait de Marie Madeleine un personnage plus grand et, à l'occasion, plus étrange que celui qu'a légué la tradition.

En 1999, l'auteur et réalisateur Chris Carter (*The X-Files*) a propulsé Marie Madeleine au cœur d'une ténébreuse intrigue criminelle surnaturelle : *Millenium*. Dans un épisode intitulé « Anamnesis », une jeune fille commence à avoir des visions de la Vierge Marie. Puis, à mesure que celles-ci se précisent, on s'aperçoit que l'image qui s'impose est finalement celle de Marie Madeleine. Au bout du compte, la jeune fille apprend qu'elle appartient à une ancienne lignée issue de Jésus et de Marie Madeleine. Dotée de pouvoirs surnaturels en raison de cette ascendance, elle découvre que chacun de ses gestes est épié secrètement par les protecteurs de la lignée.

Dans un ouvrage publié en 1999, *This is My Blood*, l'auteur de romans d'épouvante (et ancien séminariste) David Niall Wilson explore les thèmes complexes de la rédemption, du bien et du mal, en plaçant Marie Madeleine, ange déchu devenue vampire, au cœur d'une version révisionniste de la vie de Jésus. Aussi étonnant que cela puisse paraître, il ne s'agit pas de la seule apparition de Marie Madeleine dans un contexte vampirique. L'éditeur de bandes dessinées Top Cow a récemment publié un livre intitulé *Magdalena*, dans lequel les descendantes de Marie Madeleine sont des guerrières surnaturelles à la solde du Vatican. Chaque génération fournit une jeune fille, surnommée « la Madeleine », qui combat le mal sous toutes ses formes, y compris les vampires. La série *Magdalena* est si populaire qu'on se prépare à en faire un film. Enfin, dans la comédie-culte *Jesus Christ, Vampire Hunter*, Marie Madeleine apparaît comme une spécialiste des arts martiaux appelée Mary Magnum qui devient par la suite elle-même une vampire.

Quel sens donner à ces apparitions de Marie Madeleine en vampire dans des œuvres de fiction ? Peut-être ne faut-il pas chercher plus loin que dans son statut récemment reconnu de femme diffamée. Il y a un sens profond du tragique inhérent à son personnage, surtout quand on sait que sa réputation de femme déchue a été entièrement fabriquée. Compte tenu du fait que l'un des thèmes récurrents de la littérature de vampires est précisément la notion de « malédiction » ou de « damnation », il n'est pas nécessaire d'être devin pour comprendre les raisons pour lesquelles, à cette étape de l'histoire, Marie Madeleine est une candidate de choix au titre de vampire dans l'esprit de certaines imaginations fécondes. Plutôt que de fléchir sous les coups répétés qui lui ont été portés, elle émerge dans la culture populaire dotée d'une force surnaturelle et habitée, de temps à autre, par une colère légitime.

À cet égard, Marie Madeleine apparaît de plus en plus fréquemment – avec ou sans vampires – comme une héroïne spécialiste des arts martiaux. Dans le film à grand succès *La Matrice*, réalisé en 1999, le personnage féminin principal, Trinity (incarnée par Carrie Anne Moss), a été clairement inspiré par l'identité légendaire de Marie Madeleine comme amante de Jésus. Parsemée d'un bout à l'autre d'allusions chrétiennes, gnostiques et mythologiques, la trilogie de *La Matrice* stimule le désir de voir Marie Madeleine, à travers le personnage de Trinity, comme on aimerait soi-même se voir : indépendant, tenace, fort et capable de foi. Non seulement sa présence donne au film une crédibilité émotionnelle, mais Trinity s'avère aussi être une femme d'action qui, les yeux chaussés de lunettes noires, pourfend les méchants aux côtés de Neo, le personnage principal et la figure salvatrice du film. D'ailleurs, dans la version de la résurrection offerte par *La Matrice*, le sauveur est incapable de feindre sa mort ; c'est seulement l'intensité de l'amour de Trinity, comme sa foi en lui, qui le ramène à la vie. Renversant les rôles traditionnels des contes de fées, cette fois, c'est la princesse qui réveille le prince d'un baiser.

Ces récentes interprétations de Marie Madeleine expriment sans doute de la façon la plus éloquente qui soit l'intérêt dont elle est l'objet dans le monde actuel. Sa capacité d'inspirer ne se limite pas à son rôle dans les Évangiles ou même au retour en force récent des légendes relatives à son mariage avec Jésus. Les façons dont certains l'imaginent aujourd'hui n'ont rien à voir avec ses identités traditionnelles et trouvent particulièrement leur expression dans des modes non conventionnels. Elle n'est plus la pénitente en larmes ou l'objet de plaisir ; elle est une femme forte, perspicace et indépendante. Elle est capable de se sacrifier elle-même pour le bien commun. Est-ce à dire que la fascination qu'a longtemps exercée sa présumée inconduite sexuelle est en train de s'émousser ? La nouvelle génération de créateurs semble en tout cas reconnaître que, tout comme Marie Madeleine, chacun a son cadavre dans le placard. Même s'il paraît évident qu'il y aura toujours des allusions au passé exotique de Marie Madeleine, il faut saluer le fait qu'enfin d'autres questions sont soulevées à son propos. Sans égard à ce qu'elle a été, qu'est-elle devenue aujourd'hui ?

Il y a des réponses étonnantes à cette question.

Morceau par morceau. Comment Marie Madeleine, le patriarcat et la sensualité pécheresse[79] ont influencé ma vie et ma carrière

par Tori Amos[80]

Tori Amos est une pianiste et auteure-compositrice-interprète de renommée interna-tionale dont l'œuvre a été profondément influencée par la mythologie et la religion. Elle se passionne pour l'étude des Évangiles gnostiques et s'en est inspirée pour composer son album à succès lancé en 2005, The Beekeeper *(littéralement « éleveur d'abeilles »). (L'élevage des abeilles, assure-t-elle, est une source d'inspiration et de pouvoir pour les femmes.)*

Le personnage de Marie Madeleine est au cœur de ses croyances et de son inspiration. Pour Tori Amos, elle est à la fois muse, préceptrice, Épouse oubliée, prostituée sacrée, symbole de la lutte contre le patriarcat aussi bien religieux que politique, et inspiratrice de sa recherche d'« une façon d'atteindre l'orgasme tout en préservant sa spiritualité ». Cette tentative d'intégration du péché et de la sensualité a joué un rôle important dans son image publique. Sa tournée mondiale pour The Beekeeper, *par exemple, était intitulée « Original Sinuality Tour » et a été renommée, aux États-Unis, « Summer of Sin Tour ». Parallèlement et en rapport avec cet album, elle a également publié son autobiographie,* Tori Amos Piece by Piece, *qu'un critique a décrit ainsi : « [...] pas vraiment les mémoires d'une star [...] il s'agit plutôt des grandes lignes de son passage du statut de vedette pop à celui de poétesse provocatrice. » Cette description – et plus encore – est très bien illustrée dans le texte qui suit, tiré du chapitre intitulé « Mary Magdalene : The Erotic Muse ».*

– Jésus était féministe, ma chérie.

J'avais dix-neuf ans. Je jetai un regard à ma mère et m'écriai, exaspérée :

– Maman, je n'ai pas de problème avec Jésus, d'accord ? J'ai toujours aimé ce type et c'est encore vrai aujourd'hui. Crois-tu vraiment que la Madeleine l'aurait suivi s'il n'avait pas été en faveur des droits des femmes et de l'égalité au travail ?

– Oui, ma chérie, je comprends tout cela, ma chérie. Mais tu me parais très agressive à l'égard de l'Église.

– Tu peux être foutrement certaine que je le suis, maman.

– S'il te plaît, pas de gros mots, ma chérie.

---

79. Voir Préface, note 1. (N.d.T.)

80. Tiré de *Tori Amos Piece by Piece*, par Tori Amos et Ann Powers, copyright © 2005 par Tori Amos. Reproduit grâce à l'aimable autorisation de Broadway Books, une division de Random House Inc

– D'accord, maman. Tu peux être vachement certaine que je le suis. J'éprouve une putain de rage envers ces passifs et agressifs Manipulateurs de l'Autorité qui représentent le Patriarcat.

– C'est beaucoup mieux, ma chérie. Il faut que tu exprimes clairement cette nécessité de faire éclater les digues, de briser les chaînes émotionnelles dont les femmes sont prisonnières depuis des siècles, selon ton point de vue de jeune féministe. Sers-toi de ta musique pour t'attaquer aux faiblesses de la structure patriarcale, qui est soutenue à sa base même par un vice moral cancéreux.

– Hein?… Maman, est-ce que ça va?

– Si je vais bien? Oh! ma chérie, il y avait longtemps que je ne m'étais sentie aussi en forme! Dieu merci, ta génération répond à l'appel!

Pendant un moment, ce fut comme si ma mère chantait *Sister Suffragette*, du film *Mary Poppins*. Elle était emportée.

– Ma propre fille et celles d'autres mères partout dans le pays auront soif de savoir. Oui, c'est ainsi que nous allons faire trembler les bases de la ségrégation et du patriarcat. La ségrégation entre le cœur et l'esprit, entre les actes et leurs conséquences, entre l'homme et la femme, entre le pouvoir et l'imagination, entre la passion et la compassion.

– Mon Dieu! maman, je ne savais pas. J'ignorais complètement que tu avais toujours ça en toi.

Puis elle détourna les yeux. Quand elle les ramena vers moi, elle prit ma main et chuchota :

– Nous l'avons toutes en nous, mais ces voix intérieures peuvent se tarir et se perdre. Ce que je viens de te confier n'était qu'endormi en moi. Et ces idées dorment en chacune de nous, ma chérie. Ne permets à personne de dire que ces idées sont mortes. Mais il est vrai qu'elles ont dormi profondément. Ta passion pour Marie Madeleine est électrique. Et je ne veux pas te décourager, mais la majorité des Américains ne sont tout simplement pas prêts à s'ouvrir à Marie Madeleine comme tu l'as fait. Alors, sois vigilante.

– Pourquoi? Que veux-tu dire?

– Sois vigilante. Sois vigilante face aux dangers. Sois vigilante face aux scélérats, aux traîtres pervers qui s'en prennent à Marie Madeleine. La plupart du temps, ma chérie, ils ne sauront même pas ce qu'elle est ni ce qu'elle représente. Certains oui, mais la plupart non.

« Pour le meilleur ou pour le pire, me sermonnait mon père, tu es fille de l'Église chrétienne. » Et vous savez quoi ? C'est sans doute l'affirmation la plus juste que mon père ait jamais faite à la fois sur mon lien de filiation avec lui et sur mes relations avec l'Église. Je me souviens des multiples prélats qui se sont succédé à la table de ma mère, le dimanche soir, distillant leur savoir à propos de Jésus. Tout comme Paul, mieux connu sous le nom de saint Paul, ces évêques prêchaient leur propre théologie au nom de Jésus. Il y avait ces pasteurs, bardés de diplômes en théologie, et mon père qui par la suite obtint son doctorat de la Boston University. C'est tout un aréopage qui était là, devisant des Évangiles autour de la table de la salle à manger. Est-ce que ces gens prêchaient le message de Jésus sur l'égalité des sexes ? Non. Mais ce qui me paraissait à l'époque comme la plus flagrante omission était en rapport avec leurs allusions à Jésus comme étant le Marié.

Restez avec moi quelques secondes. Accompagnez-moi à ces dîners du dimanche et écoutez un peu les raisonnements qu'on m'assénait alors. « Jésus est le Berger et nous sommes ses brebis. » « Jésus est la Vigne et nous sommes les sarments. » Et là, roulement de tambour, s'il vous plaît ! J'avais à peu près huit ans, en 1970, quand cette dernière affirmation fut proférée par un évêque – pas un mauvais garçon, pour sûr : un très, très gentil monsieur. Mais ce n'est pas parce que vous êtes gentil que vous avez nécessairement une quelconque idée de ce que vous êtes en train de vomir. Alors, il nous balança donc la « vérité » ultime de sa trilogie : « Et enfin, Jésus est le Marié et l'Église est son Épouse. » On s'étrangle, on tousse, on tousse, on s'étrangle. Et adieu les patates confites, qui remontaient avec un brin d'aigreur.

– Pardon, monsieur.

Grâce à quelques gorgées d'eau et à une force impérieuse en dedans de moi, je trouvai finalement la voix qu'il fallait et regardai cet homme profondément religieux en lui disant :

– Excusez-moi, mais avec qui dites-vous que Jésus s'est marié ?

Le prélat jeta un œil quelque peu perplexe à mon père qui saisit la balle au bond et me considéra d'un air que je ne qualifierais pas de *condescendant*, mais qui voulait clairement dire : « Je connais mon Jésus personnellement. »

– Nous croyons que Jésus est marié à l'Église, répondit-il en dodelinant de la tête, de concert avec l'évêque, en signe de respect.

– Oh ! mon Dieu ! dis-je. Mais qui était l'épouse de Jésus ?

Et mon père répondit de nouveau :

– Nous croyons que l'Église est son Épouse.

– Et Marie Madeleine, alors ?

L'homme de Dieu paraissait un peu mal à l'aise. Je savais que j'en mettais un peu, mais je ne pouvais pas m'arrêter. Mon père et lui commencèrent alors à m'expliquer que Marie Madeleine était une pécheresse, une femme de mauvaises mœurs qui avait finalement été sauvée et sanctifiée par Notre Seigneur et Sauveur Jésus-Christ. Puis ils la reléguèrent dans l'ombre, comme si elle n'avait été que l'un des nombreux membres de l'entourage de Jésus.

Leurs propos me rappelèrent une photo que j'avais vue de jeunes femmes en pâmoison devant des vedettes de rock. On gèle l'image ! Regardons cette photo. À ce moment, je compris que ma Marie avait été minimisée par le Patriarcat. Il devint alors clair dans mon esprit qu'elle était véritablement l'Épouse oubliée. Ils s'attachaient beaucoup trop à tenter de me convaincre du contraire. […] Peu importe les choses dont je me suis rendu compte en ce brutal dimanche de 1970, ce que j'ai aussi réalisé, c'est que je faisais partie d'une infime minorité qui croyait que la Madeleine représentait un symbole sacré et fondamental de l'émancipation des chrétiennes. J'étais née féministe mais, à compter de ce jour, j'ai su qu'il me fallut aller plus loin. Je sais maintenant que mon cheminement, durant toutes ces années, a été plus proche de celui de Lisa Simpson[81] que de qui que ce soit d'autre. Une fois que j'eus compris cela, il me fallait franchir un pas de géant parce que j'avais toujours dans la bouche ce goût de patates confites devenues aigres qui étaient remontées à la surface. Je comprenais que la Madeleine était toujours en exil. Alors même que d'est en ouest les femmes brûlaient leurs soutiens-gorge, une idée se grava dans ma tête…

---

81. Lisa Simpson est un personnage fictif de la série de dessins animés *Les Simpson*. Végétarienne, bouddhiste et environnementaliste, elle se distingue également par un quotient intellectuel très élevé. (N.d.T.)

Qu'est-ce qu'une prostituée sacrée? Qu'est-ce que l'esprit sensuel? Les mystères féminins sont anciens; ils existaient bien avant Marie Madeleine. Voilà une femme qui a été fidèle à elle-même et qui a accordé sa vie à ses principes. […] Ce que j'en comprends, c'est qu'une grande partie des enseignements fondamentaux de Jésus – qui ont été mis en lumière dans plusieurs des manuscrits découverts à Nag Hammadi – touche la réunification des aspects du Féminin – Sagesse et Conscience, Sophia et Achamoth – et de la « Croix de Lumière ».

Dans le christianisme traditionnel, les fausses divisions nous ont donné deux personnages : la Vierge Marie et la Madeleine. Bien sûr, pour qu'une chrétienne se sente accomplie, ces deux personnages doivent être réunis – et non polarisés – dans sa psyché. La Vierge Marie a été dépouillée de sa sexualité mais a conservé sa spiritualité, alors que Marie Madeleine a été dépossédée de sa spiritualité tout en gardant sa sexualité. Or, chacune devrait accéder à sa plénitude. C'est ce que j'appelle « marier les deux Marie ».

Il y a tellement de gens qui assistent à mes spectacles en conservant cette dichotomie à l'intérieur d'eux-mêmes. Il semble qu'on ne puisse être considérée comme une Mère divine et s'attirer le respect de son entourage si on est aussi une prostituée sacrée. Nous divisons et nous régnons aux niveaux les plus profonds de notre personnalité en divorçant notre Être spirituel de notre Être physique. Voilà qui est douloureux. C'est exactement ce que j'ai vécu moi-même à une certaine époque de ma vie. Pour avoir un rapport sexuel, il me fallait jouer un personnage, car je ne pouvais pas être celle que j'étais et me regarder dans la glace tout en exprimant toutes ces choses différentes que je voulais exprimer. Essentiellement, je ne savais pas comment « *faire* ce qu'on fait sous les couvertures » et, l'instant d'après, enfiler mes lunettes, prendre mes livres sous le bras et me rendre à la bibliothèque, tout en demeurant la même personne. Pourtant, je relève de ces deux créatures qui forment la même personne. Mais il m'était difficile de réunir toutes ces parties de moi-même et de les faire vivre ensemble comme un Être pleinement intégré. Et bien évidemment, il existe des tas d'exemples de cela chaque jour dans le monde. Les hommes vont chez leur maîtresse, puis retournent voir leur femme. Et la femme éprouve du ressentiment parce qu'elle n'a pas l'occasion de vivre ou d'exprimer cette partie ouvertement sexuelle de sa personne, alors que la maîtresse devient agressive parce qu'elle doit s'effacer à Noël et à Pâques.

Le piano est le pont qui résout ces contradictions. La musique possède des vertus alchimiques. Par ailleurs, la voix du piano est multiple. Nous avons deux mains. L'une peut jouer une mélodie céleste, alors que l'autre fait exactement le contraire. L'union du profane et du sacré, ou encore de la passion et de la compassion, se produit là, sur le clavier. Il recrée un lien qui a été longtemps brisé. Il y a beaucoup de honte associée à cette avidité inhérente à la passion, qu'on peut parfois considérer comme profane. Mais la musique permet d'accéder à cette réalité, qui a été un jour sacrée, mais qui nous a été enlevée.

C'est ce qu'ont compris les prostituées sacrées. Appelées « hiérodules », ces prêtresses de la déesse de l'amour – qu'il s'agisse d'Innana, d'Ashéra ou de qui que ce soit d'autre –, ces femmes sacrées savaient transcender ce qui était sexuellement profane. Est-ce que je sais comment elles s'y prenaient ? Non. Mais ce que je sais, c'est que ces prostituées sacrées n'auraient pu rien transcender du tout si elles avaient « marché », c'est-à-dire si elles avaient accepté de devenir les projections sexuelles du mâle dont elles partageaient la compagnie. Cela voudrait dire qu'elles étaient investies de la gnose, de la capacité d'atteindre un équilibre entre le sacré et le profane. Leur conception de la sexualité était nichée dans l'inconscient, lequel, s'il n'est ni élagué ni nourri, envahit le jardin d'une personne et étouffe toute croissance. Désert. Terminé. Au suivant.

Parfois, semble-t-il, nous cherchons tous quelque chose qui est en dehors de nous-mêmes, précisément parce que nous avons renoncé à une part de notre conscience. On risque de commettre beaucoup d'erreurs lorsqu'on accepte cette division. Beaucoup de gens prétendent saisir l'essence de Marie Madeleine, mais ils se contentent de faire entrer le sacré dans le royaume du profane et ils l'abandonnent là. On m'a appris que lorsqu'on entre dans le monde des archétypes, il ne faut jamais oublier qu'on se relie à un principe beaucoup plus ancien que soi-même et auquel on doit le respect. Nous ne sommes pas ce type de créatures. Nous avons tous un modèle inné à l'intérieur de nous. Ainsi, on peut voir comment Aphrodite agit chez certaines personnes. Le simple fait qu'elles entrent dans une pièce a l'effet d'un aphrodisiaque. C'est comme un parfum qu'elles dégagent. Ce n'est pas une chose qu'elles ont apprise. C'est au cœur même de leur nature, loin à l'intérieur. On n'en trouverait aucune trace si on procédait à une dissection ou à une analyse sanguine. Mais si on utilise cette chose sans en intégrer les enseignements et sans opérer la transformation de son être prescrite par les mythes fondateurs, cela peut mener à l'auto-destruction. L'avidité inhérente à la passion peut créer une forte dépendance et entraîner des abus. C'est une chose que j'ai mis bien des années à comprendre.

Si on emprunte cette voie, alors il faut définir le rôle de la prostituée sacrée. Voilà un domaine où les femmes, durant l'amour, ne sont pas la projection de l'image que les hommes ont d'elles. Quelle que soit l'idée que l'homme se fasse de cette femme, la prostituée sacrée ne correspondra jamais – ne fût-ce qu'une seconde – à cette image. Ces femmes savent qui elles sont. Elles sont dépositaires, dans leurs corps même, d'un concept qui leur appartient et pour lequel il n'y a aucune traite à payer. Il leur appartient. Mais il n'y en a pas moins des devoirs associés à la propriété de ce concept.

Je sais que, de nos jours, certaines femmes se définissent comme des prostituées sacrées et tentent de suivre cette voie. Mais ce dont nous parlons remonte à une époque où ces femmes n'étaient même pas qualifiées de prostituées ; on les appelait les « hiérodules », ou « femmes sacrées ». Elles étaient vénérées et, toute leur vie durant, étaient formées pour accomplir ce rôle. Elles étaient initiées.

Beaucoup d'artistes ont, comme moi, été élevés par des parents profondément religieux. Et lorsqu'ils sont en mesure d'intégrer en eux cette essence religieuse et de la mettre en musique, la nature sensuelle et sexuelle qu'on ne leur a pas permis de reconnaître et d'assumer dans leur vie quotidienne se matérialise dans leur musique. Si tout un chacun savait qu'ils assument de façon consciente cette part sensuelle et sexuelle d'eux-mêmes, ils seraient ostracisés. Ils feraient scandale. C'est un peu ce qui est arrivé à Elvis, quand on y songe. Remontez aux sources de la culture populaire américaine et tout est là.

Avec *Little Earthquakes*, j'ai entrepris de m'attaquer à cette division entre les deux Marie, à la fois sur le plan personnel et de façon plus large. J'ai ensuite continué d'explorer la question durant la phase *Under the Pink*. Je crois que le fait d'endosser le rôle de madame Dieu – ou de l'amante de Dieu – dans ma chanson *God* (*Under the Pink*) a représenté pour moi un pas considérable dans mes efforts pour réunir les deux Marie au sein de mon Être. J'ai alors commencé à réaliser que j'avais besoin de leurs deux voix pour m'ancrer solidement dans l'archétype de madame Dieu que je devais incarner lorsque j'interprétais cette chanson. Je me suis posé la question que des tas de gens m'ont posée au fil des ans : « Tu dois savoir de quel Dieu tu parles, Tori. Quel Dieu est le Dieu de la chanson *God* ? Est-ce que tu veux dire Dieu, Dieu ? Et ma réponse est : "Ça dépend de l'idée que vous vous faites de Dieu, Dieu."

Dans son ouvrage *The Gnostic Gospels*[82], Elaine Pagels écrit :

> « Selon l'*Hypostase des Archons*, l'un des manuscrits découverts à Nag Hammadi, la mère et la fille protestèrent lorsqu'il devint arrogant, affirmant : "C'est moi qui suis Dieu et il n'y en a pas d'autre." [...] Et une voix se fit entendre tout en haut, provenant du royaume du pouvoir absolu, disant : "Tu as tort, Samaël" (ce qui signifie "dieu des aveugles"). Et il répondit : "S'il existe quoi que ce soit de supérieur à moi, fais-le apparaître !" Et immédiatement, Sophia (Sagesse) tendit son doigt et introduisit la lumière dans la matière jusque dans les régions du Chaos. [...] Et à nouveau, il dit à sa progéniture : "C'est moi qui suis le Dieu de Tout." Et la Vie, fille de Sagesse, lui cria : "Tu as tort, Saklas[83] !" »

Donc, pour répondre à la question, voilà le Dieu auquel je fais allusion dans la chanson *God*. Je ne songe pas au Père divin de Jésus, qualifié selon Meyer[84] de « Père saint, Clairvoyance d'absolue perfection, image de l'Invisible,

---

82. Elaine Pagels. *Les Évangiles secrets, op. cit.*

83. Traduction libre. (N.d.T.)

84. Marvin Meyer, professeur d'études bibliques et chrétiennes à la Chapman University en Californie, est notamment l'auteur de nombreux ouvrages et commentaires sur les Évangiles gnostiques et sur d'autres textes figurant dans la bibliothèque de Nag Hammadi. (N.d.T.)

c'est-à-dire le Père de toutes choses, par qui tout est arrivé, l'Humanité première ». Dans ce texte, Jésus se présente fréquemment lui-même comme « le Fils de l'Humanité ».

La ruche, formée d'hexagones, a été fondamentale dans la représentation visuelle de l'album *The Beekeeper*. Dès qu'il a été clair que la structure autour de laquelle nous devions travailler était composée de six côtés, j'ai entrepris de subdiviser l'album en six segments. Le jardin représente une part importante de ces subdivisions, bien que notre version *The Garden of Original Sin* ait été modifiée entre-temps pour devenir *The Garden of Original Sin-suality*. Notre jardin est composé des « symboles archétypes mâle et femelle, la coupe en V et la lame en ^ », tels qu'évoqués par Margaret Starbird dans son ouvrage *Magdalene's Lost Legacy*. Elle poursuit en expliquant : « Ce lien associatif entre la femme et les abeilles était connu et vénéré aux temps anciens : les prêtresses de la déesse Artémis étaient appelées *melissae* et Déméter était qualifiée de "pure Mère Abeille". En langue hébraïque, le nom Déborah, l'une des grandes héroïnes de l'Ancien Testament, signifie "reine abeille". »

Le Jardin désert, le Jardin de pierres, le Verger, la Serre, les Élixirs et les Herbes, les Roses et les Épines composent le jardin sonore de l'album *The Beekeeper*. C'est là que débute le récit de la sensualité originelle entre l'homme et la femme.

Marys of the Sea est une chanson qui a aussi été inspirée par l'*Évangile de Marie Madeleine* traduit du copte et accompagné de commentaires de Jean-Yves Leloup[85]. Ce texte éclaire énormément la relation intime entre les disciples. La jalousie de Pierre à l'égard de Marie Madeleine est évidente lorsque, dans cet Évangile, Marie raconte ce que Jésus (l'Enseigneur) lui a dit en privé. Quand elle en a terminé, après qu'André (le frère de Pierre) a déclaré qu'il ne croit pas que l'Enseigneur ait exprimé de telles idées, Pierre ajoute : « Est-il possible que le Maître se soit entretenu ainsi, avec une femme, sur des secrets que nous, nous ignorons ? Devons-nous changer nos habitudes, écouter tous cette femme ? L'a-t-il vraiment choisie et préférée à nous ? »

---

85. Écrivain, philosophe et théologien français, il a abondamment commenté les Évangiles gnostiques. (N.d.T.)

À la suite des explications de Jean-Yves Leloup sur ce passage – lesquelles m'ont permis d'en améliorer grandement ma perception –, le texte de l'Évangile se poursuit ainsi sur la réponse de Marie Madeleine : « Mon frère Pierre, qu'as-tu dans la tête ? Crois-tu que c'est toute seule, dans mon imagination, que j'ai inventé cette vision ? Ou qu'à propos de notre Maître je dise des mensonges ? »

À ce moment, il devient clair comme de l'eau de roche que cette femme ne peut tout simplement pas gagner, puisqu'on l'a alors reléguée à sa situation de prostituée. Elle ne peut gagner auprès de ses contemporains – dont plusieurs sont des disciples – parce qu'ils sont remplis de jalousie à l'égard de son intimité avec Yeshoua ou Jésus (l'Enseigneur).

Dans *Marys of the Sea*, j'ai choisi précisément de mettre en évidence cette intimité entre Jésus et Marie Madeleine. En cela, j'ai été en partie inspirée par une citation de l'*Évangile de Philippe* (chapitre 59, verset 9) qu'on trouve dans l'introduction de Jean-Yves Leloup à l'*Évangile de Marie Madeleine* : « C'est sur cet aspect particulier de sa relation avec Myriam de Magdala qu'insistera par exemple l'*Évangile de Philippe*, dans lequel Myriam est la compagne de Yeshoua (Koinonos). [...] "Le Seigneur aimait Marie plus que tous les disciples, et il l'embrassait souvent sur la bouche. Les autres disciples le virent aimant Marie, ils lui dirent : 'Pourquoi l'aimes-tu plus que nous tous ?' Le Sauveur répondit, et dit : 'Comment se fait-il que je ne vous aime pas autant qu'elle[86] ?'" »

Dès le début, j'ai su que la Madeleine serait mon maître. Mais je ne pouvais obtenir les informations nécessaires et je ne savais pas comment y parvenir. Ainsi, vous lancez votre ligne de questions dans ce qui semble être une mer silencieuse et aveugle et vous savez que vous êtes stupide parce que, bien sûr, la mer ne peut pas être aveugle ! Puis vous êtes constamment à la recherche de signes... mais à quoi peuvent-ils bien ressembler ? Puis, de nouveau, vous lancez votre ligne, à la recherche du moindre signe. Mais enfin, faut-il être doté d'une vision radiographique pour les apercevoir ? D'abord, il fallait redéfinir le fameux cliché « liberté pour les femmes ».

---

86. Jean-Yves Leloup. *L'Évangile de Marie, Myriam de Magdala*, Paris, Albin Michel, coll. « Spiritualités vivantes », 2000, p. 17-18.

J'ai entendu des actrices de films pornos affirmer qu'elles étaient libérées. C'est leur droit. En un sens, ce n'est pas tellement différent de la façon avec laquelle j'abordais la sexualité au début de ma carrière. Mais quand une femme se fait chier dessus émotionnellement et littéralement, alors on est jusqu'au cou dans le profane et il ne reste plus beaucoup de place pour le sacré. Toute sensualité a disparu. C'est la brutalité du pouvoir dans toute sa cruauté. On passe alors à côté de tout ce qui importe : l'extase, l'atteinte simultanée de l'orgasme. Le sexe, dans ces conditions, est l'affaire d'une seule personne soumise au pouvoir de quelqu'un d'autre, ce qui présente beaucoup d'analogies avec la religion. Je n'ai d'ailleurs jamais pu déterminer vraiment si le sexe est le harem de la religion ou l'inverse.

Je me suis demandé : « Y a-t-il une façon d'atteindre l'orgasme tout en préservant sa spiritualité ? » Pour moi, c'est l'orgasme des orgasmes qui ressemble, à mon avis, à ce que j'éprouve lorsque je suis en spectacle. Dans le sens non pas littéral, mais artistique. Et ce qu'on souhaite, au bout du compte, c'est de vivre cela en fusion avec son homme ou sa contrepartie physique.

Aujourd'hui, j'ai l'impression d'atteindre un équilibre entre Maman et la Prostituée sacrée. C'est étrange parce que, là où nous vivons, [ma fille] Tash fréquente une école chrétienne. Elle revient à la maison avec certaines notions de Dieu. Elle m'a justement dit l'autre jour : « Maman, est-ce que tu crois en Dieu ? » Et, instinctivement, j'ai eu envie de lui demander : « Est-ce que tu veux dire : le Dieu derrière Dieu ? » Et vous savez ce que j'ai fait ? Je me suis dit : « Mon Dieu, T., calme-toi. Elle n'a que trois ans et demi. Il s'agit de ton opinion, pas nécessairement de la sienne. » Elle dit qu'elle veut prier. Alors, quand je m'aperçois que tout ce que Tash désire est de joindre les mains et de rendre grâce, je lui dis : « Allez, on va tout bénir. » Et c'est ce que nous faisons. Elle prie absolument pour tout le monde : les chiens, les enfants, les sirènes, Dieu, madame Dieu ; tout le monde. Nous prions aussi pour notre Mère la Terre. Elle a une notion de l'Enfant Jésus et comprend qu'il y a un Dieu, mais elle comprend aussi qu'il existe une Mère, ce qui sera – je l'espère pour elle – les deux Marie réunies. Puisque les deux Marie n'ont jamais été subjuguées ou divisées dans l'Être de

Tash, il est raisonnable de penser que les deux Marie sont unies dans le petit monde de Tash. Notre Mère la Terre est souveraine. Notre Mère la Terre a réveillé ses enfants.

Le secret offert

par Ki Longfellow

Plus qu'un personnage ou même une muse, Marie Madeleine apparaît aussi pour plusieurs comme la route à suivre pour «rentrer à la maison». Elle représente un moyen d'intégrer la créativité et la spiritualité de telle manière que le créateur, aussi bien que son auditoire, y trouve matière à s'accomplir.

Cela est certainement le cas de Ki Longfellow, dont le roman sur le gnosticisme, The Secret Magdalene, *a été extrêmement bien accueilli à la fois par la critique et les spécialistes des questions religieuses, et ce, pour sa recherche rigoureuse et la qualité de son style. Comme l'a fait remarquer un de ces critiques, «l'une des choses les plus remarquables au sujet de [ce roman] est qu'il navigue à travers la philosophie grecque de l'âge classique, les premiers textes de l'ère chrétienne et la littérature gnostique, tout en les fusionnant dans un tout entièrement cohérent».*

Longfellow croit fermement que Marie Madeleine était une femme parfaitement accomplie, avec ses joies et ses désirs, sa vive intelligence et même un sens de l'humour qui nourrissait son rôle de philosophe, d'éducatrice et de prophète. Elle «savait» tout, un concept qui est au cœur de l'enseignement gnostique.

Aspirant à une carrière littéraire depuis l'âge de quatre ans, Ki Longfellow est aujourd'hui l'auteure de deux romans, d'un opéra comique et d'autres textes importants. Mais elle affirme qu'elle n'a commencé à être véritablement consciente de son art et de ses implications que lorsqu'elle a entrepris d'écrire sur Marie Madeleine. Comme beaucoup d'artistes qui ont intégré Marie Madeleine à leurs projets créatifs, Longfellow est devenue consumée par son sujet, ressentant ses émotions et se délectant de sa sagesse et de son éloquence. Comme elle le souligne dans le texte qui suit, l'expérience qu'elle a vécue en écrivant The Secret Magdalene *est devenue beaucoup plus qu'un exercice de création littéraire. À bien des égards, dit-elle, elle lui a permis d'accéder à sa propre gnose.*

J'ai écrit mon premier «livre» à l'âge de quatre ans: huit pleines pages illustrées. Je crois donc pouvoir affirmer que j'ai passé ma vie à polir mon art. Mais, surtout, je pense aussi que, toute ma vie durant, je me suis préparée à écrire *The Secret Magdalene*.

Avant la Madeleine, mes premiers romans étaient comme des flèches toutes dirigées vers les cibles habituelles: le succès littéraire, peut-être un petit gain financier... qui me permettrait tout au moins de gagner ma vie avec le talent dont la nature m'avait dotée. Et tout en manifestant de l'intérêt pour les histoires que je racontais – souvent amusée, parfois même passionnée par elles –, je ne peux pas dire qu'elles m'étaient chères. C'est seulement lorsque j'ai découvert en moi, de façon mystérieuse et inexplicable, le désir de raconter ma propre version de la vie d'une femme appelée Marie Madeleine qu'un récit a surgi du fond de mon cœur.

Et, malgré tout, je ne suis même pas certaine que ce soit moi qui ai écrit *The Secret Magdalene*. En tout cas, pas entièrement. La voix de Marie Madeleine (que la romancière que je suis a appelé « Mariamne Magdal-eder ») est bien la sienne. Bien sûr, tous les romanciers découvrent que les personnages qu'ils créent finissent par voler de leurs propres ailes, que leurs actes et leurs paroles les mènent dans des directions que leur auteur n'avait pas envisagées à l'origine. Dans *The Secret Magdalene*, toutefois, j'ai l'impression que les choses sont allées encore plus loin. Une espèce d'intuition de Marie Madeleine a commencé à sourdre en moi, glissant sur les pages, drapée de magie, de majesté et de sagesse. Jour après jour, sous l'impulsion de cette voix unique qui me parlait doucement à l'oreille, le livre a pris forme. Je me réjouissais d'avance de notre « conversation » quotidienne. Puis elle a commencé à me surprendre. Elle me disait des choses étonnantes de façon si magnifique et si simple que, souvent, je m'arrêtais d'écrire pour le seul plaisir de savourer ce qui venait d'apparaître sur l'écran de mon ordinateur. Ainsi, elle est devenue plus qu'une voix qui me dictait ses pensées : je la sentais en moi. Je m'abandonnais à la rêverie lorsqu'elle le faisait, j'étais prise de vertige quand elle l'était, je brûlais de curiosité avec elle, et j'éprouvais, au fil des pages, la même peur qu'elle. J'en suis venue à l'admirer. Elle est devenue ma Muse : on esprit, son intelligence, ses vastes connaissances, son absence totale de vanité, sa bêtise parfois, son désespoir et, enfin, un courage dont peu de gens auraient fait preuve dans les mêmes circonstances. À un certain moment – je ne saurais dire quand –, je me suis rendu compte qu'elle m'avait choisie, car ce n'est certainement pas moi qui l'ai façonnée. Je n'ai jamais eu l'impression qu'elle était un cadeau que je faisais au monde, mais plutôt qu'elle s'était offerte à moi comme un don.

Aujourd'hui, je soupçonne fortement que tout ce que j'ai pu faire – l'écriture, les voyages, les longues années d'apprentissage, les gens qui comptent dans ma vie – n'est que la composante magique de la raison d'être de mon existence en tant qu'artiste : écrire *The Secret Magdalene*.

Permettez-moi d'expliquer ce que je veux dire par « du fond de mon cœur ». Quand je n'étais encore qu'une toute jeune fille, j'ai vécu un moment de gnose. Spontanée, apparemment non sollicitée... mais réelle. Il y a tant de choses qui peuvent provoquer une extase aussi soudaine. Dans mon cas, ce fut la beauté, une irrépressible impression de beauté qui s'est emparée de mon esprit et de mes sens, m'ouvrant à la félicité d'un cosmos auréolé de perfection, de solidité et d'un amour sans mélange. Je ne m'en suis jamais « remise ». Avant cet instant, j'avais eu des signes, pourrait-on dire. J'avais vibré à ce vers saisissant de Tennyson : « Mais de quels nuages brûlant de gloire sommes-nous issus[87] ? » J'avais navigué sur de petites arches de ravissement mêlé de crainte. Après cet instant, je n'ai plus été la même personne. Je ne dis pas que j'avais perdu la raison ou le sens de moi-même. Je n'affirme certainement pas que je suis devenue parfaite ou même une meilleure personne. Ce que je dis, c'est que j'ai tiré de cette expérience une perspective spirituelle qui m'a permis jusqu'à maintenant de trouver de la joie et même du réconfort dans ce qui paraît être – mais n'est pas – la « réalité » banale. Car il n'y a rien de banal dans la réalité.

On a donné plusieurs noms à la gnose : Intoxication silencieuse, Conscience cosmique, Vision de Dieu. William Blake l'a nommée « Jérusalem » ; Walt Whitman, le « Corps électrique ». Emily Dickinson, de son côté, lui a donné autant de noms qu'elle a écrit de poèmes, mais en particulier, je crois, « Éternité ». Quant à Jésus, il l'a appelée « le Royaume de Dieu ». Personne n'est perdu et personne n'a besoin d'être trouvé. C'est la gnose qui est perdue et c'est la gnose qui a besoin qu'on la trouve.

Je suis une conteuse qui, jusqu'à un certain point, a appris à maîtriser son art. Et à ce titre, je ne vois pas de meilleure façon de redécouvrir « Jérusalem » que par Marie Madeleine, celle que les Évangiles gnostiques ont appelée « la femme qui comprenait toutes choses ».

---

87. Traduction libre.

Mais il m'a d'abord fallu la trouver et débarrasser son visage affligé du vernis de piété accumulé pendant dix-sept siècles.

Cela m'a pris sept ans.

L'histoire de Madeleine est très ancienne. Elle a été racontée par les premiers gnostiques, et avant eux par les Égyptiens, et encore avant par les Sumériens. Comme tous les grands récits, elle pose des questions immuables : « Qui sommes-nous ? » « Pourquoi sommes-nous ici ? » « Où est *ici* ? » « Que nous arrive-t-il après la mort ? » Telles sont sans aucun doute les questions que se sont posées les tout premiers humains en fixant les étoiles.

Parce que l'histoire de la Madeleine est le récit universel des mythes directeurs de nos vies, j'ai tissé la légende de Sophia – la Sagesse – à partir des Évangiles synoptiques et d'autres textes, en cherchant constamment à y laisser percer la voix de ma Mariamne. Et par la voix de Marie Madeleine, c'est aussi ma propre histoire que je raconte. J'ai mis beaucoup de moi-même dans la jeune Mariamne : l'enthousiasme de ma jeunesse pour la philosophie et les mystères. Lorsque Mariamne et son amie d'enfance, Salomé, s'amusant à lancer des sortilèges et à concocter des potions, s'étonnent elles-mêmes de leurs talents pour la magie et de leurs capacités psychiques innées, elles traduisent une partie de mes propres expériences et de ma propre fascination pour le mystère et la magie. Quand elles courent dans le dédale de la Grande Bibliothèque d'Alexandrie, je les accompagne. Quand Mariamne se sent blessée par un manque d'égards, s'émerveille d'une chose nouvellement apprise, désespère d'atteindre un objectif, discute d'un concept philosophique avec Philon de Judée, est horrifiée par l'homme qui contient les légions, éprouve de la jalousie lorsque Jésus s'arrête au puits pour parler à une femme, ce sont aussi des moments que j'ai vécus. Aucun écrivain ne peut s'abstraire de son œuvre. Cela n'est pas possible.

Quant à la vie qu'a effectivement menée la véritable Mariamne, elle pourrait bien avoir été beaucoup plus dense que ce que nous imaginons aujourd'hui. Toutes les femmes, à cette époque, n'étaient pas liées à des hommes. Toutes les femmes n'étaient pas pauvres et exploitées. Marie Madeleine pourrait bien avoir été une femme prospère. Sa richesse pourrait lui avoir été transmise de toutes sortes de façons.

Si elle était riche, on peut facilement en déduire qu'elle était indépendante. Elle n'avait non plus aucun besoin de devenir prêtresse pour acquérir des connaissances. Beaucoup de manuscrits sous forme de rouleaux étaient accessibles à ceux qui en avaient les moyens. Il y avait à son époque beaucoup de femmes fortunées, beaucoup de femmes douées d'une vive intelligence, et certaines d'entre elles choisissaient de soutenir une foule de prophètes et de saints hommes ainsi que leur entourage et même de voyager avec eux. Marie Madeleine n'avait pas besoin d'être mariée à Jésus pour le servir dans ce sens. Mais, bien sûr, elle aurait aussi pu être son épouse. Ou encore sa plus sage disciple. Elle aurait aussi pu lui dispenser son savoir. Si on creuse un peu, on découvre un grand nombre de femmes brillantes cachées derrière des hommes célèbres.

Il y a plusieurs raisons pour lesquelles j'ai choisi de faire apparaître Marie Madeleine à la fois en homme et en femme dans *The Secret Magdalene*. J'ai d'ailleurs fait la même chose avec Salomé. Les circonstances et la nécessité de rester dans le secret les obligeaient à se déguiser en hommes. Ainsi, elles étaient en mesure de circuler librement parmi les hommes à titre d'égales. Le fait de vivre comme un homme leur permettait aussi de ressentir les émotions de l'autre sexe et de croître en sagesse. Le fait d'assumer le rôle d'un homme symbolisait également l'ancien précepte selon lequel la personne en quête de sagesse doit devenir « mâle » pour comprendre les enseignements. Lorsqu'elle est homme, Marie Madeleine répond au nom de Jean. Lorsqu'elle est femme, elle peut dispenser à Jésus – ou à Yeshoua, comme on l'appelait à cette époque – ses propres leçons émotionnelles. Quand on lui permet d'être femme, Mariamne Magdal-eder est capable d'entrer en relation avec lui sur le plan sexuel et, en même temps, de lui parler d'égal à égal une fois qu'il l'a acceptée comme « mâle », c'est-à-dire capable de comprendre les enseignements. Salomé en Simon pouvait voyager avec Jean le Baptiste et devenir son disciple préféré. Et enfin, si Mariamne et Salomé sont hommes ou femmes selon les circonstances, c'est aussi afin de mettre en évidence la simple notion que chaque être humain est à la fois mâle et femelle et qu'aucun sexe ne devrait avoir préséance sur l'autre.

« La Madeleine secrète » correspond à l'idée que je me fais d'un *midrash*, un mythe nouveau issu d'un mythe ancien, mais éclairé tout au long par la voix extraordinaire de la Madeleine qui est ma propre Madeleine et qui ressemble peut-être aussi énormément à *sa* propre Madeleine, celle révélée dans les anciens textes récemment découverts. Mais j'ai renoncé à me battre avec ce problème. Je le laisse à la porte de la Créativité. Lorsqu'on franchit cette porte, la question de savoir qui dit quoi à qui n'a plus aucune pertinence... cela ne relève que du récit, de l'art, de la révélation. C'est l'œuvre qui importe.

Au cours de mes longues années de recherche sur Jésus et Marie Madeleine, ainsi que sur leur époque (presque tous les collaborateurs du livre que vous avez entre les mains ont contribué d'une façon ou d'une autre à *The Secret Magdalene*), j'ai découvert des parallèles saisissants entre les traditions occultes de plusieurs cultures anciennes et ma propres expérience de la gnose. Voilà une révélation qui m'a bouleversée et a transformé mon récit de la Madeleine en un mythe universel, un symbole de la recherche de sens qui nous est commune à tous.

Mais lorsque j'en suis venue à lire les Évangiles gnostiques découverts dans le village égyptien de Nag Hammadi, j'ai été proprement soufflée. Ce que j'ai ressenti, c'est que Marie Madeleine a *su* bien avant moi. Ce que j'essayais de dire dans *The Secret Magdalene*, elle l'avait déjà dit. C'est là, dans ces manuscrits longtemps gardés secrets, que j'ai appris qu'on la nommait « la femme qui comprenait toutes choses ». Assise devant mes livres, mes papiers et mon ordinateur, je respirais la révélation. Marie Madeleine, sous une forme ou une autre, d'une façon ou d'une autre, me parlait... comme sans aucun doute elle parle à quiconque lui prête une oreille bienveillante.

En même temps, j'espère avoir aussi trouvé dans la voix de Marie Madeleine une façon de susciter la résurgence du principe féminin dans les affaires humaines et – ce qui me paraît plus important encore sur le plan spirituel – le rétablissement du principe de la Déesse, comme il était communément compris et accepté dans les temps anciens. Encore une fois, la rencontre de Mariamne et de Jésus dans *The Secret Magdalene* l'obligeait à se déguiser en homme, en Jean le Petit ou Jean le Disciple bien-aimé, parce que la culture juive de cette époque ne permettait pas qu'une femme se trouvât seule en compagnie d'un homme avec lequel elle n'avait pas de lien de parenté. Donc, en ce sens, le pouvoir du principe féminin devait être révélé à Jésus par l'entremise de Jean/Mariamne. De la même façon, je crois que mon roman sert à stimuler notre compréhension du caractère mutuel des forces féminine et masculine, lesquelles se combinent pour donner naissance à la vérité entières : la vérité de Dieu – ou de la Source – en tant que notre Maison de droit, et le principe féminin en tant qu'épanchement de la Source, dans le théâtre créatif de la nature.

Au fil des siècles, Jésus est devenu Dieu, mais Marie Madeleine est devenue une «femme déchue». À mesure que nous approchons de l'aube de son troisième millénaire, elle est aussi devenue – au-delà du roman populaire – le «Saint-Graal». Plus qu'une déesse et une femme de sagesse, elle est élevée aujourd'hui au rang de salvatrice, sur un pied d'égalité avec le Christ. À cet égard, je crois que, tout comme cela est arrivé à Jésus, Marie Madeleine risque de perdre son caractère humain et ainsi de nous donner le sentiment qu'il n'est pas en notre pouvoir de partager avec elle son accomplissement de la gnose ou de ce que l'on appelle «Comprendre le Tout». De la même façon que Jésus n'aurait pas dû être considéré comme Dieu, mais aurait plutôt dû nous permettre de «connaître» le dieu en nous, Marie Madeleine n'a pas vécu pour qu'on la nomme Déesse, mais pour que nous puissions faire ce qu'elle a fait.

En fin de compte, il me semble qu'en écrivant *The Secret Magdalene*, j'ai tenté de prévenir ce danger. Marie Madeleine connaissait le TOUT. Ce qu'elle savait, chacun de nous peut le savoir. Il doit y avoir une raison pour laquelle elle m'a parlé à moi, de la même manière qu'elle parle à d'autres. Dans le cours de nos conversations, il était tellement clair qu'elle souhaitait me dispenser son enseignements! Tout ce que j'ai fait, c'est de l'aider de la seule manière possible : en l'écoutant.

MARIE MADELEINE, SUPERSTAR

PAR KATHLEEN MCGOWAN

L'histoire de Kathleen McGowan offre le genre de conclusion auquel la plupart des écrivains ne peuvent que rêver. Après avoir consacré plus de deux décennies à la recherche et à la rédaction de sa trilogie The Magdalene Line, *elle se mit en quête d'un agent. Malgré certains signes d'intérêt, aucun contrat d'édition ne fut signé et elle décida, finalement, de publier à compte d'auteur le premier tome de sa trilogie,* The Expected One, *en mars 2004.*

Le livre attira presque immédiatement l'attention. Il tomba entre les mains d'un important agent littéraire, ce qui permit à Kathleen McGowan de signer un contrat d'édition de plusieurs millions de dollars avec la maison Simon & Schuster. Le lancement aux États-Unis eut lieu en juillet 2006, et le livre sera traduit en vingt-trois langues. Entre-temps, les exemplaires originaux publiés à compte d'auteur atteignent maintenant pas moins de cent dollars sur eBay.

Plusieurs romans axés sur le point de vue de leur auteur sur Marie Madeleine ont été publiés au cours des vingt dernières années. Il semble bien que celui de McGowan pourrait devenir le plus connu et le plus largement diffusé, en partie en raison de son talent littéraire, en partie en raison des tribulations qui y sont rattachées, et aussi dans une large mesure en raison du moment de sa publication, à une époque où, partout dans le monde, des gens de toutes confessions et de tous les horizons intellectuels affichent un intérêt marqué pour ce personnage historique dont on sait si peu et à propos duquel on imagine tant. Pour Kathleen McGowan, qui travaille actuellement dans ses moments libres à des versions de son livre et de son aventure littéraire destinées au cinéma et à la télévision, toute cette attention ne représente en fait que le glaçage sur le gâteau. Sa relation avec Marie Madeleine, qui a débuté lorsqu'elle n'avait que dix ans, n'a rien à voir avec la gloire et la fortune. C'est une affaire de courage, de ténacité, de foi et une volonté d'offrir au monde un peu de grâce, d'équilibre et de vérité. Ses livres représentent à ses yeux sa propre contribution à cet objectif.

C'est la faute d'Andrew Lloyd Weber et de Tim Rice. Ce sont eux qui ont commencé.

Je n'avais que dix ans lorsque ma mère, branchée et progressiste, nous a chargés, mes frères aînés et moi, dans le break Ford Falcon et a pris la route du cinéma local pour voir la version filmée de *Jesus Christ Superstar*. Ç'a été le coup de foudre immédiat pour chacun d'entre nous. Sur le chemin du retour, nous nous sommes arrêtés chez le disquaire et nous avons acheté le vinyle de la bande sonore, un album double assez cher qui n'était pas tellement dans nos moyens, mais, tous les trois, nous avions harcelé maman jusqu'à ce qu'elle finisse par céder.

Cet été-là, nous sommes littéralement passés au travers des sillons de ces deux disques à force de les faire jouer sur notre tourne-disque portable. Nous interprétions l'œuvre en entier, du début à la fin, accompagnant la bande sonore et dansant autour du patio. Ce rituel s'est déroulé ainsi chaque jour pendant au moins un mois. Les garçons se partageaient les principaux rôles et se disputaient pour déterminer qui interpréterait le rôle de Jésus ou de Judas, mais parce que j'étais la seule fille et qu'il n'y avait qu'un rôle féminin, j'en avais l'exclusivité. Ces quelques semaines sont demeurées dans la mémoire familiale comme « l'été de *Superstar* », et c'est ainsi que j'ai passé chaque jour de ce mois de juillet de mes dix ans à imiter Marie Madeleine et sa dévotion pour Jésus, enveloppée dans le poncho rouge de ma mère. Depuis, mon imitation d'Yvonne Elliman interprétant *I Don't Know How to Love Him* est à faire damner un saint.

À cet âge tendre, jamais je n'aurais pu soupçonner le genre de métamorphose mentale et spirituelle qui était en train de se produire dans ma conscience, pendant cet « été de *Superstar* ».

Reportons-nous à la fin de mon adolescence, alors que je suis rapidement passée du statut d'étudiante en journalisme à celui d'écrivaine idéaliste et activiste. J'ai déménagé en Europe et, tout au long des années 1980, je me suis engagée corps et âme dans le débat politique tumultueux qui avait alors cours en Irlande du Nord. C'est au cours de cette période que je suis devenue de plus en plus sceptique à l'égard de l'histoire officielle. À titre de témoin d'événements dramatiques et souvent violents, je constatais que, en toutes circonstances, la version officielle n'avait rien à voir avec ce qui s'était passé sous mes yeux. Très souvent, le compte rendu de ces événements dans les médias ne correspondait en rien à ce dont j'avais été témoin : ces versions documentées présentaient plusieurs couches de parti pris politique, social et personnel. L'idéalisme de ma jeunesse a été durement mis à l'épreuve quand j'ai compris que la « vérité » était perdue à jamais.

L'était-elle vraiment ?

J'ai commencé à ressentir une irrépressible obligation d'interroger l'histoire. Tout ce que je découvrais me faisait réaliser que je me trouvais désormais sur le fil du rasoir d'une façon de voir potentiellement radicale. Essentiellement, je ne croyais rien de ce qui était présenté comme une preuve historique !

Où cela me menait-il ? J'étais une historienne qui ne faisait plus confiance à l'histoire, une journaliste qui n'accordait aucun crédit aux sources que je pouvais consulter dans les bibliothèques ou sur les microfiches. Où allais-je trouver les réponses que je cherchais ?

C'est mon histoire familiale émaillée de légendes irlandaises qui m'a menée à la réponse définitive : le folklore. Un mot qui peut sembler désuet et inoffensif, mais qui se rattache à une tradition puissante et durable, aussi ancienne que l'humanité elle-même. Mes propres expériences en Irlande avaient renforcé ma foi dans l'importance des traditions orales et culturelles qui composent le folklore, ainsi que dans les raisons qui en font l'une des sources les plus riches dont nous disposons pour comprendre l'expérience humaine. Pendant mon séjour à Belfast, j'ai interrogé des membres de sociétés politiques secrètes et de groupes paramilitaires clandestins. Les informations les plus précieuses provenaient toujours de récits relatés par des gens de l'intérieur, de comptes rendus de première main comprenant divers détails sur des traditions et des événements transmis de père en fils, de mère en fille, et connus depuis des temps immémoriaux. Aucun de ces renseignements n'est disponible où que ce soit sous forme imprimée. Ils n'existent que dans la mémoire des gens de l'endroit, pour des raisons qui ne sont pas moins importantes que la vie et la mort elles-mêmes.

Les événements qui se passaient dans les rues de Belfast sont devenus mon microcosme. S'ils étaient constamment reconstitués et altérés par la presse officielle, qu'arrivait-il lorsque ce concept s'appliquait au macrocosme de l'histoire mondiale ? Est-ce que la tendance à manipuler la vérité augmentait à mesure que nous cherchions plus loin dans le passé, à une époque où seuls les riches, les gens instruits et les vainqueurs étaient en mesure d'écrire l'histoire ?

En tant que femme, je voulais pousser cette idée un peu plus loin. Depuis que l'on écrit l'histoire, la vaste majorité des documents que les spécialistes jugent acceptables a été le fait d'hommes bénéficiant d'un certain statut social et politique. Nous croyons en la véracité de ces documents pour la simple raison qu'ils peuvent être « authentifiés » par rapport à une certaine époque. Mais le carbone 14 et les documents écrits ne peuvent pas tout dire sur le point de vue et les desseins de l'auteur qui a couché ces mots sur le papier. Nous prenons rarement en compte le fait qu'ils ont été rédigés à des époques de grande noirceur, où le statut des femmes ne valait guère mieux que celui du bétail et où certains croyaient même qu'elles n'avaient pas d'âme ! Combien de récits magnifiques ont été perdus pour la postérité simplement parce que les femmes qui en étaient les protagonistes n'étaient pas considérées comme suffisamment importantes – ou suffisamment humaines – pour qu'on leur accordât la moindre attention. Combien de femmes ont ainsi été complètement rayées de l'histoire ?

Puis il y a eu ces femmes qui ont été tellement puissantes et qui ont joué un rôle si important dans les affaires du monde que l'on n'a pu les ignorer. Plusieurs de ces femmes sont toutefois passées à l'histoire comme des scélérates coupables d'adultère, de multiples intrigues, d'impostures et même de meurtre. Est-ce que ces descriptions étaient justes ou s'agissait-il de propagande politique destinée à discréditer les femmes qui avaient osé affirmer leur intelligence et leur pouvoir ? Armée de ces questions et d'une méfiance grandissante à l'égard de ce qui est généralement tenu pour vrai sur le plan historique, j'ai entrepris de me documenter afin d'écrire un livre sur ces femmes tristement célèbres. Je l'ai intitulé *Maligned and Misunderstood* et j'ai alors commencé à me pencher sur les femmes les plus illustres de l'histoire, dont Marie-Antoinette et Lucrèce Borgia.

Ce n'est que l'une des nombreuses synchronicités qui allaient changer le cours de ma vie. En 1993, alors que je travaillais à la rédaction de mon livre, l'opéra rock *Jesus Christ Superstar* est revenu à l'affiche à Los Angeles. Il fallait que je voie ce spectacle, mais, à ce moment-là, j'ai mis cela simplement sur le compte de la nostalgie. Tandis que la comédienne qui jouait le rôle de Marie Madeleine était sur scène et que je murmurais en même temps qu'elle les paroles que je connaissais si bien depuis mon enfance, j'ai réalisé que quelque chose dans mon subconscient m'avait préparée, quelque vingt ans plus tôt, à comprendre l'histoire de Marie Madeleine. La femme que j'étais maintenant a tout à coup été submergée par la puissance et la signification de son héritage. Était-il possible qu'elle ait été plus proche de Jésus que n'importe quel autre de ses disciples ? Et pourtant, l'histoire ne s'est souvenue d'elle qu'en tant que prostituée et femme déchue. Marie Madeleine était-elle la reine des femmes diffamées et incomprises de l'histoire ? Je commençais à le penser.

Je me suis mise à essayer de mieux comprendre cette énigme du Nouveau Testament à propos de son importance en tant que disciple du Christ. Je savais que, avec les réformes de Vatican II, l'Église avait fait des efforts pour redresser l'injustice commise à l'encontre de la réputation de Marie Madeleine, puisque c'est le pape Grégoire le Grand qui, au VIe siècle, avait fusionné son histoire et celle de la pécheresse anonyme. Ç'a été mon point de départ. Mais j'ai découvert rapidement que les explications de l'Église, aussi intentionnées qu'elles soient, ne valaient guère mieux que la rétractation au bas de la page 38 d'une nouvelle qui avait fait la une pendant tellement d'années.

J'ai donc formé le projet d'intégrer l'histoire de Marie Madeleine à celle de tant d'autres femmes dans le contexte d'un ouvrage qui allait couvrir vingt siècles. Mais Marie Madeleine avait d'autres projets pour moi et elle a commencé à me le faire savoir avec une force irrésistible.

Par la suite, j'ai été visitée par une série de rêves récurrents ayant pour thème les vies entrelacées de Marie Madeleine et de Jésus. Des événements inexplicables et souvent surnaturels m'ont poussée à entreprendre des recherches qui m'ont menée sur quatre continents. Je faisais preuve de la diligence nécessaire en lisant tous les textes historiques et tous les essais sur le sujet qui me tombaient sous la main, mais je trouvais la plupart d'entre eux décevants. Ils posaient plus de questions qu'ils n'offraient de réponses et je restais toujours sur ma faim. J'ai alors décidé de suivre mon cœur et ma tête en explorant l'autre avenue de recherche qui ne m'avait jamais laissée tomber : la tradition orale. Mon intérêt pour les traditions folkloriques entourant Marie Madeleine a tourné bientôt à l'obsession, à mesure que j'entrais en contact avec les fascinantes traditions culturelles anciennes qui ont été préservées avec amour et une passion fervente partout en Europe occidentale. J'ai été invitée dans le cercle restreint de certaines sociétés secrètes et j'ai rencontré les dépositaires de révélations si sacrées que je demeure étonnée, encore aujourd'hui, que l'on ait réussi à les préserver pendant deux mille ans.

Le folklore et les traditions d'Europe m'ont également permis de me rapprocher de certains mystères reliés à Marie Madeleine, en particulier ceux pour lesquels tous les livres que j'avais lus ne m'avaient jamais fourni d'explications acceptables. Une version riche et magnifique de la vie de Marie Madeleine m'a été révélée, qui la dépeint clairement non seulement comme l'« apôtre des apôtres » mais aussi comme rien de moins que la reine d'une lignée dynastique et l'épouse légale et bien-aimée de Jésus-Christ. Je crois de tout mon cœur que Marie Madeleine n'a pas seulement été la dirigeante de l'Église primitive, mais aussi celle à qui Jésus a confié sa mission sacrée. C'est ce que je raconte intégralement, ainsi que l'histoire de mon cheminement personnel vers cette découverte, dans le roman inspiré de faits réels qu'est *The Expected One*.

De plus, les personnes en quête de spiritualité peuvent accéder à une mine de documents, dont la plupart ont été écrits entre le IIe et le IVe siècle et qui ne sont pas reconnus par les canons de l'Église traditionnelle. Il y a des milliers de pages à découvrir : Évangiles « alternatifs », Actes des Apôtres et divers récits donnant des détails et des renseignements uniques sur la vie et l'époque de Jésus qui seront entièrement nouveaux pour les lecteurs qui ne sont jamais allés au-delà des quatre Évangiles canoniques. Je crois que si l'on explore l'ensemble de ces textes – y compris le folklore et les traditions d'Europe et du Moyen-Orient – en ouvrant son esprit et son cœur, un pont de lumière et de compréhension se dressera entre les multiples ramifications de la chrétienté et bien au-delà.

On trouve également des renseignements fascinants sur la croyance en l'importance de Marie Madeleine dans la peinture de la Renaissance et des périodes suivantes, puisque les grands maîtres l'ont abondamment représentée. La plupart des femmes que l'on voit dans les peintures allégoriques de Botticelli – comme la déesse en attente au centre du *Printemps* et la très belle femme debout dans un coquillage dans *La Naissance de Vénus* – sont évidemment des représentations de Marie Madeleine. Cette Marie-là a été la muse de beaucoup d'autres maîtres, dont Ghirlandaio, El Greco, Poussin et même Salvador Dali. On la retrouve aussi dans les contes de fées, les comptines (« Marie avait un petit agneau… ») et certaines anciennes ballades de troubadours composées en hommage à cette dame vertueuse et inaccessible. À bien des égards, l'opéra rock *Jesus Christ Superstar* représente un nouveau type de tradition orale, une façon de passer par l'art pour conférer à un récit de première importance la passion et la puissance de la musique. J'ai en effet rencontré des centaines de fans de l'œuvre de Weber et de Rice qui attribuent au pouvoir de la musique le fait qu'ils soient devenus des chrétiens fervents! Et bien que la représentation de Madeleine dans cette œuvre moderne perpétue l'idée malencontreuse qu'elle était une prostituée, j'estime qu'elle y figure aussi comme une femme investie d'une foi et d'une grâce de tous les instants.

Il y a des éléments de la vie de Marie Madeleine telle que je la raconte qui ne peuvent être corroborés par aucune source livresque acceptable. Ils n'existent que dans les traditions orales et ont été préservés dans des environnements jalousement gardés par ceux qui ont craint pendant des siècles que ces secrets ne soient révélés. Mon expérience personnelle, des années plus tôt, à Belfast, m'a aidée à comprendre les états d'esprit d'une culture qui n'ose pas consigner ses croyances dans des documents écrits par crainte que cela n'entraîne la persécution, la prison et même la mort. Les anciens disciples de Marie Madeleine, connus sous le nom de cathares, ont vécu dans la peur de telles représailles et avec raison: ils ont été traqués par l'Église médiévale, brutalement torturés et exécutés des plus horribles façons. Plus d'un million d'entre eux ont été massacrés dans le sud de la France en raison de leurs croyances «hérétiques» selon lesquelles Marie Madeleine aurait été l'épouse de Jésus et, par la suite, la véritable fondatrice spirituelle de la chrétienté dans le monde occidental. Les cathares ont compris, au prix de souffrances inimaginables, que la seule manière de survivre consistait à garder secrètes leurs connaissances et leurs traditions. Cela est encore vrai aujourd'hui, alors que des sociétés secrètes continuent de préserver la foi pure de leurs adhérents et les enseignements de Jésus tels qu'ils ont été portés en Europe par sa partenaire spirituelle bien-aimée.

Tout au long de ces années de recherche, j'ai discuté avec des ecclésiastiques et des fidèles de plusieurs confessions religieuses, les questionnant, débattant avec eux et leur donnant même raison sur plusieurs points. J'ai le bonheur de compter parmi mes amis et collègues des représentants de multiples horizons spirituels : prêtres catholiques, pasteurs luthériens, pratiquants gnostiques et prêtresses païennes. En Israël, j'ai rencontré des spécialistes et des mystiques de la religion juive ainsi que des adeptes de la foi orthodoxe qui gardaient les Lieux saints de la chrétienté. Mon père est baptiste, mon mari est un fervent catholique et ma mère est une descendante des plus anciennes traditions irlandaises reliées au culte de la Déesse et de la nature. Tous ces gens s'inscrivent dans la mosaïque de mes principes religieux. Malgré les profondes différences qui existent entre leurs philosophies respectives, chacune de ces personnes m'a fait le même cadeau : la possibilité d'échanger des idées et d'engager le dialogue en toute liberté et sans animosité.

Cela représente, à mes yeux, l'essence même de l'enseignement de Marie Madeleine. Pendant toutes mes années de recherche, cette femme m'a tellement inspirée par son courage, sa ténacité et la profondeur de sa fois ! Ce que j'ai trouvé dans le message de Marie, c'est l'amour, la tolérance, le pardon et la responsabilité individuelle. C'est un message d'unité et de bienveillance à l'égard de toutes les confessions religieuses. Que le monde soit interpellé et édifié par cette renaissance de Marie Madeleine me procure une immense joie. C'est son tour de rayonner maintenant, en nous incitant, par sa sagesse, à retourner à un état de grâce et d'équilibre.

C'est là que vous me trouverez si vous décidez aussi d'entreprendre le pèlerinage sur la route de la quête et de l'entendement, comme quelqu'un qui cherche désespérément à apprendre comment on peut créer un paradis sur terre, ainsi que Jésus et Marie nous l'ont enseigné. Je suis facile à reconnaître : je porte un vêtement rouge et je fredonne la bande sonore de *Jesus Christ Superstar*.

CHAPITRE 9

Marie Madeleine révélée au XXIᵉ siècle

LA QUÊTE SPIRITUELLE
DE MARIE MADELEINE

PAR DEIRDRE GOOD

Comme le souligne clairement le texte qui suit, Deirdre Good entretient avec Marie Madeleine des rapports à la fois intensément professionnels et intensément personnels. Sur le plan professionnel, elle est l'une des meilleures spécialistes mondiales de Marie Madeleine et des croyances de l'Église primitive. Professeure au General Theological Seminary de l'Église épiscopale de New York, elle enseigne le Nouveau Testament, en plus de mener des recherches sur les textes anciens en langues originales copte et araméenne ainsi que dans d'autres langues bibliques. Good croit que la vision spirituelle de Marie Madeleine fournit un modèle de relation intime avec Jésus qui transcende la mort, le temps et l'espace. Sur le plan personnel, elle soutient que, pour elle, Marie Madeleine incarne une présence réconfortante et encourageante face au désespoir, la « seule présence d'où puisse surgir l'espoir ».

Pour ses points de vue aussi bien professionnels que personnels, Deirdre Good est très sollicitée en tant que professeure, conférencière et commentatrice, et elle compte de nombreuses apparitions médiatiques à ce titre. Elle a également publié Mariam, the Magdalen and the Mother, *un ouvrage composé d'articles à la fine pointe de la recherche, écrits par divers spécialistes. À titre de collaboratrice à la rédaction de ce livre,* Les Secrets de Marie Madeleine, *Deirdre Good nous a fait bénéficier non seulement de son expertise, mais aussi de sa conviction que les lecteurs devraient pouvoir se former une opinion sur Marie Madeleine au-delà des controverses issues des grands titres de l'actualité.*

Au cœur de l'histoire de Marie Madeleine figure sa rencontre avec Jésus ressuscité. Lorsqu'ils se croisent dans le jardin, elle devient témoin de la résurrection du Christ. Comme premier témoin de cette bonne nouvelle, elle s'en va prêcher les apôtres et mérite le titre d'« apôtre entre les apôtres ». Quant à savoir comment et pourquoi elle est la seule à rencontrer Jésus et quelle a été la signification de cet échange, ce sont là des questions qui valent la peine d'être étudiées.

Peu de gens dans l'Antiquité, y compris les disciples de Jésus, croyaient les femmes capables de quelque perspicacité que ce soit et encore moins face à une personne ressuscitée d'entre les morts. C'est dire que la situation de Marie Madeleine comme témoin de la résurrection, telle que rapportée dans les Évangiles, soulève des questions sur l'anthropologie et les sexes, en particulier : Qui perçoit quoi et comment cela peut-il être appréhendé ? Quelles étaient (et quelles sont, encore aujourd'hui) les façons dont les femmes et les hommes pouvaient appréhender et reconnaître le fait que Jésus était ressuscité ? Et enfin, j'aborderai dans ce texte la manière dont la tradition chrétienne a compris cette rencontre entre Marie et Jésus pour transmettre une idée centrale de la résurrection, à savoir que le don de la résurrection offert par Dieu est exprimé en recréant un lien entre les gens. Pour que la résurrection soit réelle et qu'elle permette de rétablir leur relation, Marie Madeleine et Jésus doivent se rejoindre au-delà de la mort, du temps et de l'espace. La résurrection est une question de rapports humains.

Voir, percevoir, toucher et entendre

D'abord, j'aimerais explorer les façons dont différentes sources font valoir différentes perceptions. Comment Marie Madeleine appréhende-t-elle Jésus ressuscité ? Est-ce que le don de perception est sien et n'appartient qu'à elle ou les autres l'ont-ils imité ? Sa perception a-t-elle pris une forme particulière ? Évangélistes, peintres, musiciens et théologiens laissent entendre que le contact entre eux s'est établi par la vue, la perception, le toucher et l'ouïe. S'il faut en croire l'Évangile selon saint Matthieu, deux femmes ont appréhendé la résurrection de Jésus par la vue, l'ouïe et le toucher. Comme elles partent annoncer la nouvelle de la résurrection, Jésus croise leur route et les salue. Marie Madeleine et l'autre Marie s'arrêtent, touchent les pieds de Jésus ressuscité et lui rendent hommage. Il leur demande alors d'aller annoncer aux autres disciples qu'elles ont vu Jésus en Galilée. C'est donc par la vue et le toucher que la résurrection est perçue. La vue et le toucher mènent à l'hommage.

L'Évangile selon saint Jean va un peu plus loin. Il attache plus d'importance à l'ouïe qu'à la vue et au toucher dans son compte rendu de la rencontre de Marie et de Jésus ressuscité. Lorsqu'elle aperçoit Jésus, Marie pense d'abord qu'il s'agit du jardinier et s'adresse à lui en tant que tel. La vue est trompeuse. C'est seulement lorsque Jésus prononce son nom qu'elle se retourne en reconnaissant sa voix. Mais elle annonce l'heureuse nouvelle aux disciples en leur disant : « J'ai vu le Seigneur. » Bien sûr, cette façon de s'exprimer peut englober le fait qu'elle l'a entendu. L'Évangile selon saint Jean décrit donc la perception qu'a Marie de la résurrection comme un phénomène auditif assorti d'une vision corrigée.

Dans le même Évangile, Jésus apparaîtra bientôt à Thomas afin que celui-ci puisse voir et toucher comme il l'a demandé : « À moins que je ne voie en ses mains la marque des clous, et que je ne mette ma main dans son côté, je ne le croirai point. » Lorsqu'il apparaît à Thomas, Jésus lui dit : « Avance ton doigt ici et regarde mes mains. » Mais il ajoute cet avertissement : « Parce que tu m'as vu, tu as cru ; bienheureux ceux qui n'ont point vu et qui ont cru. » La vue et le toucher ont leurs limites, laisse ainsi entendre Jésus. En présence de Thomas, Jésus rend hommage à ceux dont la perception va bien au-delà de la préférence de Matthieu pour la vue et le toucher et inclut également la capacité d'entendre.

Les représentations picturales et musicales de la rencontre entre Marie et Jésus dans le jardin près du tombeau vide font une large place aux aspects visuel et auditif de leur contact. De telles interprétations cherchent à dépeindre la résurrection sous un angle physique. Dans les tableaux, Marie regarde Jésus. Parfois, elle tend la main vers lui. On le représente parfois en vêtements funéraires ou encore dans des habits de jardinier. Il arrive même qu'une main tienne un outil de jardinage. Sur d'autres représentations, on peut lire les mots : « Ne me touche pas ! » Toutefois, la proximité entre les deux personnages est claire et contredit l'interdiction proférée par Jésus.

L'hymne bien connu *In the Garden* est une représentation musicale de la même scène. Charles Austin Miles a raconté comment l'inspiration lui en était venue. Un jour de mars 1912, il ouvrit la Bible au chapitre 20 de Jean et il lui sembla du coup faire partie de la scène dans laquelle Marie s'agenouille aux pieds de Jésus, criant: «*Rabboni*[88]» en signe de reconnaissance.

«Comme le jour déclinait, dit-il, il me paraissait que j'étais à l'entrée d'un jardin, dominant un petit sentier sinueux ombragé par les branches des oliviers. Une femme vêtue de blanc, la tête inclinée, une main étreignant sa gorge comme pour retenir ses sanglots, marchait lentement dans l'ombre. C'était Marie. Comme elle arrivait au tombeau, sur lequel elle posa la main, elle se pencha pour regarder à l'intérieur et s'enfuit aussitôt. Jean, vêtu d'une tunique flottante, apparut, regardant en direction du tombeau. Puis vint Pierre, qui y pénétra, suivi lentement de Jean. Comme ils partaient, Marie réapparut: adossée contre le tombeau, la tête appuyée sur un bras, elle pleurait. Se tournant alors, elle vit Jésus debout et je le vis aussi. Je savais que c'était Lui. Elle s'agenouilla à Ses pieds, les bras étendus et fixant Son visage, puis s'écria: "*Rabboni!*"»

Inspiré par cette vision, Miles composa le poème aussi rapidement qu'il put et, plus tard, le soir même, il en écrivit la musique.

In the Garden
I come to the garden alone,
While the dew is still on the roses;
And the voice I hear, falling on my ear,
The Son of God discloses.

Refrain
And He walks with me,
And He talks with me,
And He tells me I am His own;
And the joy we share as we tarry there,
None other has ever known.

He speaks, and the sound of His voice
Is so sweet,

---

88. Cité dans Bill Henderson, *Simple Gifts: Great Hymns: One Man's Search for Grace.*

The birds hush their singing,
And the melody that He gave to me,
Within my heart is ringing.

Refrain

I'd stay in the garden with Him,
Though the night around me be falling,
But He bids me go;
Through the voice of woe,
His voice to me is calling.

Refrain

(Dans le jardin où j'aime entrer
À l'heure douce de l'aurore,
Je me rends seul pour rencontrer
Celui que mon âme adore.

Refrain
Il marche avec moi,
Mon Sauveur, mon Roi,
Il me dit que je suis à Lui;
Il est mon soutien,
Il est tout mon bien,
Mon salut, mon divin appui.

Il parle, et dans mon cœur, sa voix
Fait naître une joie infinie,
Les oiseaux mêmes, au fond des bois,
Suspendent leur mélodie.

Dans les parterres du jardin,
Les fleurs humides de rosée
Offrent au visiteur divin
Leur corbeille parfumée.

361

Le don que tu cherches, Seigneur,
Meilleur que les fruits de la terre,
C'est l'offrande de tout mon cœur,
Elle seule peut te plaire[89]*.)*

Beaucoup de gens connaissent et entonnent fréquemment cet hymne sans y reconnaître le lien avec Marie Madeleine. Il offre à Madeleine une voix commune à tous les croyants après la mort de Jésus ; son propos et les sentiments qu'il évoque sont érotiques et puissants.

En reconnaissant dans son Évangile les limites de la vue et du toucher, Jean aide les lecteurs à surmonter l'absence physique de Jésus qu'ont dû surmonter les fidèles du Ier siècle. Mais du même souffle, la vision, l'ouïe et le toucher ne sont ni ignorés ni minimisés dans cet Évangile : Jésus parle à Marie pour être entendu et il apparaît à Thomas de façon que celui-ci puisse le toucher. Pourtant, au bout du compte, Jésus fait l'éloge de celui qui croit sans avoir vu. Loue-t-il ainsi ceux dont la foi est fondée sur ce qui est moins audible et moins tangible ? Par ailleurs, en rapportant l'apparition de Jésus à Marie Madeleine et à Thomas, Jean semble reconnaître que la foi éprouve le désir de repères auditifs et tangibles. Les créateurs de représentations picturales et musicales de cette scène ont bien compris ce désir.

La vision qu'a Marie de Jésus ressuscité, telle que rapportée dans l'*Évangile de Marie*, est plutôt appréhendée par son esprit. Ce qui reste de ce texte s'ouvre sur une scène dans laquelle Marie réconforte les disciples en leur prodiguant des paroles de consolation. Les disciples commencent alors à discuter des paroles du Sauveur. Pierre implore Marie de répéter aux autres disciples les mots qu'a prononcés le Sauveur et qu'elle est la seule à avoir entendus. Elle leur raconte alors sa vision de Jésus ressuscité. Elle rapporte d'abord une question qu'elle a posée à Jésus : est-ce qu'une vision se présente à l'âme ou à l'esprit ? Le Sauveur répond que ce n'est ni l'âme ni l'esprit qui appréhende une vision, mais plutôt la raison. Jésus lui dit : « Sois bienheureuse, toi qui ne te troubles pas à ma vue. Là où est l'intellect, là est le trésor. » En décrivant Jésus qui

---

89. Paroles françaises de M. Hunter, reproduites sur le site Internet http://louange.org.

362

fait l'éloge des pouvoirs rationnels d'appréhension de Marie Madeleine, l'*Évangile de Marie* repousse les limites des capacités de compréhension que l'on reconnaissait aux femmes à la fin de l'Antiquité. Il est rare en effet qu'on trouve des textes de cette époque qui décrivent – et encore moins qui louent – les capacités de perception rationnelle des femmes.

Les exégètes chrétiens du chapitre 20 de Jean, ignorant sans doute l'existence de l'*Évangile de Marie*, se sont demandé pour quelle raison Jésus était d'abord apparu à des femmes, dont Marie Madeleine, après sa résurrection. Cette question concerne précisément les modes de perception dont on croyait les femmes capables à cette époque. Saint Thomas d'Aquin, par exemple, a suggéré que c'est la présumée plus grande aptitude des femmes à l'amour – comme en témoigne leur fidélité à Jésus jusqu'au pied de la croix et leur présence matinale au tombeau le jour de Pâques – qui leur garantit, dit-il, une intelligence plus vive de la vision béatifique. Saint Thomas a une plus haute opinion de l'amour que de l'appréhension intellectuelle. Voilà un jugement de valeur différent. Sans doute croyait-il que les femmes étaient capables de plus d'amour.

Autant d'évangiles, autant de témoins

On trouve des comptes rendus de la rencontre entre Jésus et Marie Madeleine dans la longue conclusion de Marc, dans l'Évangile selon saint Jean et dans l'*Évangile de Marie*. Dans l'Évangile selon saint Matthieu, comme nous l'avons vu, ce sont deux femmes – dont l'une est Marie Madeleine – qui rencontrent Jésus ressuscité. Dans Luc, plusieurs femmes voient le tombeau vide comme la réalisation de ce que Jésus avait prédit au sujet de sa mise en croix et de sa résurrection, et elles s'empressent d'aller l'annoncer aux apôtres. Mais elles ne voient pas Jésus ressuscité.

S'il faut en croire une conclusion ajoutée à l'Évangile selon saint Marc – le plus ancien des Évangiles – et l'Évangile selon saint Jean – le dernier du Nouveau Testament à avoir été écrit –, Jésus est d'abord apparu à Marie Madeleine et ensuite à d'autres personnes, dont les onze disciples. Dans cet ajout à Marc, Marie Madeleine est identifiée comme la femme que Jésus a délivrée de sept démons. Son compte rendu suscite donc une certaine incrédulité. Dans Luc, par ailleurs, plusieurs femmes – dont Marie Madeleine – arrivent au tombeau chargées d'aromates afin d'en oindre le corps de Jésus. Dans Matthieu, Marie Madeleine et l'autre Marie se rendent au tombeau, mais il n'y est pas fait mention d'aromates. Un ange du Seigneur les accueille pour leur apprendre que Jésus est ressuscité. Comme elles sont en chemin pour annoncer la nouvelle aux autres disciples, Jésus croise leur route et les salue. Alors, elles lui saisissent les pieds et lui rendent hommage. Jésus leur demande ensuite de dire à « [ses] frères » de se rendre en Galilée où il les rejoindra. Dans le texte de Luc, les apôtres à qui elles racontent qu'elles ont vu le tombeau vide refusent de les croire.

Chaque compte rendu évangélique de la visite des femmes au tombeau vide met en évidence des éléments qui sont en accord avec l'esprit de chaque évangéliste. Le silence des femmes devant le sépulcre vide, rapporté dans Marc (« [...] elles ne dirent rien à personne, car elles avaient peur »), est une réponse face au sacré reflété dans la réaction de Pierre à la transfiguration de Jésus décrite dans le verset 6 du chapitre 9 de Marc (« [...] car ils étaient épouvantés »). Chez Marc, le silence est la réponse appropriée à une manifestation du sacré et non la description d'une femme muette incapable de proclamer la résurrection.

Dans l'Évangile selon saint Matthieu, la peur des femmes est reliée à une « grande joie », à une émotion que l'évangéliste assimile à une épiphanie ou à une manifestation du divin telle que décrite dans le verset 10 du chapitre 2, lorsque les Mages découvrent l'étoile de Bethléem et le lieu de naissance de Jésus : « [...] ils se réjouirent d'une fort grande joie. » La joie donne des ailes à Marie Madeleine et à l'autre Marie qui s'empressent d'aller annoncer la nouvelle aux autres disciples. Par ailleurs, les femmes devant le tombeau vide et les Mages devant Jésus naissant ont la même réaction : celle de rendre hommage à Jésus. Matthieu décrit là une réaction humaine normale face à la manifestation du divin : la peur et la joie, suivies de l'action de grâce. C'est ainsi que se métamorphose la simple peur évoquée dans Marc. Mais il ne s'agit pas nécessairement d'une description de ce qui s'est vraiment passé lorsque les femmes se sont rendues au sépulcre.

Par contre, dans le compte rendu que fait Luc de l'épisode de la résurrection, l'accent est plutôt mis sur la réaction des hommes qui écoutent les femmes leur raconter qu'elles ont trouvé le tombeau vide. Ils ne croient pas ce qu'elles leur disent et ne sont même pas en mesure d'en interpréter la signification. « Ô gens sans intelligence et lents de cœur à croire toutes les choses que les prophètes ont dites ! Ne fallait-il pas que le Christ souffrît ces choses, et qu'il entrât dans sa gloire ? Et commençant par Moïse et par tous les prophètes, il leur expliquait, dans toutes les écritures, les choses qui le regardent. » Jésus apparaît comme un fantôme au groupe de disciples terrifiés. Calmant leur frayeur, il les enjoint de regarder ses mains et ses pieds car, dit-il, « un esprit n'a pas de la chair et des os, comme vous voyez que j'ai ». Puis les disciples ayant regardé, « ils ne [croient] pas encore et [s'étonnent] ». Ensuite, il mange en leur présence un morceau de poisson cuit. Luc fait passer les apôtres de l'incrédulité face aux paroles des femmes à l'incrédulité joyeuse, puis à la certitude, en faisant appel à la vue, puis au toucher, puis au spectacle de Jésus en train de se sustenter. L'accent mis sur le repas est tout à fait conforme à un Évangile dans lequel Jésus est né dans une mangeoire et où on le voit fréquemment en train de manger en compagnie de percepteurs d'impôts, de pécheresses et de plusieurs autres commensaux tout au long de sa vie publique. C'est ainsi que se rétablit le lien avec un Jésus humain et c'est également ainsi que, dans les Actes des Apôtres, le second tome de son œuvre, la communauté de Jérusalem se réunit dans le temple et dans les maisons pour rompre le pain et prier.

Pourquoi Jean insiste-t-il sur l'ouïe comme mode de perception de la résurrection, lorsque Jésus apparaît à Marie Madeleine ? Pourquoi Jésus accorde-t-il une importance moindre à la vue comme mode de reconnaissance, lorsqu'il dit à Thomas, dans le verset 29 du chapitre 20 de Jean : « Parce que tu m'as vu, tu as cru ; bienheureux ceux qui n'ont point vu et qui ont cru. » Dans l'Évangile selon saint Jean, la vue et le toucher sont trompeurs. Et dans le chapitre 21, Jésus ressuscité offre à Simon Pierre un petit-déjeuner de pain et de poisson, mais il n'en mange pas lui-même. Mais à aucun moment l'importance de l'ouïe n'est minimisée.

L'insistance que met Jean sur l'ouïe comme mode de perception menant à la reconnaissance visuelle rappelle les anciennes théories opposant la vue et l'audition. La vue, comme le souligne Platon dans plusieurs de ses textes, est sans doute, « de toutes les sensations que nous procure le corps, celle qui se présente avec le plus d'acuité » (*Phèdre*, 250d) parce qu'elle offre l'accès le plus spontané aux idées immatérielles au moyen de la substance comparativement pure qu'est le feu ou la lumière (*Timée*, 45), mais l'ouïe dépend d'une substance totalement matérielle, l'air, dans laquelle celui qui parle et celui qui écoute sont tous deux plongés. La vue préserve la distinction entre l'objet qui est vu et le sujet qui voit, alors que l'ouïe met en doute cette distinction entre le sujet et l'objet. Lorsque nous entendons un son, nos esprits logiques peuvent mettre entre parenthèses certaines parties d'une conversation et les distinguer les unes des autres, mais l'oreille entend simultanément tous les sons qui lui parviennent. Dans un mot donné, nous entendons les possibilités d'autres mots qui présentent une similarité sonore. Ce qui semble se produire, en fait, c'est que l'écho prolonge chaque mot écrit et annule la fixité apparente des mots perçus par l'ouïe.

Bien sûr, Jean met l'accent sur le son et l'ouïe pour des raisons théologiques. Les premiers mots de son Évangile font allusion à la Genèse : « Au commencement était la Parole », c'est-à-dire le son. L'Évangile décrit Jésus comme la parole de Dieu. Pour expliquer la reconnaissance auditive de Jésus par Marie dans le chapitre 20 de Jean, plusieurs commentateurs ont cité les paroles que prononce Jésus dans ce même Évangile lorsqu'il décrit comment une brebis répond uniquement à la voix de son berger : « Et quand il a mis dehors toutes ses propres [brebis], il va devant elles ; et les brebis le suivent, car elles connaissent sa voix ; mais elles ne suivront point un étranger, mais elles s'enfuiront loin de lui, parce qu'elles ne connaissent pas la voix des étrangers. »

Les paroles que Jean prête à Jésus sont claires, mais leur sens ne l'est pas toujours : elles sont souvent opaques. À cet égard, il est utile de rappeler la remarque de Norman Peterson d'après laquelle, dans l'Évangile selon saint Jean, seuls Jésus et le narrateur savent ce qu'il se passe. Parfois, le narrateur engage carrément le lecteur dans l'intrigue. C'est notamment le cas lorsque, dans la scène de la rencontre entre Jésus et Marie, dans le chapitre 20 de Jean, il dévoile au lecteur l'identité du jardinier AVANT même qu'elle ne l'ait reconnu. Répondant à la question de l'ange («Femme, pourquoi pleures-tu?»), elle explique: «Parce qu'on a enlevé mon Seigneur, et je ne sais où on l'a mis.» Ayant dit cela, elle se retourne et voit Jésus, *mais elle ne sait pas que c'est lui* (verset 14). Grâce au narrateur, le lecteur sait ce que Marie ne sait pas. Mais cela ne représente pas nécessairement un désavantage pour Marie. On pourrait même affirmer que le lecteur ou l'auditeur peut dès lors entendre l'écho qui prolonge tout ce que dit le jardinier. C'est un peu comme écouter Jésus dans *La Passion selon saint Matthieu* de Bach: avant même que Jésus n'ait ouvert la bouche, les violons créent un effet de halo qui enveloppe tout ce qu'il dit. Peu importe ce qui est dit, l'auditeur sait qu'il doit prêter attention aux paroles à cause des violons. Il n'est même pas nécessaire d'entendre ce qui est dit; on sait seulement que Jésus va parler. Donc, lorsque le «jardinier» s'apprête à parler, le lecteur ou l'auditeur de l'Évangile selon saint Jean est en mesure de prévoir qu'il y aura plus dans ses paroles que des conseils sur le jardinage. Ce que nous allons entendre est la voix de Jésus. Nous savons que Marie va le reconnaître.

Jésus s'adresse à elle en grec: «Femme, pourquoi pleures-tu? Qui cherches-tu?» À ces questions, elle répond comme si elle s'adressait au jardinier: «Seigneur, si toi tu l'as emporté, dis-moi où tu l'as mis, et moi je l'ôterai.» Elle ne reconnaît ni la voix ni les mots, mais le lecteur sait. La seconde question du «jardinier» («Qui cherches-tu?») baigne dans les violons de Bach. Elle rappelle les premiers mots de Jésus, dans le même Évangile, lorsqu'il s'adresse aux disciples de Jean le Baptiste: «Que cherchez-vous?» Il ne s'agit pas d'une question anodine. Celui qu'ils cherchent est en fait Jésus, identifié par Jean le Baptiste lui-même comme étant le Messie. Les disciples de Jean l'abandonnent et suivent Jésus.

Donc, les lecteurs de Jean peuvent communiquer avec le jardinier, mais ce n'est pas le cas de Jésus et de Marie Madeleine. C'est à ce moment que Jean utilise le dialogue pour faciliter la révélation. Il utilise cette technique tout au long de son Évangile. On trouve le meilleur exemple de cela dans le dialogue entre Jésus et la Samaritaine qui se déroule près d'un puits dans le chapitre 4 de l'Évangile selon saint Jean. Dans l'Antiquité, la notion de dialogue s'appliquait à un échange verbal d'où surgit progressivement la lumière. Chez Jean, par ailleurs, le dialogue est un moyen par lequel Jésus engage une conversation menant au sens profond des choses communes, par exemple « appelle ton mari » (avec la Samaritaine) ou « qui cherches-tu » (avec Marie Madeleine au jardin). Les lecteurs qui sont au fait de cette technique typique de Jean apprécient cet usage, même si ce n'est certainement pas le cas de Marie Madeleine. Donc, puisque le dialogue ne mène nulle part, Jésus emploie une autre langue, à savoir l'araméen de Palestine. Il s'adresse nommément à elle en disant : « Mariam ! » Voilà une langue qu'elle comprend. « Elle, s'étant retournée, lui dit en hébreu : Rabboni (ce qui veut dire, maître). »

Marie reconnaît Jésus lorsqu'il s'adresse à elle dans une langue qu'elle comprend. Ce n'est pas tant ce qu'il dit que la façon dont il le dit qui suscite une telle reconnaissance. J'ai l'impression que même le lecteur est pris par surprise lorsque Jésus s'adresse ainsi à Marie Madeleine. Ce que je veux dire par là, c'est que lorsqu'ils en viennent finalement à communiquer vraiment, ils n'en parlent pas moins un langage différent. Les traducteurs ont clarifié ce malentendu en employant par exemple « Mary » (en anglais) ou « Marie » (en français) plutôt que « Mariam », dans une tentative d'interpréter les paroles de Jésus. Mais la réalité est qu'il s'adresse à elle en l'appelant Mariam, le nom auquel elle répond en langue araméenne de Palestine ! Il s'agit aujourd'hui d'un nom assez commun. Là où je veux en venir, c'est que le lecteur est quand même étonné en dépit du fait que le nom est traduit dans sa langue. L'avantage du lecteur n'est que temporaire. Car ils parlent tous deux dans une langue différente qui n'en a pas moins été préservée dans un Évangile écrit entièrement en grec. Même si nous savons qui est le « jardinier » lorsqu'il s'adresse à Marie, nous savons que c'est la première fois qu'il s'exprime en araméen dans cet Évangile. Jamais il n'utilise cette langue, que ce soit du haut de la croix, lorsqu'il accomplit des miracles ou lorsqu'il s'adresse à Dieu, comme c'est le cas dans l'Évangile selon saint Marc, par exemple. Les mots « Mariam » et « *Rabboni* » arrachent les deux personnages à notre entendement et en font des personnages étrangers qui s'entretiennent dans leur propre langue. Toutefois, il n'y a pas à s'en étonner, dans un Évangile où le propos de Jésus est généralement opaque, même s'il s'agit de la voix de Dieu.

Les comptes rendus des visions auditives de Marie Madeleine se sont poursuivis aussi bien en musique qu'en littérature : *La Légende dorée*, une série de récits sur la vie des saints écrits au XIIIe siècle par le dominicain italien Jacques de Voragine, offre une description détaillée – bien que teintée de légende – de ses origines et de son personnage :

> Marie, surnommée Magdeleine, du château de Magdalon, naquit des parents les plus illustres, puisqu'ils descendaient de la race royale. Son père se nommait Syrus et sa mère Eucharie. Marie possédait en commun avec Lazare, son frère, et Marthe, sa sœur, le château de Magdalon, situé à deux milles de Génézareth, Béthanie qui est proche de Jérusalem, et une grande partie de Jérusalem.

Elle fit la connaissance de Jésus qui « l'embrasa entièrement d'amour pour lui ; il en fit son amie de préférence […] et en toute occasion il prenait sa défense ». Après l'Ascension du Christ, elle se rendit en France en compagnie de sa sœur Marthe et son frère Lazare et ce fut là qu'elle se retira pour mener une vie solitaire :

Cependant la bienheureuse Marie-Magdeleine, qui aspirait ardemment à se livrer à la contemplation des choses supérieures, se retira dans un désert affreux où elle resta inconnue l'espace de trente ans, dans un endroit préparé par les mains des anges. Or, dans ce lieu, il n'y avait aucune ressource, ni cours d'eau, ni arbres, ni herbe, afin qu'il restât évident que notre Rédempteur avait disposé de la rassasier ; non pas de nourritures terrestres, mais seulement des mets du ciel. Or, chaque jour, à l'instant des sept heures canoniales, elle était enlevée par les anges au ciel et elle y entendait, même des oreilles du corps, les concerts charmants des chœurs célestes. Il en résultait que, rassasiée chaque jour à cette table succulente, et ramenée par les mêmes anges aux lieux qu'elle habitait, elle n'éprouvait pas le moindre besoin d'user d'aliments corporels.

La voix de l'Époux

Certains exégètes chrétiens ont aussi interprété le chœur de la vision spirituelle de Marie Madeleine en la désignant comme la fiancée du *Cantique des Cantiques* : à la recherche de son bien-aimé, elle l'entend, le trouve et ne le laisse pas partir. Cela, il est vrai, contredit l'injonction de Jésus à Marie figurant dans l'Évangile : « Ne me touche pas ! » Du IIe siècle jusqu'au Moyen Âge, on a fréquemment présenté Marie Madeleine comme la fiancée du *Cantique des Cantiques* à la recherche de Jésus. C'est là une façon particulière de comprendre la quête spirituelle de Marie Madeleine.

Au IIe siècle de notre ère, Cyrille de Jérusalem prononça de nombreuses catéchèses baptismales à l'intention de candidats au baptême chrétien. Dans la quatorzième d'entre elles, Cyrille explique clairement que Marie Madeleine embrasse Jésus et que les candidats au baptême devraient faire de même. Il prête à Marie Madeleine des citations du *Cantique des Cantiques* et, selon lui, les femmes évoquées dans l'Évangile selon saint Matthieu apparaissent également aux côtés de Marie Madeleine dans celui de Jean :

> Ces nobles et braves femmes allèrent à la recherche de l'Époux et Prétendant des âmes. Elles vinrent au sépulcre, ces bienheureuses, pour chercher Celui qui était ressuscité, et les larmes coulaient encore de leurs yeux, alors qu'elles auraient plutôt dû danser de joie à la pensée qu'il était ressuscité. Selon l'Évangile, Marie le chercha et ne le trouva point. Elle entendit alors les Anges et vit ensuite le Christ. Ces choses sont-elles écrites ? Il est dit, dans le *Cantique des Cantiques* : « Sur mon lit, durant les nuits, j'ai cherché celui qu'aime mon âme ; je l'ai cherché, mais je ne l'ai pas trouvé. Je me lèverai maintenant, et je ferai le tour de la ville dans les rues et dans les places ; je chercherai celui qu'aime mon âme. » On dit que Marie vint quand il faisait encore nuit. « Sur mon lit, durant les nuits, j'ai cherché celui qu'aime mon âme ; je l'ai cherché, mais je ne l'ai pas trouvé. » Et dans les Évangiles, Marie dit : « On a enlevé mon Seigneur, et je ne sais où on l'a mis[90]. »

---

90. Traduction libre.

Puis lorsque les anges demandent aux femmes pourquoi elles cherchent un vivant parmi les morts, Cyrille ajoute :

> Mais elle ne savait pas et, en son nom, le *Cantique des Cantiques* dit : «Avez-vous vu celui que mon âme aime ? À peine avais-je passé plus loin, que j'ai trouvé celui qu'aime mon âme ; je l'ai saisi, et je ne l'ai pas lâché…»

Mon second exemple de cette interprétation provient de ce que l'on appelle la *Biblia Pauperum* ou «Bible des pauvres». On ne connaît pas les origines de ce livre, mais, à la fin du Moyen Âge, il en existait plusieurs modèles. S'inscrivant dans une méthode alors très répandue qui consistait à interpréter la Bible au moyen de la typologie, la Bible des pauvres considère les personnages, les objets et les épisodes de l'Ancien Testament comme préfigurant divers aspects du ministère du Christ. Le livre est un corps d'ouvrage composé de textes et d'illustrations. Il était produit à partir d'impressions provenant de blocs de bois sculptés. Entre 1460 et 1490, le corps d'ouvrage fut une forme transitionnelle de publication qui précéda l'imprimerie à partir de caractères mobiles. On ne sait pas si ce livre fut vraiment conçu pour l'édification des pauvres ou pour l'instruction du clergé. Quoi qu'il en soit, l'invention de l'imprimerie en facilita la diffusion.

Trois panneaux figurant sur une seule page décrivent des scènes apparemment reliées sur le plan typologique. Dans l'exemple ci-joint (figure 16), sur le panneau central, on voit le Christ apparaissant à Marie Madeleine. Cette représentation est issue du chapitre 20 de l'Évangile selon saint Jean. Le Christ tient dans sa main un outil de jardinage. Sur celui de gauche, on voit le roi de Babylone qui visite Daniel le matin suivant le jour où il a été jeté dans la fosse aux lions. Découvrant Daniel vivant, le roi en éprouve une grande joie. On trouve, inscrite en latin au-dessus du tableau, la phrase suivante : «En effet le roi préfigure Marie Madeleine [en latin : Mariam Magdalenam] auprès du tombeau. Après qu'elle a vu le Seigneur, elle se réjouit excessivement parce qu'il est ressuscité.»

Le panneau de droite est intitulé «La Fille de Sion découvre son Époux». Il montre les époux en train de s'embrasser. Il s'agit d'une référence au chapitre 3 du *Cantique des Cantiques*.

L'inscription en latin se lit comme suit : « Nous lisons dans le Cantique des Cantiques, au chapitre 3, que lorsque la fiancée a trouvé son bien-aimé, elle dit : "J'ai trouvé celui qu'aime mon âme ; je l'ai saisi, et je ne l'ai pas lâché." Cette fiancée préfigure Marie Madeleine (en latin : Mariam Magdalenam) qui, voyant son époux, qui est le Christ, veut le toucher. Le Christ répond : "Ne me touche pas, car je ne suis pas encore monté vers mon Père." » L'inscription sous le panneau se lit ainsi : « La fiancée bien-aimée se réjouit d'avoir trouvé son époux si longtemps cherché », puis : « Ô Christ, tu as consolé la sainte Marie en paraissant devant elle. »

Dans ces illustrations du Moyen Âge, on voit clairement l'interprétation alors largement répandue selon laquelle la fiancée du *Cantique des Cantiques* qui cherche et trouve finalement son bien-aimé préfigure Marie Madeleine cherchant Jésus dans le jardin. La fiancée (Marie Madeleine) déclare, dans l'inscription figurant au-dessus de sa tête (l'équivalent médiéval de la bulle de bandes dessinées) : « Je l'ai saisi et je ne l'ai pas lâché. »

Ces deux exemples montrent que, loin d'invalider l'interprétation d'un rapport érotique entre Jésus et Marie Madeleine, l'Église continuait alors à la dépeindre dans des manuels d'enseignement destinés aux fidèles et dans des documents illustrés tels que la Bible des pauvres. Dans le cas de la rencontre entre Jésus et Marie Madeleine, l'exemple de la fiancée à la recherche de son bien-aimé explique non seulement la présence de Marie Madeleine au tombeau, mais aussi la ténacité de sa recherche et la ferveur de son désir. Ce qui est illustré dans l'étreinte de Jésus et de Marie Madeleine, c'est l'amour qui transcende la mort.

Donc, que Marie Madeleine soit douée d'une perspicacité supérieure, qu'elle entende une voix – sans doute la voix de son bien-aimé –, qu'elle tente de le toucher ou qu'elle le touche effectivement, la tradition chrétienne montre que sa quête de Jésus est universelle et qu'elle renferme une telle profondeur d'entendement et de sentiment qu'elle recrée, au-delà de l'espace, du temps et de la mort même, un lien unique entre eux. Dan Brown aurait dû aller plus loin dans la même veine !

Distinctes, mais pas du tout égales

par Anna Quindlen[91]

Le débat sur le rôle de Marie Madeleine dans la fondation de l'Église primitive s'appuie sur une question sous-jacente de première importance, à savoir le rôle des femmes dans la hiérarchie de l'Église actuelle. Si Marie Madeleine était en effet « l'apôtre des apôtres », la personne que Jésus aimait plus que ses autres disciples et « son amie de préférence », alors comment se fait-il que les femmes soient encore marginalisées dans les hautes sphères de l'Église ?

Anna Quindlen, chroniqueuse et commentatrice, lauréate du prix Pulitzer et de confession catholique romaine, s'est jointe à ce cri de (sic) cœur[92]. Dans cette chronique écrite pour le magazine Newsweek, *elle signale que, malgré le fait que Jésus ait disserté avec des femmes de questions religieuses pendant toute sa vie et même après sa mort – les embrassant même, en dépit des mœurs de l'époque –, les conservateurs doctrinaires dans un vaste éventail de religions refusent toujours de le faire. Que ce soit par crainte, fausse piété ou misogynie, les groupes religieux dominés par les hommes ont exclu les femmes des débats religieux.*

Il est grand temps, dit-elle, que l'Église embrasse le concept moderne d'égalité. Quindlen fait valoir que toute maison divisée contre elle-même ne saurait subsister et que, à moins que les éléments conservateurs de l'Église ne se réconcilient avec les fidèles de sexe féminin et en viennent même à apprécier leur contribution, ils doivent s'attendre à ce que les femmes quittent ses rangs.

C'est là que nous commençons : avec Pâques, le jour le plus important du calendrier liturgique, avec la visite de Marie Madeleine au tombeau où on a déposé le corps de Jésus après la crucifixion. Le corps n'y est plus et elle court retrouver les apôtres Pierre et Jean pour les prévenir. Ils regardent à l'intérieur du sépulcre, s'enfuient et elle reste là, affolée. Un homme s'approche ; elle le prend pour le jardinier.

Il lui dit : « Femme, pourquoi pleures-tu ? »

Le premier mot prononcé par Jésus après sa résurrection est « femme ». Peut-être cela explique-t-il pourquoi les femmes, qui ont été si mal servies par l'Église catholique romaine, refusent pourtant de la quitter. Les membres de la hiérarchie n'engagent pas le dialogue avec nous, mais Jésus l'a fait.

Il suffit de jeter un coup d'œil à une photographie du pape entouré de ses cardinaux pour comprendre où se situe

---

91. Réimprimé grâce à l'aimable autorisation d'International Creative Management, Inc. Copyright © 2006 par Anna Quindlen.

92. En français dans le texte.

le problème. Voilà une phalange de gens tous pareils, et le contact le plus proche qu'ils établissent quotidiennement avec les femmes ne va pas au-delà de celui qu'ils ont avec les religieuses qui leur servent de ménagères. La moitié du monde est hors de leurs frontières. L'Église catholique n'est pas la seule à cet égard. Beaucoup de religions ont trouvé le moyen d'écarter les femmes et de les diminuer tout à la fois, en les transformant en occasions de péché ou en anges du foyer. Lorsqu'une intellectuelle islamique a défié la tradition en dirigeant un groupe de musulmans en prière – hommes et femmes confondus – le mois dernier à New York, certains opposants ont assuré que c'est par respect qu'on assigne des rôles moins importants aux femmes, alors qu'un homme venu troubler l'événement a simplement recommandé que les coupables soient lapidés.

« Certains ont le sentiment que le monde est un chaos et qu'il est hors de contrôle et que s'ils peuvent contrôler leurs femmes, alors le monde sera plus en sécurité, affirme Randall Balmer, un professeur de Barnard qui est aussi un spécialiste du christianisme évangélique. Il s'agit d'une perception solidement implantée chez certains fondamentalistes musulmans, catholiques et protestants. »

Dans les années où il dirigeait la Congrégation pour la doctrine de la foi, le cardinal Joseph Ratzinger – devenu depuis le pape Benoît XVI – a demandé à la presse ecclésiastique de détruire les exemplaires d'un livre dans lequel on faisait la promotion de l'ordination des femmes, a convoqué à Rome les évêques américains afin de s'assurer que leur lettre pastorale sur le rôle des femmes était conforme à la position de l'Église et a dirigé en sous-main un mouvement visant à se débarrasser des enfants de chœur de sexe féminin. Dans une lettre aux évêques publiée en 2004[93], il expliquait que même si les féministes avaient jugé bon de « susciter une attitude de contestation », il importait de ne pas oublier le « génie de la femme », un génie qui se résume aux vieux stéréotypes : émotions, éducation, chaleur humaine. (Dans la vie, les êtres humains sont doués d'individualité ; dans l'orthodoxie, cette individualité est écrasée.) Démontrant qu'on peut faire dire

---

93. Joseph Cardinal Ratzinger. « Lettre aux évêques de l'Église catholique sur la collaboration de l'homme et de la femme dans l'Église et dans le monde », 31 mai 2004.

ce qu'on veut aux Écritures, il cite saint Paul – «vous avez revêtu Christ [...] il n'y a plus l'homme et la femme» – pour réaffirmer la différence entre les sexes, alors que la citation dit exactement le contraire.

Par ailleurs, le cardinal Ratzinger a déjà laissé entendre que toutes les religions étaient de deuxième ordre, sauf la sienne. On peut donc en déduire qu'il n'a cure des autres communautés de fidèles. Chez les anglicans, le culte est rendu à Dieu par des femmes prêtres et des pasteurs mariés. L'archevêque de Canterbury a déjà présenté sa femme, la mère de ses quatre enfants, à Jean-Paul II. Le judaïsme est aujourd'hui florissant sous la direction de rabbins de sexe féminin, ce qu'un spécialiste a qualifié de «plus important changement dans la vie des juifs depuis la destruction du Temple au Iᵉʳ siècle». Se pourrait-il que les dirigeants de ces groupes soient à ce point victimes d'aberration et que seuls les penseurs conservateurs aient raison?

L'argument de l'orthodoxie est généralement que les femmes sont distinctes mais égales. C'est exactement ce type de raisonnement qui a rendu possible aux États-Unis pendant tant d'années la ségrégation raciale et son cortège d'injustices flagrantes. Le pouvoir n'est pas une chose qu'on abandonne si facilement; la peur des autres est un handicap tenace. «Une grande partie de la pensée orthodoxe s'explique par la peur, affirme la rabbin Joy Levitt. Le monde va vite et tout n'y est pas toujours positif.» Mais au bout du compte, plusieurs confessions religieuses en sont venues à la conclusion que les restrictions imposées aux femmes étaient le produit non pas de textes sacrés, mais de normes désuètes et de préjugés fortement enracinés. Leurs dirigeants ont admis la possibilité que le concept moderne d'égalité puisse soutenir la croissance spirituelle. La rabbin Levitt se souvient des paroles de Mordecai Kaplan, le père du mouvement reconstructionniste: «La tradition doit avoir droit de vote, pas de veto.»

Les femmes catholiques ne sont pas naïves. Elles ne s'attendent pas à ce que le pape se lève un bon matin, agite une baguette magique et décrète l'ordination des femmes et la responsabilité sexuelle individuelle. Mais il serait quand même gentil que le pontife envisage que le rôle des femmes dans l'Église moderne puisse faire l'objet de quelque dialogue avec les femmes elles-mêmes. Le simple fait qu'on puisse écrire une phrase comme celle qui est citée plus haut illustre très bien la profondeur du gouffre qui existe entre l'Église du peuple et l'Église de la hiérarchie.

À tous ceux qui nous demandent pourquoi nous restons, je réponds simplement : parce que c'est notre Église. Certains partisans de la littéralité nous rebattent les oreilles à propos du sexe de Jésus lui-même. Ce qu'ils semblent ignorer, c'est le fait que, en contrevenant aux usages de son époque, le fondateur de la foi chrétienne s'est entouré de femmes. En recherchant les conseils, les opinions et les avis des femmes catholiques, les chefs de l'Église ne se conformeraient pas seulement à la modernité, mais imiteraient le Christ. Ils font valoir qu'ils ne peuvent modifier les assises de l'Église pour s'adapter au goût du jour. La vérité, c'est qu'ils en ont eux-mêmes bâti les assises pour la rendre conforme à leur aveuglement. « Femme, pourrait demander le nouveau pape, pourquoi pleures-tu ? »

Suivre Marie. Les fidèles de Madeleine façonnent leur propre réalité religieuse

par Jennifer Doll[94]

Partout aux États-Unis et dans le monde entier, les gens découvrent Marie Madeleine et y trouvent une inspiration qui les pousse à tendre la main aux autres ou à modifier du tout au tout leur vie religieuse. Marie Madeleine semble stimuler chez ses fidèles un sens évident de la liberté, c'est-à-dire la capacité de déterminer ce qui marche et ce qui ne marche pas dans leur propre spiritualité. Marie Madeleine leur offre l'occasion de voir en elle ce dont ils ont vraiment besoin, soit une sorte de « religion sur mesure » qui suscite de nouveaux mouvements communautaires dans des domaines tels que les

---

94. Jennifer Doll est consultante en rédaction, rédactrice et recherchiste. Elle a collaboré à l'ouvrage *Les Secrets du code Da Vinci* et a été directrice de rédaction du présent ouvrage.

œuvres de bienfaisance, les arts, l'écriture, l'éducation, l'activisme et, bien sûr, la religion elle-même.

Robbi Sluder, quarante-sept ans, une résidante d'Austin au Texas, est l'une de ces personnes. Elle a vécu sa première rencontre avec Marie Madeleine dans la maison de ses beaux-parents, la veille de Pâques 1999. « Ils avaient mis un DVD du Gaither Vocal Band, un groupe de gospel, se rappelle-t-elle. Et c'est Sandy Patty, dont la voix est aussi magnifique que celle de Céline Dion, qui chantait. » Comme elle écoutait, étendue sur le sofa, Robbi a réalisé que les paroles qui étaient chantées adoptaient le point de vue de Marie Madeleine. Il est alors devenu clair pour elle que c'était Marie – et non Pierre ou Jean, les disciples dont elle entendait sans cesse les noms depuis l'enfance dans sa famille méthodiste – qui avait été la première personne à voir Jésus ressuscité.

« C'est comme si tout à coup on avait ouvert les rideaux, dit-elle. J'ai jeté un coup d'œil au placard où étaient suspendues ma robe blanche de Pâques – tout droit sortie de chez le nettoyeur – et celle de ma fille, ainsi que tous les paniers de Pâques que j'avais confectionnés. Puis j'ai songé à cette si jolie petite église où j'allais me rendre le lendemain matin et je me suis mise à pleurer. » Robbi Sluder a commencé à réfléchir sur sa vie. « Je pensais que j'avais de la chance, mais qu'en était-il de toutes ces femmes qui traînaient dans les rues et qui ne soupçonnaient pas que Dieu les aimait et qu'elles étaient précieuses à ses yeux ? Si j'avais pu, je me serais rendue à l'instant même au Wal-Mart et j'aurais acheté plein de choses pour les offrir aux gens de la rue. »

Encouragée par son mari et quelques amis, Robbi a mis son plan à exécution l'année suivante. Elle a commandé des paniers de Pâques et d'autres petits objets comportant un message édifiant : des bracelets avec les mots « Jésus t'aime », des lampes de poche sur lesquelles était inscrit « Jésus est Lumière ». « Chaque panier contenait un œuf de Pâques avec une friandise et une sorte de petit animal en peluche pour toucher leur cœur, les ramener à une période de leur vie où il y avait un peu plus d'innocence. » Les paniers comprenaient également des articles d'hygiène personnelle en échantillon ou en format de voyage, le numéro de portable de Robbi et une « note sur Marie » expliquant comment fut célébrée la première fête de Pâques.

Une fois que les paniers ont été emballés, Robbi a cependant rencontré un obstacle. «J'avais fait tout ce travail et je ne savais même pas où distribuer mes paniers!» Elle a appelé l'Armée du Salut, où un bénévole lui a fourni des renseignements sur le secteur où son groupe de trois hommes et de cinq femmes étaient susceptibles de rencontrer des prostituées, ainsi que des conseils sur la façon de les aborder et d'interagir avec elles. La première fête de Pâques a été un succès. Robbi Sluder se souvient d'avoir tenu la main de ces femmes par une soirée pluvieuse, sous la triste lumière des lampadaires d'un parc de stationnement, et d'avoir prié. «Une fois que ç'a été terminé, nous nous sommes dit: "Mais c'est extraordinaire! Nous sommes venus offrir une bénédiction, mais c'est nous qui avons été bénis." Il y avait quelque chose de changé dans nos cœurs. Pâques ne serait plus jamais le même.» Par la suite, le projet a pris de l'ampleur, le groupe de bénévoles a augmenté et l'équipe de Robbi a commencé à visiter des foyers de transition, des établissements de détention et des clubs pour hommes, tendant la main aux autres à travers Marie Madeleine.

Robbi, qui avait toujours cru que Marie Madeleine avait été une prostituée, s'est également mise à étudier la Bible pour en savoir plus à son sujet. Ce qu'elle y a appris l'a étonnée. «J'aime le fait que ses péchés ne soient jamais nommés. Mais elle a sûrement connu le désespoir, la dépression, le rejet, la tristesse. Qui d'entre nous ne peut pas s'identifier à cela? J'ai alors commencé à penser que c'est pour cette raison que Jésus l'avait choisie. Marie est le point d'accès. C'est une personne réelle et quiconque reçoit nos dons peut s'identifier à elle.»

Le Magdalene Project (www.themagdaleneproject.org) est aujourd'hui un organisme à but non lucratif qui mène ses activités grâce au soutien de donateurs privés, d'un conseil d'administration et de plus de trois mille bénévoles à l'échelle des États-Unis. Son siège social, situé dans un bureau de mille quatre cents pieds carrés à Austin au Texas, est dirigé par un employé permanent. Tous les bénévoles reçoivent la même formation, et les villes qui participent au projet doivent se conformer aux règles et aux politiques de l'organisation centrale. En 2001, le Magdalene Project était implanté dans dix villes américaines; en 2006, vingt-trois villes y participaient.

Vivre sa spiritualité par le ministère

Pam Stockton, cinquante-quatre ans, de Houston au Texas, a commencé à s'intéresser à Marie Madeleine au cours des célébrations tenues en 1998 pour célébrer la fête de la sainte à la Brigid's Place, une organisation sans but lucratif pour les femmes qui est associée à la cathédrale Christ Church (www. brigidsplace.org). L'événement ayant piqué sa curiosité, elle s'est inscrite à la Perkins School of Theology de la Southern Methodist University. « L'étude de Marie Madeleine a été pour moi un véritable outil de transformation. J'ai senti son appel et c'est ainsi qu'est née notre relation. Mais d'autres femmes ont aussi été appelées. Le magnétisme de Madeleine est tel qu'elle rejoint des femmes de divers milieux de diverses façons. »

Pam obtiendra cette année son diplôme de Perkins et continue de participer aux événements reliés à la fête de Marie Madeleine, aussi bien comme organisatrice que comme participante. Elle a collaboré à l'organisation du festival de 2004 – au cours duquel la professeure Karen King, de Harvard, s'est adressée à un auditoire de plus de cinq cents personnes – et à celui de 2005, qui a accueilli comme conférencière Jane Schaberg, de la University of Detroit Mercy. Cette année, la conférencière invitée était Ann Brock, auteure de *Mary Magdalene, the First Apostle : The Struggle for Authority*. La messe célébrée le jour de la fête n'est pas eucharistique et est souvent émaillée de dialogues imaginés ou de reconstitutions bibliques. « En 2004, nous avons mis en scène une pièce illustrant l'ordre donné par Paul aux femmes de Corinthe de se voiler et de garder le silence. Il y a eu des murmures, se rappelle Pam. Les gens sont scandalisés lorsqu'ils prennent conscience de la façon dont les femmes ont été bâillonnées. C'est important de le dire. »

Pam Stockton fait également partie de la Church's Magdalene Community, fondée par la révérende Betty Adam, directrice spirituelle de Brigid's Place et théologienne en résidence de la cathédrale Christ Church. « Il y a treize ans, j'ai eu l'idée d'un ministère à l'intention des femmes, explique la révérende Adam. J'avais le sentiment que l'Église ne s'occupait pas de la lutte des femmes et devait s'engager dans certains débats. Nous responsabilisons les femmes, nous parlons de la spiritualité des femmes. Et tout en essayant de développer notre propre spiritualité et notre indépendance,

nous aidons les autres.» Parmi les programmes de la communauté figurent notamment Brigid's Hope, qui offre aux
femmes en détention un refuge lorsqu'elles sortent de prison,
et Brigid's Paradigm, qui construit des maisons destinées
aux femmes et aux enfants en utilisant des produits recyclés.
(Ces programmes ont été nommés en l'honneur de sainte
Brigide, qui fonda des couvents partout en Irlande au début
du VIᵉ siècle.)

Pam Adam a aussi organisé une communauté de foi
autour de Marie Madeleine. Les gens se réunissent le premier
et le troisième vendredi de chaque mois autour de l'étude de
certains textes comme l'*Évangile de Marie*. Ils se rencontrent
également à la célébration du dimanche dans une chapelle
interconfessionnelle à Houston. Dans ses temps libres, Pam
Adam se consacre à la rédaction d'un ouvrage intitulé *The
Magdalene Mystique: Living the Spirituality of Mary Today*, qui
devrait paraître à la fin de 2006. «C'est un livre sur l'énergie
qui se crée autour de Marie Madeleine, la façon dont la
communauté se développe et ce que cela signifie pour nous»,
explique-t-elle.

Entendre sa voix, parler aux autres

Joan Norton, cinquante-huit ans, est auteure, psychothéra-
peute et coanimatrice du Magdalene Circle au Women's Club of
Hollywood, en Californie (www.marymagdalenewithin.com).
«Elle est venue à moi spontanément, dit-elle. Je ne viens pas
d'une famille religieuse traditionnelle et mon enfance n'a pas été
bercée par des contes de fées ou des histoires semblables.»
Cependant, Joan est une *channeler* et, comme beaucoup de
celles qui ont trouvé Marie Madeleine sur leur chemin, elle a
connu l'épreuve (sa fille de seize ans est morte dans un accident
de voiture en 1986).

Un matin, il y a dix ans, comme elle s'apprêtait à écrire, elle
a entendu la voix de Marie Madeleine. «Marie me disait qu'elle
voulait exprimer sa gratitude à l'égard de sa relation avec Jésus
et qu'elle souhaitait me raconter son histoire. C'était comme une
sagesse intemporelle qui pénétrait dans mon esprit. Elle m'a parlé
ainsi chaque matin pendant quelques semaines. Son chagrin était
intense, tout comme l'était son amour pour Jésus.»

C'est ainsi qu'est né son ouvrage *The Mary Magdalen Within*, soutenu par une vocation active. « J'ai le sentiment d'être une source d'enseignement pour les autres femmes sur le sens perdu du Féminin sacré, affirme Joan. Cela me fait sentir forte et égale, investie du pouvoir de vivre ma propre vie chrétienne. »

C'est l'intérêt suscité par une célébration organisée en 2005 au Women's Club of Hollywood à l'occasion de la fête de Marie Madeleine qui a donné le coup d'envoi à la création du Magdalene Circle en septembre de cette année-là. Ce groupe, qui compte environ cinquante femmes, se réunit un dimanche par mois dans une salle décorée d'un autel, de cierges, de fleurs et d'œuvres d'art, « ce qui lui confère l'atmosphère familière d'une église », souligne Joan Norton. Assises en cercle, les participantes commencent la séance par une prière, puis étudient des passages de l'*Évangile de Marie* et en discutent. « Nous faisons une méditation guidée qui nous aide à relier l'histoire de Marie Madeleine à la vie personnelle de chaque femme. Cela ressemble à une messe, mais avec beaucoup de dialogue. Les femmes adorent ce type d'exercice. »

Lorsque je me suis entretenue avec Joan Norton, elle était à préparer son intervention du dimanche suivant, en plus de travailler à l'organisation de la fête de Marie Madeleine (celle de 2005, où cent cinquante personnes ont notamment assisté à la conférence d'un pasteur essénien, à un spectacle de danse du ventre, à un autre de chants et percussions, ainsi qu'à des repas en commun). Elle a récemment participé à une conférence sur Marie Madeleine en compagnie de la spécialiste Margaret Starbird et de la fondatrice et directrice de la communauté en ligne Esoteric Mystery School, Katia Romanoff. Elle garde une attitude réfléchie quant au rôle public croissant qui est le sien. « Je n'ai pas le sentiment d'avoir écrit ce livre, c'est juste arrivé. C'est la voie qui a été choisie pour moi. »

Une renaissance de Marie Madeleine par l'art

Sara Taft, soixante et onze ans, est peintre, psychologue et astrologue. Elle vit à Pacific Palisades en Californie.

Marie Madeleine a été pour elle une source d'inspiration et d'affirmation, qui l'a menée à la perspective d'une résurrection dans sa propre vie. Sara Taft, qui a survécu à une transplantation du foie il y a six ans, après un diagnostic de maladie auto-immune mortelle, présente actuellement une exposition de peintures et de textes intitulée «A Legendary Biography of Mary Magdalene» (www.sarataft.com).

Alors qu'elle reprenait des forces après son intervention, Sara Taft a séjourné en France afin d'en savoir plus au sujet du Féminin sacré en général et sur Marie Madeleine en particulier. Issue d'une famille patriarcale d'obédience méthodiste, elle pénétrait là dans un territoire entièrement nouveau. «C'était comme une révélation, comme si l'histoire chrétienne se déployait sous mes yeux pour la première fois. J'ai entrepris des recherches sur elle, j'ai commencé à la peindre et à mieux la connaître et, tout en la peignant, je pleurais. Je n'étais pas triste, mais je pleurais.»

Les tableaux de Sara Taft, qui dépeignent et racontent les événements de la vie historique et inventée de Marie Madeleine, ont été exposés dans diverses galeries de la côte ouest américaine. La réaction des gens face à ses œuvres lui a fait plaisir. «Les hommes disaient: "Nous allons lire sur cette femme." Et les femmes catholiques disaient: "Vous avez fait cela pour chacune d'entre nous." Les gens avaient les larmes aux yeux, et pas seulement les femmes.»

La Madeleine d'un homme : l'approche gnostique

Mark Williams, quarante-trois ans, de Columbus en Ohio, est professeur de gnosticisme et coordinateur du Magdalene Circle (www.magdalene-circle.org), un groupe gnostique modéré qui, dit-il, «se situe quelque part entre le christianisme traditionnel et le gnosticisme, avec un accent sur le Féminin sacré». Il est également le père monoparental de deux adolescents, et occupait auparavant le poste spirituel de pasteur auprès des jeunes au sein d'un groupe fondamentaliste chrétien, où il a «lutté contre la mentalité selon laquelle les femmes ne sont pas en mesure de célébrer les offices». Mark est retourné au collège pour obtenir une maîtrise en théologie et c'est là qu'il a découvert l'*Évangile de Thomas*.

« Je suis allé sur Internet pour me rendre compte qu'il y avait beaucoup de gnostiques. Je me considérais comme chrétien et je ne voulais pas y renoncer, dit-il. Mais je ressentais une rupture entre la spiritualité profonde et l'approche heuristique.» Il a trouvé le lien qu'il cherchait dans le gnosticisme et dans le personnage de Marie Madeleine qui, croit-il, parle d'une voix forte à la condition humaine. Les pratiques religieuses traditionnelles peuvent amener une personne à se sentir ostracisée, souligne-t-il. «Il y a un message ambigu : le salut est dans la grâce, mais vous n'êtes pas assez vertueux pour y arriver. Marie porte cette idée que le fait qu'elle était une femme importait peu ; elle a lutté, elle a été acceptée et elle avait la foi.»

Inspiré par les découvertes qu'il avait faites sur Internet, Mark s'est mis à distribuer des dépliants dans les librairies de la ville et à laisser des messages dans divers forums sur Internet. Une femme de la région qui faisait la même chose de son côté a communiqué avec lui et ils ont commencé à étudier ensemble. Depuis, le groupe s'est élargi à une douzaine de personnes. «Ceux qui suivent cette voie sont des gens normaux, comme on en rencontre tous les jours, explique-t-il. Dans le passé, les gens croyaient qu'il fallait être un grand théologien pour faire ce genre de choses. Mais cela est accessible à tout le monde. On peut avoir beaucoup de défauts et trouver quand même sa propre spiritualité.»

Le groupe se réunit le samedi dans une vieille maison convertie en église unitarienne. En général, au cours de ces rencontres, on met l'accent sur la façon dont certains passages des divers Évangiles gnostiques, dont l'*Évangile de Marie*, s'inscrivent dans le vécu personnel et spirituel de chaque participant. Mark Williams prépare également un rassemblement estival qui se déroulera sur un terrain boisé de trois acres attenant à l'église. On y accueillera notamment un groupe Internet de gnostiques d'une centaine de personnes ainsi que des représentants d'autres groupes religieux, dont des bouddhistes, des hindouistes et des païens. «Il y aura des tentes de camping, des feux de camp et des conférences d'une heure chacune tout au long de ces deux jours. Notre objectif est de retrouver nos origines. Nous croyons qu'il existe plusieurs voies pour le faire, dit Mark, qui a été ordonné prêtre gnostique en août dernier. La voie que j'ai choisie est celle qui me convient. »

Un enseignement qui nourrit l'âme

Katia Romanoff, quarante et un ans, de Dallas/Fort Worth au Texas, a aussi trouvé une religion qui convient à sa personnalité. Elle est fondatrice et directrice de la Esoteric Mystery School, une communauté en ligne vouée à l'enseignement qui compte environ deux cent cinquante membres étudiants en plus d'un millier de participants engagés dans des forums de discussion (http://northernway.org/school). Inspirée par des ouvrages tels que *The Woman with the Alabaster Jar: Mary Magdalene and the Holy Grail*[95], de Margaret Starbird, elle a d'abord lancé en 1999 un forum de discussion sur Internet ayant pour thème le Féminin sacré et Marie Madeleine. Le groupe, appelé Goddess Christians, existe encore aujourd'hui et compte un millier de membres. « Nous avons eu des gens réclamant des cours, des guides d'étude, des déclarations, des prières. J'ai rassemblé un certain nombre de cours en 1999 et ainsi créé l'Esoteric Mystery School », se rappelle Katia Romanoff. À cet égard, il est intéressant de noter que la proportion d'étudiants de sexe masculin est de 40 %.

Selon elle, il y avait longtemps que les gens attendaient une synthèse religieuse comme la sienne. « La religion doit nourrir l'âme, dit-elle. En ce sens, Marie Madeleine offre un équilibre par rapport à cette étrange idée que "Dieu est monoparental". Nous avons besoin d'une mère céleste. Qui est l'épouse de Dieu ? Je me souviens d'avoir posé cette question quand j'avais à peine six ans. » Et si Jésus et Marie n'avaient jamais formé un couple ? « Si Jésus et Marie Madeleine n'étaient pas mariés, ils auraient dû l'être, affirme Katia Romanoff. Parce que c'est une idée qui va de soi, qui comble les espoirs, qui permet à chacun d'entre nous de se réapproprier l'encadrement chrétien dans lequel nous avons grandi. Nous avons le droit d'inventer notre propre version des choses parce que c'est ce que tout le monde a fait. » Une telle version comprend d'ailleurs un *Je vous salue, Marie* personnalisé qui débute ainsi : « Je te salue, Marie Madeleine, épouse du Seigneur. » Il y a aussi un *Notre Père,*

---

95. Margaret Starbird. *Marie Madeleine et le Saint-Graal*, op. cit.

équilibré, un *Rosaire* de Marie Madeleine, ainsi qu'un livre de prières de l'Ordre de Marie Madeleine.

L'Esoteric Mystery School est une institution religieuse légalement constituée qui est habilitée à ordonner des ministres – une fois qu'ils ont suivi une formation appropriée – et qui offre trois salles de cours, trois types de diplômes de deux à trois cents cours axés sur les ouvrages d'auteurs tels que Margaret Starbird, Jean-Yves Leloup et Tau Malachi. Les étudiants paient des frais mensuels de vingt-cinq dollars couvrant l'entrée aux salles où sont donnés les cours, qu'on peut suivre également en ligne et par courriel. Cet accès en ligne a pour effet de créer une communauté virtuelle qui s'inscrit parfaitement dans le nouveau siècle : conversations sur Internet et rassemblement sur «l'avion spirituel» à l'aube, à midi et au coucher du soleil afin de réunir tout le monde, malgré l'absence de rencontres physiques. Le groupe tient aussi une assemblée annuelle, ce qui permet à chacun de rencontrer des étudiants venant d'horizons aussi éloignés les uns des autres que l'Afrique, le Canada, la Chine, l'Europe, l'Indonésie, le Mexique, Porto Rico et les États-Unis.

Une église pour l'avenir : l'activisme Madeleine

Chris Schenk, soixante ans, est la directrice générale de Future Church, une communauté catholique réformée établie en 1990 à Cleveland, en Ohio, dans le but d'assurer la survie de l'Église catholique par l'ordination de femmes et d'hommes mariés (www.futurechurch.org). Selon Chris, l'enjeu est beaucoup plus large que Marie Madeleine : c'est l'avenir même de l'Église catholique qui sera menacé si elle ne permet pas l'ordination des femmes. «Notre pénurie de prêtres nous mène droit au désastre, dit-elle. En 2027, nous n'aurons que 76 prêtres pour desservir 235 paroisses à Cleveland.» Par comparaison, l'Église des États-Unis compte 30 000 ministres du culte, dont 82 % sont des femmes.

En 1997, Chris Schenk a mis au point le projet Women in Church Leadership, en partenariat avec une autre organisation de renouveau catholique, Call to Action. «Nous avons envoyé un courriel ou une lettre à des gens qui avaient utilisé nos ressources sur les femmes et nous leur avons dit : "Voici ce que nous aimerions faire. Demandez à votre spécialiste de la Bible de donner une conférence sur Marie Madeleine au cours d'un service de prières présidé par une femme."» La première année, vingt-trois groupes ont donné leur accord. Aujourd'hui, il y en a environ trois cents. La plupart de ces activités (entre 60 % et 70 %) se déroulent dans des communautés catholiques.

Chris explique que cette lutte publique a aussi été intensément personnelle. «Ma mission était de renverser cette fausse notion selon laquelle Marie Madeleine aurait été une prostituée. En réalité, c'est elle qui a assumé la proclamation de la résurrection. En tant que femme et catholique, tout ce qu'on m'avait dit d'elle auparavant, c'était qu'elle était une femme publique. Je voulais changer cette idée préconçue.»

Cette année, dans le cadre de célébrations marquant la fête de Pâques, l'avent, la Semaine sainte et des fêtes de saints, FutureChurch a préparé toute une série de documents soulignant l'apport des femmes dans l'histoire de l'Église. «Nous pensons que ces femmes étaient douces, intelligentes et obéissantes et qu'elles sont devenues des saintes, déclare Chris Schenk. Mais ce que nous ne savons pas, c'est à quel point elles ont été fortes et l'ampleur de ce qu'elles ont réalisé. Le fait est qu'il y a eu des femmes évêques et prêtres. Il y a eu effectivement une tradition d'ordination des femmes dans l'Église.» De Marie Madeleine, elle dit simplement: «Elle représente la pointe de l'iceberg. Elle est le symbole de la suppression du rôle des femmes dans le christianisme.»

Est-ce que les efforts en faveur de l'ordination des femmes donnent des résultats? La réponse de Chris Schenk est prudente: «Tout dépend de ce que vous entendez par là.» Les femmes prennent des cours pour devenir ministres du culte et prédicatrices à un rythme inégalé. «Soixante pour cent des dix-huit mille personnes actuellement formées pour le ministère du culte – y compris la maîtrise en théologie, en études bibliques ou autres – sont des femmes. En comparaison, on ne compte que trois mille hommes séminaristes. Les choses changent de l'intérieur.»

Pour ces huit personnes et pour des milliers d'autres, Marie Madeleine change les choses de l'intérieur et inspire aussi le changement dans le monde extérieur. À mesure que le message prend de l'ampleur, soutenu par la popularité de livres comme le *Da Vinci Code*, nous nous approchons peut-être d'une étape révolutionnaire dans l'histoire religieuse. Nous sommes en face d'une fusion inédite entre les dimensions spirituelle et personnelle, qui prend la forme d'une liberté nouvelle de créer sa propre voie et de suivre sa propre route. Il existe aussi un besoin profond de rétablir l'équilibre entre le masculin et le féminin, de reprendre ce qui a été perdu ou occulté avec le temps.

« La réponse est tellement positive, affirme Katia Romanoff. Ils utilisent des mots comme "plénitude", "intégrité". Mon désir le plus profond est que nous poursuivions notre œuvre et que cette forme alternative de christianisme soit mieux acceptée. Cela n'arrivera pas du jour au lendemain, mais au moins c'est un début. » Joan Norton est encore plus confiante. Pendant le cheminement de *The Mary Magdalen Within*, m'a-t-elle dit, Marie lui a révélé autre chose. « Elle savait qu'elle demeurerait dans l'ombre jusqu'à ce que nous soyons suffisamment fortes pour la soutenir. Ce moment est arrivé. »

SES VOIES SONT INSONDABLES. RENCONTRES SUR INTERNET AVEC MARIE MADELEINE

PAR LESA BELLEVIE

Les récits donnent un sens au présent et nous aident à imaginer l'avenir. Et dans le cas de Marie Madeleine, un avenir meilleur. Ce sentiment est aussi irrésistible aujourd'hui qu'il l'était aux temps bibliques, lorsque les enseignements de Jésus et les récits sur Marie Madeleine commencèrent à circuler de village en village. Aujourd'hui, bien sûr, notre village est mondial et le courriel a largement remplacé la tradition orale comme mode de transmission de la mémoire. Mais les récits eux-mêmes n'en continuent pas moins de présenter une remarquable similarité avec ceux que se transmettaient, au Moyen Âge, les pèlerins en quête d'inspiration spirituelle ou d'apaisement quand ils visitaient les sites consacrés à Marie Madeleine dans le sud de la France.

Aujourd'hui, l'un des lieux privilégiés pour exprimer « ce que Marie représente pour moi » est l'Internet et, dans ce contexte, le site www.magdalene.org en est le foyer principal. Nous avons demandé à Lesa Bellevie, fondatrice et webmestre de ce site, de nous faire part de ce que ses internautes ont à dire sur la question. Tout en passant au crible les récits personnels des autres et en apprenant ainsi comment les femmes – et, bien sûr, les hommes – de diverses origines et confessions religieuses partageaient ce lien commun, Lesa a commencé du même souffle à examiner son propre cheminement. Ce qui en ressort, c'est la façon dont Marie Madeleine, même au troisième millénaire, entre à l'improviste dans la vie de tant de gens et à quel point le lien qu'ils nouent avec elle devient intensément personnel.

En 1997, j'ai fait un rêve à propos de Marie Madeleine. Même si j'ai grandi dans une famille chrétienne où on lisait chaque soir la Bible, j'en avais la même vague perception que la plupart des gens : c'était la prostituée des Évangiles, n'est-ce pas ? Ce rêve, qui m'est venu – pour la plus grande part – de façon impromptue, était suffisamment étrange et intéressant pour que j'ouvre ma Bible, une chose que je n'avais pas faite depuis des années.

J'avais beau chercher, je ne trouvais aucune référence à la réputation illicite de Marie Madeleine dans les pages de ma Bible de King James[96]. J'ai parcouru l'index, essayé diverses traductions, mais rien à faire : je n'arrivais à trouver aucune raison logique pour laquelle on avait fait d'elle une pute convertie. Ce qui n'avait été au début qu'un simple exercice destiné à satisfaire ma curiosité a alors pris la forme d'un mystère difficile à éclaircir. Qui était Marie Madeleine et comment était-elle devenue une pécheresse ?

L'une des grandes joies de ma vie est de fureter dans les librairies de livres d'occasion. C'est au cours d'une de ces excursions que, au début de 1998, un ami m'a tendu un exemplaire d'un livre intitulé *The Nag Hammadi Library in English*. Aussitôt, j'ai feuilleté les pages jusqu'à l'index pour y trouver, à ma grande surprise, un véritable trésor. Je venais de découvrir le gnosticisme, une ramification précoce de la foi chrétienne qui a eu beaucoup de succès au cours des cinq premiers siècles de notre ère. Les gnostiques croyaient que le secret du salut résidait non pas dans le sacrifice du Christ, mais dans un savoir révélé (la gnose). Dans certaines sectes gnostiques, Marie Madeleine était tenue en haute estime, à la fois comme apôtre, chef de file et compagne du Sauveur.

---

96. Margaret Starbird. *Marie Madeleine et le Saint-Graal, op. cit.* : Publiée pour la première fois en 1611 sous le règne de Jacques Ier d'Angleterre, la King James Bible (Bible du roi Jacques) est l'une des versions en anglais de la Bible parmi les plus répandues. (N.d.T.)

Je suis ingénieure responsable des essais de logiciels et j'ai passé la plus grande partie de ma carrière à travailler sur les technologies reliées aux réseaux de communication. C'est dire que l'étape suivante allait de soi pour moi : je suis allée sur Internet afin de voir ce que je pourrais apprendre d'autre sur Marie Madeleine à l'intérieur ou à l'extérieur des cercles gnostiques. À mon grand désarroi, je n'ai pas trouvé grand-chose. Ma soif d'en savoir plus sur le personnage augmentant chaque jour, j'ai donc décidé de créer mon propre site Internet sur Marie Madeleine, Magdalene.org, qui a été lancé en 1998. Mon objectif était de constituer un répertoire de connaissances sur Marie Madeleine et de le rendre facilement accessible à quiconque éprouvait, comme moi, une fascination pour « l'autre Marie ». Au début, je recevais des commentaires sur mon site à peu près tous les mois, puis toutes les semaines, et enfin sur une base presque quotidienne. Les courriels que je recevais des internautes – surtout des femmes – contenaient presque toujours le même message : « Je croyais que j'étais la seule à m'intéresser à Marie Madeleine. »

Très rapidement, un certain nombre de mes correspondants ont constitué un petit groupe en ligne à partir d'une liste d'adresses. Nous partagions nos réflexions sur Marie Madeleine, le christianisme et diverses questions connexes, nouant des amitiés et des réseaux de soutien. À l'époque, le seul lien qui semblait unir tous ces gens si différents les uns des autres – adolescents, grands-mères, décrocheurs, détenteurs de doctorat – était leur intérêt commun pour Marie Madeleine. Mais, à mesure que le temps passait, des tendances particulières commençaient à émerger. Plusieurs femmes s'intéressaient à Marie Madeleine parce qu'elles portaient le même prénom ou parce que c'est celui qu'elles avaient choisi à leur confirmation dans l'Église catholique romaine. D'autres personnes – c'était mon cas – étaient simplement intriguées par la croyance communément tenue pour vraie (malgré l'absence de preuve) qu'elle était une prostituée. Certains ressentaient pour Marie Madeleine, sur le plan spirituel, une profonde attirance qu'ils avaient du mal à mettre en mots. Plus j'en apprenais sur Marie Madeleine, plus je partageais ce sentiment.

J'ai eu la chance, de par la position que j'occupe, d'entendre un grand nombre de récits provenant de tous les horizons de la société. Bien que je ne partage pas toujours les opinions exprimées sur Marie Madeleine, il est difficile pour moi de ne pas apprécier le fait qu'elle a enrichi la vie spirituelle de tellement de gens. En cela, ils... ou peut-être devrais-je plutôt dire « nous »... donc, nous partageons les mêmes sentiments.

Chercher une nouvelle voie

L'un des principaux thèmes soulevés par les femmes qui se sont trouvées attirées par Marie Madeleine est le sentiment d'aliénation qu'elles éprouvent par rapport au christianisme traditionnel. Cela s'applique à *toutes* les ramifications de la chrétienté et pas seulement à l'Église catholique romaine. Se sentant appréciées comme vendeuses de plats cuisinés au profit des œuvres de bienfaisance, enseignantes à l'école du dimanche et participantes aux offices, mais pas comme membres du conseil, diacres ou pasteurs, beaucoup de femmes en sont venues à penser que, sans égard à leur foi dans le Christ, il y avait quelque chose de bancal dans leur religion.

Je partage ce point de vue. Issue d'une famille pentecôtiste, j'ai appris très jeune qu'une femme doit être soumise à son mari et que sa place est à la maison. Comme j'ai par ailleurs grandi dans un univers culturel marqué par le féminisme, le conflit est devenu insoutenable entre la vision selon laquelle les femmes étaient en mesure d'accomplir n'importe quoi et celle selon laquelle elles n'étaient bonnes qu'à porter des enfants et à tenir maison. J'ai trouvé beaucoup de réconfort dans ce que me racontaient les femmes de notre communauté en ligne :

> *Tous les membres de ma famille sont catholiques, encore que beaucoup d'entre eux – surtout les femmes – aient quitté l'Église pour diverses raisons. [...] J'ai cessé de fréquenter mon église parce que j'ai eu le sentiment qu'elle était à ce point dominée par les hommes que, même entre les lignes, je n'y entendais jamais rien qui pût concerner les femmes. [...] À l'exception de la Vierge Marie, il n'y avait aucune présence féminine forte. Nous, les filles, n'avons jamais pu être enfants de chœur et cela m'a toujours embêtée.*

> – Mary (Northampton, Massachusetts).

J'ai quitté [l'Église de Jésus-Christ des Saints des Derniers Jours] à la fin des années soixante en raison de sa position à l'égard des femmes. La question de la prêtrise ne me dérangeait pas autant que leur insistance sur la soumission des femmes aux hommes, au point même d'en ignorer la violence familiale.

– Loretta (Sylmar, Californie).

Je suis née luthérienne, mais j'ai toujours eu le sentiment qu'il y manquait quelque chose. [...] J'avais un problème par rapport à la façon dont les femmes sont dépeintes par l'Église.

– Elizabeth (Chestertown, Maryland).

J'éprouvais une telle insatisfaction face aux enseignements de l'Église pentecôtiste. À bien des égards, je les trouvais hostiles aux femmes et trop dogmatiques.

– Carol (Kansas City, Missouri).

Toutes ces femmes sont parties du même point de départ pour en arriver à la même destination : une dévotion à Marie Madeleine comme un modèle féminin fort et indépendant issu des Évangiles. Marie Madeleine nous dit que le christianisme n'est pas seulement une affaire d'hommes ; nous avons aussi le droit de porter la bonne nouvelle, hors des voies de la pieuse soumission.

Plus j'en apprenais, plus j'étais intriguée. J'ai alors commencé à comprendre qu'en modifiant la perception des gens sur la Vierge Marie et sur Marie Madeleine, on détiendrait une puissante clé pour l'avancement des femmes dans la société. J'ai ensuite entrepris de mener des recherches et d'écrire sur ces deux femmes en gardant cet objectif en tête.

– Loretta (Sylmar, Californie).

[Marie Madeleine] est véritablement un emblème pour tous : celui de l'égalité des sexes, de rapports fondés sur le partenariat, d'un modèle pour les femmes (et les hommes) de tous les horizons spirituels.

– Denise (Vernon, Connecticut).

Je crois que [la récente popularité de Marie Madeleine] est une chose magnifique, en particulier si cela permet aux femmes d'obtenir plus de considération et d'autorité au sein de l'Église. [...] Nous sommes le reste du monde et il faut que nous soyons entendues.

– Carol (Kansas City, Missouri).

Rêves, mort et *Da Vinci Code*

Au début de 2003, personne dans notre petite communauté en ligne consacrée à Marie Madeleine n'aurait pu soupçonner qu'un livre sur le point de paraître allait changer du tout au tout la façon dont le monde voyait l'objet de notre dévotion. Le *Da Vinci Code*, le roman de Dan Brown paru en avril de cette année-là, est rapidement devenu un succès de librairie. Largement inspiré par l'ouvrage de Michael Baigent, de Richard Leigh et de Henry Lincoln, *Holy Blood, Holy Grail*[97], paru en 1982, ainsi que par *The Woman with the Alabaster Jar : Mary Magdalene and the Holy Grail*[98] et *Goddess in the Gospels*, de Margaret Starbird – une membre de notre communauté –, il s'articule autour de l'idée que Marie Madeleine n'était pas seulement la contrepartie féminine et divine de Jésus, mais aussi la mère de ses enfants. Cela s'est avéré être une combinaison gagnante pour beaucoup de gens.

Le nombre de membres de notre communauté en ligne a commencé à croître de façon soutenue après l'été de 2003, et notre « petit » groupe est devenu une étape incontournable

---

97. Michael Baigent, Richard Leigh et Henry Lincoln. *L'Énigme sacrée, op. cit.*

98. Margaret Starbird. *Marie Madeleine et le Saint-Graal, op. cit.*

sur Internet pour ceux qui s'intéressent au débat sur Marie Madeleine. (Après s'être maintenu de façon relativement stable à une centaine de membres avant la publication du *Da Vinci Code*, le groupe compte aujourd'hui quelque sept cent cinquante participants.) Et avec nos plus récents abonnés, nous avons vu émerger une nouvelle voie vers Marie Madeleine :

Je n'avais aucune idée du sujet [du Da Vinci Code] avant de l'avoir lu. Ça semblait seulement être un bon polar. Mais quand j'ai découvert [...] les théories entourant Marie Madeleine, j'ai été tellement frappée que cela a changé mon existence. D'un seul coup, tout est devenu clair : les liens, les abus dont les femmes ont été victimes, la corruption de l'Église. Tout est devenu limpide.

— Elizabeth (Chestertown, Maryland).

Après avoir lu le Da Vinci Code, *j'ai voulu en savoir plus sur Marie Madeleine. [...] L'approche de Margaret Starbird, centrée sur le mariage sacré, m'a paru très rafraîchissante par sa façon d'envisager la sexualité comme un élément fondamental de la vie que personne ne saurait ignorer.*

— Martina (Berlin, Allemagne).

Quand j'ai lu le Da Vinci Code, *ce fut comme si une porte venait de s'ouvrir toute grande...*

— Kristin (Buffalo, New York).

Un récit particulièrement émouvant nous a été transmis par Erin, de Fort Wayne en Indiana. Elle y explique que sa découverte du *Da Vinci Code* et de Marie Madeleine s'est produite à un moment de sa vie où elle était extrêmement vulnérable. Elle a lu le livre tout juste avant la naissance de sa fille, qui est survenue après un accouchement difficile à l'issue duquel la vie de l'enfant était menacée.

Pressée par le personnel de l'hôpital, j'ai réclamé un prêtre, qui s'est avéré stupide et absent. De toute évidence, il avait hâte de s'en aller et n'a été d'aucun réconfort.

Dans un accès de désespoir tel que beaucoup de mères en ont connu dans une pareille situation, Erin a fait à Dieu la promesse de mener une vie spirituelle plus intense si seulement Il permettait à son enfant de survivre. Sa fille s'en est tirée et Erin a alors entrepris d'examiner plusieurs des sources de Dan Brown. Elle voulait en savoir plus à propos de certaines idées singulières véhiculées dans son roman. Cela l'a amenée à lire les ouvrages de Margaret Starbird, qui ont eu une profonde influence sur elle :

> Les livres de Margaret Starbird me parlaient tellement ! C'était comme si, pour la première fois, tout se mettait en place. Après coup, je me rends compte que la naissance de ma fille a joué un rôle très important dans mon éveil spirituel au féminin. J'ai tenu ma promesse.

Au premier abord, il n'est pas évident pour la plupart des gens que des situations comme celle d'Erin – une vie suspendue à un fil, un deuil ou un décès – puissent être des catalyseurs menant à la découverte de Marie Madeleine. Pourtant, le respect sincère qu'en viennent à ressentir pour elle un grand nombre de personnes s'installe souvent dans le sillage de la perte d'un être cher. À titre de figure de proue associée à la crucifixion, à la mise au tombeau et à la résurrection du Christ, Marie Madeleine incarne le deuil comme aucun autre personnage des Évangiles ne saurait le faire.

MaryEllen, une ministre interconfessionnelle de Bucks County, en Pennsylvanie, affirme qu'un rêve troublant dans lequel figurait Marie Madeleine a précédé la mort de plusieurs membres de sa famille en l'espace de plusieurs années. Après coup, MaryEllen s'est souvenue de ce rêve comme d'une visite de Marie Madeleine, dont la présence lui a par la suite procuré du réconfort. Partageant le point de vue selon lequel Jésus et Marie Madeleine étaient engagés dans une relation intime, elle dit :

> Elle est venue pour me protéger et préserver ma stabilité mentale du stress supplémentaire qui allait m'être imposé. Elle

savait qu'un jour ou l'autre je la trouverais. Elle voulait que je sois mentalement assez forte pour accepter le scepticisme de ceux qui refusent d'abandonner leurs croyances enracinées et leurs structures orthodoxes. Elle me voulait curieuse et ouverte. Je sais ce qu'elle attend de moi, comme de tant d'autres : l'aider à retrouver sa place légitime à côté de son Bien-Aimé.

Au fil des ans, beaucoup de rêves comme celui de MaryEllen m'ont été confiés. Toujours étonnée de constater que les choses que j'ai vécues ont été partagées par tant d'autres, j'en suis venue à considérer les rêves de Marie Madeleine comme un irrésistible élan vers la réconciliation de deux idées complexes et apparemment opposées : la situation des femmes face à la misogynie religieuse et l'amour face à la mort. Il est renversant de réaliser que les *voies* de Marie Madeleine se déploient ainsi dans la vie de tant de gens. Voici, par exemple, ce qu'a vécu Eleonora, de Seattle, dans l'État de Washington :

> Je croyais que Marie Madeleine était une prostituée jusqu'à ce que je rêve que je lui avais construit un sanctuaire. C'était tellement réel ! Lorsque j'ai appris qu'elle était beaucoup plus que ce que j'avais d'abord pensé, j'ai décidé de lui consacrer pour de vrai un petit sanctuaire. Après, j'ai commencé à rêver d'elle beaucoup plus souvent. À plusieurs reprises, ces rêves se distinguaient par la présence de quelqu'un qui pleurait à chaudes larmes et d'un incroyable sentiment de deuil. Dans l'un de ces rêves, quelqu'un était mort et j'avais l'impression que ceux qui étaient en deuil appelaient Marie Madeleine pour qu'elle les consolât. Dans ce rêve, il était clair que c'est la force de son amour pour Jésus qui lui avait permis de ressusciter.

Bien que je n'aie été autorisée à reproduire ici qu'un nombre limité de récits, certains de ceux qui m'ont été racontés à titre confidentiel n'en sont pas moins poignants. Au moins une grande spécialiste de Marie Madeleine, qui travaille en milieu universitaire, attribue ces rêves au sujet de Marie Madeleine à son importance croissante dans la conscience des gens.

Les hommes de Madeleine

Il est vrai que la plupart des personnes qui témoignent d'une vive dévotion à Marie Madeleine sont des femmes. Mais il y a aussi des hommes dans ce groupe. Bien qu'ils soient en minorité, ces hommes qui se sont découvert un lien avec Marie Madeleine n'en sont pas moins éloquents. Très fréquemment, c'est la renaissance du gnosticisme chrétien qui est au cœur de la vénération de certains hommes à l'endroit de Marie Madeleine. Certains textes gnostiques écrits avant la fin du IVᵉ siècle, dont quelques-uns font partie de la bibliothèque de Nag Hammadi, placent Marie Madeleine dans une position très élevée parmi ses pairs. Plusieurs gnostiques modernes ont embrassé cette perspective.

> *Mon intérêt particulier pour Marie Madeleine me vient de mes études dans le domaine du gnosticisme. Elle est un personnage très important de la littérature gnostique : l'une des personnes les plus importantes, sinon la plus importante, parmi les apôtres.*

> — Jeremy (Seattle, Washington).

> *Après mes études de maîtrise, j'ai réalisé que je ne pouvais pas suivre les fondamentalistes chrétiens. J'avais toujours eu des problèmes avec les jugements catégoriques et, après avoir appris la véritable histoire de l'Église et découvert des formes alternatives du christianisme, je ne pouvais plus revenir sur mes pas. Je me suis alors intéressé au gnosticisme et j'ai découvert la tradition gnostique de la Sophia. Les gnostiques de la Sophia accordent une grande importance au Féminin sacré et, en ce sens, ils ont donné à Marie Madeleine un rôle central. J'ai eu le sentiment qu'enfin on la plaçait là où j'avais toujours souhaité qu'elle eût été.*

> — Mark (Mount Vernon, Ohio).

Contrairement à ce que croient beaucoup de gens, les hommes aussi peuvent vibrer à la spiritualité de la Déesse, surtout à la lumière de la place qu'elle occupe dans des romans tels que le *Da Vinci Code*. Un journaliste avec lequel je me suis entretenue plusieurs fois m'a fait part de son amour pour Marie Madeleine en tant que déesse, dans le sens du terme jungien «*anima*», la part féminine intime qui se trouve dans chaque homme et qui influence ses rapports avec les femmes. Grandement affecté par un divorce, il attribue aujourd'hui à la présence de Marie Madeleine dans sa vie spirituelle sa capacité d'être un meilleur mari et un meilleur père.

Des chrétiens à la foi inébranlable

Où sont tous ces chrétiens dévoués à Marie Madeleine? N'attire-t-elle que des gens qui ont quitté l'Église et embrassé les philosophies du Nouvel Âge? Pas du tout. Il semble toutefois que ceux et celles qui demeurent fidèles à l'Église affichent une ferveur plus discrète et ne le crient pas sur les toits. Peu d'entre eux ont exprimé le désir de parler publiquement de leur démarche. Parmi les points de vue dont m'ont fait part ces chrétiens traditionnels, celui qui revient le plus souvent est qu'ils reconnaissent que Marie Madeleine est «l'apôtre des apôtres», en raison de son rôle comme témoin principal de la résurrection.

> *Je crois vraiment que l'idée selon laquelle Madeleine a été «l'apôtre des apôtres» est importante pour aider l'Église à s'aligner sur la pensée moderne à l'égard de la place des femmes. Par contre, je n'accorde aucun crédit au Da Vinci Code ni à aucun de ces trucs sur le Féminin sacré qui entourent le personnage de Marie Madeleine. Mais si cela aide les femmes à tendre vers l'égalité au sein de l'Église, ça ne peut pas être une mauvaise chose.*

> – Thomas (Bellevue, Washington).

Un autre point de vue fondamental de ces chrétiens concerne l'accent mis sur la relation étroite entre Marie Madeleine et Jésus. Tout en admettant qu'il y a sans doute eu une certaine intimité dans leur amitié, ils ne ressentent pas le besoin de les considérer comme des partenaires mariés.

Selon moi, sainte Marie Madeleine (je la considère comme une sainte, étant une catholique pratiquante, et elle est d'ailleurs reconnue comme telle par l'Église, et figure même sur le calendrier des fêtes) représente l'amour, total et inconditionnel ; la soumission entière et absolue. [Il n'existe] pas de plaisir temporel qui puisse se comparer à l'extase qu'elle a dû ressentir aux pieds de Jésus et en voyant Jésus ressuscité ce matin de Pâques. Pour moi, c'est à cela que tout se résume : aimer l'Homme parfait, le Dieu parfait et accueillir son amour en retour. Qui pourrait demander une plénitude plus parfaite que de vivre cet amour pour l'éternité ?

– Helene (Bloomfield, New Jersey).

Mon propre voyage avec Marie Madeleine se poursuit. Après bientôt dix ans, elle s'est glissée entièrement dans ma vie, chaque jour, chaque heure, chaque minute. À mi-chemin entre sainte patronne et conscience quotidienne, entre hobby et dévotion, c'est lorsque je rencontre d'autres pèlerins qui suivent sa voie que je sens le mieux sa puissance. Qu'il s'agisse de chrétiens à la recherche d'une apôtre ou de tenants du Nouvel Âge fascinés par les archétypes de l'union sacrée, d'intellectuels ou de mystiques, ils ont tous été touchés par le divin. Et puisqu'on a toujours eu de la difficulté, depuis les tout premiers débuts de l'histoire, à décrire les cheminements spirituels, nous sommes toujours à la recherche d'un langage qui puisse exprimer la profondeur de notre rencontre avec Marie Madeleine, une femme dont l'identité véritable, après bientôt deux mille ans, n'est toujours pas définitive. Mais le fait que nous partageons ensemble cette dévotion pour elle montre, jusqu'à un certain point, que les paroles sont superflues. Comme les anciens gnostiques, il nous suffit de *savoir*.

ANNEXES

LA BIBLIOTHÈQUE MARIE MADELEINE

PAR L'ÉQUIPE DES *Secrets*

Un projet de la taille et de l'ampleur des *Secrets de Marie Madeleine* requiert la mise sur pied d'une prodigieuse entreprise de recherche. En conséquence, notre bibliothèque collective s'est encore enrichie considérablement et contient maintenant plusieurs centaines de volumes, dont l'éventail va des écrits de spécialistes de haut vol qui ont consacré leur carrière à la traduction et à l'analyse d'anciens textes jusqu'aux livres dits de croissance personnelle classant Marie Madeleine parmi les « révolutionnaires du plaisir ». Parmi les auteurs de ces ouvrages, on compte au moins une douzaine de spécialistes qui proposent des interprétations variées de la tradition de la Déesse et de la façon dont la société l'a supprimée, ainsi que des romanciers et des chercheurs qui tentent de nous convaincre, chacun à leur manière, de leur point de vue sur les détails de la vie de Marie Madeleine, sa relation avec Jésus et ses pérégrinations à travers la France (et, dans certains cas, en Égypte et au Royaume-Uni). Puis il y a ceux qui croient qu'elle représente littéralement le Saint-Graal, en ce qu'elle a donné naissance à une lignée royale et qu'elle est l'héroïne d'un roman d'aventures et polar antihistorique qui débute et se termine au Louvre. Et nous ne devons pas oublier non plus ceux qui – avec, dans la plupart des cas, beaucoup de sérieux – ont émis des opinions sur divers sujets de controverse tels que le sens de sa vie et les tribulations religieuses et intellectuelles qu'elle a connues.

Après avoir feuilleté tous ces livres et parcouru des centaines de pages Internet – ce qui nous a permis mieux comprendre le phénomène Marie Madeleine –, l'impression que nous en conservons est de trois ordres : d'abord, une admiration considérable pour la qualité des recherches et des analyses faites sur Marie Madeleine ; ensuite, la profondeur des liens religieux et personnels que tant de gens ont noués avec elle, même à une époque aussi profane que celle où nous vivons ; enfin, ce que les gens voient en elle reflète, à bien des égards, leurs propres croyances et attitudes.

Tout palmarès de nos « grands succès » comprendrait sûrement les ouvrages de chacun des auteurs que nous avons interviewés. Néanmoins, avec l'aide de Lesa Bellevie de Magdalen.org, nous avons dressé la liste de ce que nous considérons comme les meilleurs ouvrages qui devraient figurer dans toute bibliothèque sur Marie Madeleine. Cette compilation est bien sûr le reflet de notre propre jugement, filtré par les lentilles que nous avons choisies. Nous nous attendons à ce que plusieurs universitaires, spécialistes et lecteurs profanes – dont nous respectons le jugement au plus haut point – ne soient pas d'accord avec nos choix ou leur en préfèrent d'autres. Nous invitons d'ailleurs nos lecteurs à nous faire part de leurs choix personnels sur notre site Internet à l'adresse www.secretsofmarymagdalene.com.

Introductions générales et vues d'ensemble

The Complete Idiot's Guide to Mary Magdalene (Le guide complet de Marie Madeleine pour les nuls), de Lesa Bellevie. Ne soyez pas rebutés par le titre. Entre les petits à-côté, un peu légers et le style très informel, on trouve dans cet ouvrage une somme incroyable de renseignements, lesquels témoignent d'une sélection à la fois judicieuse et complète de faits sur l'héritage de Marie Madeleine, ce que nous savons et ce que nous ne savons pas d'elle, les controverses religieuses et profanes qui la concernent et la place qu'elle occupe dans l'histoire ainsi que dans la culture contemporaine.

Mary Magdalene : A Biography (Marie Madeleine. Une biographie), de Bruce Chilton. Débutant par une vue d'ensemble de ce que nous savons de ses origines, Chilton met d'abord l'accent sur sa propre interprétation des « sept démons » de Marie Madeleine pour ensuite montrer comment elle a marqué de sa propre empreinte les origines du christianisme.

Les lecteurs y trouveront également plusieurs observations édifiantes sur la manière dont Marie Madeleine inspire les femmes dans le christianisme moderne.

Lost Christianities: The Battles for Scripture and the Faiths We Never Knew (Christianismes perdus. Les luttes autour des Écritures et les religions que nous n'avons jamais connues), de Bart Ehrman. L'auteur y explique comment les premiers Pères de l'Église ont déclaré hérétiques les quatre Évangiles et tous les autres textes chrétiens des origines. En l'espace de trois cents ans, nous dit-il, la structure ecclésiale, soutenue par une alliance aux pouvoirs politiques, a fait taire toutes les oppositions à l'orthodoxie. Le dernier ouvrage d'Ehrman, *Peter, Paul and Mary Magdalene: The Followers of Jesus in History and Legend* (Pierre, Paul et Marie Madeleine. Les disciples de Jésus dans l'histoire et la légende) est, comme l'indique son sous-titre, consacré aux disciples de Jésus et à ce que les événements de leur vie nous disent sur les premiers temps de l'Église.

The Gnostic Gospels[99], d'Elaine Pagels. Voilà le classique permettant de comprendre l'éventail des courants au sein du christianisme. Dans un style érudit mais néanmoins accessible qui lui a d'ailleurs valu un National Book Award, Elaine Pagels démêle l'écheveau du christianisme primitif où s'entrelaçaient le mythe, la théologie et la politique. Un autre de ses ouvrages importants est *Beyond Belief* (Au-delà de la foi), dans lequel elle se débat avec sa propre foi dans le contexte de l'*Évangile de Thomas* et explore les raisons pour lesquelles le christianisme a été associé de façon presque exclusive aux idées relativement étroites du Nouveau Testament tel que codifié au IVe siècle, lors du Concile de Nicée.

The Woman With the Alabaster Jar[100], de Margaret Starbird. L'auteure porte presque à elle seule la responsabilité d'avoir popularisé l'idée que Jésus et Marie Madeleine étaient au cœur d'une théologie d'« union sacrée », qu'elle croit être le fondement véritable du christianisme, mais qui fut étouffée par le courant orthodoxe émergent de l'Église. Bien que cet ouvrage soit considéré par beaucoup de spécialistes comme

---

99. Elaine Pagels, *Les Évangiles secrets*, trad. par Tangy Kenec'hdu, Paris, Gallimard, coll. « Le monde actuel », 1982.

100. Margaret Starbird, *Marie Madeleine et le Saint-Graal*, trad. par Anne Confuron, Paris, Exclusif, 2006.

hautement spéculatif, Margaret Starbird n'en suscite pas moins beaucoup d'admiration. Quoi qu'il en soit, ses livres (dont *Mary Magdalene, Bride in Exile* [Marie Madeleine, Épouse exilée]) font partie des titres importants qu'il faut lire pour comprendre la fascination actuelle pour Marie Madeleine et la nouvelle mythologie qu'elle incarne.

Le meilleur du nouveau savoir sur Marie Madeleine

Ne vous laissez pas intimider par le mot « savoir ». Bien que certains de ces ouvrages soient extrêmement détaillés, comprennent de nombreuses notes de bas de page et soient parsemés de paragraphes (et même de chapitres) très denses, ils sont tenus en haute estime – et à juste titre – parce qu'ils fournissent au lecteur des faits nouveaux et souvent renversants sur Marie Madeleine.

Mary Magdalene, The First Apostle : The Struggle for Authority (Marie Madeleine, la première apôtre. La lutte pour l'autorité), d'Ann Graham Brock, explore ce que signifiait être un apôtre ainsi que les raisons pour lesquelles aucun des Évangiles ne désigne Marie Madeleine comme telle, malgré son rôle essentiel dans le message chrétien. Ann Graham Brock, comme les autres spécialistes féministes modernes, dévoile les preuves des efforts intenses qui ont été déployés pour effacer le rôle de Marie comme témoin du Christ ressuscité, au profit de Pierre.

Mary Magdalen : Myth and Metaphor (Marie Madeleine. Mythe et métaphore), de Susan Haskins. Cet ouvrage qui fait autorité couvre presque deux mille représentations diverses de Marie Madeleine en peinture, en liturgie, au théâtre, en littérature, en musique et dans l'imagination populaire. Susan Haskins consacre la dernière partie de son livre aux plus récents points de vue sur Marie Madeleine.

The Gospel of Mary of Magdala : Jesus and the First Woman Apostle (L'*Évangile de Marie* de Magdala. Jésus et la première femme apôtre), de Karen King. L'auteure de ce livre est l'une des spécialistes les plus en vue de l'*Évangile de Marie*, un texte écrit au début du IIe siècle, dans lequel Marie Madeleine partage avec les autres disciples sa vision du Christ. Il s'agit d'une introduction solide à un document qui a été classé comme l'un des plus importants Évangiles gnostiques.

The Resurrection of Mary Magdalene: Legends, Apocrypha, and the Christian Testament (La résurrection de Marie Madeleine : légendes, apocryphes et le testament chrétien), de Jane Schaberg. On pourrait appliquer à ce livre le titre d'un air de jazz bien connu : *Straight, no chaser*[101]. Dans un cadre résolument féministe et dans un style émaillé d'observations poétiques et de commentaires tranchants, l'ouvrage de Jane Schaberg offre au lecteur un large aperçu des légendes, des recherches archéologiques et des traditions gnostiques et apocryphes qui éclairent notre mémoire collective de Marie Madeleine.

Sur le gnosticisme et autres perspectives diverses sur les débuts du christianisme

The Gospel of Mary : The Secret Tradition of Mary Magdalene, The Companion of Jesus (L'Évangile de Marie. La tradition secrète de Marie Madeleine, la compagne de Jésus), une traduction de Marvin Meyer accompagnée de commentaires utiles d'Esther de Boer. Marvin Meyer est également connu pour son *Gospel of Thomas* (*Évangile de Thomas*) ainsi qu'un ouvrage couvrant certaines de ses plus récentes recherches, *The Gnostic Discoveries* (Les découvertes gnostiques). L'*Évangile de Marie*[102], de Jean-Yves Leloup, est fort populaire pour l'accent qu'il met sur cet Évangile comme source de sagesse gnostique. Une compilation complète des Évangiles gnostiques, assortie de commentaires, se trouve dans *The Nag Hammadi Library in English*[103], sous la direction de James M. Robinson.

---

101. Expression courante dans les bars qui indique qu'on désire son alcool sec, c'est-à-dire sans eau ni aucun autre alcool pour le faire descendre. Dans le cas précis qui nous occupe, elle pourrait être traduite par « direct et sans détour ». (N.d.T.)

102. Leloup, Jean-Yves. *L'Évangile de Marie*, Paris, Albin Michel, coll. « Spiritualités vivantes », 2000.

103. Il existe des éditions en français de la plupart des Évangiles gnostiques et de la majeure partie des textes composant la bibliothèque de Nag Hammadi. (N.d.T.)

Marie Madeleine : déconstruire les traditions

Si vous êtes intrigués par l'idée que Marie Madeleine puisse avoir été littéralement la coupe du sang de Jésus-Christ et par le rôle de sociétés secrètes telles que le Prieuré de Sion dans la protection des secrets les plus précieux du monde occidental, nous vous conseillons de commencer par la lecture de Holy Blood, Holy Grail[104], *Michael Baigent, Richard Leigh et Henry Lincoln. Par la suite, consultez les ouvrages de Lynn Picknett (*Mary Magdalene *et* The Templar Revelation[105]*) qui adoptent le point de vue selon lequel Marie et Jésus étaient amants et partenaires spirituels et que tout ce que l'Église enseigne à ce propos n'est qu'une « tentative délibérée de dissimuler des faits embarrassants ». Timothy Freke et Peter Gandy, quant à eux, offrent une plus large perspective en faisant appel au symbolisme, aux mythes de la Déesse et à bien d'autres éléments pour mettre en lumière un christianisme déformé et l'importance croissante de Marie Madeleine.*

Madeleine : les meilleurs romans

Un grand nombre d'écrivains ont combiné leur imagination littéraire à une somme importante de recherches pour se gagner aussi bien l'estime des spécialistes que celle des critiques et des lecteurs. *The Secret Magdalene*, de Ki Longfellow, place l'héroïne dans le contexte de la Palestine du Ier siècle, la présente comme plus instruite que la plupart des hommes de son temps (et vêtue de façon à pouvoir se déplacer librement) et étroitement liée à Jésus. *The Moon Under Her Feet*, de Clysta Kinstler, explore une version païenne de l'histoire chrétienne, dans laquelle Marie Madeleine apparaît comme une prostituée sacrée qui s'adonne avec Jésus à des rites sexuels associés à une sorte de culte de fertilité judéo-hellénistique. *Mary, Called Magdalene*, de Margaret George, s'articule autour des sept démons de Marie Madeleine et présente sa vie comme étant remplie des complexités, des tensions, des deuils et des bonheurs inhérents à la nature humaine. L'un des plus

---

104. Michael Baigent, Richard Leigh et Henry Lincoln, *L'Énigme sacrée*, trad. par Brigitte Chabrol, Paris, Pygmalion, 1983.

105. Lynn Picknett, *La Révélation des Templiers*, trad. par Paul Couturiau, Paris, Rocher, 2005.

récents romans sur Marie Madeleine – qui a d'ailleurs béné-ficié d'énormes efforts de promotion – est *The Expected One*, le premier d'une trilogie de Kathleen McGowan intitulée *The Magdalene Line*. Pour Kathleen McGowan, qui au cours de ses recherches a été admise au sein de sociétés secrètes, l'histoire de Marie se résume en trois mots : courage, ténacité et foi.

Autres perspectives à étudier

Mariam, the Magdalen and the Mother, de Deirdre Good, est une collection de textes qui explorent de façon fort détaillée l'identité religieuse et prophétique de Marie Madeleine et de la Vierge Marie en tant que figures de Miriam. Dans son ouvrage *The Making of the Magdalen : Preaching and Popular Devotion in the Later Middle Ages* (La création de la Madeleine. Prédica-tion et dévotion populaire à la fin du Moyen Âge), Katherine L. Jansen pose un regard sur le Moyen Âge, une époque fertile en mythes et en légendes entourant Marie Madeleine, lesquels ont encore une influence sur l'art et la culture d'aujourd'hui. Philip Jenkins représente, quant à lui, l'école de pensée traditionnelle avec un ouvrage articulé et provocateur : *Hidden Gospels: How the Search for Jesus Lost Its Way* (Les Évangiles cachés. Comment la recherche de Jésus s'est écartée de sa Voie). Par ailleurs, Jane Lahr a publié récemment un livre grand format magnifiquement illustré de représentations picturales de Marie Madeleine intitulé *Searching for Mary Magdalene* (À la recherche de Marie Madeleine).

Versets de la Bible.
Marie Madeleine et les Écritures

par l'équipe de Beliefnet[106]

1. Références à Marie de Magdala durant le ministère de Jésus

Luc 8,1-3 : Et il arriva après cela, qu'il passait par les villes et par les villages, prêchant et annonçant le royaume de Dieu; et les douze [étaient] avec lui, et des femmes aussi qui avaient été guéries d'esprits malins et d'infirmités, Marie, qu'on appelait Magdeleine, de laquelle étaient sortis sept démons, et Jeanne, femme de Chuzas intendant d'Hérode, et Susanne, et plusieurs autres, qui l'assistaient de leurs biens.

2. Références à Marie de Magdala pendant la crucifixion

Marc 15,40 : Et il y avait aussi des femmes qui regardaient de loin, entre lesquelles étaient aussi Marie de Magdala, et Marie, la mère de Jacques le mineur et de Joses, et Salomé.

Matthieu 27,56 : [...] entre lesquelles étaient Marie de Magdala, et Marie, la mère de Jacques et de Joses, et la mère des fils de Zébédée.

Jean 19,25 : Or, près de la croix de Jésus, se tenaient sa mère, et la sœur de sa mère, Marie, [femme] de Clopas, et Marie de Magdala.

3. Références à Marie de Magdala après la crucifixion

Marc 15,47 : Et Marie de Magdala, et Marie, la [mère] de Joses, regardaient où on le mettait.

---

106. Cet article est d'abord paru sur www.beliefnet.com, le principal site américain consacré à la foi, à la spiritualité, à l'inspiration et plus encore. Reproduit avec l'aimable autorisation de Beliefnet. Tous droits réservés. Toutes les références proviennent du Nouveau Testament.

Matthieu 27,61 : Et Marie de Magdala et l'autre Marie étaient là, assises vis-à-vis du sépulcre.

Matthieu 28,1 : Or, sur le tard, le jour du sabbat, au crépuscule du premier jour de la semaine, Marie de Magdala et l'autre Marie vinrent voir le sépulcre.

Marc 16,1 : Et le sabbat étant passé, Marie de Magdala, et Marie, la [mère] de Jacques, et Salomé, achetèrent des aromates pour venir l'embaumer.

4. Références à Marie de Magdala après la résurrection

Jean 20 :1 : Et le premier jour de la semaine, Marie de Magdala vint le matin au sépulcre, comme il faisait encore nuit ; et elle voit la pierre ôtée du sépulcre.

Marc 16 :9 : Et étant ressuscité le matin, le premier jour de la semaine, il apparut premièrement à Marie de Magdala, de laquelle il avait chassé sept démons.

Jean 20 :18 : Marie de Magdala vient rapporter aux disciples qu'elle a vu le Seigneur, et qu'il lui a dit ces choses.

Luc 24 : Or le premier jour de la semaine, de très-grand (sic) matin, elles vinrent au sépulcre, apportant les aromates qu'elles avaient préparés. Et elles trouvèrent la pierre roulée de devant le sépulcre. Et étant entrées, elles ne trouvèrent pas le corps du seigneur Jésus. Et il arriva, comme elles étaient en grande perplexité à ce sujet, que voici, deux hommes se trouvèrent avec elles, en vêtements éclatants de lumière. Et comme elles étaient épouvantées et baissaient le visage contre terre, ils leur dirent : Pourquoi cherchez-vous parmi les morts celui qui est vivant ? Il n'est point ici, mais il est ressuscité. Souvenez-vous comment il vous parla quand il était encore en Galilée, disant : Il faut que le fils de l'homme soit livré entre les mains des pécheurs, et qu'il soit crucifié, et qu'il ressuscite le troisième jour. Et elles se souvinrent de ses paroles. Et, laissant le sépulcre, elles s'en retournèrent et rapportèrent toutes ces choses aux onze et à tous les autres. Or ce furent Marie de Magdala, et Jeanne, et Marie, la [mère] de Jacques, et les autres femmes avec elles, qui dirent ces choses aux apôtres. Et leurs paroles semblèrent à leurs yeux comme des contes, et ils ne les crurent pas.

COLLABORATEURS

Dan Burstein (directeur de publication) a lancé en 2003, avec son partenaire commercial Arne J. de Keijzer, l'entreprise Squibnocket Partners, vouée au développement de contenus créatifs innovateurs. En 2004, ils ont créé ensemble la série *Secrets*, devenue depuis la principale référence en matière de guides profanes multidisciplinaires sur le phénomène du *Code Da Vinci*. Parmi ces ouvrages figurent aujourd'hui *Secrets of the Code* et *Secrets of Angels & Demons*[107], qui ont eu du succès dans le monde entier et qui ont fait partie de la liste des meilleurs succès de librairie du *New York Times*, ainsi que *Secrets of the Widow's Son* et *Secrets of Mary Magdalen*. Un film documentaire basé sur *The Secrets of the Code* a également été produit.

Poursuivant une carrière active dans le domaine du capital-risque (son « emploi de jour ») en plus de son engagement dans la série *Secrets*, Dan Burstein est fondateur et associé directeur de Millennium Technology Ventures Advisors, une entreprise new-yorkaise de capital-risque qui investit dans des compagnies de nouvelles technologies novatrices. Il a été membre du conseil de plus d'une douzaine d'entreprises naissantes et est actuellement directeur de Applied Minds, un laboratoire à la fine pointe de la recherche, et de Global Options Group, une entreprise internationale de gestion du risque inscrite en Bourse. De 1988 à 2000, il a été conseiller principal auprès du Blackstone Group, l'une des principales banques d'affaires de Wall Street. Il est également un consultant réputé en matière de stratégie d'affaires, ayant travaillé comme conseiller auprès de dirigeants, d'équipes de direction et de sociétés multinationales telles que Sony, Toyota, Microsoft, Boardroom Inc. et Sun Microsystems.

---

107. Parus en français respectivement sous les titres *Les Secrets du Code Da Vinci* et *Les Secrets de Anges & démons*.

Dan Burstein a aussi remporté plusieurs prix de journalisme et est l'auteur d'ouvrages sur l'économie mondiale et la technologie. Son plus récent livre sur la question est *BLOG! How the Web's New Mavericks Are Changing Our World*, écrit en collaboration avec David Kline. Son premier ouvrage, *Yen!*, publié en 1998, portait sur la montée du pouvoir financier au Japon. Il a figuré sur la liste des livres à succès internationaux dans plus de vingt pays. En 1995, son livre *Road Warriors* a été l'un des premiers à analyser les répercussions d'Internet et de la technologie numérique sur les entreprises et la société. Son livre de 1998, *Big Dragon* (écrit en collaboration avec Arne J. de Keijzer), présentait une perspective à long terme sur le rôle de la Chine au XXIe siècle. Jusqu'à maintenant, cet ouvrage s'est avéré d'une remarquable prescience.

À titre de journaliste à la pige dans les années 1980, Dan Burstein a écrit plus de mille articles dans plus de deux cents publications, dont le *New York Times*, le *Wall Street Journal*, le *Los Angeles Times*, le *Boston Globe*, le *Chicago Tribune* et les magazines *New York*, *Rolling Stone*, *Paris Match*, *Le Nouvel Observateur*, *L'Expansion* et plusieurs autres publications aux États-Unis, en Europe et en Asie. Il a aussi fait de nombreuses apparitions à la télévision, notamment au History Channel et au réseau CNN, ainsi qu'aux émissions *Charlie Rose* et *Oprah*.

Arne J. de Keijzer est un auteur, ex-consultant d'affaires en Chine et partenaire de Dan Burstein dans Squibnocket Partners LLC. Il est également l'auteur d'un guide de voyage en Chine figurant parmi les meilleurs livres à succès internationaux, de deux ouvrages sur la façon de faire des affaires en Chine et, en collaboration avec Dan Burstein, de *Big Dragon : China's Future – What It Means for Business, the Economy, and the Global Order*. Toujours en collaboration avec Dan Burstein, il a lancé la série *Secrets* et a été directeur de rédaction des *Secrets du code Da Vinci* et codirecteur de publication des *Secrets de Anges & démons*. Il a aussi collaboré à la rédaction de *BLOG! How the Newest Media Revolution is Changing Politics, Business, and Culture*. D'autres textes d'Arne J. de Keijzer ont paru dans diverses publications, dont *Powerboat Reports* et le *New York Times*.

Jennifer Doll a été directrice de rédaction du présent ouvrage, un rôle qu'elle a assumé pour plusieurs autres publications. Actuellement conseillère en rédaction pour le compte de *Reader's Digest*, elle a aussi effectué des travaux de rédaction et de révision pour McKinsey & Company, *U.S. News & World Report* et The Teaching Commission. Elle a également été recherchiste et adjointe à la rédaction des *Secrets du code Da Vinci*. Écrivaine de fiction dans ses temps libres, elle travaille actuellement à la rédaction de son premier roman.

Joan Acocella est rédactrice au magazine *New Yorker*, où elle couvre les domaines de la danse et de la critique littéraire. Elle a également collaboré à la *New York Review of Books* et au *Wall Street Journal*. Elle est l'auteure de la biographie critique *Mark Morris, Creating Hysteria : Women and Multiple Personality Disorder* (Mark Morris, créer l'hystérie. Les femmes et le trouble de la personnalité multiple) et de *Willa Cather and the Politics of Criticism* (Willa Cather et la politique de la critique). Elle a également édité la version anglaise non expurgée du *Journal de Nijinsky* et collaboré, avec Lynn Garafola, à l'édition de *André Levinson on Dance*. Elle a aussi été boursière de la fondation Guggenheim. Joan Acocella vit à New York.

Tori Amos est une pianiste et auteure-compositrice-interprète qui a contribué à redéfinir le rôle des femmes dans la musique pop au cours des années 1990. Elle est connue pour le caractère opaque de ses chansons et l'émotion intense qui s'en dégage, lesquelles chansons couvrent un large éventail de sujets, dont la sexualité, la religion, le patriarcat et les tragédies intimes. Son père était pasteur, et sa carrière musicale a débuté dans son église, alors qu'elle n'avait que cinq ans. Elle a été la plus jeune étudiante à fréquenter le Peabody Conservatory of Music, jusqu'à ce qu'elle quitte cette institution pour entreprendre une carrière de chanteuse pop. Elle a publié son autobiographie, *Piece by Piece*, dans laquelle elle raconte son ascension vers la célébrité et explore son obsession de la mythologie et de la religion. Elle est cofondatrice du Rape, Abuse and Incest Network, une organisation qui aide les victimes d'agression sexuelle.

Diane Apostolos-Cappadona est professeure associée d'arts religieux et d'histoire culturelle au Prince Alwaleed bin Talal Center for Muslim-Christian Understanding, ainsi que professeure associée en arts et culture au programme d'études libérales de Georgetown University. Elle a été conservatrice invitée et auteure du catalogue de l'exposition «In Search of Mary Magdalene: Image and Tradition» (2002). En outre, elle a rédigé plusieurs articles sur des sujets tels que Marie Madeleine, le symbolisme chrétien, Léonard de Vinci, Gian Lorenzo Bernini et le roman centré sur l'art dans des publications spécialisées et des ouvrages consacrés aux romans de Dan Brown. Conférencière recherchée, Diane Apostolos-Cappadona a été interviewée dans le cadre du film documentaire *Secrets of the Code* ainsi qu'à plusieurs émissions télévisées, dont le *Today Show*, A&E «*MovieReal: The Da Vinci Code*», *Secrets of Angels, Demons & Masons* et *Secrets of Mary Magdalene*.

Elizabeth Bard est une journaliste et historienne de l'art installée à Paris. Ses critiques d'art et récits de voyage ont paru dans diverses publications, dont le *New York Times*, le *International Herald Tribune*, le *Washington Post*, le *Wired*, le *Art News* et le *Time Out*. Elle est également, depuis 2002, rédactrice en chef de la section «Nouveaux médias» de *Contemporary*, un magazine londonien consacré à l'art. Depuis le printemps de 2004, elle est guide pour le compte de Paris Muse, une entreprise formée par des historiens de l'art qui offrent des visites guidées privées des principaux monuments de Paris. Elle a rédigé, pour l'édition anglaise en livre de poche de *Secrets of the Code*, un itinéraire du Louvre fondé sur l'intrigue du *Code Da Vinci*.

Lesa Bellevie, dont l'«emploi de jour» est ingénieure responsable des essais de logiciels, a fondé le site Internet Magdalene.org et est l'auteure du *Complete Idiot's Guide to Mary Magdalene* (Le guide complet de Marie Madeleine pour les nuls). Le site Internet, mis sur pied en 1998 dans le but de rassembler le plus de renseignements possible sur cette figure de proue du Nouveau Testament, est devenu un centre de ressources et un forum réunissant des participants de partout dans le monde. Magdalene.org a été relancé en 2005 sous une nouvelle présentation visuelle, en plus de jeter les bases d'un nouveau projet appelé Encyclopedia Magdalena. Lesa Bellevie a fréquemment accordé des entrevues à des journaux et à des magazines locaux, nationaux et internationaux ainsi qu'à la radio et dans le cadre de documentaires télévisés. Elle a actuellement plusieurs autres projets, dont un blog appelé «The Magdalene Review» (http://www.magdalenereview.org), dans lequel elle retrace les références à Marie Madeleine dans les médias, ainsi que les plus récents résultats de recherche à son sujet.

Ann Graham Brock est une auteure et conférencière qui s'intéresse particulièrement au Nouveau Testament et aux premières traditions chrétiennes, à l'archéologie et au rôle des femmes dans les religions. Son plus récent ouvrage est intitulé *Mary Magdalene, the First Apostle: The Struggle for Authority*. Elle a coédité cinq autres ouvrages en plus d'avoir rédigé un grand nombre d'articles encyclopédiques et de journaux publiés en allemand, en français et en anglais. Elle a enseigné le Nouveau Testament et les religions du monde à la University of Colorado à Boulder, au Trinity Lutheran Seminary, à la Iliff School of Theology, à la Harvard Divinity School et à la Harvard University. Elle a fait de fréquentes apparitions à la télévision, notamment dans le cadre de sa présentation sur les douze apôtres au History Channel, dans l'émission *The Real Da Vinci Code* au Discovery Channel, ainsi que dans plusieurs documentaires présentés à la télévision britannique.

James Carroll a fréquenté la Georgetown University avant d'entrer à Saint Paul's College, le séminaire des pères paulistes, où il a obtenu son baccalauréat et sa maîtrise. Il est un défenseur des droits civils, un activiste antiguerre et un organisateur communautaire. Il a été ordonné prêtre en 1969, servant à titre d'aumônier à la Boston University jusqu'en 1974. C'est durant cette période qu'il a publié des ouvrages sur divers sujets de nature religieuse ainsi qu'un recueil de poèmes. Il a également été chroniqueur pour le *National Catholic Reporter* et a gagné le premier Thomas Merton Award. Il a quitté la prêtrise en 1974 pour devenir écrivain et, la même année, a été dramaturge en résidence au

Berkshire Theater Festival en plus d'entreprendre la rédaction de romans (il en a publié dix jusqu'à maintenant). Parmi les autres ouvrages de James Carroll, citons *House of War: The Pentagon and the Disastrous Rise of American Power* (2006), *Constantine's Sword: The Church and the Jews*, publié en 2001 et adapté en film documentaire en 2006, et *An American Requiem*, qui a remporté en 1996 le National Book Award. Il est aussi l'auteur de chroniques hebdomadaires dans le *Boston Globe* et de nombreux articles qui ont paru dans certaines des plus prestigieuses publications américaines.

Bruce Chilton est professeur de religion à Bard College en plus d'occuper le poste d'aumônier du collège et de directeur général du Institute of Advanced Theology. Il est diplômé du General Theological Seminary de la Columbia University. Il est prêtre de l'Église épiscopalienne et accomplit son ministère à la Free Church of Saint John à Barrytown, dans l'État de New York. Il a publié de nombreux ouvrages, dont *Rabbi Jesus: An Intimate Biography*, *God in Strength*, *Rabbi Paul: An Intellectual Biography*, *Judaic Approaches to the Gospels*, *Revelation*, *Trading Places*, *Jesus' Prayer and Jesus' Eucharist*, *Forging a Common Future*, et *Jesus' Baptism and Jesus' Healing*. Il est également rédacteur en chef du *Bulletin for Biblical Research* en plus d'avoir fondé et de diriger le *Journal for the Study of the New Testament*.

Richard Covington a collaboré à la rédaction d'un reportage spécial, «Women in the Bible», paru dans le magazine *U.S. World & New Report*.

Mary Rose D'Angelo est professeure agrégée au Département de théologie de la University of Notre Dame, où elle enseigne le Nouveau Testament et les origines chrétiennes en plus de mener des recherches sur la religion, les femmes et les rapports entre hommes et femmes dans l'Antiquité. Auteure de *Moses in the Letter to the Hebrews*, elle a aussi coédité *Women and Christian Origins* et l'article «Crossroads in Christology: Essays in Honor of Ellen M. Leonard» paru dans le *Toronto Journal of Theology*. Elle a également écrit plusieurs autres articles sur les femmes, les différences entre les sexes, la politique de la Rome impériale, le langage théologique et les pratiques sexuelles dans les débuts du christianisme. Elle travaille actuellement à un ouvrage décrivant les valeurs familiales dans la Rome impériale et les réponses offertes alors à cet égard par les juifs et les chrétiens.

Jacques de Voragine, un moine italien, est entré dans l'ordre des Dominicains en 1244. En plus d'obtenir beaucoup de succès comme prédicateur dans plusieurs régions d'Italie, il enseignait dans certaines écoles dirigées par son ordre. Il a participé à plusieurs conciles, progressant de façon continue au sein de la hiérarchie catholique pour être élevé au rang d'évêque en 1292. Décédé en 1298 ou en 1299, il a été béatifié par le pape Pie VII en 1816.

Bart D. Ehrman est professeur émérite d'études religieuses à la University of North Carolina à Chapel Hill, où il enseigne depuis 1988. Considéré comme une autorité en matière de Nouveau Testament et d'histoire de l'Église primitive, il a été fréquemment invité à CNN, à History Channel, à Arts & Entertainment, ainsi qu'à plusieurs émissions à la radio et à la télévision. Il a enregistré de nombreuses séries de conférences pour le compte de The Teaching Company et est l'auteur et, ou le rédacteur en chef de treize ouvrages, dont le plus récent est *Peter, Paul, and Mary Magdalene: The Followers of Jesus in History and Legend*. Il a également écrit *Truth and Fiction in The Da Vinci Code*, ainsi que le livre à succès salué par la critique, *Lost Christianities: The Battles for Scripture and the Faiths We Never Knew*. Au printemps de 2006, il a été consultant pour le projet de publication de l'*Évangile de Judas* par la National Geographic Society.

Deirdre Good, collaboratrice à la rédaction de ce livre, enseigne le Nouveau Testament au General Theological Seminary de New York. Bénéficiant d'une large audience comme auteure et conférencière, elle est aussi consultante à la télévision en matière d'histoire religieuse. Elle a été rédactrice en chef de *Mariam, the Magdalen and the Mother*, un recueil de textes sur l'identité religieuse et prophétique de Marie Madeleine et de la Vierge Marie comme figures de Miriam. Elle a également été rédactrice en chef de *Reconstructing the Tradition of Sophia in Gnostic Literature* et de *Jesus the Meek King*, en plus de collaborer aux *Secrets du code Da Vinci*.

Maxine Hanks est écrivaine, conférencière et théologienne féministe dont les principaux domaines de recherche sont les femmes dans la religion, les études mormones et le gnosticisme. Elle a été «camarade de Merrill» à la Harvard Divinity School et chercheuse attachée au Utah Humanities Council. Son premier ouvrage, *Women and Authority*, plaidait en faveur d'une réappropriation de la théologie féministe au sein de l'Église mormone. Elle a écrit dans de nombreuses publications en plus d'être invitée à des émissions de télévision et comme conférencière dans plusieurs institutions d'enseignement. Ancienne mormone et missionnaire de l'Église de Jésus-Christ des Saints des Derniers Jours, elle est devenue gnostique en 1996 et participe activement, depuis, à divers projets interconfessionnels sur la scène locale et nationale.

Susan Haskins est auteure, rédactrice, chercheuse et traductrice. Elle a donné des conférences dans le monde entier et a participé à diverses émissions de télévision traitant de Marie-Madeleine. Elle traduit actuellement (de l'italien) et édite *Three Marian Writings* (des textes sur la vie de la Vierge par trois écrivaines italiennes du XVIᵉ siècle). Elle est l'auteure de *Mary Magdalene: Myth & Methaphor* et a également collaboré à la rédaction des *Secrets du code Da Vinci*.

Katherine L. Jansen est l'auteure de l'ouvrage primé *The Making of the Magdalen: Preaching and Popular Devotion in the Late Middle Ages*. Elle est aussi professeure agrégée à la Catholic University of America. Chercheuse dans les domaines de l'histoire médiévale, de l'histoire italienne, de la situation des femmes et de la culture religieuse, son prochain ouvrage s'intitulera *The Practice of Peace in Late Medieval Italy*. Katherine Jansen est membre de l'Académie américaine de Rome et de la Villa I Tatti, le Harvard Center for Renaissance Studies à Florence.

Philip Jenkins a étudié à la Cambridge University, où il a obtenu son doctorat en histoire. Depuis 1980, il enseigne à Penn State University où il occupe le poste de professeur émérite en histoire et en études religieuses. Son plus récent ouvrage est *Decade of Nightmares: The End of the Sixties and the Making of Eighties America*. Parmi ses autres ouvrages figurent notamment *Mystics and Messiah: Cults and New Religions in American History, Hidden Gospels: How the Search for Jesus Lost its Way*, et *The Next Christendom: The Rise of Global Christianity*. Le professeur Jenkins a également écrit des articles pour un large éventail de publications, en plus d'accorder régulièrement des entrevues dans les médias.

Karen L. King est professeure d'histoire ecclésiastique à la Harvard Divinity School, où elle enseigne également le Nouveau Testament et l'histoire du christianisme primitif. Possédant une formation en religion comparée et en études historiques, elle poursuit l'enseignement et des recherches spécialisées en histoire du christianisme et en études féministes. Ses ouvrages ont été largement salués, les plus connus d'entre eux étant *The Gospel of Mary of Magdala: Jesus and the First Woman Apostle* et *What is Gnosticism?* Ses intérêts particuliers en matière de théologie touchent la formation de l'identité religieuse, les dissertations sur la normativité (orthodoxie et hérésie) et l'étude des différences entre les sexes. Karen King est récipiendaire de plusieurs prix d'excellence en enseignement et en recherche, notamment de la part de la National Endowment for the Humanities, de la Deutsche Akademische Austauschdienst et de la fondation Graves.

Katherine Kurs est membre de la faculté des études religieuses du Eugene Lang College de la New School University et du General Theological Seminary. Ses domaines de spécialisation sont notamment la spiritualité américaine contemporaine, la religiosité en milieu urbain, la « religion vécue », le pluralisme religieux et l'autobiographie spirituelle. La révérende Kurs est aussi ministre œcuménique associée à la West Park Presbyterian Church où elle offre également des services privés de consultation. Son livre *Searching for Your Soul* a été reconnu comme l'un des meilleurs ouvrages de religion/spiritualité parus en 1999.

John Lash, un intellectuel indépendant aux intérêts éclectiques, est cofondateur et principal rédacteur du site Internet Metahistory.org, en plus d'être l'auteur de quatre ouvrages, dont *The Seeker's Handbook*, *Twins and the Double* et *The Hero*. Il croit que le personnage de Marie Madeleine représente une occasion de retrouver les véritables caractéristiques hérétiques du gnosticisme. Son ouvrage à venir, *Not in His Image : Gnostic Vision, Sacred Ecology, and the Future of Belief*, permettra selon lui de retrouver ce qu'il appelle «la vision sophianique des Mystères».

Ki Longfellow est une romancière et une scénariste dont le livre *The Secret Magdalene* a reçu de nombreux éloges pour la qualité de sa recherche et son style. Sous le pseudonyme Pamela Longfellow, elle a aussi publié deux romans, *China Blues* (un livre à succès international) et *Chasing Women*. Tous deux ont été adaptés à l'écran. Elle a aussi coécrit, en collaboration avec son mari, un opéra comique, *STINKFOOT*, qui a été monté deux fois à Londres et a reçu d'excellentes critiques.

Kathleen McGowan a entrepris sa carrière d'auteur en tant que journaliste. À vingt et un ans, elle a déménagé en Irlande pour y travailler comme reporter. Pendant son séjour à l'étranger, elle a longuement étudié le folklore international, la mythologie et l'art du récit. Elle a été auteure fantôme et directrice de rédaction d'ouvrages de fiction et d'ouvrages généraux, en plus d'écrire dans les domaines du potentiel humain, des thérapies alternatives, de la spiritualité et de la métaphysique. Kathleen McGowan a aussi travaillé pour la Walt Disney Company à titre d'agente de marketing, d'analyste de scénario et de consultante en scénario. Elle a scénarisé et réalisé un film, *Down to Gehenna*. Son premier roman, *The Expected One*, résultant de plus de vingt ans de recherches et fourmillant d'informations inédites, s'articule autour de la vie de Jésus et de Marie Madeleine.

Marvin Meyer est professeur d'études bibliques et chrétiennes à la Chapman University et directeur du Albert Schweitzer Institute de la même université. Il est aussi directeur du Coptic Magical Texts Project de l'Institute for Antiquity and Christinanity de la Clermont Graduate University. Marvin Meyer est l'auteur de nombreux ouvrages et articles sur les religions gréco-romaines et chrétiennes dans l'Antiquité ainsi que sur l'éthique et l'amour de la vie du docteur Albert Schweitzer. Parmi ses plus récents ouvrages figurent *The Gnostic Discoveries*, *The Gnostic Gospels of Jesus*, *The Unknown Sayings of Jesus* et *The Gospels of Mary*. Son livre *The Gospel of Thomas: The Hidden Sayings of Jesus* a été reconnu comme l'un des cent meilleurs ouvrages de spiritualité publiés au XXᵉ siècle. Plus récemment, Marvin Meyer a dirigé et traduit en anglais l'*Évangile de Judas*, en collaboration avec Rodolphe Kasser et Gregor Wurst[108]. Ses livres et articles ont été traduits dans plusieurs langues et il est fréquemment invité à des émissions à la radio et à la télévision américaines.

Elaine Pagels est professeure de religion à la Princeton University. Diplômée de Stanford University, elle a fait son doctorat à Harvard, où elle était membre d'un groupe d'étude sur les manuscrits de Nag Hammadi. Ces travaux ont formé la base de son livre à succès *The Gnostic Gospels*[109], une introduction populaire au contenu de la bibliothèque de Nag Hammadi. Cet ouvrage lui a valu le National Book Critics Circle Award et le National Book Award, en plus d'être choisi par la Modern Library comme l'un des cent meilleurs livres du XXᵉ siècle. En 1982, Elaine Pagels s'est jointe à la Princeton University à titre de professeure d'histoire de l'Église primitive. Son autre succès de librairie, *Beyond Belief: The Secret Gospel of Thomas*, porte particulièrement sur la prétention qu'a la religion de posséder l'ultime vérité. En plus d'une bourse de recherche MacArthur, la professeure Pagels a été récipiendaire de bourses de recherche Guggenheim et Rockefeller.

Jeremy Pine est un antiquaire américain qui a vécu pendant trente-cinq ans à Katmandou, au Népal. Spécialisé en textiles antiques, il a mené des recherches sur des milliers de pièces de tissu, qu'il s'agisse de lainages, de soieries ou de tapis. De 1993 à 1995, il a été directeur d'expédition pour le compte de l'Académie des sciences de Moscou et de l'Institut de la culture matérielle de Saint-Pétersbourg. À ce titre, il a mené trois expéditions à Touva afin d'excaver d'anciennes

---

108. Rodolphe Kasser, Marvin Meyer et Gregor Wurst, *L'Évangile de Judas*, trad. par Daniel Bismuth, Paris, Flammarion, coll. « Sciences humaines », 2006.

109. Elaine Pagels, *Les Évangiles secrets*, trad. par Tangy Kenec'hdu, Paris, Gallimard, coll. « Le monde actuel », 1982.

sépultures pour le bénéfice du musée de l'Ermitage. Il a passé les deux dernières années dans la Vallée de la montagne d'argent, ou Mongün Taiga, une région isolée et peu connue située juste au nord de la frontière mongolienne. En 1995, son équipe, Golden Griffin, a excavé à Pazyryk une tombe scythe – de trente-cinq mètres de diamètre qu'elle avait découverte l'année précédente. Marié et père de deux enfants, Jeremy Pine s'est récemment retiré des affaires pour devenir le conservateur permanent du « Tapis de l'exil » et des trésors qui y sont reliés.

Nancy Qualls-Corbett est une analyste jungienne qui pratique à Birmingham, en Alabama. Diplômée de l'Institut C. G. Jung de Zurich, elle est analyste principale chargée de la formation professionnelle à l'Inter-Regional Society of Jungian Analysts. Nancy Qualls-Corbett est l'auteure de *The Sacred Prostitute: Eternal Aspect of the Feminine* et de *Woman's Awakening: Dreams and Individuation*. Elle satisfait son goût pour le voyage et la mythologie en tenant des séminaires dans des lieux sacrés en Égypte, en Grèce, en France et en Italie.

Anna Quindlen est l'auteur de quatre romans à succès (*Blessings, Black and Blue*[110], *One True Thing*[111] et *Object Lessons*) et de quatre ouvrages généraux (*A Short Guide to a Happy Life, Living Out Loud, Thinking Out Loud*, et *How Reading Changed My Life*). Elle a également écrit deux livres pour enfants (*The Tree That Came to Stay* et *Happily Ever After*). Sa chronique « Public and Private », dans le *New York Times*, lui a valu le prix Pulitzer en 1992. Sa chronique paraît maintenant dans le magazine *Newsweek*.

John Saul, détenteur d'un doctorat en géologie du Massachusetts Institute of Technology, s'est joint aux efforts de Henry Lincoln au milieu de 1974 afin de retrouver à Rennes-le-Château le « trésor secret » de l'abbé Saunière dans l'une des grottes de calcaire de la région. L'équipe a mis cinq bonnes années à réaliser que le « trésor » en question pourrait bien être

---

110. Anna Quindlen. *Noir comme l'amour*, trad. par Oristelle Bonis, Paris, Pocket, 2003.

111. Anna Quindlen. *Contre cœur*, trad. par Martine Leyris, Paris, Denoël, 1996.

un mot codé désignant un ou des enfants de Marie Madeleine. John Saul a collaboré par la suite à la recherche de *Holy Blood, Holy Grail*[112], mais il a affirmé son désaccord avec les auteurs qui croyaient que Pierre Plantard était une source valable d'information. En collaboration avec Janice A. Chisholm, une autre géologue, il a écrit *Rennes-le-Château : A Bibliography* (1985), un petit ouvrage de cinquante-deux pages dont l'introduction propose un plan montrant pour la première fois que les cinq points surélevés de la région de Rennes-le-Château forment un pentacle presque parfait.

Jane Schaberg est professeure d'études religieuses et d'études féministes à la University of Detroit Mercy. Elle est l'auteure de *The Resurrection of Mary Magdalene : Legends, Apocrypha, and the Christian Testament,* un ouvrage marquant dans le domaine des études féministes sur le testament culturel et chrétien. Elle a aussi écrit *The Illegitimacy of Jesus : A Feminist Theological Interpretation of the New Testament Infancy Narratives.* Jane Schaberg est également l'auteure de poèmes qui ont paru dans diverses publications, dont *Atlanta Review, Appearances, Pittsburgh Review* et *Interim.*

Margaret Starbird possède une maîtrise de la University of Maryland et elle a étudié à la Christian Albrechts University à Kiel, en Allemagne, et à la Vanderbilt Divinity School. Très recherchée comme animatrice d'ateliers et commentatrice dans les médias, elle a beaucoup écrit sur le concept du Féminin sacré et de l'union sacrée. Parmi ses livres – dont Dan Brown reconnaît qu'ils ont fortement influencé son exploration des mêmes thèmes dans le *Da Vinci Code* –, on compte *Magdalen's Lost Legacy : Symbolic Numbers and the Sacred Union in Christianity, The Goddess in the Gospels : Reclaiming the Sacred Feminine, The Feminine Face of Christianity, Magdalene : Bride in Exile* et – sans doute son ouvrage le plus connu – *The Woman With the Alabaster Jar : Mary Magdalen and the Holy Grail*[113].

---

112. Michael Baigent, Richard Leigh et Henry Lincoln. *L'Énigme sacrée*, trad. par Brigitte Chabrol, Paris, Pygmalion, 1983.

113. Margaret Starbird. *Marie Madeleine et le Saint-Graal*, trad. par Anne Confuron, Exclusif, 2006.

Merlin Stone, professeure d'art et d'histoire de l'art et sculpteure dont les œuvres ont fait l'objet de nombreuses expositions, s'est intéressée à l'archéologie et aux religions anciennes à cause de son art. Elle a réalisé des pièces sur la Déesse aussi bien à la radio que sur scène, en plus de concevoir et d'organiser des festivals de la Déesse à New York et à Toronto. Son ouvrage *When God Was a Woman*[114], qui lui a demandé plus de dix ans de recherches, est devenu un classique. D'abord paru au Royaume-Uni sous le titre *The Paradise Papers*, il a été republié aux États-Unis en 1976 sous son titre actuel.

REMERCIEMENTS

Ce livre a été pour nous une fascinante aventure et nous le devons aux nombreuses personnes qui nous ont guidés à toutes les étapes de cette route.

Comme chaque fois, c'est d'abord aux membres de nos familles que nous sommes le plus redevables, et en particulier à Helen, à Hannah, à Julie et à David. Ils savent tout ce qu'ils représentent pour nous, mais l'amour, la sagesse et le soutien qu'ils nous ont prodigués tout au long de notre odyssée signifient plus pour nous que nous ne saurions l'exprimer.

Nous sommes aussi profondément reconnaissants à Deirdre Good et à Diane Apostolos-Cappadona, deux femmes extraordinaires qui, grâce à leurs conseils généreux et dispensés avec tant d'enthousiasme, nous ont guidés à travers le dédale des nouveaux points de vue et des nouveaux écrits sur Marie Madeleine. Elles ont partagé avec nous, sans réserve aucune, leurs riches idées et leurs connaissances approfondies, que ce soit en histoire, en théologie, en langues anciennes, en Écritures, en art et sur tellement d'autres sujets.

Elaine Pagels a été pour nous une véritable force d'inspiration dans la préparation de plusieurs de nos projets récents et nous apprécions en particulier au plus haut point l'important texte d'introduction qu'elle nous a fourni.

---

114. Merlin Stone. *Quand Dieu était une femme*, Montréal, L'Étincelle, 1989.

Nous avons aussi la chance de bénéficier d'un partenariat étroit avec notre éditeur, CDS Books/The Perseus Books Group, qui nous a soutenus et encouragés à chaque étape de cette entreprise. Nous sommes particulièrement reconnaissants de leur aide dans ce projet – le quatrième de la série *Secrets* – à David Steinberger, à Roger Cooper, à Steve Black, à Robert Kimzey, à Chris Nakamura et à Peter Costanzo.

Nos remerciements vont aussi aux nombreuses personnes de talent qui ont travaillé dans l'ombre à la production de ce livre, en particulier David Wilk, qui a été notre berger depuis les tout premiers débuts de la série *Secrets*, et Danny Baror, un agent littéraire de classe mondiale. Nous avons également bénéficié du savoir-faire et de la collaboration inlassable de Christine Marra, de Jane Raese, de Gray Cutler, de Leigh Taylor, de Paul Berger, de David Shugarts, de Lottchen Shivers et de Johanna Pfund.

Le centre de gravité de ce livre a été sans contredit la « Table ronde sur Marie Madeleine ». À notre connaissance, personne n'avait jamais réussi à réunir un tel aréopage pour s'exprimer librement sur Marie Madeleine et son rôle dans l'histoire selon une perspective contemporaine. Pour leur participation enthousiaste et leur précieuse collaboration à cet événement unique, nous désirons exprimer notre profonde gratitude à Diane Apostolos-Cappadona, à Lesa Bellevie, à Deirdre Good, à Susan Haskins, à Elaine Pagels, à Jane Schaberg et à Katherine Kurs. Nous remercions aussi Stuart Rekant, Rob Fruchtman, Lori Nelson et Erika Dutton de Hidden Treasures Productions qui ont filmé cette table ronde. Ce faisant, ils ont créé une passionnante contrepartie à ce livre sous la forme d'un film documentaire, appelé aussi *Secrets of Mary Magdalene*, qui connaîtra une large diffusion à la télévision et sera aussi distribué en format DVD.

Nous avons encore une fois eu la main heureuse en nous assurant la collaboration de certains des plus grands spécialistes, penseurs et auteurs. La liste de ces collaborateurs est un véritable annuaire de l'expertise au sujet de Marie Madeleine. En plus des spécialistes dont nous avons souligné plus haut la contribution, nous remercions Joan Acocella, Tori Amos, Elizabeth Bard, Ann Graham Brock, James Carroll, Bruce Chilton, Richard Covington, Mary Rose D'Angelo, Bart

Ehrman, Maxine Hanks, Katherine L. Jansen, Philip Jenkins, Karen King, John Lash, Ki Longfellow, Kathleen McGowan, Marvin Meyer, Jeremy Pine, Nancy Qualls-Corbett, Anna Quindlen, John Saul, Margaret Starbird et Merlin Stone.

Et parlant de collaboration, nos remerciements les plus sincères vont aussi à Jennifer Doll, la directrice de rédaction de ce livre. Nous ouvrons d'ailleurs cette page aux propres paroles de reconnaissance de Jennifer : « Merci à ma famille – Marilou, Bruce et Brad Doll – de son soutien et de ses avis tout au long de ce travail. Je remercie aussi particulièrement Sarah Griffin et Mike Haney pour leurs conseils et leur soutien à la rédaction et je veux aussi exprimer ma gratitude à Betty Adam, à Kathleen McGowan, à Rosamonde Miller, à Joan Norton, à Katia Romanoff, à Chris Schenk, à Robbi Sluder, à Pamela Stockton, à Sara Taft, à Lila Sophia Tresemer et à Mark Williams pour le plaisir que j'ai eu à travailler avec eux. »

Les remerciements personnels d'Arne J. de Keijzer : Mes remerciements les plus chaleureux à mon frère Steve et à ma famille élargie : Dick et Shirley Reiss, Bob et Carolyn Reiss, Marni Virtue, Jelmer et Rose Dorreboom, Brian, Joan et Breeze Weiss, Lynn Northrup et Sandy West. Je veux aussi souligner ma gratitude particulière à « D » – un patriarche aimant, encourageant et généreux – et à Bob, un ami et un « frère » précieux depuis bientôt trente ans. Les deux apprécieront sûrement l'ironie de cette mention spéciale dans ce livre particulier.

Les remerciements personnels de Dan Burstein : Un gros merci à mes nombreux amis et partenaires commerciaux qui nous ont soutenus dans la création, la promotion et la distribution de la série *Secrets*, en particulier Marty Edelston, Judy Friedberg, Chuck Hirsch, Joan O'Connor, Gilbert Perlman et la famille élargie O'Connor/Aires, PalTalk, WetPaint, Alchemist Films, l'agence Endeavor, Hidden Treasures, Waterfront Media, BzzAgent, *US News & World Report* et nos nombreux éditeurs internationaux de partout dans le monde.

On nous demande souvent qui fait quoi dans ce partenariat rédactionnel. La réponse est : les deux et tout le monde à la fois. Pour ce livre, Dan Burstein a proposé l'idée originale en plus de conseiller, d'éditer, d'écrire et d'agir à titre de chef du marketing. Arne J. de Keijzer a élaboré un cadre de travail à partir du concept, recruté les collaborateurs et travaillé avec eux pour en tirer un livre, en plus de conseiller, d'éditer, d'écrire et d'agir à titre de président d'assemblée. Comme nous venons de le dire : les deux et tout le monde à la fois.

Dan Burstein et Arne J. de Keijzer
Août 2006

Visitez les sites :
www.SecretsOfMaryMagdalene.com
www.SecretsOfTheCode.com

Table des matières

Chapitre 1

Marie Madeleine. La fin de l'ostracisme

CHAPITRE 2
La femme et le sacré. Des traditions multiples

CHAPITRE 3
L'apôtre des apôtres

CHAPITRE 4
Marie Madeleine. Marginalisée, « putanisée » et honnie

CHAPITRE 5
Les Secrets de Marie Madeleine. Table ronde

CHAPITRE 6
La mosaïque Marie Madeleine. Entre pécheresse et sainte

Chapitre 7
Le culte de Marie Madeleine dans la légende et la tradition

Chapitre 8
L'histoire mise à jour.
Marie Madeleine dans la culture contemporaine